저자 소개

신동흔: 건국대 국어국문학과 교수
김경섭: 을지대 교양학부 교수
김명수: 건국대 박사과정
김민수: 건국대 박사과정
김종군: 건국대 HK교수
김효실: 건국대 박사과정 수료
박경열: 호서대 전임연구원
박현숙: 건국대 전임연구원
심우장: 국민대 국어국문학과 교수
유효철: 건국대 박사과정 수료
이승민: 건국대 박사과정
정진아: 건국대 HK교수
한상효: 건국대 강사
김귀옥: 한성대 교양교육연구원 교수
김명자: 건국대 박사과정 수료
김정은: 건국대 강사
김진환: 통일부 통일교육원 교수
남경우: 건국대 HK연구원
박샘이: 건국대 석사과정 졸업
박혜진: 서울대 박사과정 수료
오정미: 건국대 전임연구원
이부희: 건국대 석사과정 수료
이원영: 건국대 강사
조홍윤: 건국대 전임연구원
황승업: 건국대 박사과정 수료

한국전쟁 이야기 집성 1

초판 인쇄 2017년 6월 20일
초판 발행 2017년 6월 25일

지은이 신동흔 외 | **펴낸이** 박찬익 | **편집장** 권이준 | **책임편집** 정봉선
펴낸곳 ㈜ **박이정** | **주소** 서울시 동대문구 천호대로 16가길 4
전화 02) 922-1192~3 | **팩스** 02) 928-4683 | **홈페이지** www.pjbook.com
이메일 pijbook@naver.com | **등록** 2014년 8월 22일 제305-2014-000028호

ISBN 979-11-5848-299-2 (94810)
ISBN 979-11-5848-298-5 (세트)

* 책값은 뒤표지에 있습니다.

이 책은 2011년도 정부(교육과학기술부)의 재원으로 한국학중앙연구원의 지원을 받아 수행된 연구임.
과제번호: AKS-2011-EBZ-3101, 과제명: 한국전쟁 체험담 조사연구

한국전쟁 이야기 집성 1

– 이것이 전쟁이다 –

신동흔 김경섭 김귀옥 김명수 김명자
김민수 김정은 김종군 김진환 김효실
남경우 박경열 박샘이 박현숙 박혜진
심우장 오정미 유효철 이부희 이승민
이원영 정진아 조홍윤 한상효 황승업

신동흔 김경섭 김귀옥 김명수 김명자 김민수 김정은 김종군 김진환 김효실 남경우 박경열 박샘이 박현숙 박혜진 심우장 오정미 유효철 이부희 이승민 이원영 정진아 조홍윤 한상효 황승업

한국전쟁 이야기 집성 1

이것이 전쟁이다

(주)박이정

일러두기

1. 이 책은 2011년도 정부(교육과학기술부)의 재원으로 한국학중앙연구원의 지원을 받아 수행되었다. 과제명은 "한국전쟁 체험담 조사연구"이다. (과제번호 AKS-2011-EBZ-3101).
2. 본 자료집은 개별 구연자를 기본 단위로 하여 구성된다. 현지조사를 통해 수집한 약 300건의 자료 가운데 가치가 높다고 판단되는 162건(공동구연 포함)의 구연 자료를 선별하여 주제유형 별로 나누어 각 권에 수록하였다.
3. 본 자료집은 한국전쟁 체험을 기본 축으로 삼는 가운데 전쟁 전후의 생활체험에 관한 내용까지를 포괄하였다. 자료는 제보자가 구술한 내용을 최대한 충실히 반영하는 방식으로 정리하였다.
4. 본 자료집에 이야기를 수록한 구연자들에게는 사전에 정보 공개 동의를 받았다. 구연자가 요청한 경우나 기타 필요하다고 판단되는 경우에는 구연자 성명을 가명으로 표기하고 사진을 생략하였다.
5. 구연자 단위로 구술내용을 반영한 제목을 정하였으며, 기본 조사 정보와 구연자 정보, 이야기 개요, 주제어를 제시하고 나서 이야기 본문을 실었다. 구술내용을 쉽게 이해할 수 있도록 하기 위해 본문 사이사이에 중간 제목을 넣었다.
6. 이야기 본문은 녹음된 내용을 그대로 받아 적었으며, 현장상황을 생생히 전하기 위해 조사자와 청중의 반응 부분을 함께 담았다. 본 구연과 상관없는 대화나 언술은 조금씩 덜어낸 곳도 있다.

머리말

– 수백 명의 구술로 만난 한국 현대사의 생생한 진실 –

처음에 저이들이 누군가 하고 경계심을 나타내던 노인들은 한국전쟁 때의 사연을 들려 달라는 말에 대부분 몸가짐을 달리하고서 조사자들 앞으로 바짝 다가왔다. 당시의 상처를 되새기기조차 싫은지 조사자들을 외면하거나 구술을 사양하는 분들도 있었지만, 자신이 겪은 역사의 진실을 후세에 알려야 한다는 책무감을 나타내는 분들이 더 많았다. 일단 이야기가 시작되면 조사자들이 할 일은 거의 없었다. 그분들이 가슴 밑바닥으로부터 끌어올려 구연하는 놀라운 이야기들에, 60년이 넘도록 가슴속에 생생하게 간직해 온 그때 그 순간의 삶의 진실에 충실히 귀를 기울이는 것으로 충분했다. 조사가 더 늦어지지 않아서 이분들이 그토록 남기고 싶어하는 역사적 체험을 갈무리하게 된 것은 정말 다행스러운 일이었다.

그간 한국전쟁 체험에 대한 조사는 역사학 쪽에서 많이 이루어졌었다. 전쟁의 주요 국면에 얽힌 역사적 사실과 관련되는 정보를 얻는 데 주안점을 둔 조사였다. 이야기 형태의 체험담은 주로 전쟁 참전용사의 수기나 학살피해자들의 진술이라는 형태로 보고가 이루어졌다. 말 그대로 사람을 죽고 죽이는 '전쟁'에 초점을 맞춘 이야기들이었으며, 다소 특수하고 주관적인 방향으로 치우친 성향이 짙은 이야기들이었다. 체험이나 시각이 양 극단으로 나누어진다는 점도 두드러진 특징이었다.

이에 대하여 우리는 처음부터 보통사람들의 다양한 경험을 두루 포용한다는 입장에서 한국전쟁이라는 역사에 접근했으며, 제보자의 진술을 구술 그대로 충실히 반영한다고 하는 학술적 방법론에 의거하여 현지조사와 정리 작업을 수행했다. 그 조사는 구술사보다 구비문학적 방법에 입각한 것이었다. 한국전쟁을 축으로 한 역사적 경험이 구체적 사건과 정경을 생생하게 담아낸 '이야기'로 포착될 수 있도록 하는 데 최대한 신경을 썼다. 그 작업을 하는 데 큰 어려움은 없었다. 수많은 제보자들은 전쟁에 얽힌 기막힌 사연들을 지니고 있었고, 그것을 곡진하게 풀어냈다. 간혹 세상에 대한 논평을 연설 형태로 풀어내는 제보자도 있었으나 경험의 연장선상에서 충분히 그리 할 수 있는 바였다. 우리는 성실한 청자가 되어 그 이야기에 함께 했다. 제보자들의 구술을 가능한 한 끊지 않았으며, 때로는 탄성과 한숨으로 동조하기도 했다. 그렇게 그들의 구술은 오롯한 삶의 담화가 될 수 있었다.

한국전쟁 체험담 자료조사는 조별 작업으로 수행되었다. 서너 명씩 조를 이루어서 지역별로 제보자를 물색하고 조사를 진행하였다. 총괄적 조사인 만큼 지역별, 유형별로 균형과 다양성을 확보할 수 있도록 신경을 썼다. '보통사람'들을 기본 축으로 삼는 가운데, 한국전쟁에 대한 특별한 체험을 한 제보자들을 다양하게 찾아내고자 했다. 전체적으로 남성과 여성 제보자를 균등하게 포괄하였으며, 제보자 구성과 구연내용이 이념적으로 좌우 한쪽에 치우치지 않도록 했다. 한국전쟁이라는 현대사의 국면이 '있는 그대로' 다양하게 포착될 수 있도록 노력했다.

전체적으로 한국전쟁 체험담을 구연한 화자는 약 300명에 이른다. 자료공개 동의를 얻은 194건의 자료로 한국전쟁 구술자료 DB를 구성하여 결과를 보고했다. 그 중 자료적 가치가 높다고 생각되는 자료들을 선별한 뒤 자료의 재점검과 교정 작업을 거쳐 최종적으로 10권의 자료집에 162건(공동구연 포함)의 자료를 수록하게 되었다. 자료는 인상적인 사연을 중심으로 하여 주제유형 별로 분류함으로써 다양한 전쟁 경험이 일목요연하게 드러날 수 있도록 했다. 각 권별 구성을 간단히 소개하면 다음과 같다.

1권 – 이것이 전쟁이다: 전쟁이란 어떤 것인지, 그 참상과 고난과 단적으로 잘 보여주는 이야기들을 실었다. 특정 지역의 전쟁 경험을 여러 제보자가 다각도로 구연한 자료를 나란히 수록하여 전쟁체험이 입체적으로 드러날 수 있도록 했다.

2권 – 전장의 사선 속에서: 다양한 참전담 자료를 한데 모았다. 육군 외에 해병대와 해군, 공군, 경찰, 치안대 등 다양한 형태로 전쟁을 체험한 사연들이 실려 있다.

3권 – 피난 또 하나의 전쟁: 피난에 얽힌 다양한 사연을 모았다. 북한에서 월남한 사연과 남한 내에서의 피난에 얽힌 사연, 피난 수용소에서 생활한 사연 등을 수록했다.

4권 – 이념과 생존 사이에서: 이념 문제로 갈등과 고난, 그리고 피해가 발생한 사연들을 모았다. 보통사람들이 좌우 이념의 틈바구니에서 어렵게 세월을 헤쳐온 사연들도 수록되어 있다.

5권 – 총칼 아래 가륵한 목숨: 전쟁의 와중에서 죄없이 억울한 죽음과 피해를 겪은 사연들을 모았다. 역사적으로 이름난 주요 사건 외에 일반적인 피해담도 포괄하였다.

6권 – 전쟁 속을 살아낸다는 일: 전쟁의 와중에서 보통사람들이 겪은 다양한 고난 체험을 펼쳐낸 이야기들을 모았다. 특히 여성들의 전쟁고난담이 주종을 이룬다.

7권 – 내가 겪은 특별한 전쟁: 남다른 위치 또는 특별한 직업을 바탕으로 한국전쟁을 특수하게 치른 사연을 전하는 이야기들을 한데 모았다.

8권 – 전쟁 속에 꽃핀 인간애: 전쟁의 와중에 인정을 저버리지 않고 서로를 돕거나 살린 사연 등 미담의 요소를 포함한 사연들을 수록했다.

9권 – 전쟁체험, 이런 사연도: 전쟁중에 겪은 놀랍고 기막힌 사연들을 담은 자료들을 모았다. 설화적 요소가 있는 이야기들도 이 권에 수록했다.

10권 – 우리에게 전쟁이 남긴 것: 한국전쟁 체험을 전하는 한편으로, 전쟁에 대한 분석과 논평을 적극 진술한 사연을 모았으며, 전쟁 후의 사연을 주요하게 구연한 자료들을 수록했다.

160명이 넘는 역사의 산 증인들이 펼쳐낸 생생한 한국전쟁 이야기들은 그간 공식적 역사를 통해 알려진 것과 다른 차원의 의미 있는 자료가 되어줄 것이다.

이 자료집을 통해 사실로서의 역사와 이야기로서의 역사 사이의 균형이 이루어질 수 있는 중요한 기반이 갖추어진 것으로 생각한다. 앞으로 역사적 경험에 대한 문학적 연구의 새로운 장이 열릴 수 있기를 기대한다. 그를 통해 역사적 삶의 총체적이고 균형있는 재구가 가능하게 될 것으로 믿는다. 아울러 이 책에 실린 수많은 사연은 소설이나 드라마, 다큐멘터리, 공연과 웹툰, 게임 등 문화예술 창작에도 좋은 소재가 되어 줄 수 있을 것이다.

이 책은 한국학중앙연구원 기초토대연구 지원 사업에 힘입어 진행되었다. 적시에 지원이 이루어져서 중요한 조사사업을 차질 없이 수행하게 된 것을 다행으로 여기며 연구지원에 대해 감사의 뜻을 밝힌다. 그 의미 깊은 사업을 실질적으로 맡아서 감당한 핵심 주역은 현지조사와 자료정리의 실무를 맡아 수고한 전임연구원과 연구보조원들이었다. 팀장을 맡아서 일련의 길고 힘든 작업을 훌륭히 감당해준 김경섭, 박경열, 박현숙, 오정미 박사와 김명수, 김명자, 김민수, 김정은, 김효실, 남경우, 박샘이, 박혜진, 유효철, 이부희, 이승민, 이원영, 조홍윤, 한상효, 황승업 연구원의 노고에 감사와 사랑의 마음을 전한다. 공동연구원으로서 현지조사와 연구작업을 적극 뒷받침해준 김귀옥, 김종군, 심우장 교수께도 깊이 감사드린다. 까다롭고 복잡한 출판 작업을 기꺼이 맡아서 좋은 책을 만들어주신 박이정 출판의 박찬익 사장님과 김려생님, 권이준님, 정봉선님을 비롯한 편집자들께도 이 자리를 빌려 감사의 뜻을 전한다.

이 책은 다른 누구보다도 이야기를 들려주신 제보자들에 의해 이루어진 것이다. 조사자들을 반갑게 맞이해 주시고 가슴속에 묻어두었던 이야기를 풀어내 주신 역사의 주인공들께 머리 숙여 감사드린다. 그분들의 분투와 고난을 잊지 않고 대한민국의 미래를 훌륭히 열어나가는 것이 우리의 몫일 것이다.

2017년 6월

저자를 대표하여 신 동 흔

차례

모든 바깥 전쟁을 섭렵하다

임 정 환

"목이 말르잖아. 그 위에서 시체가 그 어디로 물 흘러도 막 먹는 거야. 그럼 도리가 없어요. 막 먹는 거야"

자 료 명: 20130425임정환외(파주)
조 사 일: 2013년 4월 25일
조사시간: 85분
구 연 자: 임정환(남 · 1932년생) 김귀례(여 · 1930년생)
조 사 자: 박현숙, 조홍윤, 황승업, 김현희
조사장소: 경기도 파주시 문발동 (제보자의 집)

[조사과정 및 구연상황]

조사자가 제보자와 사전약속을 통해 인터뷰 일정을 잡고 제보자의 집을 방문했다. 제보자와 아내가 조사팀원들을 반갑게 맞이해 주셨다. 임정환 제보자는 자신이 할 이야기를 간단하게 미리 작성을 해 놓은 상태였다. 군입대부터 제대까지 연대순으로 정리하여 구연해 주었다. 구연 도중 자신이 빠뜨린 것은 없는지 메모를 확인해 가면서 구연을 하였다. 임정환 제보자가 구연을 마치자 조사자가 청중으로 있던 김귀례 제보자에게도 전쟁체험담을 들려달라고 요청하였다. 김귀례 제보자가 이어서 짧게 들려주었다.

[구연자 정보]

임정환 제보자는 1932년에 경기도 파주에서 태어났다. 19살에 한국전쟁이 일어나서 인민의용군으로 끌려갔는데, 가까스로 탈출하여 귀향하였다가 국군으로 입대하였다. 전방으로 배치되어 백마고지 전투 참전, 부상으로 국군병원 입원, 퇴원 후 거제도 포로수용소 근무, 빨치산 토벌대, 미군탄약부대를 거쳐 파주로 다시 돌아온 뒤에 제대하였다.

임정환 제보자는 군입대부터 제대까지 시간 순으로 정리하여 생생하게 구연하였다.

김귀례 제보자는 1930년 정읍에서 태어났다. 17살에 같은 동네 사람과 결혼을 하였다. 21살에 한국전쟁을 겪었다. 남편이 경찰이라 만삭의 몸으로도, 갓 해산한 산모의 몸으로도 계속 도망을 다녀야 했다. 제보자는 남편과 헤어지고 서울에서 살다가 현재 남편 임정환 제보자의 둘째 아들 주선으로 만남을 가졌다가 현재 부부로 살고 있다.

[이야기 개요]

임정환 제보자가 19살 때 전쟁이 발발했다. 인민군치하에서 의용군으로 끌려가게 되었다. 훈련 중 배고픔이 가장 고통스러웠다. 어쩌다 쌀이 나오면 바지 안에 주머니를 만들어 조금씩 넣어 보관하기도 했다. 하루는 동료와 나무 위에 숨어 있다가 기회를 틈타 도주하였다. 당시 인천상륙작전으로 인민군은 후퇴 중이었기에 생각보다 쉽게 탈출할 수 있었다.

임정환 제보자는 다시 국군에 소속되어 창녕까지 내려가게 전방에서 전투를 하게 된다. 백마고지 전투에서 파편 맞아 부상당하기도 했다. 전방에서도 배고픔과 싸워야 했고, 포가 떨어지면 다리 떨어져 나간 전우가 그것도 모르고 도주하다가 갑자기 쓰러지는 모습이나 뇌를 다친 전우의 모습 등 너무나 많은 참혹한 모습을 전방에서 경험했다. 부상 후 야전육군병원에서 지내게 되었다. 다시 전방에서 전투하는 것이 두려워 빨리 낫지 않기 위해 주사 맞을 때가 되면 화장실로 도망가는 일이 태반이었다. 퇴원 후 대구 보충대로 옮겨졌다가 거제도 포로수용소(878경비부대) 근무하게 되었다. 제보자는 전방과 후방 모두 근무를 해보았는데 전방근무자와 후방근무자의 차이가 확연히 나타난다고 한다. 예를 들면 사탕이 있으면 동료와 나눠먹는 자는 전방근무자이고, 이불 쓰고 혼자 먹는 자는 후방근무자라고 한다. 포로들이 자신들이 필요한 것을 얻기 위해서 바지를 내어주기도 하고, 포로수용소 내에서 포로들끼리 재판하여 죽이기도 한다. 거제도 포로교환 당시를 회상해 보면 여성 포로들이 사상면에서는 더욱 강해서 전향하는 경우가 드물었다고 한다. 그 다음 부산 당감동 통신 탄약고에서 근무하기도 했다.

마지막에는 지리산 빨치산 잔당 소탕 작전에 까지 합류하게 된다. 빨치산들의 아지트를 발견하고 보니까 땅굴에 소 한 마리가 있었다. 그 소의 네 다리를 동료 4명이 다리 하나씩 부여잡고 대검으로 잘라 부대로 가져가 잔치를 열기도 했다. 빨치산들이 도주할 때 신발을 거꾸로 신고 다녀서 토벌대 추적에 혼선을 주기도 했다고 한다. 제보자는 빨치산 잔당 소탕 작전 때 결혼을 했다.

[주제어] 참전용사, 인민의용군, 탈출, 국군, 제이국민역, 전방, 전투, 전우, 도치카, 거제도, 포로수용소, 포로, 토벌대, 시체물, 하수구 밥알, 미군탄약부대, 결혼, 부산, 의남매, 화기소대, 소양강 폭격, 쑥개비떡

[1] 인민 의용군으로 끌려가다

[조사자: 어르신이 몇 살 때 전쟁이 난 거예요?] 열아홉. [조사자: 어르신 열아홉 살 때?] 응. [조사자: 성함이 임자 정자 환자시고. 몇 년 생이세요?] 어, 삼십이 년 생.

[조사자: 전쟁이 났을 때, 어르신 전쟁 난 거 어떻게 아셨어요?] 어떻게 아나마나 아침에 새벽에 포 소리가 저기서 디리 나고 막 거그 그냥 그러잖아. [조사자: 예.] 아 그래가지구 뭐 불이 그냥 왔다갔다허구 허길래 그냥 여그 바루 여가 등새, 우리가 먼저는 저 아래 살았어요. 여기가 여 부락에서 제일 높은 봉우리거든. 여기가. 여 봉우리 올라가보니까 그냥 저 이북에서 불이 막 날러오구, 날러오구 막 그래놨드라고. 그래 전쟁 벌어졌다 이거야. 전쟁이 벌어졌다고 그냥.

[조사자: 그날이 며칠이었어요?] 육이오지 뭘. 유 월 이십오 일 날. 유 월 이십오 일 날 아침이지. 새벽이지. [조사자: 그래서 그날이후 어르신이 보시고 경

험하신 것들.] 그래가지구는 그때 못나가, 저 들어와가지구는 피난을 못나갔지. 여기서 그냥 그러니깐, 내가 요걸 그래서 대강 줄거릴 적어놨는데. 저거 헐까봐.

그래서 이십오 일 날 제물포로해서 이제 십이 월 달까지 고 공간은 인민공화국이 서. [조사자: 십이월까지?] 고, 그르니까 유월 달서부텀 유월 이십오일이니깐 칠, 팔, 구, 십, 십일, 십이 월 아마 그때 중순 넘어서 제국민병으로다가 인제 나가게 되는데 제국민병. 고 안에 인제 아 인민군이 들와. 들와가지구 그 인제 이북에 그 뭐냐므는 여기 경찰서 지소 겉은 거를 내무소원이라고 그래. 내무소원. 내무소원에서 여 부락에 그 빨갱이들이구 뭐그 내무소원 들어간 사람도 있구 내 친구들도 의용군. 내무소원에 가구 그랬어.

그 나만 인제 안 나가구 있는데. 그게 뭐냐므는 인민위원회. 부락에 지끔으로 말하믄 동에, 동이지 동. 부락 이장, 이장 심이지. 인민위원, 위원장이 우리 바로 밑에 그 집을 갖다가 인민위원회에 사무실로 쓰는데. 아,

"의용군을 안 나가면은 가족을 다 몰살시킨다!"

이거야. [조사자: 응.] 그때 우리는 뭐냐므는 아부지 어무니, 누이들이 인제 누나는, 큰누나는 시집가구 내 인제 밑으루 누이동생이 셋 있구 나, 내 남동생 하나 있구, 나, 그렇게 있는데 다 죽인대니깐 어뜩해?

"금 가겠다."구.

그래 얼루 가냐믄 그때 인제 문산에 가. 경찰서가 문산에 있었어요. 문산에 경찰서가 있었어요, 파주경찰서가. 그래 글루다가 인제 다 몇 시까지 모여라 이거야. 그때 내가 뭐냐믄 걸음을 잘 못 걸었어. 근데 그걸 억지루 이를 악물구 문산까지 간 거야. 가니까 인제 밤에 구파발, 지끔 인제 구파발. 거기 은평동 구파발이지, 구파발 거기. 에 뭐야 거 저 무슨 국민학교여 국민학교. 밤새두룩 인제 거글 걸어서 거글 훈련받으러 간대는 거야. 그래가지구 거글 밤새두룩 가서 거글 도착을 했어. 도착을 해서 인저 거그서 밤이면 그놈들이 인제 훈련을 시키는 거야. 훈련을 시켜 밤이면.

그래가지구서 인제 그 네 명씩 조깃밥, 그전엔 그 구파발 그 읍에 조깃밥이 있어가지구 넷이서 그 전에부텀 그 국민학교에 난로 놓는 이 저 뭐야 이 판이 있어요. 쇠로다 맨든 게. 이제 그걸 넷이서 가주 나와서 그걸 조깃밥을 타오는 거야. 넷이. 그것두 사상이 확고한 사람이래야 내보네. 그서 그거 당번이 돼가지구 그걸 타러 인제 구파발, 인제 시내루 나왔다. 에 나왔는데,

"도망치자."

이거야. 그래서 내림서

"야 우리가 그래두 확고헌 걸 한번 뵈어주야 다음부턴 신임을 해서 자꾸 내보낼 거 아니냐, 기회를 보자."

그래갖구 그때 넷이서 가지구 들어갔어. 들어갔는데 나와 딴 뭐, 이제 명칭으룬 중대가 다 있단 말이야 거기두. 그래 인제 딴 중대에선 도망간 사람두 많구 이래. 그래 밥을 못 가져오는 거지. 그래 우린 갖다 주니까 신임을 얻은 거야. 아주 어. 그래 몇 번씩이나 내보내는 거야.

내보내는데, 그때 이제 우리 구파발, 우리 어무니 사촌이지. 살았어요, 고 구파발에, 고기 읍에. 그래 거기 딱, 그래서 밥을 타러 왔다구 잠깐 들어가니깐

"아주머니 나 여기 좀 숨겨달라."

니까,

"어이구, 들키므는 우리두 죽는다."구.

"큰일 난다!"구.

"안 된다!"구.

그렇잖아.

그러니까 이제 도루 할 수없이, 도루 들어왔어 여기. 밥 타가지구 들어갔어요. 들어가서 메칠 허니까는 뭐야, 그양 밤에 이북으루다 인제 죄 끌구 가는 거야. 이북으루다가. 그니까 인제 거그서 떠나서 이북으루 끌려가는 거예요. 그래 장흥까지 갔어. 장흥까지.

[2] 인민 의용군에서 탈출하다

장흥까지 가가지구서 그때 뭐냐므는 동네, 우리 동네에 형들되구 이런 사람들이 보초두 스구 그랬단 말이야. 그래 인제 그 보초 스는 데 가가지구,

"형님, 아 우리는 아무래두 집으루 가야 되겄다."구.

그랬드니,

"야 도루 저리 남쪽으루 갈거야. 어. 지금 인민군이 말야 막 진격해서 저리 갈 거야."

가만히 봐두 수상해서 안 되겠어. 그래서 뭐 그냥 일중대 이중대 막 집합허라구 그러는데 우리 저 뭐 서필이, 박석조라구 두 놈이서 변소간으로 튀어 들어갔어요. 변소간에 가서 인제 있는 거야. 아주 조마조마해 죽겄지 뭐, 막 불르구 그냥 야단난 거야. 이거 문 열어 보믄 어특허나 하구 조마조마해있는데 다행히 뭐야 문 안 열렸어. 안 열렸는데 조용허니깐 암만해두 불안해서 바루 뒤가 그 장흥국민학교 뒤가 밤나무 밭 소나무 밭인데, 그냥 글루다 살살 기어 올라간 거여.

올라갔는데 참 달은 말야 솟아올라왔는데 달은 그냥 휘황찬란헌데 기가 맥혀, 그냥 뭐. 그른데 그냥 가만히 고기 소나무 밑구녕에서 가만히 앉어서 딱 보니까 남쪽으로 올라가기는커녕 이북으로 다 쬐 끌구 가는 거야. 그래 가니까는 다 가구 조용한 김에 산으루 그냥 뭐, 어뜨케 알어 산으루 그냥 막 그냥 튀어가지구. 튀다가 인제 그 뭐야 구파발서 장흥으로 오는 그 길루다, 우리 왔던 길루다 도루 인제 오는 거야.

딱 그냥 도루 오는데 어 그냥, 그니까 거리가 한 오십메다 이렇게 길 안으루다 집 하나가 있는데

"동무!"

그런단 말이야. 그래 이렇게 딱 보니깐 밤에두 그냥 그 달빛에 말야 뻔쩍뻔쩍하는 거야. 아 그니까 아마 대대장이나 뭐 연대장쯤 되나봐. 딱 오라구.

그래 딱 갔어. 딱 가니깐,

"동무들 어디 갔다, 가나?"

이거야. 그래서

"아 우리 저, 우리가 집이 장, 뭐야 뭐야 장흥인데 에 할무니가 여 구파발으, 오셨다가 거, 병환이 나시구 그래서 거 기별 좀 갔다오는 거라."구.

뭐 그 곧이 듣겠어? 그냥 여가 시뻘겋구 그런데. 좌우간 그런데 어뜷게 됐든 간에 우리가 살 그게 돼서 그런지 인제 그렇게 얘길 했어요.

"그러나? 그러믄 동무 이룷게 가게 되믄 주력부대가 올 테니까 어 빨리 내려 오라."구.

"좀 연락 좀 해 달라."는 거야.

그래가지구 가라 그러는데. 고, 고 몟십메다를 큰 길까지 나오는데 야 이거 쏘지나 않나 예미 해꼬지나 안하나 조마조마해서 그냥 나와서 픽 돌 때까지 아무 이상이 없어. 앗따 모르겠다 허구 냅다 뛰어오는데 셋이서 그냥 올라오니까 아닝게 아니야 그 뭐야 떡, 죄다 앉아있는데 한사람이 숨어서

"누구냐?"구.

그냥 소릴 지르는 거야.

그르니까 그냥 급허니까

"저 아래서, 저 아래서 장교님이 부대 빨리 으, 글루 인솔허랜다."구.

"오랜다."구 말야.

그룷게 연락을 해주니까 그냥 뒤에 앉어 있는데

"죄 비키라!"구 말야.

"비켜주라!"구.

어 우리가 인제 먼저 그 이 신작로 옆으루다, 이룷게 옆 비탈루다 걸어오니깐 다 비키래. 그래 딱 비키는데 전부 부상자야 다.

"아이구 죽겠다, 아이구 죽겠다"

허는 놈들이야 죄 그냥. 그래가지구설래 거 와가지구 인제 구파발 거 뭐야

거 밑에까지 왔어요.

와가지구선 어디 갈 데가 있어. 그래 인제 짚으루다 더듬어. 그때는 인제 뭐냐믄 지금은 이거지만 이 저, 뭐야 짚으루다가 짜는 가마통 그런 게 있어. 가마, 가마라구. 베 담구 그러는 거. 그래 그걸 보니까 그게 있어서 그걸 갖다 벽살, 길섶에 벽살을 내가 내구 이렇게 인자 딱 있는 거야. 있으니까, 덮구 있으니까 그냥 피난민 이북으루다 넘어가는 거야. 보따리 걸머지구. 그 인제 전부 빨갱이들이지. 그서

"아니 어뚷게 됐냐?"

그랬드니,

"지금 그냥 저 이 양코배기가 그냥 어, 막 들와가지구 말야, 그냥 우리 도망가는 거라."구.

그러는 거야. 그 인제 미군이다 그거지. 그래가지구 인제 그걸, 거그서 낮이 밝길 바라구서 집일 들어오는데. 집일 타닥타닥 오는데 이 부락에서, 부락에서 인제 그 저, 그 좌익사상 가진 사상 부모네들이 전부 뭘 꾸려가지구 인제 구파발 그 면엘 가는 거야. 그래 만났어. 만났어. 만났는데 거그서 한 부인이 아, 뭐야 재다리 할머니라구, 지금 생전에 안 계시지만 그 양반이, 다들 가는데 그 양반만 남어가지구

"야— 지끔 들어오믄 클난다. 들어오지 말구 밤에 들어와라."

그래가지구 좁쌀 한시댕일 줘. 그래서 그 한시댕일 가지구 거그 우리 동네서 살다가 거 걸루 이사 간 사람이 있어요. 그래 그 사람네 집일 찾아 딱 가니깐 아 펄펄 뛰는 거야. 어, 자기네 못 맡어준다구. 그서 아—

"저, 나 밤에 집이 갈 테니까 고때까지만 숨겨달라."구.

그래

"들오라."구.

그래 들오니 뒤꼍에 가니까는 뚜껑을 열드니 그 뒤꼍에다가 이 저 뭐야 거시길 맨든 거야. 아주 빵카를 파구. 그래 내 들어가니까 내 친구 놈이 날 불

르는 거야. 그 안에가 숨어있는 거야.

"야 이거 어뚷게 됐냐?"

그르니깐

"어유, 어뚷게 돼나마나 지끔 그 인천상륙허구 막 지끔 아주 굉장하다."

그래. 그래서 인제 거그서 밥을 해줘서 좁쌀 밥 한 그릇 잔뜩 먹구 집일 들어와야 될 텐데 들어올 수가 있어? 그르니깐 거그서

"아이 형님 나 지게 하나 빌려 주슈."

그래가지구 지게를 하나 빌려가지구 그 논에, 가을이에요.

[3] 집에 숨어 있다가 발각되어 고문당하다

그때 가을에. 베도 아직 수확 안하구 그때 가을인데. 가을에 가서 그 피가 엄청 많잖어? 논에. 피라구 있어이. 그걸 낫으루 좀 짤러서 뒤 단, 둬서너 단 맨든 거야. 그걸 인제 메꼬자를 푹 뒤집어 쓰구 그 지게에다 그걸 걸머지구 인제 여글, 지금 여 둑 오는 데가 그 봇둑을 건너오는데 그냥 뭐 거기 뭐 전부 아는 놈들이지 뭐, 지방빨갱이들이니까. 그냥 막 그냥 야단난 거야. 그래 푹 쓰구선 그냥, 난 고루, 우리 집이 바루 고긴데, 바루 되는데 저 위 사는 거 모양이루 위루다 데리구 올라가는 거죠. [조사자: 응] 올라가가지, 응 인제 올라가가지구 지끔 이, 이 길이지. 이 길루 이롷게 올라오믄서 이게, 이게 산이야 다, 이게 산이예요. 일루 산이루 해서 저 뒤루다 해서 울타리루다 해서 퇴 넘어간 거야. 퇴 넘어가서 딱 보니까 우리 어머니허구 아버지가 깜짝 놀라잖아. 그래가지구선

"어디라 숨을 데 있어요?"

그르니깐 장을, 장이 있단 말이야. 장을 쪼금 내놓구 그 뒤다 내가 모서리루다 드러 눠서 숨어있는 거야. 있으믄서 인제 감이, 그때는 감이 무척 많이 열렸어요. 감을 갖다주구

"이거나 깎아라."

것두 멫 개 깎으니까 시들허구 뭐가 돼? 힘이 들구. 거 가서 그냥 있는 거야.

아 있는데 이걸 어뚷게 얘길 해가지구, 우리 큰어머니한테 얘길 해가지구 우리 큰어머니가 와서 꺅꺅 불르는 거야. 막 그냥. 어. 차 이게 그니깐 다 탄로가 났지 뭐야. 다 알게. 바로 고 밑이 그 뭐야 저 위원장 집인데. 인민 위원회 위원회 집인데 어뜩해. 꺅꺅 불르구 야단난 거야. 그니까 나왔지. 나와서

"야, 다 아니까 나와라!"

이거야. 그래두 어디 못 믿어서 어뜩해. 거 숨어있는데 여기 병호아부지라고, 노형근이라고 그 양반이 와서

"정환이 정환이 나와, 괜찮아 나와, 나와."

그러는 거야. 그래 나왔지.

나와가지구 거길 끌구 가는데 아 겁이 되게 나지 뭐야. 바로 밑에 집이, 인민위원회 집이. 딱 가니까는

"너 의용군 나가라구 내보내, 나갔는데 너 어떻게 돌아왔냐?"

이거야. 어 그래가지구 막 그냥 고문을 허는데 방에다 앉혀 놓구. 고문을 허는데 야 이거 환장하는 거지 뭐야. 그니까

"별, 내가 부실해가지구, 그때 가루투시가 부실해가지구 말야, 걸음도 못 걷고 저거 허고 그르니까 저 부대에서 가라구 해서, 가라구 그래서 왔다."

이렇게 얘길 했지 뭐 어뜩해. 그니까 그것들이 믿어지지, 믿진 않지. 믿구 말구 간에 그룹게 얘기허구 그르니까 뭐 거그서 뭐 한마디만 허믄 가는 거니까 그냥.

그른데 그 노성근이란 그 양반이

"아니, 근데 이거 뭐 허냐?"구 말야.

그때 그 뒤에 인민군이 그 소나무가 벌목을 다 했어요. 우리 그 집 뒤루다

가. 그걸 다 해서 그걸 죄다 날르는 거야.

"아 지금 소나무 날르구 야단났는데 말야. 방에서들 뭘 하나?"구.

"으 어서 나가서 그거 허라!"구.

그 양반두 인민회에 인제 어 간부급이야. 그 딱 허구 그러니깐

"어서 나오라."구.

그래갖구 나왔어. 어찌됐든 그 양반 바람에 좌우간 산 거지 내가.

나와가지구 그 나물 그거 들어 날르구 그러는데. 포탄을 또 오라구, 죄다 인민군 하나가 오드니 데리구 전부 저만큼, 요만큼 올라가믄 거기 방공구댕이가 있는데 탄약을 거그다 죄 쌓아 놨어. 그래가지구 그 탄약을 걸머지구 저 도천인가 그리 가야된대요. 글루다가 실탄을, 부탄을 인제 그런 걸 운반해다 줘야 된대. 그 인제 그거를 걸머지구 노소, 나이 많은 사람 뭐구 인제 우리가 걸머지구 인민군 하나가 인솔해가지구 인제 가는 거야.

쭈루룩 그냥 거까지 걸머 지구 가는데. 아유 지끔 맘겉앴으믄 그냥 거, 지끔 맘겉애므는 그거 정말 그 때려 패 그냥 죽여도 되겠는데 그때는 뭐 어디 그런 생각이 들어가 그냥. 그럼. 그 딱 가는데, 거의 다 갔는데 그 인민군이 인제 여그 다 목적지를 못 갔어요. 그니까 아마 상황이 불리헌가봐. 그래,

"다들 돌아가시라."구.

"돌아가라."구.

그러드라구.

그래 집이, 오밤중에 집일 들어오니까 여기 집에 있든 사람은 소구 뭐구 거그다 짐을 실어가지구 전부 임진강으루다 갔대는 거야. 싹 그냥. 빨갱이구 뭐구 다 빠져 나갔대는 거야. 그니까 이제 상황이 급하니까 아 이제 간 거지요. 그럼 다 그냥 그리 간 거지. 그래가지구 이제 그렇게 해서 어 고, 고 가을을 그렇게 지냈었어.

다 검사해. 검사를 해요.

그래가지구서는 인제 그거를 오밤중에, 어디다 해먹을 데가 있어요? 인제 그거 저 국민학교허므는 인제 사택이 있잖어. 그 뒤 겉은 데 이른데. 그 사택. 그 인제 그 사람이 불을 때구, 때므는 그 아궁지에 불이 뻘겋게 나는 게 있구 그렇거든. 그러믄 한 곳에다가 그 저 뭐야 쌀 즘 씻어 늫구 그냥 집어 너 놓는 거야. 그게 안에다가 그냥. 그냥 너 노므는 이게 뭐 아주 어느 때는 그냥 질질 타버리구 그렇지. 시간이 저거 헐 땐 어뜷게 되구 시간이 저거헐 때는. 그 인제 그걸 끄내가지구 먹는 거는 어뜷게 되냐므는 딴게 있어요? 거 인제 된장. 그냥 뭐 그냥 된장이지. 된장 즘 얻어가지구설라므네 그걸 먹었다. 아유 어느 때는 한번 그걸 먹어가지구 그냥 체해가지구 말이야, 그냥 죽을 뻔 했구. 그래 죽는 사람이 뭐 매일같이 나가는 거야. 죽어 나가는 사람이.

그래가지구 그거를 갖다가 한 거그서 한 삼 개월간 그러구. 아, 그래가지구 사역병 인제 낭구를, 낭구도 없어. 그때는 나무를 해다가 때야 돼. 그니까 나무를 허러 나가는 거야. 나무를 허러, 낭구허러 나가므는 딱 나가게되므는, 일개 중대씩 나가게되믄 전부 그냥 뭐야, 그 저기 구장이 반장한테 시켜가지고 전부 베다가 시켜서 내보내. 그러면은 이제 먹고 나오잖아. 어느 사람은 재수 좋은, 저 만나므는 밥을 실컷 먹구. 아유 나는 야 밥두 제대로 실컷 못 먹었다. 어려운 집이 들어가서 그냥. 어려운 집이 아니라 이제 사람이 주시하는 집은 그렇겠지. 그래 그때는 먹는 거 밖에 모르니까

"잘 먹었다."

"못 먹었다."

만나믄 그 얘기예요. 그래가지고 인제 낭구, 나무 좀 인제 산에서 낭구 좀 잘라 해가지구 이만큼씩 덩어리 해가지구 터덕터덕 걸머지구 오면서, 그냥 오는 거지. 그래가지구 그 부대에 들어오는 거지.

그래 이제 들어와가지구 있다가 인제 그 삼 월 달까지 훈련을 받구 창녕, 그래가지구 삼 월까지 그런 훈련을 받구 오십일 년도가 되잖아요 그러니까?

봄, 삼월달이 되니까. 그래가지구 인제 창녕을 출발해서 전방으로 가는 거야. 그래 창녕을 떠날 때는 보리가 폈어. 보리. 보리가 이룽게 폈는데 전방에 가니까 새파란 게 요만, 보리가 요만해. 보리가 요만해. 그래서 인제 3사단, 3사단 18연대루다가 인제 예비역으루다 됭게, 예비역으루. 현역두 안되고 예비역으루다가. 인제 거글 도착을 했는데, 예비역으로 해가지구 뭐야 실탄 보급, 그니까 보급허는 거만 날르는 거지, 전방까지. 최전방. 전방까지 날르는 거야. 그냥 아침에 일찍 밥 먹구 걸머지구 실탄허구 보급허구 걸머지구 전방까지 갔다오믄 해 다가는 거야. 하루야. 그르믄 전쟁이 벌어져서, 벌어질 때는 그냥 포탄이 막 왔다갔다 할 때는 가다가 그냥 저 뭐야, 그 죽는 사람두 무척 많거든. [김귀례: 커피 한잔 드릴까?] [조사자: 괜찮아요.]

이 주먹밥인데 그 저, 이 널빤지로 맨든. 그 저 사과궤짝. 그 널빤지로 맨든 사과궤짝 겉은 데다가 거그다 그 주먹밥을 걸머지고 그르고 올라, 올라 댕기는 거야. 올라 댕기구. 올라 댕기는데 이게 인제. 뭐 죽는 사람두 많았어요 그래가지구. 실탄이고 뭐고 그걸 걸머지고. 그래 하루씩 그렇게, 그런 세월 보내다가 예비역이지.

그래 우리가 어려운 게 뭐냐므는 그서 한 오륙 개월 동안을 그런 예비역으루다 허송세월해서 보낸 거야. 그른데 청천벽력으루다가 그 인제 그 18연대, 18연대에서 그룽게 허다가 뭐 증말 여러 죽을 고비두 여러 번 당했지요. 육 개월 간 인제 그른 예비역 복무를 했어. 그래가지구 이 오십일 년 시월 일일 부루다가 현역으루 인제 편입을 시킨 거야. 그래가지구 인제 여기 우리 예비군으루 있을 때두 계급이 다 있었어요. 우리 예비에서두. 그래서 그러믄 우리 그 계급을 주구.

"우리가 거 뭐야 탄약이구 뭐구 그런 예비역, 그런 노동자를 했지만은 그것두 그럼 우리 군복무에 포함을 시켜줘야지 않냐?"

그 안 된다는 거야. 그 우리가 허송세월허구 그래가지구 우리가 시월 일일부루다 현역으루 편입이 됐어요. 편입이 돼가지구 2사단 17연대, 17연대

9중대루다가 내가 편입을 받아가지구 갔는데. 증말 우리 공, 075314부대, 0753 사람들이 고생 많이 했어요 그쩌게. 증말 그런 고생을 허는데 그 우리가 가치 없이 그냥 아무것도 아니야 군 복무에 포함두 안 되구 그런 세월을 보냈어요.

[5] 백마고지 전투 때 부상을 당하다

그 인제 17연대 9중대 있을, 인제 있어가지구 뭐 동해, 동부 전선에서두 뭐야 저, 전쟁을 허다가 또 중부전선에서도 전, 저 전, 근무허다가 이다가서 백마고치에서 낮이면은 대한민국, 밤이면 저 인민군 이룷게 서루 그냥 고지를. 그 안에 전투도 많지만 고 휴전 임새에 전투가 아주 격렬했단 말이야. 그양 그래 낮이면은 공격해가면은 저녁때쯤이면은 고지를 탈환하게 되믄 또 그눔들이 그냥 그냥 저녁때믄 그냥 포가 비오듯 쏟아지지 뭘 그냥. 막 날러오면서 그냥 꽹가리 치면서 그냥 막 기어 올라오는 거야. 쭝국, 떼놈 쭝국놈들 새끼들이. 그러면은 그냥 후퇴명령 내리믄 내 도망, 그냥 막 그냥 후퇴헌거지 내려오는 거지.

일선으로 내려오는데. 그룷게 몇 번을 허다가 내가 파편에 부상을 당했어요. 그냥 올라가가지구 부상을 당했는데 여기를 맞아가지구. 거기 위생병이 전방까지, 전방까지 위생병이 와. 그래가지구 응급치료를 해준단 말이야. 그래 내가 그때 여기, 여길 은어 맞아가지구 파편이. 그래가지구 여기를, 응급치료를 받았는데 인제 도치카 안에 가서 지지는 거지.

그 인제 포가 인제 주춤허게 들 떨어질 때 또 인제 나왔는데 일등병이랜 사람이 나보담 더 인제 아래야. 일등병이 그놈이 하 지가 모신다고 말이야. 그 약은 사람이예요. (좌중 웃음) 그냥 날 그냥 말야, 날 그냥 보호해가지구 말이야 그냥 내려온 거야. 그 전방 CP까지. 그냥 뛰내려 온 거야. 뒤에서. 내려오자, 우린 뒤루 내려오는데 그때까지 후퇴명령을 안 내렸는데 내가 인제 부상자니까.

그 인제 전방 CP까지 팔번 능선까지 고 가게되면은 지프차밖에 못 올라와요. 그냥 지프차만 올라와서 급한 환자 먼저 죄 실어 내가는, 날라 가는 거야. 내려가는데 나는 팔때기 여가 다쳤으니까 다린 멀쩡하잖아. 서 있잖아. 근데

"아이고 나도 죽겠다."고.

그냥 그냥 넘어서 그냥 해가지구 그냥 지프차에 올라탄 거지 그냥.

"나두 못 견디겠다."구 그냥.

그래 탄 걸 어뜩해? 끄집어 내려 어뜩해? 그냥 그래가지구 이제 전방 CP에 딱 오니깐 그양 막 치료허구 그냥 뭐 야단난 거야. 그래 인제 이 뒤에, 여기 뒤에 장댕이 얻어맞은 건 몰르구 글 몰르구, 그걸 몰랐어요. 모르구서 밤에 이룽게 드뤄 누워 있는데 아유 그냥 시큰서큰허구 그냥 장댕이가 아프단 말이야. 그래서 인제 위생병을 불러가지구 말야 보라 그랬드니 그냥 뒤에 그냥 옷이 그냥 시뻘겋게 아주 다 그냥 물이, 빨건 피로 물이 다 든 거야. 아유 여그두 부상당했다구. 그 인제 여그 여그 치료허는 거지.

[6] 부모님이 가까스로 소식을 듣고 야전육군병원으로 면회 오다

치료를 해가지구 인제 거그서 인제 거 뭐야 춘천, 춘천까지 이제 뭐야, 저 싣구 내려와요. 지프차가. 춘천역까지. 그래가지구 거그서 인제 거 환자들을 죄 싣구 서울역까지 인제 와서. 서울역 그때 이제 수성국민학교라구 그게 인제 제일육군병원이야 인제. 야전육군병원. 야전육군병원이에요. 거기에서 야전육군병원에 거기 있는데. 딴 사람들은 전부 인제 그 고향으루다 편지를 허면서 연락을 허는데 나는 연락해봐야 소용두 없다. 다 돌아가구 없을 거다 이르구서 이제 안 했어. 안 했는데 요기 탄현, 여기 교하지구 요 탄현이 요 근너가 탄현이에요. 탄현양반이 그 사람 어머니가 면횔 왔어. 어 저 형하구.

면횔 와서 내가 그런 얘길 했드니 거그서 노인네가 탄현서, 그땐 뭐 버스가 있어 뭐 있어? 탄현서 우리 집까지 찾아 왔대는 거야. 그 나보고 주소를 아리켜 달래. 그래서 아리켜 줬더니 찾아왔대. 찾아와가지구 얘길 해주셔가지구 우리 어무니 아부지가 면회를 오셨어. 세상에.

그냥 서울에서. 그때 인제 뭐냐는 그때는 솔직허니 뭐가 있어? 사실 돈이 있어 뭐 있어. 그때는 다 어려워빠질 때지. 근데 있는 건 감이야. 감이 많으니깐 감을 가져 오셨드라구. 감을 가지구. 그래가지구 그거 시간이 딱 돼. 면회시간이 있어요. 그래 내가 인제 그래두 사램이라는 게 기달려지는 거야. 아 혹시나 오지 않을까 허구 이층, 이층 삼층에서 이제 배깥만 내다보는 거야. 그르다가 인제 화장실이 아래 있으니까, 화장실이 바루 그 담 옆에 있는데 화장실 딱 가서 이 내다보구 있으니깐 아 우리 아부지 어무니가 그 배깥에서, 담 위에서 그냥 기웃기웃허잖아 그래. 아 그냥 어뜷게 봤냐 악을 쓴 거야. 그 인제 시간이 딱 돼 면회를 오니까. 그 시간이 되서 들와서 면회를 딱 하구 이 얘기 저 얘기, 여러 사람이 노나 먹구 뭐 허구 그래는데.

"야, 요담에는 내가 올 때 그양 돈이라두 몇 푼허구 맛있는 거 해가지구 온다."구.

이런다구 허는 거야.

그 인제 고 오기 전에, 오시기 전에 내가 인제 여수 15육군병원인가, 육군병원으루다 후송을 가게 됐어요. 여기서 야전육군병원에서 육군병원으루. 그때는 기차가 한번 갈래면은 그놈의 기차는 뭐, 정말 뭐야 한 이틀씩 걸리는 건 보통이지 뭘 여수까지 가는데. 그래 기찻간에서 어뜷게 아파죽겠는데,

"야, 오늘은 우리 어무니 아부지가 왔을 거다."

그 인제 우리 거 인제 있는 우리 친구들한테 얘기를 했지요. 전우들한테,

"그, 해가지고 오거든 니들 그 다 먹어라. 니들이 먹어. 나는 저 여수병원으로 후송간다."구.

그래가지구 인제 여수 오 육군병원으로 왔는데 거그 오니깐 그전에 그 저,

경비대 시절에 반란 일으킨 부대래요, 그 자리가. 그 여수육군병원이. 그전에 저 몇 년댄가 그전에 여수사건 있었잖아. 그거 헌 데가 그 육군병원이었어.

그래서 거그서 있는데 인제 그 그땐 베니, 베니시, 베니시린 주사지. 그거, 얼른 낫게 허는 거. 그 베니실린 주사, 그 난 그냥 파편이 백혔는데 그냥 치료만 해주믄 되는데, 왜 이룷게 팔이 바짝 손이 꼬부라진 거야 이룷게. 꼬부라져가지구 나도 한 달 만에 펴졌어요. 여그 여그 얻어 맞어가지구 이룷게. 근데 여글 억지루 펴가지구 이달을, 이달을 대가지구 이달을 대가지구 봇대루 감어주는 거야. 그럼 지, 허구 앉았냐 클러버리는 거야. 클러버리니까 빨리 일어나믄 전방에 또, 또 갈지 모르니까. 클러버리는 거야. 얼른 안 낫게, 좀 안 날라고. 그래가지고 인제 주사 놀러 오는 시간이 딱 있잖아. (좌중 웃음) 있으믄 화장실루 가는 거야. 주사 안 맞을라구. 어 이거 좀 오래. 좀 오래 끌구 가는 게 낫다 이거지 얼른 안 낫는 게. 근데 왜 그룷게 했는데두 그룷게 빨리 나냐 말이야. (좌중 웃음) 나 참, 그래가지구선 거기서 병원에설라무네 아마 한, 한 두어 달, 두어 달 있었나?

[7] 거제도 포로수용대에서 근무하다

근데 나가지구 그때는 뭐냐믄 대구 육본이 대구로 온 거예요. 대구. 보충대도 대구에 있고. 대구로 그래서 대구에, 대구로다가 인제, 뭐야 글루다가 인제 온 거야 여수에서. 보충대로. 보충대서 딱 온 거야. 그 인제 보충대서 딱 오므는 뭐야 이 저, 재수가 나쁘면은 전방으로 도로 가는 거야 또. 그 인제, 근데 거기 마침, 내가 운이 좋아서 그런지 대구 거 인사과에 우리 동기, 075, 0753 동기가 있었어요. 있어가지고 걔가 알려주는 거야. 이번에는 어디서 보충받으러 온다, 어디서 보충받으러 온다. 어 걔가 일러주는 거야. 그 이번에는 몇 사단에서 온다, 어디서 온다 그러는 거야.

그 한번은 이눔이

"야 이번에 거제도포로수용소에서 보충받으러 오니까, 오니까는 너 이번에 호명허면은 나와."

그러는 거야. 그러구 인저 저거헐 때 호명을 해두 저거헐 때 나오지 말래는 거야. 그럼 누락되면은 딴 거 허구 안나가니까. 그땐 안가는 거야 누락되고 그러믄. 그래 그랬어요. 그래가지구는 이번에 나오라구 그래 딱 나갔어. 나갔는데두 이거 맘이 놓이지, 이거 진짜루 거제도로 가는거냐, 얼루 가는 거냐 맘이 안 놓이는 거야. 안 노는데 인제 거 인솔허러 오는 장교들 있잖아요. 중위, 대위 인제 저 상사 이른 사람들이 왔어. 그러믄서 쓱쓱 이리 옆으로 대니믄서 앉아있는데 쭉쭉 호명허는대로 서 있잖아. 근데 그 사람들이 새새로 대니면서

"야 이자식들, 너희 운텄다 임마. 거제도수용소로 가는 거야."

'아 그런가?'

그때 이제 안심이 되는 거야.

그래가지구 거기서 인제 출항하느라 죄 싣구 부산항, 부산항으로 가가지구 군함타구 그래가지구 거제도로 건너간 거야. 거제도를 가가지구서 포로수용소를 내가 근무를 헌거야 인제. 근무를 허게 된 거야. 허게 됐는데 내각선이 있고 외각선이 있어. 그 포로수용소 가상새로다 전부 이 뭐야 저, 높이 전망대를 이룹게 져놓구 거기 보초 스는 거야. 그르구 인제 거그서 스는 눔, 저 뭐야 밑에서 스는 눔. 아 우리는 거 저 거기 들어갔다구 이 새끼들이, 먼저 있던 새끼들이 뭐 우리는 밑에 보초만 스는데 지들은 아주 거기 위에 보초막에 올라가서 맘 편하게 있구.

그 인제 한번은 그것땜에 인제 다툰 거야. 그

"이것도 교대 교대로 허는데 느이들만 어트게 올라가구 우리는 만날 아래 순찰만 시키냐?"

이룹게 딱 한데 순찰 도는 놈이, 순찰 이제 돌 든 놈이 도는 사람들을 좀더 많을 거 아냐. 그놈들이

"왜 그러냐?"고 그래.

그 놈들이 얘기했드니,

"니들 그 교대허구 다 와. 연병장에 와서 있어라." 이거야.

보고하라고.

그래 전부 인제 네 시간씩 근무허고 교대하잖아. 근 인제 우리가 인제 연병장에 가서 딱 허니까 그냥 엎드려뻗쳐 시키드니 막 갈기는 거야 그냥. (좌중 웃음) 야 그냥. 그래가지구 그 지랄됐는데 그건 후방에만 있구 878부대예요, 878부대. 그 보초, 경비하는 게 대구사람들만 그 뫠가지구서 그 사람들끼리만 그 부대를 조직한 거야. 부대가 된 거야. 878부대. 저 경비부대라고 878부대야. 그니깐 전방 맛은 몰라. 모른 사람들이야.

딱 그래가지군 그래가지구서 나는 그때부터서는 교대 교대로다 우리도 인제 그 저 보초막 우에 올라가서 서로 보초 서구 그랬어. 이랬는데 그놈으 새끼들은 사탕이구 뭐구 사다가 인제 밤에 드러눠, 인제 담요 쓰고 인제 드러눠 있잖아 쭉-. 드러눠있으믄 그냥 이룹게 담요 뒤집어쓰구 우굴우굴 쳐먹어. 우린 먹어보란 말이 없어. 그니까 우리 전방에서 온 사람들은 뭐냐믄 그냥 서로 노나 먹거든. 서로 노나 먹는데 그놈들은 그런 것도 없어. 그래가지구 인제 싸, 쌈이 붙구 이러믄

"야 이 개새끼들아! 느이는 후방에서 뭐 개나발, 우리는 전방에서 이놈의 시끼야, 삼 년간 전방에서 고생하다 우리는 죽다 살아난 놈이야. 이 새끼들아 전방 맛을 봐야돼 개새끼들아!"(좌중 웃음)

그냥 그래가지구 딱 되니까 나중에는 인제 이룹게 서로 원활하게 친해지드라고.

그룹게 돼가지구서 거그서 이제 내각선 근무를 허는 사람은, 이런 얘기 허믄 괜찮은지 모르지만 내각선 포로들이 사지 쓰봉이구 뭐구 그냥 막 냉겨주는 거야. 냉겨주는 거야. 그르구 걔네들이 뭘 요구하는 거야. 뭘 갖다 달라. 그냥. 그래 내각선 근무허는 사람들은 그냥 사지구 뭐구 그냥 그 방독면이라

구, 방독면이라구 이 이룹게 차구 대니는 가방 같은 게 있거든. 방독면이 그거. 그 이제 거그서 여차하믄 쓰구 그런 게 있어. 그르는데 그 인제 그니까 내각선을 슬라구 야단들이지 뭐야. 내각선을 서야 좀 돈맛을 보구 그러거든. 내각선 스믄 이제 그 사지, 사지 그런 거.

아 우리 한국 군인보담 포로들이 더 잘 입는 거야. 걔네들은 미군이 순 취급을 허구 우리 한국군은 내 아까두 얘기 안했지만 전방에 내가 댕길 때 운동화를 꼬매 신구 그 얘기가 빠졌네. 전방에 댕길 때 운동화를 꼬매 신구 인제 댕기다보믄 그 쭝국 놈이, 그 쭝국 농구화가 좋아. 그름 그걸 그냥 뻬 신는 거야. 우리 그때 보급이래는 거, 한국 보급이래는 거 말도 못해. 운동화가, 운동화가 떨어져갖구 꼬매구 그냥 전투하구 이선, 이선에 있을 때 그 지랄도 했어요. 그러믄 중국눔 신발 신구 그러구 저 미군 사지 같은 거 있으믄 미군 쓰봉 입구 이런단 말이야. 그럼. 그르다가 인제 제 이선으로 오므는 전부 반납이야. 미군 사지구 운동화, 뭐야 저 이거 떼놈 농구화고 뭐고 일절 다 반납이야. 싹 반납이에요. 그래가지구 솔직허니 옷두 뭐냐하믄, 거지두 그런 거지가 없지. 그냥 정말 아유, 증말 한심해 한심했지. [조사자: 근데 그걸 왜 반납시켜요? 그냥 입고 있으면?] 아유 못해, 싹 반납해야 돼. 그래가지구는 그냥 그 지랄을 했어. 아까 그걸 빠뜨렸어. 그거야. 그거구 그냥.

[8] 배고파서 시체 흐르는 물과 하수구 밥알까지 먹다

그리구 저 뭐야 그때는 뭐냐므는 제트기가 쌕쌕이라고 그러지. 휘발유, 도라므통에 휘발유통을 많이 떨어뜨려, 전쟁시에. 그름 사람이 그냥 요룹게 앉은 채로다 새카맣게 아주 타서 고대로 딱 있는 거야. 그르믄 그 뜨거운 뱉에, 배팽이에 해서 시커멓게 아주 빤짝빤짝하지. 그냥 그 탄 게. 그 이 대궁이야, 대궁이라고 그래. 그 총 끄트머리에 헌 거, 그 대궁이에다 이룹게 톡 치믄 그냥 짝 갈라져버리는 거야. 그냥 그렇게. 그 그른 데서 물이 질질 흘르잖어.

금 목이 말르잖아. 그 위에서 시체가 그 어디로 물 흘러도 막 먹는 거야. 그럼 도리가 없어요. 막 먹는 거야.

그래서 아까두 얘기해, 거거 저게 빠졌네. 창녕에서 훈련받을 때두 그 쌀만 그렇게 헌 게 아니라 그 수채구녁에다 그 물 내려가는 데, 나가는 데 그 저, 하수구가 있어. 하수구에서 밥알 이룹게 뭐 내려오는 게 있어. 그것두 먹었는데 뭘. 그것두 먹구 등겨두 먹구. 등겨. 쌀 찌믄 저 메시미 겨말구 등겨두 있어요. 그것두 먹었어. 아휴 뭐. [조사자: 배가 고파서?] 그럼 배가 고파서. 아유 배가 고파 환장하는 거지. 창녕서 훈련 받을 때 그 지랄났어.

그래가지구 츰에 전방에 가니까는 레이숑이라구 레이숑, [조사자: 네이숀이요?] 레이숑이라구 있어. 간빵 레이숑. 그냥 그 미군들이 먹는 거. 그걸 갖다 첨에 가니까 그걸 갖다 내주는데 아 그렇게 맛있을 수가 있어? 야 이것만 만날 줬으믄 좋겠다. (웃음) 밥 주지 말고 이것만 줬음 좋겠다. 메칠 먹으니까 그냥 질려. (좌중 웃음) 아이구야 밥이야, 밥이 최고다. 그때 아는 거지. 고걸 레이숑이라구 그래. 레이숑.

[9] 전방 전투에서 전우의 시신을 묻다

아 그 전방에 있을 때 이루 말할 수 없지. 전방에서 여러 번 겪은 건 말할 수도 없구. 그냥 일개 소대가 오다가 이룹게 앉아서 휴식, 잠깐 휴식할 동안 이믄 포가 옆에 떨어져가지구 그냥. 그니깐 일개 소대 한 사십 명 되는 사람이 다 기절허구 다 튀지. 안 튀는 사람이 없는 거야. 그르믄 여기 다리가 그름 이제 멀쩡, 이제 귀가 멍멍허잖아요? 나부텀두 어딜 다쳤는지 모르는 거야. 그러면 나중에 어디 봐달라 그름 아이 멀쩡허다, 그름 그때 정신이 돌아오는 거야. 정신이 돌아오는 길에 딱 보므는 다리 하나 부러진 눔이 이십 메다 삼십 메타 튀어가서 자빠져있구. 그럼 여기 파편에 골이 맞어가지구 심꼴딱꼴딱 쉬는대로다가 골이 꼴락꼴락 요롷게 나오고 그냥 정말 참 전우들이 그런 현상. 그래서 그거를 지역이 중등부샌데 어디쯤 오는데 그 사과밭 거길 밑에 파구서 우리가 묻어주구 그런 거, 그렇게두 해서 오고 그랬어요 그냥. 증말 그 뭐 이루 말할 수 없지.

그루그 그냥 물이 없으니까 눈을 녹혀서 그 철모에다가 눈을 녹혀가지구 물을 만들어가지구 밥을 해 먹는 거야. 그 인제 도이치카라고 그러죠. 그때는 뭐냐믄 땅을 파구서 전부 도이치카를 맨들어가지구 안에서 이룽게 불을 때게. 그래가지구 인제 나가서 교대교대 보초 스는 거지. 그럼. [조사자: 땅이 얼어가지구 땅 파기두 힘드셨겠어요?] 아니 그러니깐 그건 미리 파놓는 거지요다. 그럼. 미리 파놓구, 미리 파놓구 이제 이, 전투허고 뭐허고 인제 헐 때 인제 저 호 파라 하믄 개인별루다 그 삽, 그 전문 삽있잖아? 그 양놈의 삽이라고 그러지? 그걸루다가 쪼끔 한 이, 한 일 메타 이렇게 그냥 뭐 금방 파지지 뭐. 일 메타씩 파가지구 옆에다 내 몸뚱이만 들어가게끔 옆에 조금 파는 거야. 뭐냐 실탄이 지척으로 들어와도 안 맞는다 이거지. 옆으로 이룽게 파는 거야 옆으루. 그렇게 해가지구설라네 그렇게 왔어요.

그래 거제도에 와가지구 거제도에서 우리가 포로, 포로들을 다 교환시켰어. 교환시키는데 그 배에서 포로수용소에서부텀 그 배까지에 미군들이 전부 이룽게 초소에서 하나하나 전부 심문허는 거야. 너 이북으로 갈래냐 여기 있을래냐 그걸 허는 거야. 그르믄 어느 눔은 그냥 있겠다구 그러다 또 그냥 가는 눔 있구 이제 별 생각 다 있잖아? 고향에 가믄 부모 있는데 뭐뭐 이른 생각허구 해서 그냥 갔다 돌아온 사람 있구. 그 거기서 모포구 치약이구 뭐구 다 주는 거야 그냥 거그서. 다 주는데 그 자리서 내불구 가는 놈으 새끼도 있어. 그런 악질. 그 포로 교환헐 때 보급품은 다 줬어요. 다 줘가지구서 그 거제도 항에서 타구 여그 인천 갔다 뭐야? 기차루 내려가는데 이리 가믄서 징해부렀다 그래. 나중에 나 휴가 와서 보니까는 징해부러 그러드라구. 왜 우리가 포로 그 저 교환까지 시키구.

[10] 공비토벌대에서 미군탄약부대 근무 그리고 제대

그르구선 그 부대가 인제 또 공, 장, 장 뭐야? 이 공비 잔당이 남었다구 또 우리 88부대가 제주, 저 거, 지리산 공비토굴이 또 걸린 거야. 아주 내가 참, 내가 참 더런 세월을 당해가지구. 그래 내 지리산에 공비 토, 지리산에 공비토벌을 들어가가지구서 거긴 더 위험하드라구요. 그냥 억새풀이 말야 한 길씩 자라구 그러는데 옆에 사람이 가만 앉았어두 옆에 있어두 몰라 워낙 험허니까.

그르니깐 인제 거 먼저 그 얘깃소리를 다 들어보구 허니까 이 우리는 마지막에 후반에 잔당들이 있다구 해가지구 들어간 거거든. 그 먼저 연대가 와서 공비 토벌허구 그냥 엥간했었잖아요? 지리산에서 그랬어요. 그래 나중 들어갔는데 이제 먼저 그걸 들어보므는 지리산 피아골이래는 데가 있어. 만날 뭐 뉴스에서 그전에 많이 나오고 그러는데. 피아골 그른데 가믄 유명한 데여. 그 저 우리두 직접적으루 나중에 가서 봤지만은 그 물 내려오는 계곡 옆에다가 걔들은 뭐냐므는 뻬치카라고 그래. 뻬치카. 그거를 엄청나게 크게 맨들어가지구 뭐 세상 없어두 몰라요. 그 안에서 조그마한 자가용, 자가용 발동기를 돌리는 거야. 베 같은 거 그런 거 훑어다가 그 안에서 식량을 먹구 그러는 거야. 그래가지군 이 뚜껑이 그 뚜껑이 이룹게 그 들어가는 두껑이 이룹게 있구 사람 하나 들어가고 뚜껑을, 뚜껑이 위장을 갖다가 말이야 그냥 떼로 뭐로 위장을 해가지구 몰라. 그래 걔네들은 이룹게 바짝 들구 들어내구서 들어가구 또 닫구 그래요. 그래가지군 이 북묘 있잖아 북묘, 산수. 산수겉은 것도 그렇게 해가지구서 산수 속에두 그룹게 숨어 있구. 그럼.

그 공비들이. 그래가지구 신발은 꼭 까꾸로 신어가지구 그냥 맨 지리산은 그냥 눈 아냐. 저거 여름이기 전엔. 그러믄 거그는 반대방향으루 찾아가야지. 그거 신발대루 찾아가믄 소용이 없어. 신발이 까꾸로 돼 있어. 까꾸루 된 거야. 그래가지구서 가다가 가다가 이건 얼루 가는지 분간을 못해. 그런 현상이, 아주 참 지독헌 자식들이야.

아유, 그래가지구는 우리가 인제 구례에서, 구례에서 인제 휴식을 허잖아요? 화엄사라는 절에서 그런 데서 휴식을 허게 되므는 저 경상남도 마천 겉은 데서 공비가 나타났다 그러는 거야. 그럼 인제 몰르, 우린 모르지 나중에 아는 거지. 그럼 출동시키니까 우린 밤새도록 걸어서 그냥 넘구 넘구 넘어가지고 말이야 그양 밤새도록 걸어가는 거야. 그 지리산 끄트머리를 또 그냥. 눈은 그냥 일 메타 이상씩이지 뭐. 그니까 앞에 가는 사람이 유리해요. 앞에 몇 사람이. 그리구 고 담에 가는 사람은 막 폭폭 빠지는 거지. 그래가지구 맨 뒤에 오는 사람은 또 괜찮구 그럼. 그래가지구선 마천을 또 가는 거야. 가가지구 거기서 나타났다 허믄, 어디서 나타났다 또 그 이동이구. 만날 그 지랄 해. 아유 그릏게 공비토벌 거그서 허다가 다 끝나, 공비 토벌이 인제 다 끝났구.

끝난데다가 인제 그때는 뭐냐믄, 영천이라는 데가 있어 또. 영천에 미군부대 또 탄약고로다 배치가 됐어. 그 부대가 인제 해산이 돼가지구 또 영천 미군 탄약부대라고 있어요. 거그 와서 인제 보초 슨 거야. 보초 스다가 거그서 그르다가 저 마지막에 여기 33사단, 예비사단. 야- 너는 그 저 파주 그, 파주 그쪽에 사니까 복무기록카드 나 혼자 가지구 혼자 내가 들구 여기 혼자 온 거여. 소사 33사단으루 와 가지구 여기서 제댈했어요. [조사자: 33사단에서요?] 예? [조사자: 33사단에서?] 33예비사단에서. 33사단에서 제댈 했어요.

근데 뭐 내가 일일이 사는 대로 얘길헐라믄 한이 없지. 근데 뭐 다 잊어부리고 이것도 내가 어느 정도 웬만헌 걸 내가 적었어. 그래서 거그서 예비역으루, 뭐야 예비사단에서 근무허다가 오십육 년 시월 이십 일부로 제댈했어. 그니깐 군대생활만, 그럼 군대생활만 그냥 오래도록 억울허게 했지. 계급은 그때는 일등중사라고 허지만 지끔은 하사지. [조사자: 일등중사로 제대하신 거예요?] 그때는 일등중사라고 그랬지. 지금은 하사예요. 그래가지구선 현재까지 인제 이릏게 살아온 거예요.

[11] 거제도 포로수용소의 포로들 이야기

그래 그때 사는 게 뭐냐허믄 지금 인제 뭐야? 육이오청년, 어 유공비라고 어 십오만, 십이만 원 줘, 십이만 원. 정부에서. 구만 원을 허다가 금년 일 월, 일 월 일 일부루 삼만 원 올려 십이만 원 되구 그래가지구서 저 수당, 뭐야 또 시에서 수당이라구 또 삼만 원 주구. 그거 가지구서 생활을 허는데 이 증말 답답해 증말. [조사자: 그죠?] 어. 그래서 뭐 그 어디서 무슨 저, 무슨 저 천안함이구 뭐구 그런 거 있죠? 또 무슨 저기 광주 으, 사건 그런 거 돈 엄청 저거 허고 그러잖아. 근데 우리는 증말 이거, 우리가 살믄 을마나 살어? 그니까 이거 증말 너무 허지 않나 어느땐 이런 생각이 들어. 목숨을 바쳐가지구 일해왔는데 그까짓 걸 그걸 돈이라구 주냐 이런 생각이 들어.

[조사자: 어르신 완전히 핵심적인 곳은 다 계셨네요?] 그렇지요. 나는 그 일일이 고거를 말을 헐래므는 한이 없지. [조사자: 빠질려구 해도 자꾸 그런 데만 가시네요?] 예. 그래가지구 내가 하이튼 죽을 고비를 멫 번을 냉겼는지도 몰라. [조사자: 그러게요. 어르신이 지금 보니까 백마고지 이야기 하루 하시고 포로수용소 이야기 하루 하시고. 하루하루 이야기 하셔도 하실 얘기 되게 많으시겠어요?] 그렇죠. 예. 한이 없지요. 그래서 지금 그전에는 내가 우리 아이들 앉혀 놓구 얘기를 허믄 지금은 내가 이를 이 뭐야 틀니를 해 넣구 그래서 말이 그렇지 말을 그전엔 참 말을 아주 을마나 잘 했는데.

[조사자: 어르신 그럼 포로수용소에서 어르신도 내각선을 보초를 서 보셨어요?] 내각선도 섰었죠. [조사자: 어르신은 그럼 어떤 뇌물을 받으셨어요?] 그 사지 쓰봉이야 거기는. [조사자: 거기도 사지 쓰봉 입어요?] 그럼. 거긴 그 새끼들 무조건 사지 쓰봉 뇌물주는 거야. [조사자: 어르신한테 뭘 부탁하든가요?] 저걸 부탁하는 거야. 저거. 뭐야 연필허구 심지어는 저 뭐야 신문. [조사자: 아- 신문?] 그럼그럼. 그런 것두 부탁했어. 그리구 뭐 노트. 뭐 이런 거. 그런 거 있어. 포로들이.

그래가지구 인제 뭐냐므는 어느 수용소가 멫 수용소가 즘 반란 일으킬 위험성이 있다 허면은 그냥 거길 수색하는 거야. 집중적으로. 그냥 그 통로, 이제 양쪽에 많으니까 죽 서가지구 총체 들구 있구 일부는 들어가가지구 그냥 후려까는 거야 그냥. 그럼 칠개 연대장을 내, 내놓는 거야. 그 대가리들. 그 다음에 아래 수색하지. 수색하믄 별 거 다 있어. 그 새끼들 어떻게 들여왔는지 말야, 그냥 깡통으루다 말야 담배각두 기가맥히게 맨들구. 아휴 뭐 그냥 아주 기가 맥혀. 그 인제 그 포로들이 나와서 일허구 이제 간 놈들이 있그든.

그리구 포로들이 거기서 저 뭐야 그 직결처분이라구 인민군들 그 식으루 그 안에서 즈이들끼리 재판을 해가지구 그냥 그 안에서 도망쳐가지구 이제 그 아침이므는 그 두 명씩 도라므통 반 짤른 데 거기다 이제 밤새 소대변을 보구 그 아침이믄 밭에 갖다 내버리그든. 그렇게 허는데 그 거기다가 집어 너가지구 버린다 이거야. 직결처분을. 직결처분이라고 해서 그냥 죽여서 그 포로 안을, 그 수용소 안에서, 그랬다구. [조사자: 즉결처분 당한 사람은 사상 때문에?] 아이 그렇지 사상, 사상이 이제 좀, 어 우익사상 좀 경도되구 허니까. 그리구 인제 거 태극, 태극 포로는 인민군 모두 똑같이 입었지만 이 남한 태극기 이렇게 달구 그 사람들은 울타리두 있고 보초두 스지만 그 사람들 태극포로라구. 그사람들 인제 어, 포로지만서두 나는 대한민국 지지헌다. [조사자: 전향한 사람?] 어 대한민국 지지헌다. 그런 포로들은 따로 또, 따로 있어요.

[조사자: 어르신은 좀 가깝게 지냈던 포로는 없으셨어요?] 포로는 가깝게 지낼 수가 없지. [조사자: 그냥 거래만 하는 거예요?] 그럼. 그래서 태극포로 그 사람들 보초 스므는 그 사람들허구 좀 대화가 돼지. 그 사람들은 이제 뭐 자유가 있으니까. 그래가지구 뭐 해설라네, 그때는 뭐냐므는 신발이 그렇게 그리울 수가 없어. 신발. 지끔 참 집이, 시장을 가구 그러므는 어느 눔 좀 난 거 그거

"신발 즘 빌려달라. 야 그 옷두 빌려달라."

이래가지구 해서 집에 오는 거야. 그렇게 해갖고. 그래서 태극포로 그런 눔하고 자꾸 접촉을 허므는 대화도 가깝게 되구 이런 놈 있어. 그러믄 그런 놈한테 부탁하구 얘기허게 되믄 워카두 들구 들어온 놈 있어. 워카. 미군 워카. [조사자: 워커?] 워카. 세상에 그거믄 하늘에 온 선녀, 선녀같구. (좌중 웃음) [조사자: 포로 형편이 더 좋아요?] 포로, 포로는 그 저 제네바협정에 따라서 미군들이 그양 고대로 대접, 아주 대우를 허거든. 그러니깐 아주 뭐 그냥 보급이 넘쳐 흘르는 거야 그럼.

[조사자: 탈출을 시도하거나 그런 포로들은 없었어요?] 어? [조사자: 탈출 시도하는 포로들.] 아유 그르니까 그러한 기미가 느끼믄 아까 모양으루 그럼 전부 그양 그 안에 들어가서 전부 수색을 하는 거야. 그럼. 그 지들끼리 암호, 암호허구 뭐허구 그냥 그럼 그릏게 해.

[조사자: 그래도 입소문이 난 악질 포로들 있지 않았어요?] 응? [조사자: 소문이 많이 난 악질 포로.] 아 그런 것두 있지. [조사자: 그런 얘기 들어본 적 없으세요? 그런 포로 얘기.] 포로 얘기는 그 저 여자들이 더 악질이야. 그 고연이라구. [조사자: 고연?] 고연. 으. 거제도 고연이라구 거기 여자들이 있든, 있든 데여. 여자들만 있는 데여 거기. 고연이라구. 그러믄 우리가 이쪽에서 우리가 있든 데가 어디냐믄 거제도 어드메서 거까지 가는 거여 고연. 고연까지 거 수색허러. 그러믄 여자들인데 아주 여자들 더 악질이야. 아유 건 당장 죽어두 깩 소리 안 해. 아유 그러믄 거 임신헌 것두 있구 별 거 다 있어. 그래 여자들이 더 악질이래는 거. 난 그걸 아주 새삼 느꼈어. [조사자: 어떻게해서 악질이었어요?] 사상적, 사상이 아주 확고하다 이거지 그럼. 사상적으로 아주 사상이. 난 기냥 죽여라 그런 식이지 그럼. 아주.

[12] 휴가 기간에 결혼식을 올리다

그래서 그래가지구 내가 거 저 공비토벌 헐 때에 내가 결혼을 했는데 와가지구. 내가 삼 년 만에 휴, 삼 년 만에 휴가를 왔어요. 삼 년 만에. 삼 년 만에 고향을 왔어. 그때 이 결혼을 했는데 우리 아부지가 야 지끔 전시고 그래서 얘기해두 금방 못헌대드라 응. 그니까 미리 이 양반이 결혼날짜를 그냥 미리 땡겨서 헌거야. 어 못 올까봐. 근데 나는 증식 그 날로다 온 거야. 오니까는 결혼, 뭐야 결혼식이 어 결혼허고서 한 삼 일 있다가 가게 되는 거야. 이런 이 양반이 그냥. 냅다 저거 해가지구. 그 생각두 나는데. [조사자: 그럼 어르신은 휴가 나오실 때 결혼하는 줄 알고 오셨어요?] 응? [조사자: 휴가를 나오실 때 결혼하는 줄 알고 나오셨어요?] 아이 집이서 왔잖어. 와서 부대에 내보내주지 그럼. [조사자: 결혼식한다고?] 여기서, 그럼. 뭐가 오니깐 통보가 오니깐 상부에 나는 그거 외출해가지구 그래서 휴갈 내보내주는 거지.

[조사자: 그럼 할머니는 그날 할아버지 처음 보셨어요? 결혼식 하시는 날?] 아니야. 우리 할매는 그리구 인제 나는 먼저 마누래하곤 사별, [조사자: 아 사별하셨어요?] 돌아 가. [조사자: 아 그 할머니는?] 그럼 그래가지구 우리 이 마나님허구 만난 지 만 지금 이십사 년. [조사자: 아 그러시구나.] 그런 현상이여. [조사자: 그럼 그 전시상황에 결혼을 하신 거네요?] 그렇지 아– 이제 휴전상태지. 휴전됐지. 나 공비토벌 헐 때. [조사자: 아 공비 토벌.] 공비 토벌 헐 때 결혼했어, 내가. 그 또. [조사자: 삼일 지내고 또 가셨어요?] 결혼허고 갈 때 또 얘기허믄 웃기지. [조사자: 얘기해주세요]

[13] 군용차를 놓쳐서 부대까지 걷다

이제 결혼을 허고 그때 어디냐믄 순창, 순창에 있을 때 내가 결혼을 받구 집이를 왔어. 그래가지구 딱 가니까는 그 부대가 구례로 갔대는 거야 지리산으루. 으– 공비토벌 들어갔대는 거야. 아 그래, 그래 아까 그거, 그걸 띠어,

그래 인제 생각이 나네. 그 가가지구 구례를 갔잖어. 구례에서 내려가지구서, 내려가지구설라므네 이제 딱 올라가. 그때는 뭐냐므는 아 저, 뭐 핸드폰이 있어 뭐가 있어? 그럼. 연락이래는 게 쉬, 저거잖아. 그 어디 전화기 있는 데 가서 공중전환가 어디 있는 데 가서 부대로다 전화 거는 거 그거뺌에 더 있어. 그것두 어디 흔해빠져? 증말 힘드는 거지.

그래 거기서 내려가지구 그 이제 내려가지구서 가는데 제대해가지구 내려오는 사람이 있다 이거야, 내려오는. 우리 부대사람 내려와. 내려오는 사람들이. 그르니까 야 증말 참 반갑잖어. 이제 헤어지믄 고만 아냐. 그래가지구 거기서 인제 걔네들이 보급, 보급, 저 뭐야 부대 전방 이제 그 지리산 이제 토벌허는 데서 고치에서 부대 차를 타고 거까지 온 거야. 내려온 거야. 구례까지 온 거야. 왔는데 나는 이제 그걸 타구 갈라구. 고치로 갈라구 그랬는데 아 얘들하구 그래두 거기설라므네 대화하구 술 한잔 먹구 뭐 그러는 사이에 이 보급차가 이눔의 새끼들이 그냥 가뻐린 거야. 어. 내색안 하구 그냥 간 거야. 그냥 가뻐린 거야. 아 나오니까 차가 없잖아. 이거 어떡해. 환장하는 거 아냐?

내가 구례에서 하동까지 경상남도 하동까지 그때 차가 있으믄 뭐 있어. 군용차밖에 대니는 차가 없어요. 그냥 자꾸 가다보믄, 그 가다보믄 군인 차만 말야 그것두 군인 차두 한두 번이지 뭐. 오는 거지 가는 것두 없구. 가다가 물어. 그냥 물어보구 물어보구 뭐 허믄서 하동까지 걸어갔어, 아— 나. 하동까지 가니까 해가, 해가 기웃기웃 다 떨어지게 됐어, 떨어지게. 인제 고 길섶에 뭐야 이 저 구멍가게가 하나 있드라구. 구멍가게에 가서 증말 내 키에 달동말동 해. 이룹게 구멍집이야. 그래 아주머니 나 즘, 내 사실 얘길 허구 나

"저 하룻저녁만 아무데서나 재워주세요."

그랬드니 안된다구 그러는거야. 이거 뭐 뒤에가 우리 하숙집 있다고 그래. 그래 뒤에 딱 가니까 아유 여기 꽉 차서 잘 데가 없다고 그래.

그래 도루 그 집에 와가지구서 사정사정하니까 금 들어오세요 그러는 거

야. 그 들어가서 앉아있으니까 얘기를 허는 거야. 이릏게 손을 비어줘 남자가. 손이 이릏게 바짝 골았어. 이릏게 보여주믄서 한번은 저녁에 밤에, 밤중에 불르는데 나와보니까 아군, 인제 우리나라 아군. 아군복을 딱 입었는데 군인이란 말야. 아군인데 뭐 저 뭐야 잠깐 요 뒤에 가셔서 물건 좀 가져오실 게 있다고. 그래 데리구 가 쫓아갔다 이거야. 쫓아가니까는 예미 거기 사람들이 그냥 몇이 왔는데 그양 우, 다 하나씩 걸머지라 이거야. 그 약탈해온 걸. 즈이 약탈해온 걸. 뭐 쌀이구 뭐구 별거 다 있겠지. 걸머지라 그러드래. 걸머지구 산으로 올라가. 그때

'아이쿠 이거 공비구나, 이 사람이.'

그니까 인제 걸머지구서 인제 기올라가는데, 올라가는데 한 저 중간이상 올라가는 이러는데 총소리가 빵허구 났는데, 총소리가 났는데 그때 들어, 그때 소리만 허구서 다 감각을 잊어부렸대는 거야. 몰랐대는 거야. 음. 근데 그 양, 이 사람이 이제 여여 팔을 맞은 거야. 팔을 맞아가지구서 그래두 그 사람이 정신을 차리구 보니까는 새벽에 인제, 새벽에 고 골짜구니에 논에 물꼬 보러 오는 사람도 있구 그러잖어, 어? 그니까 이 사람이 정신이 고때 들어가지구 그냥 악을 디리 썼대는 거야.

"사람 살리라!"구.

어. 그르니까 그 물꼬에 왔던 사람, 그 사람은 그냥 겁이 나니까 꽁지가 빠지게 내뛰었을 거 아냐? 가가지구서 인제 지서에 가서 얘기를 했겠지. 그니까 지서에서, 인제 그리구나서 정신을 또 잃었대는 거야. 그 올라와서 수색을 해보니까 그 자빠져 있는 사람 데려다가, 데려간 거지. 그래 이 사람이 깨고 보니까 병원이드래. 그래서 아까 내가 어, 안 된다구 그런 원인이 뭐 국방군이라구, 아군이라구 말이야 공비들두 그런 옷 입구 그래서, 그래서 자기가 그랬다 시인해. 얘길 해주드라구. 그래서 내가 아까 그런 거라구. 그래서 아군두 이제 못믿는다 이거야. 그러믄서 나보구 그 물어. 그니까 육군참모총장이 누구지요? 국방장관이 누구지요? 그릉게

"여보시오, 공비들은 더 잘 알어."

그럼. (좌중 웃음)

"그런 소리 허지두 마슈."

그래 그런 적두 있지만은, 그래서 안 받아줄라구.

내가 그래두 부대에, 결혼허러 가니까는, 갈 테니까는 뭐야 가는 거니까 그래두 뭐, 뭘 좀 내가 샀어. 이 좀 살 걸. 그래 그 집이 들어갔는데 선반이 이룹게 있드라구. 그니까 아침에 그냥, 아 그 얘길 안 했네 증말.

그 저녁에 도착허니까, 이제 앉어있으니까 죽을 한 그릇 갖다 줘. 죽. 쌀로 다 죽 쑨 거 있잖아? 이룹게 죽 멀건 거. 그걸. 한 그릇. 지금 사람들은 죽두 잘 몰르는 사람두 있겠지만. 죽을 한 그릇 갖다줘. 그래 속으루 이야 이런 나쁜 놈으 종자가 있나, 이 다음에 내가 일 댕기다 보믄 가만 안둔다구 내가. 그런 그 반심이 생기드라구. 그래 아이야 그것두 황송허다 그러구 하이튼 먹었어, 죽을. 그것두 좀 더 줬으믄 좋겠는데 딱 하나 줘.

그 먹구서 이제 옷 입은 채 이룹게 드뤄눠 있는데 드뤄눠서 있는데 열두 시가 좀 넘었는데 장장군이 네놈이 들어와. 어 네 사람이. 딱 들어오는데 그냥 밥을 이룹게 담아가지구, 담은 걸 네 그릇을 갖다놓구 그냥 딱 이러는데 뭐 상을 차려놨는데, 그 사람들 왔는데 그렇게 차려놨드라구. 그래서

'야 이런 나쁜 놈으 종자가 다 있나?'

그냥 이런 거야 딱. 아 근데 이놈들이 저 식사허셨냐고, 아 먹었다고. 그 네놈이설라무네 전부 그릇 하나씩 달라들드니 이 덜어왔는데 그보다 더 많은 거야. 네놈이서 다 덜어준 거야. 덜어주면서 그래서 인제 줘서 먹었어.

먹고 난 다음에 그 사람들이 간 다음에 그 아주머이가 얘기허는 게 저 양반들이, 그 뭐냐므는 그 밤에 이제 이 도박꾼들이야. 으, 거기 도박꾼들이 무척 많어. 저 그 산골짜이라두 순창 뭐 그런 데 가믄 밤에 그냥 전부 도박허러 댕기는 사람들이야. 그래가지구

"그 사람들은 여기다 맽겨놓구 우리한테 아주 일임을 시켜놓구 이렇게 먹

는 사람들이다. 죄송허다."

이러드라구. 아이구 이거 야 그 참 그룹게 훌륭한 여자두 있드라구. 그래서 아까 참 죄송허게 됐다구 얘길허드라구. 아유. 그래 물건 사가지구 간 거 아침에 그냥, 눈이 벌거니까 아침이 뭐야 내 튀어나왔지. 그냥. 그거 그것두 물건두 거기 논 채 그냥 놔두구 내튀어나왔지.

튀어나와가지구설라네 그양 아주 그양 나 또 찾으러, 또 찾으러 거기를 왔었대, 구례를. 왔대 가다가 생각이 난거야. 아유 그래가지구선 거기 길목에 가서 딱 있으니까 그 보급차가 또 내려오드라구. 그래서 타구 올라가는데. 그 지리산을 올라가는데 한 고개 이룹게 고치 올라가믄 또 한 고개 아냐? 다 올라가믄 또 그거야 그냥. 그래가지구 거 가니까 전부 그냥 뭐야 이, 이 저 빵카는 다 있거든. 이 도이치카. 딱 파 논 거. 그 안에서 이 생활을 허는 거지 뭐. 거기서 그 어디서 공비 나타났다 허믄 이제 가는 거구. 그래. 그래가지구 거그서 꿩, 꿩 그런 거 많이 잡아먹었어. 꿩, 노루. 산돼진 잘 안 잽히구.

[14] 군대생활 함께 한 세 동기

제대허구 보니, 내가 제대해가지구 오니깐 우리 어머니 병이 나셔. 그래 내가 제대허자마자, 제대허자마자부텀 살림을 허는 거야 여지껏 살림을 해온 거야. 그래서 뭐 참 두서없는 얘기지만, 나두 그래두 정신이 그럼 다 잊구. [조사자: 이야기를 되게 정리를 잘 해서 해주셨어요. 순서대로 줄줄줄줄.] 아니 그래서 내가 이거 순서를 적어놨었다구. 내가 순서를 적어놨어요. 뭐같이 허믄 안되니까 요거 순서를 내가 어저께 좀 적어놨어요 내가 으. 그래서 인제 고게 고새에 얘기는 내가 간단간단허게 으, 말씀드리겠다허구 해서 고거만 내가 써놨지요.

[조사자: 아까 그 의용군으로 끌려가실 때 거기.......] 의용, 의용군이 아니구 그때 의용군 나가, 나가는 거야. [조사자: 그니까 인민군들 따라가셨을 때.]

으? [조사자: 거기 북쪽으로 올라가실 때.] 그 북쪽으로 갈 때 의용군이 아니고, 그때까진 의용군이 아니구 그냥 사복 입은 채로 그냥 이제 끌려가는 거지. [조사자: 거기서 군사훈련을 받으셨어요?] 저기서 저 구파발. 구파발국민학교래는 데서 밤이면 훈련을 시키는 거야 밤이면. [조사자: 군사훈련만 시켜요, 아니면 무슨 사상교육도?] 사상교육이 더 많지. 낮에는 순 정훈교육이라구 사상교육. [조사자: 사상교육.] 그럼. 낮엔. 그냥. [조사자: 뭐라구 시켜요?] 뭘 뭐라고 시켜. 그 뭐 김일성, 김일성 장군에 대한 충성. [조사자: 충성하라고?] 그럼. 그거지 뭐 딴 거야. [조사자: 노래도 가리키고?] 노래도 가리키지. 노래도 가리키구.

[조사자: 밥을 나르는 사람들을, 그 밥이 조끼밥? 무슨 밥이라고 그런다구요?] 어, 조키밥, 조키. [조사자: 조키밥?] 조키, 이룹게 저 뭐야 께스루다 인제 찌는 거지. 그 저 지그 구파, 응암동 가므는 응암동 그 뭐야 응암도 무슨 무슨 타워 진 데 있잖아. 그전에 구파발 고기 바로 옆에 있었거든. 그 조키밥 그거 허는 통이 무척 커. 그르니까 그 인원을 멕여야 될 테니까. 그럼. 그래 어느 때는 들 익을 적 있구 설어서. [조사자: 밥이?] 그럼.

[조사자: 그럼 그때 어르신 다리가, 아프신 병이 뭐라구요 그게?] 어, 가래투시 가래투시. 여여 여기 가래. [조사자: 아— 가래?] 에. 가래투시 여기 멍이 서가지구 그럼그럼. 그걸 다릴 질질 끌믄서 문산까지. 여기서 문산이 사십 리야. 거길 갔단 말이야. 근데 거기서 또 구파발을 밤새도록 가라는 거야. 아휴 아주 혼났어.

[조사자: 백마고지전투에 참전하셨잖아요. 고때 얘기를 좀더, 기억나시는 이야기들. 같이 전투하고 이랬을 때.] 기억나, 기억나는 건 뭐냐허믄 어, 내가 인제 고 내려오다가 거기서 인제 거, 내 인제 부상당해서 내려올 때 우리 부락에서 이성만이라고, 우리가 이성이허고 세 사람은 우리가 죽어두 꼭 붙어댕긴다 그러구 아주 셋이서 딱 붙어댕긴거야. 붙어 있어가지구 사단에 배속되가지구는, 사단에 배속되가지구 연대로두 같은 연대 떨어지구 대대두 한 대대를 셋

이서 했어. 떨어져가지구 중대만 셋이 떨어졌지.

세 사람이 떨어졌는데 나는 9중대, 하난 11중대, 하난 12중대 이룽게 우리 세 사람이 그룽게 있었는데. 부상을 당해서 내려오믄서도 뭐냐믄, 그 뭐냐믄 9중대가 인제 거 아침 몇 시에 인제 공격이다 허믄 거 11중대 고거는 이선에 죄 있구 그래요. 그렇게 전투를 헐 때. 그 내려올 때 내가 그 막사를 들렀대니까. 그 부상당해 내려오믄서도 그 고개, 이성만이 찾아보니까 시체 가지러 갔대는 거야. 아군 시체. 그걸 끌러 갔대는 거야. 그르구 저걸 잊어버렸네.

전방에 있을 땐 전투 안하고 이룽게 대기하고 있구 그럴 땐 포가 아군포 적포 막 날러와요. 그름 그때 소나무가 초장기에 소나무가 그냥 이런것들이 그냥 키는 쪼끄매도 짝짝 벌어져있지. 그래 포가 이룽게 넘어가다가두 아군 포두 넘어가다가 그 나무에 걸리믄 터지는 거야 어. 그래가지구 그 저 기관포 부대, 여기 저 황의사라구 그 양반은 경비대 시절에 나갔어. 가니까는 세상에 그렇게 반가울 수가 없어. 이 저 기관포 사수야, 기관포 사수, 그 사람이. 사순데 그 사람들은 뭐냐믄 그 팔구능선 고 넘어, 넘어설라무네 전방을 대구 만날 따라다니거든. 그 포가, 그냥 포가 떨어지는데 포가 떨어졌어. 난 실질적으로 그걸 본 거야. 포가 떨어졌는데 그냥 사람이 그냥 다 이 걸, 걸레가 돼가지구 나무에 가서 살덩어리구 뭐구 그냥 다 걸, 걸리는 거지 죄– 그냥. 고 저 고거 부대, 기관포 부대 그게 오 명인가 아마 될거야 그게. 그러므는 그 저 각, 저 뭐야 그 비올 때믄 입는 거 그거 뭐야? 아휴 그걸 뭐라고 그래? 저 그거 있어요 그참. 그르구 이룽게 우비 넓은 게, 사방 넓은 게 이른...... 그때는 개서 이룽게 허고 댕기는 거야 우비를. 그런 거야. 그러믄 그거를 다섯 명이, 다섯 명이 죽었으믄 다섯을, 이렇게 다섯 개를 놓구 그걸 죄 줏어 모아가지구 다섯 목으로 놓는 거야. 다섯 목으루다가 놓는 거야. 그래가지구 뭐 그래가지구 전방 CP로 내보내믄 후방으로 와가지구 화장해가지구 거그다 이름만 뭐 쓰는 거야. 그러믄 아주 여기 오믄 아이구 우리 자식이 에미가 왔다구. 그룽게 시킨 것두 있어. 그룽게 죽은 거 그럼. 그렇게 해서 보내구 그럼.

[조사자: 그럼 그 전우들은 다, 세 분 다 무사히 제대하셨어요?] 지금 이제 한 사람만 남었어. 한 사람은 죽구. 아 무사히 다 살았지. 무사히 다 제대했는데 나와서 죽구, 한 사람은 생존해. 나보담 연세가 위야. 생전에 계시구. 이성만이. [조사자: 그 어르신은 그럼 어디 계셔요?] 요, 요기. 요 건너. 요 건너에. [조사자: 그럼 가실 때부터 아예 같이 나가신 거예요?] 그럼 여기서 날 때부텀 같이. 나갈 때부텀 나가가지구 나이 많은 사람은 창녕서, 창녕에서 다 보낸 거야. 그럼. 나이 많은 사람은, 이 부락사람들은. [조사자: 그 어르신 이야기도 좀 들어보셨어요?] 뭐? [조사자: 전쟁터에서 경험하셨던 이야기.] 들어보나마나 뭐 그 사람은 나하고 뭐 같이 있었는데 뭐. 중대만 달르지. [조사자: 그래도 어르신은 백마고지에서 끝나고 포로수용소로도 가시고.] 그 사람은 포로수용소 안 갔지. 거기서 그냥 제대헌 거지. [조사자: 거기서 바로?] 그럼. 인제 거기서 휴전되구 바로 제대한 거야. [조사자: 근데 어르신은 어떻게 그렇게 오래 계셨어요?] 나는 더, 그니깐. [조사자: 계시겠다고 하셔서?] 아니야 입대가 아니야. 이게 자꾸 이천 대니다 보므는 늦게 돼. 진급이구 제대구 모든 게 다 늦게 되는 거야. 자꾸 한 군데 있는 거 보담.

[15] 전쟁터에서 요령으로 목숨 부지하다

[조사자: 근데 어르신 굉장히 영리하셨어요.] 에? [조사자: 머리가 굉장히 좋으셨다구.] 내가 머리, 내가 젊어서 천도깨비 소릴 들었던 사람이야. [조사자: 천도깨비?] 그런 소릴 들었던 사람이야 내가. [조사자: 꾀가 굉장히 많으셔서, 위험한 일 있을 때 겁 안 먹고 거짓말을 막?] 아, 내 저거야. 저거구 뭐냐므는 이렇게 공격해올라오잖아? 아— 저걸 안했네. 그때 당시 뭐냐므는 소위 있잖아? 소위. 소위는 하루살이 소위라고 그랬어. 많이 들어봤지? 그럼 소위는 하루살이 소위라구. 그럼. 앞에서 지을 테니까 소위는 하루살이 소위래는 거

야. 그래가지구 전투 한번 허고 나잖아? 허구나믄 신병만 죄 죽지 고참은 열이, 저 열이면은 하나둘만 상하지 다 살아있어. 그만큼 경험있다 이거야. 그러니깐 전쟁두 뭐냐믄 이 놀이나 마찬가지야 따지고 보믄. 놀이나 마찬가지야 요령이구 경험많으믄 살아요.

[조사자: 어르신 요령으로 살아난 이야기, 전투 과정에서 고런 거 생각나시는 거 없으세요?] 그건 인제 뭐냐므는 포가 디리 막, 디리 막 떨어져. 크다란, 큰 게 그냥 이 너머로 막 떨어지네. 그러믄 포가 먼저 빵 와서 떨어지잖아? 떨어진, 이룾게 보구 있다 그 구멍에 가서 있는 거야. 떨어진 데 절대 또 안 떨어지니까, 포는. 그래가지구 이룾게 거 보구서 우선 내가 살아야되니까, 우선 그것만. 그르구 그 앞에 어디 뭐 저 은폐물이 좋은 데, 어디 어디 저 바위가 어떻게 됐거나 어쩌나 그거만 보는 거야. 그르구 다음에 또 진격헐 땐 글로 또 가서 은폐허구. 그럼. 하이튼 전쟁두 요령이야. 전쟁두.

[조사자: 천도깨비였어요 별명이?] 아이 나두 그전에 그런 소리. 근데 인제는 정신없어. 금방 이룾게 들구두 금방 또 찾는 거야. [조사자: 정신없는 천도깨비시네요?] (웃음) 그래서 내가 다 잊어버렸는데 사위가 전화 왔길래,

"야 나 다 잊어버리고 뭐 했는데 지금 만나 무슨 얘길 허냐?"

나 이야기, 내 저거 헐라구 그러다가 사위가 하도 부탁을 하구 또 전화가 오구 그래서

'아이 그까짓 거 아무렴 허믄 어떠냐? 내 생각난대루 얘기허믄 고만이지 뭘.'

그래서 내가 헌 거야. [조사자: 재밌는 얘기가 아니구 되게 무서운 얘긴데두 너무 이야길 재밌게 해주셔서. 사람이 숨이 꼴딱꼴딱 넘어간다는 데서 웃음이 나는 거예요. 얘길 너무 재밌게 해주셨어요.]

참 그랬어요. 그래가지구 저 이 공비토벌 헐 때두 우리가 잔당 토벌 헐 때만 해두 그때만 해두 그런 사고가 많이 났어요, 그냥. 개네들은 이렇게 허면은 사람을 갖다가 아주 몰라보게 그냥 얼굴이구 뭐구 망창을 해놔. 누군지 몰라. 그렇게 잔인허게 죽여. 죽여놔 아주. 엄청나. [조사자: 동료도 그렇게 해

서 잃으셨어요? 그 사람들한테?] 그럼. 그런 사람 있지. [조사자: 어르신은 직접적으로 이렇게 맞닥뜨리진 않으셨어요?] 예 맞닥뜨린 적은 없어.

[16] 부산 근무 때 부산사람과 의남매를 맺다

[조사자: 그래도 경기도에서 경상도, 전라도 안 가신 데가 없네요?] 안 간 데가 없어. 아 또 내가 부산서, 부산에서부텀 근물 다 했는데. 부산진에서. (웃음) 부산진에서 거 또 거, 거기서 또 거, 거기서 다 근물 했어. 근무해가지고 아유 거기 그 뭐 삼부두 그 뭐. 그 저 뭐야 군수물품 막 들어오고 그러잖아. 거기서 또 근무허고 그냥.

[조사자: 안 가보신 데가 없네?] 그럼. 그때 뭐냐므는 부산진겉은 데선 뭐냐므는 그 부산사람들이 먹고살기가 피난시절에 다 어렵잖아? 그 뭐야 그 저 연탄 즘 얻어가지구, 연탄 즘 얻어가지구 마매탄을 맨드는 거야. 요롷게 으, 마매탄. 똥그랗게 고걸 맨들어서 팔구 그러는 거야. 그래가지구 뭐냐므는 군인들이래는 거를 뭐야 저, 그 나이가 많으니까 저 동생이지. 동생이 저렇게 그런 걸 많이 삼을라고 그러는 거야 군인들허고. [조사자: 그럼 그거 가지고 어떻게 쓰는 거예요? 마매탄을?] 마매탄을 그 사람들이 그렇게 연탄을 해가지고 맨들어 파는 거지. [조사자: 누구한테 팔아요 그거를?] 아 그거 시중에 파는 거지 그 사람들 그거를. 때는 거니까. [조사자: 군인들한테?] 군인들한테 아니구 그 시중에. 그거 때는 거니까. 그럼. 난로에다 때는 거 아냐.

[조사자: 근데 왜 군인들하고 동생 맺고 싶어 해요?] 아휴 어뜩해 그 저 연탄 즘 얻을까 허고. 연탄차가 거 대가리다 이빠이 싣고 들어올 때 있잖어. 그러믄 그런 걸 즘, 그런 거를 이롷게 눈 감어주믄 살짝 들어가서. [조사자: 가져가?] 어, 좀 해 내오는 거지. 그러니까는 군인들허고 친하게 지내, 지낼라고 허는 거야.

[조사자: 어르신도 친하게 지내신 분이 계세요?] 나? 나 또 그 생각허믄 웃기지. (웃음) [조사자: 왜요?] 아 군대에서 거 증말 아유 멫 사람이설라무네 거,

그 또 내가 거제도에 있을 때 화폐개환이 됐어요, 화폐개환. 그럼 이 저 그때 그 시퍼런 돈이 그 때 그 화폐개환이 되서 만 원짜리 그, 그때 됐는데. 그 돈 몇 푼 그 있는 거 아주 몇 사람이 그냥 딱 이래가지구서 그 부산진에서 아주 증말 참, 아주 멋진 여성이야. 아주 내 그냥. 그 누님 누님허고 이러지. 아주 또 잘 멕여. 그때 이 생선 아 그런 거 갖다 주믄 왔다지 뭘. 그럼. 그른데 이 저 그 양반이 아, 아 돈이 얼마가 필요하다 뭐 어쩌다. 그니까 우리들이 몇이서 있는 돈을 다 걷어서 줬어.

주구서 우리가 이 부산 당감동으루 왔는데 거그 와서, 또 당감동 얘길 안했네. 당감동으로 왔는데 당감동까지 그래두 면회 한번 왔드라구. 아유 거제도에서 한 번 왔드라구. 그래 당감동에 내가 있을 때 내 동생은 또 시상을 떠났구. [조사자: 왜요?] 차에 치여가지구. 군용차에. [조사자: 군용차에?] 으. 그서 쳐서 죽었구. 그 내가 휴가올 때, 아주 나 그 사람 형을 무척 따랐었어요. 근데 내가 그 부대에 사건이 나는 바람에 못 왔지. [조사자: 부대에 어떤 사건이 났는데요?] 부대에, 우리가 경비대거든. 부대 경비댄데 거 탄, 저 이 저 당감동 통신, 통신 탄약고 경비를 허는데 그 저 뭐야 장거기 무전기 그걸, 그게 도난당했다 이거야. 그래가지구 사고가 나는 바람에 그때 내가 인제 분대장이었는데 그래서 못 왔지.

[17] 동향(同鄕)인 선임 덕에 화기소대에 배치 받다

[조사자: 부대 내에서 동료들이랑 재밌었던 일은 없으셨어요?] 재밌는 얘기야 뭐. (웃음) 서루 만나므는, 만나면 그렇게 치, 다정헐 수가 없는 거지. 그렇게 반겁구. 그렇지. 그러구 더구나 또 뭐냐므는 전방에 가니까, 뭐냐므는 저 이 높은, 높은 놈들이 중사란 놈들이 어이서 왔냐고 허는 거야.

"전라도에서 온 사람 없어?"

"경상도에서 온 사람 없어?"

"경기도에서 온 사람 없어?"

"서울서 온 사람 없어?"

이르는 거야. 인제 거 고참들이 어. 그럼

"나 경기도에서 왔다구."

"야 경기도 어디냐. 어디서 왔냐?"

는 거야.

"파주서 왔다."구.

그러믄

"아유- 난 뭐 저 화성, 화성 사는데, 야 그동안에 어떻게 됐냐?"

"우리두 나온 지 오래유. 우리두 여 삼월달에 떨어져가지구 예비역으루 있었수. 우리두 고향 떠난 지 오래라."구.

그럼, 근데 거기에선 그렇게 으, 경기도만 해두 그렇게 반가울 수가 없는 거야. [조사자: 고향소식 듣고 싶어서요?] 그렇지 그거지. 그르니깐 아 나는 파주라고, 파주 교하, 교하까지 아까 그 얘기헌 그 기관포 그 뭐야 사수가 뭐야, 교하서 왔는데, 왔다구 그런대두 서루 긴가민가했다니깐. 아유 참. 그룹게 반가울 수가 없어.

그래 나두 그 저 생명을 유지헌 거는 그래두 아 9중대 소, 9중대했는데, 그 저 구, 화기소대가 있어. 화기소대라구. 화기소대, 그 저 육십미리 포 가지구 고 있는. 그 화기소대에 그 저 일등중, 그때 일등중사허던 사람이 그 저 경기도서 왔대니깐 자기는 뭐 저기라고

"야 너 이리와. 너 저 우리 화기소대로 와, 가자."

그래서 화기소대루다가 허는 바람에. 그렇지 소총, 소총부대니 아니잖어? 어. 그 화기소대에 있기 땜에 그래 그래두 내가 생명을 부지헌거야 그럼. 화기소대 육십미리 내가 포 사수까지두 허구. 첨에 부사수허다 사수허다가 그럼. 그냥 가믄서 내가 그거 허니까.

[18] 소양강 포격 속에서 목숨을 부지하다

근데 육십미리 포는 우리는 재네들 그 실탄을 못 쓰지만 저놈들은 우리 저, 우리 포탄을 맘대로 쓰는 거야. 육십미리 포를 그럼. 우리가 냉겨놓고 간 거. 그래가지구 우리, 아 그전에 그 저 군단이, 군단이 포위가 다 됐었는데 군단. 군단이 그래가지구서 그 전방에 그 탄약고를 불을 질러버리고 오는 거야. 불을 질르는 거야. 그냥 올 적마다 터지는 거지. 근데. [조사자: 못 쓰게 할려구?] 그럼 못쓰게. 그 탄약을 냉겨노믄 안되니까.

터지는데 나보덤 이, 그때 뭐냐므느 우리 두개 하사라고 그러는 거지. 그 사람이 나를, 늘 나만 쫓아와. 후퇴를 허는데. 나만 쫓어 와. 그래 그 사람만 디리 쫓아오는 거야. 디리 쫓아오는데 그냥 벌써 저 지끔 뭐냐하믄 그 저 인제에 그 인제에 그 저 춘천에서 막은, 그때는 그게 없었거든. 저수지, 저 댐이 없었잖아. [조사자: 소양강?] 소양강 댐이 없잖아, 그전에. 그냥 흘르는데. 그 소양강 줄기 따라 가면 그 인제 강 있거든 거기가. 그래 그, 그 사람을 따라 데리고 오는데 벌써 딱 그 그양 그 건너서부텀 벌써 포위당해가지구 건너서부텀 막 내갈기는 거야. 그냥 막 이 새끼들이 벌써 앞에서 갈기는데 거기 그 인제 그 강을 건너는데, 하이튼 거기서 사람이 무지무지허게 죽은 거야. 오죽허믄 거 피, 핏물이 됐대니까 뭐 말할 수가 없지. 그래두 거기에서 나온 거야 그래두. 그냥 살아나온 거야. 그럼.

나와가지구 배깥엘 나왔는데 아 그냥 뭐 환장하는 거 아냐 옷을 펴맞었구. 그래 보니깐 그 이북에두 이 저 간부급들은 아주 잘 살아 집이. 없는 집은 아무 것도 없는데 있는 사람은 아마 그 인민, 저 뭐야? 아마 인민위원장쯤 되나봐. 그 사람은 장두 아주 멋있구 그냥 이룹게 베가마도 쌔구 아주 그래요. 그러믄 우리가 그냥 고, 고 후퇴하믄서도 시간이 있을 때, 이룹게 디딜방아가 있어. 이걸루다가 찧는 거. 그걸루다 베를 찧는 거야. 그럼. 그걸루 찧어, 찧는 거야. 찧어가지구 그거 언제 밥해먹을 새두 없지만 좌우간 찧는 거야. 그걸 찧어가지구서 어, 눟구 그냥 장이구 뭐구 막 뿌셔가지구, 막 뿌셔가지구 불 놓는 거야. 그냥 불 놓는 거야. 추니까. 그래 불을 노면은 노곤해서 폭헌게 젖은 게 불쬐니까 노곤허잖아? 그래 잠이 깜박 들은 거야.

그냥 막 그냥 뭐 포 소리가 나구 그냥 뭐 총소리가 기관총 소리가 막 들리는데, 뺑 날르는데 아 눈을 번쩍 떠보니깐 아무 것두 없네? 그냥, 그냥 죄다 그냥 튀어간 거야. 차 저 죽을 뻔 허니까. 사람이래는 게 생명같이 중요헌 게 없어. 이 네 발루다가 그냥 뛰는 거야. 이룧게 서서, 그 쪼금 섰으믄 그 나은 게 뭐있어. 그냥 네 발루다 내뛰는 거야. 저쪽이 환하니까 저리 갔을거다 허고 그냥 네 발루다 내튀, 내뛰어가니까 그 앞에 쭈루룩 가드라고. 아 가는데 강이 또 맥히는 거 아냐. 아휴 그런 현상도 해봤어. 뭐 이루 말할 수 없지. 고생은.

저기 그 저 거긴, 그 새끼들은 삐치카야. 삐치카에서 그 소가 고성 들어가면, 그 고성에 들어가면은 소가 먹질 못해가지구, 그 삐치카 속에. 그 삐치카 속에 가서 있다가 생각나믄 나와서 풀을 뜯어먹구 이래. 그니까 이제 빼짝 말랐지 말할 수두 없지. 그러믄 그게 인제 그게 말하자믄 나와서 풀 뜯어 먹는 거야. 그르믄 그걸 잡어야 할 텐데 뭘루다 잡어. 그 부락을 죄 싸질러봐야 호미자루 하나 없어. 그럼 없는 거야. 뭐냐믄 걔네들은 인장이구 뭐구 한군데다가 놔뒀다가 이룧게 쓰구 그러는 거야. 그럼. 단체루 또 쓰고 그래 걔네들. 그래 어디서 그냥 읎어. 죄 찾아봐두 없어. 그래서 그놈으 걸 대금허구, 우리 차루 오든 대금허구 요고만한 면도칼 그거허구 소를 그거 껍데기를 뱃기는데 네 다리만 띠는데 아침서부텀 소를 다 네 다리만 띠어가지구 그 부대로 온 거야. 그래가지구 먹었어, 빼짝 마른 거. 그래두 먹어봤다구 그거를. 그래두 봤어요 아유 참.

[19] 보급 쌀을 쑥개비떡과 바꿔 먹다

아이 저 군대생활은 뭐냐 어려서 해야 돼. 어려서 헐 때는 그다지 무서운 거를 몰라. 무서믄 못허지 전투를. 그 전방에 그떡에 저 창녕서 배치 받아서 딱 갔는데 뭐라구 그러는 주 알어? 헌병놈으 새끼들이

"야 니들 대갈팽이 들믄 금방 죽어."

만날 튀어댕긴다 이거야. 근데 후퇴해서 나올 때, 나올 때는 헌병들이 그룷게 친할 수가 없는 거야. 죽일까봐. 그때 헌병이래는 거는 아주 진절머리 흔드는 거 아냐? 아주 군인은 헌병이래는 거는. 근데 그룷게 친절헐 수가 없는 거야. 그 후퇴해서 나올 때. 아유-

그래가지구 후퇴해 나와가지구 이제 뭐야 강릉이지, 강릉. 강릉에를 거길 강릉엘 떡 오니까 벌써 이제 딱 뭐야 공격헐 부대가 탁 있드라구. 벌써 이제 후퇴해나오믄 일부는 또 공격헐 부대가 배치가 돼있거든. 고게 고거 저 뭐 전방구역이 우리는 모르지만 이 작전으로 다 해가지구 해서 어디 어디, 후퇴를 하게 되믄 어디까지 그런 저, 뭐야 전투를 허게 되믄 어디까지 후퇴 이게 다 돼있는 거야. 있는 거야 그게. 그래가지구 우리가 강릉을 나왔는데 봄이야. 그냥 아래 내려오니까, 꼭대긴 눈인데 아래 내려오니까 모가 새파랗게 익은 게 강릉을 나왔는데 그냥 저, 뭐야 쑥개비떡, 그거 파는 여자들 강릉 나와서 그런 여자. 그렇게 먹구 싶을 수가 없어, 어. 근데 막 보급이 온 거야. 쌀이 인제. 고 부대로다 보급이. 야 우리 그 쌀 그 한 됫박 퍼주구 우리 저거 사 먹자. 그래서 그거 사 먹은 기억은 지금두 나. [조사자: 맛있어요?] 그럼. (좌중 웃음) 그 강릉에 가서는.

[조사자: 전쟁 때라두 떡 장사두 같이 다니고 그러나봐요?] 그럼. 거기 강릉, 강릉엔 다 있었지 그럼. 아 그 먹고 살아야 되니까 그러지. [김귀례: 그러구 군인들이 푹푹 뭐를 많이 퍼주니까] [조사자: 군인들이 많이 퍼줘요?] [김귀례: 많이 퍼 줘.] 군인들이 많이 퍼줄 게 어딨어? [조사자: 왜요 보급 쌀도 갖다주

고.] 그럼 그게 나오니까 하도 먹고 싶으니까 사 먹은 거지. 그때는 식량이고 뭐이고 보급품이래는 게 흔하게 뭐가 있어? 제기랄. [김귀례: 그때 군인 간 사람들 배고파서도 많이 죽었지 진짜.]

[20] 김귀례: 전쟁 통에 아들 낳고 인민군 피해 도망 다닌 이야기

[조사자: 할머닌 전쟁 때 어디 계셨어요?] 나? [조사자: 네. 전쟁 났을 때.] 저 시골에. [조사자: 시골 어디?] 정읍. [조사자: 정읍이요?] 응. [조사자: 저 전주 사람인데.] 어 그래요? 한 고향이네. [조사자: 그럼 할머니는 전쟁 때 몇 살이셨어요?] 그때 스물 하난가? [임정환: 스물 하나지.] [조사자: 어르신 열아홉 살 때니까?] [임정환: 스물 하나.] [조사자: 고때 할머니가 겪으신 전쟁 얘기 좀 해주세요.] 내가 뭐를 헐 게 있나. [조사자: 할머니 전쟁터는 안 나갔어도 또.......] 안 나갔지, 안 나갔어도. [조사자: 거기는 또 할머니.] 유명허지 아주 그 근방이믄. [조사자: 그때 고생하신 이야기 좀 해주세요.] 고생헌 것은 말도 못허지. [조사자: 그니까―]

애기 배가지구서 날 때 당했는데 막 마당으루 베밭으루 불쑥불쑥 쏟아지드라구, 탄알이. 쏟아지는데 애기는 열두 시, 정각 열두 시에 낳는데 갈 곳이 없어. 그래서나 우리 마당 앞에루 막 그냥 쏟아지니 꼼짝도 못하고 밥도 못해 먹고 불만 때믄 막 쏟아지니까. 그러고는 가만 있다봉게 애기는 인저 났는데 그걸 끌구 나가야지 어디루 숨어야지. 자꾸 거그만 돌아서서 허는 거여. 긍게 거그서, 우리 집에서 얼마 안 돼. 거가 다리가 큰 다리가 있어. 정읍서부터 오는 길이여 거가. 전주, 정읍 가는 길에 다리가 큰 다리 놨어. 거가서 폭격이 떨어져서 참 겁나게 죽드라고. 그랬을 적에 그 애기를 데리구 시상에 태두지대로 못 잘렀지. 그걸 끌고서 배밭으루 도망을 가는데 참 기가 맥히지. 그래가지구두 우리 집이 본영감이 경찰이라. [조사자: 아이구, 고생하셨겠다.] 맨날 도망댕겼어 만날. 그 살것다고 도망댕기고.

한번은 마지못해서 어디가 편안히 죽게 누워 자봤으믄 싶어 작은어머니네 집이를 갔어, 작은어머니네. 친정 작은어머니네 집이를 갔는데 또 누가 뭣을 냈나봐. 그냥 또 쏟아지는 거야 고 동네로. 그래서 애기를 작은어매가 언능 여그 놓고 숨어라 화장실에 숨어라 그래. 그래서 놓구선 화장실에 숨었어.

"이 애기는 누구냐?"

"아 내가 시방 젖 멕이다가 저기헌다."

고 그짓말을 해 작은엄마가. 나하구 두 살 새 났지 작은어매가. 그래가지구 그래 있으니까 쪼끔 있으니까 탁탁탁 오드니 나가드라고. 그래서 인자 그때는 살았다. 그거 경찰 옷 하나만 있으믄 그놈으 집은 불 다 질르지. 그 보따리는 요만헌 거 싸가지고 다, 내 옷은 나 다 못 이고 그 옷만 다 싸가지고 도망댕기는 거야.

그리구 또 우리 작은어매네 친정으로 갔어. 친정으로 도망갔어. 친정으로 도망갔는데 그 집이 가서 대나무가 무지허게 많아 뒤에가. 그서 세상에 거가 있는데 애가 막 우네. 배가 고프지 뭐 허지, 그거 똘똘 몰아서 갖고 갔으니

오직 해? 막 우니까 모다 동네사람들도 그 한티로 다 있는데 다 숨었어.

"아이고, 애기 좀 울리지 말라."고.

"나가라."고.

자꾸 그러네. 그때 그거를 내버리고 어디로 나가고 어디로 내버릴 거여. 너무도 살도 못허고 도로 가만히 작은 어매네 친정 어매네 방으로 들어갔지. 잽혀가믄 잽혀가고 인자 살믄 살고 죽으믄 죽자 허고 고리 들어갔드니 조용헌 그 집은 안 왔어. 안와서 이자 살았다 허고 도로 나 산 집으로 온 거여. 거그서 십리 밖에 되지.

그서 산 집이로 왔는데 아 밤에는 빨갱이들이 와갖고 둘러싸지. 어트게 헐 길이 없어 거그서는. 그래갖고 만날 친정 가믄 친정서 그냥 소 길르니까 그양 이른 뚝 해 논 놈도 그냥 칼로 폭폭 총대로 쑤시고 막 그냥 자꾸 사위 내노라고. 그 안내노믄 죽여버린다고. 그르고 허다 이놈으 새끼들이 소를 한 마리 식량차 끌고 가드라. 빨갱이들이. 끌고 가서 잡어서 어디가 잡어 처먹었는가 처먹고.

그 이튿날은 포도시 인자 도망갔어 또. 또 도망가서는 또 보니까 총살이 떨링게 숨을 데가 없어서 하수도구녁 이만한 데로 들어가서 물 짤짤짤 내려가는 데 거가서 주저앉았었어. 긋드니 또 조금 있응게로 괜찮허드라고. 또 나 살던 집이로 와서 죽으믄 죽고 살믄 살고 헌다고 또 들어옹게 동네사람암도 안 봤으니까 그 스파이가 없지. 그래 그 우리 집이루 하나 들어오도 않았어. 대문 딱 잠겨놨네. 그러다 안들어와서 또 자고. 또 마지못해서 우리 언니네 집으로 또 도망가는 거여. [조사자: 계속 도망 다니셨네?] 계속 보따리, 보따리만 안들었어도 좀 살겄드라구. 보따리만 들구 도망가구.

[21] 김귀례: 경찰남편이 숨어 지내는 동안 아들이 죽은 사연

그 영감은 정읍서 전부 또, 우리 형부가 경찰관이지. 그래노니깐 둘이 다 딸려갖고 전주로 도망갔대. 근 칠 개월을 소식이 없어. 그서 어디가 있었냐

헝게, 나중에 누구한테 전해서 와서 들으니까 그 우리 형부네 이모네 집이래. 그래 그 집에 장을 들어내고 방둑을 띠어내고 거가서 둘이 앉았는 거여. 앉았고 자고 인자 둘이 거그서 먹고 자고, 밥 주믄 먹고 이제 그랬나봐. 그래갖고는 오강도 화장실마냥 거그서 똥 싸고 오줌 싸고. 그러고 갖다 싹 치고 그랬대. 그래가지구 살다가 어느때 됭게 칠 개월이 됐어.

일곱달이 됐는데 애가 또 그냥 짐을 쌌거든. 폐렴에 걸리드라고. 걸렸는데 우리 오빠가 의산데도 가들 못해. 장질부사도 많지, 그냥 거 뭐 우사고 뭐고 전부 임줄 쳐놓고 데려가도 못해. 거그서 알믄 태인 알지? [조사자: 태인이요?] 어. 전주서 왔으믄 거 얼마나 돼. 태인이란 데서 의사질 했는데 다 임줄 쳐놓고 들어가도 못허고 나오도 못해. 그르도 즈그 말로 죽든 살든 놔두고 그냥 있었제. 그랬드니 할 수없응게 즈그 아부지가 경찰들이 그땐 용케 다 밀고 왔어도 그리. 다리 인자, 그 폭격 맞은 자리를 전부 밀고서 오니까 주둔하고 섰으니까 꼼짝도 못 허드라고, 밤에. 그래가지구 도망대니다 그 머스마 그냥 놓친 거여.

놓쳐가지구 갖다 죽은 걸 묻어가지고 울 아부지가

"야. 구사서 도대체 엇다 묻을 수가 없다. 어떻게 하냐?"

그드니 어트게 어트게 해갖고 갖다 묻으랑게 산에다 갖다 묻고 오드라고. 그래갖고 용케 저그 아부지 보고 죽었어, 그래도 애가. 난 지도 몰르고 뭔 지도 몰르고 그때 일곱달 켰는데 그도 그때 와서 즈그 아부지가 보고서 그도 죽었는데. 저녁이므는 전부 나가서 주둔허고 섰으니까 어데 꼼딱도 못해. 경찰들이 막 몰려서 막 그냥 댕기고 그때는 아주 개판이었어.

그도 저 순창인가 어딘가 가서 있다고 안 죽었으니까 걱정하지 말래. [조사자: 연락이 왔어요?] 으으. 연락이 왔어. 연락병이 있어, 하나. 만날 돌아댕임서 그룽게 연락을 해줘. 걔가 엄마도 있고 없고 아무도 없어. 근디 걔게다 그룽게 말 한마디만 해노믄 살짝이 와서 연달 해주고 가고. 그르다가서는 그냥 해방 되고말고 살았어 그냥. 사는 거 고생 말도 못해. 보따리 들고 댕긴 생각허믄 아주 징그러. 지금도 생각이 나. 위에 업었다 맞아봤다 애기는 등어리 갖다 엎었다 배꼽이다 생내미가 떨어져서 거그서 또 고름도 팔팔 나지. 아 죽을 고생 다 했지.

[조사자: 그럼 애기를 어디, 어디서 나으셨어요? 혼자서?] 우리 친정에 가서. 갔는데 애기기가 있는데 암만해도 갈 곳이 없어. 그래서 친정엘 갔드니 그롷게 몰르드라구. 동네에서 인제 암도 모르게 들어갔지. 들어강게 인자 그 저녁에 자고 아침 새북부터 또 그냥 열두시에 났드라고. 그래가지구선 이롷게 나중에는 알게 됭게는 자꾸 와서 총대로 쑤셔대고 막 내노라고 허고 막 지랄들 허고 막. 소를 질질 끌고가고 헝게 우리 엄마가

"하이고 내가 못 살겄다. 너그들땜에 못 살겄다."고.

그러드라고. 그르구 울 어머니가 딸만 다섯 낳구 아들 하나 났어. 그렁게 아들 죽일까 막 벌벌벌벌 떨어. 벌벌벌벌. 죽인다고 헝게 겁이 나서. 그르구 소 다 뺏기구 그 많은 집 재산 많이 뺐겼지.

그루그 그양 쌀가마도 툭툭 들고 들쳐매고는 우리 마을에서 동네사람 쌀 짊어지고 가자헝게 한가마니로 지고 가다가 죽어가. 그 집도 아들 하나. 딱 아들 하난데 질, 짊어지고 가서 어디 순창인가 어디까지 갔대. 갔는디 거기서 전투 벌어져가지구 거그서 죽었대. 소식도 없어서 그집도 몰랐어. 암것도 몰라 그집도. 그르고들 살았어 그때. 아이고 진짜 무서워.

[조사자: 할머니 결혼은 몇 살에 하셨는데요?] 나? [조사자: 예.] 나 열일곱에 했어. [조사자: 열일곱에요?] 그럼. [조사자: 근데 어떻게 애기가, 그때 애기가 첫 애기였어요?] 그럼. [조사자: 늦었네 애기가?] 늦었지. 만나는 게 지대로 만나도 못허고 그롷게 자꾸 도망댕기고 이리 밀렸다 저리 밀렸다 경찰들허고 막 전투가 낭게 경찰들이 이리 밀리고 이리 밀링게 그때도 어뚷게 해서 난 거여 그거 하나. [임정환: 그때는 뭐, 그 새끼들 들어와가지고 경찰가족하고 군인가족은 무조건 처단하고.] 무조건이여, 그거는 무조건 사형이여. 무조건 그 자리에 죽인다고 그양. [조사자: 그니까 총살도 시키고 하더라구요.] 많이 그랬

어 그때. [임정환: 그래가지구 인제 육이오 때 여기서 또 일차 밀구들어가가지구 여기 태극단이라구 있었거든. 태극단이 또 이북으로 간 가족들, 여 남은 가족들 잡어다가 그냥 붙들어다가 그냥 무대기루다 총살시키구 그랬어.]

[22] 김귀례: 도망 잘 다녀서 목숨을 부지하다

그래도 내가 참 고만침 활발히 대녀서 내 목숨 살었지 진짜. 살도 못 했어 딴 사람들은. [조사자: 그러게요] 막 이리 도망가도 살짝이 도망가고 저리도 도망가고. 언니들이 많이 사니까 언니네 집에도 가만히 들어갈래믄 누구 있나 없나 살짝 들여다보고 참 고생.

[조사자: 그래도 할머니 도와달라고 찾아오면 다들 숨겨는 주셨나봐요?] 그럼. 아 동기간들이 다 숨겨주지. 어트게라도 숨겨놓고 돌려놓고 그 사람들 살살 델꼬 나가서 살살들 돌려놓고 그러고 왔어. 다 그러고 살았어. [조사자: 언니는, 언니도 형부가 경찰이셨으면?] 그 언니는 저기지. 저 먼데 사니까. 나 그 집이는 한 번도 못 갔어. 그르니까 그쪽은 그쪽대루 대니구 나는 나대루 대니구 그러지.

그래가지구두 그때 해방돼가지구두 참 그 고치에 가서 만날 경찰들 서서 맨날 밤이므는 딱 저기해놓고 있고. 그래서 나 마지못해서 친정도 그룹게 사방 자꼬 못오게 인자 자꼬 허드라고. 자꼬 친정엄마도 아들 하나 죽일까 무서웅게. 그래가지군 따러갔지. 따러오라고, 오라고 해서 거그서 집안을 다 비어놓고 나갔응게 그 동네도. 산 밑이라. 그릉게 다 비워놓고 나가고 거가 고치만 있어. 삼십 명 데리구 있는데 거가 집, 빈집으루 들어오라구 그래서 갔는데 젤로, 석유 되게 독한 거여. 석유, 밤새 불을 켜노믄 석유냄새가 나. 맡아갖고 목이 칵 잠기드라고. 밤새 켜놔 또. 어디서 불 한 번만 깜박 했다하믄 그냥 총을 뭐 비오듯 허지 그냥. 그러니까 동네 기집애들이 전부 우리집 와서 열 명이서 모여갖고 잤어 그냥. 막 날러오고 둘이. 그러믄 남자들은 전부 군인들은, 경찰들은 싹 짜고. 거가 있고. 긍게 불만, 장난허다가 불 한 번만 꺼지믄 막 비오듯 헝게 장난도 못했어. 꿈쩍도 못허고 살았어 진짜. 거가서도 한 서너 달 살다 왔나봐. 산 밑이서. 고생 참 많이 했어.

[23] 김귀례: 인민군에 협조한 동네사람이 고문 받은 이야기

[조사자: 그럼 할머니 마을에도 그 빨갱이들이 많이 내려왔잖아요.] 아이고 빨갱이들 간 사람들 많어. 멘장 아들은, 동네 우리 동네 멘장 있는데 멘장 아들이 넷이야. 넷인데 큰아들은 빨갱이로 몰랐고, 저 저기서 큰아들도 멘장질했어. 아부지도 멘장했고. 큰아들은 전주 가 있는데 전주에다 구대기 파놓고 그냥 끌어다놔 안에다 총질을 시키서 구대기 파놓고 그 자리서 그냥 죽었어. 송장 나중사 찾아왔어. 그랬제. 막내아들은 어디가 죽은 지도 모르제. 셋째도 어디가 죽은지도 몰르제. 두째만 하나 처갓집이 좀, 못 먹어서, 공산당이 못 먹어서 소를 잡아중게 그래서 살았어. 그서 붙들어다 고문을 시켜가고 사램이 이른 성한 사람들이 손도 못가눠. 비질해갖고 힘이 없드라고.

[임정환: 사위, 사위 메누리 양반 멫번 봤는데. 인천 집이 가서도 한번 보구.] [조사자: 인천도 갔다오셨어요?] [임정환: 거그 가는 길에. 가는 길에 고 뭐야 시아버지가 뭐 뭐 줄게 있어서 나오라고 그래서 보구. 여기 못자리허고 여그 오구 그서 봤는데.] [조사자: 저희도 여기 못자리 하러 한번 왔었어요.] [임정환: 어 그러믄 봤겠네 그때?] 난 못자리 헐 적마다 만났구. [조사자: 저희 한번 했었어요. 재작년인가 그 이전인가. 농사 이거 마지막 짓는다고 하셔갖고. 며느리가 글을 잘 써요.] 그 똑똑허니 며느리가 공부는 똑같이 했어도 긍게 똑똑허니 글씨를 잘 쓰는가부지? [조사자: 예. 글을 잘 써요.] 하 어트게 칭찬을 허는지. [조사자: 며느리를?] [임정환: 그럼. 아 그래가지구 애 옷두 옷 맞춰입으라구 양복 맞추구. 상 탈 때.] [조사자: 아, 상 탈 때?] [임정환: 그래. 그 시아버지.] [조사자: 그 다녀오셨어요?] [임정환: 안갔지. 거기 내가 뭣허러 가] [조사자: 아

니 그 아버지, 유성현 어르신.] [임정환: 유성현은 갔지. 아 양복 맞춰입으라고 돈 주구 그래서 양복 새로 다 맞춘다고 그러고.] 시어머니랑. [조사자: 며느리 상금받아갖고?] [임정환: 그럼. 그 오천만원 받았다고 그 아주 그양.] [조사자: 자랑 많이 하신가 보네.] 말도 못하게 자랑하지. 메느리가 그렇게 그양 아주 이러지 뭐. 시어머니도 사람이 좋아.

[24] 김귀례: 현 남편과 재혼한 사연

[조사자: 할머니 어떻게 하다 파주까지 오셨어요?] 우연히. [임정환: 파주가 아니라 서울서 살다시피 했지.] 그래갖구서 서울루 또 올라왔어. [조사자: 그러면 러브스토리 좀 얘기해 주세요. 어떻게 만나셨어요, 두 분은?] 두 분? [조사자: 예. 할아버지하고 할머니.] [임정환: 둘이서 만난 건 우리 둘째 아들, 여기 밑에 사는 우리 둘째 아들이 거 저 무슨 회사야?] 진덕산업. [임정환: 어, 진덕산업. 진덕산업에 이 거길 일을 댕겼어, 진덕산업.] 근디 나는 거그서 뭣 했냐? 식당을 했어. [임정환: 의정부.] 의정부서. [임정환: 의정부 빵카 그거 디리 맨들구 그럴 때 그때 우리 아들이 거가서 있을 때에 함바에 있었어, 이양반이.] [조사자: 아, 함바.] [임정환: 어 함바에 있어가지구 우리 아들이 아주 증말 괴짜거든. 그냥 뭐 그냥 증말 굉장해.] 똑같애. 농담도 잘 허고. [임정환: 멫 수백 명 되는 데서 인제 함바하고 그러니깐 막 띠어먹는 눔도 있고 우습게 보구 그러잖어? 그래 우리 아들이 그냥 많이 돌봐준 모양이라. 막 허구 그래가지구.]

"엄마, 엄마."

[임정환: 그럼. 그래가지구 엄마 엄마 허니까 이제 수양아들, 수양엄마 삼은 거지.] [조사자: 아 진짜 엄마가 됐네?] [임정환: 그래. 그렇게 됐든 거야. 그래가지구 그눔의 새끼들 혼내가지구 앞으루 그렇게 띠어 먹는 게 없구 그럼. 그렇게 되니까 서루. 그래 이제 우리집이 와서 차 가지구 와서 쌀두 사가

구. 인제 그렇게 되니깐 쌀을 몇십 가마씩 사가잖어? 함바니까. 그래서 인제 그 전에두 인제 우리 집엘 대녔기 때문에 알았었지. 그래가지구 인제 우리 마누라 세상 떠나구났는데.] 그때 왔지 우리집 놀러두 오고. 언니 언니허구 쫓아오구 그랬어.

[임정환: 그냥 뭐 여기저기서 중신이 들어오구 뭐 선두 보구 그랬는데 우리 집안에 아저씨가 아예 그 기웅이 수양, 수양엄마 혼자 산대므 왜 거 왜 얘기 해보지 그러냐. 근데 그때 이제 머리에 떠올라가지고 내 누이동생들이 하루 그냥 댕겼나봐. 댕겨가지구 인제 그럼 오빠가 가서 직통으로 얘기해야지 우리가 해서 되냐. 그래서 내가 또 갔어. 가가지구서 가가지구 인제 나중번에 내가 가가지구 용기를 좀 내가지구 (좌중 웃음)

"저, 우리 남은 여생 재밌게 삽시다."

내가 그냥 손을 붙들었지. (좌중 웃음) 손을 붙들었지. 그르구서 얼마만에 기별이 왔드라구. 십이월 메칠 날.

안 갈라고 했어, 안할라고. 나도 아들 있응게 안갈라고 마음을 먹고 있는데. 생전 그 눈도 안뜨고 살었는데. 근데 엄마 가 우리집 가. 그양 나랑 우리 집 다 있어. 가. 그래가지구는 큰메누리하고도 아주 인저 다 알게 됐지. 애기 돌때도 즈그 엄마 살아서 애기 돌때도 갔지. 형숙이 아들 났을 때 인저 그러구 인저 여기 쌀 사러도 같이 오고. 차 갖고 저녁이믄. 낮에는 은제 올 새 있어? 못 오지. 밤에 인자 쌀 사러 여그도 오고. 그르다 보니까 인자 또 고모, 시누, 막내. 시누. 시누가 남편 델꼬 하루 저 이틀 택시헝게 그 택시허므는 하루 쉬잖아. 쉬므는 똑 둘이 와. 두 내외간에 와.

[임정환: 아까 그 우리 참전 그 수당 적혀있어요?] [조사자: 참전수당이요?] [임정환: 어, 저.] [조사자: 수당? 십이만 원?] [임정환: 십이만 원이래는 거. 삼만 원이 1월 1일부로 인상이 돼서 십오만 원이야.] [조사자: 예. 그거 그대로 다 녹음돼 있으니까.] [임정환: 십오만 원이야.] [조사자: 아 십이만 원이었다. 삼만 원 올라서 십오만 원 됐다구.] [임정환: 그래. 그개서 십오만 원이다 이거야.

현재 십오만 원.] [조사자: 으. 십오만원.]

그래가지구서 마지못해서는 이 양반이 와서 갔어. 남은 여생 얼마나 살다 죽냐. 같이 재밌게 살자고 그냥 또 가자고 그러지. 또 아들 그 둘째놈은 또 엄마 가야 우리집이는 되지. 웬만한 사람들 와서 뭐 논을 댓마지를 달라 몇마지기를 달라느니 나는 그 꼴 못 봐. 죽여버리지 못 봐. 막 성질내고 울드라고. 그래서 저 새끼 성질, 못된 놈으 성질 내가 또 아부지한테 가 그럴까 무섭다 허는 생각이 들어갔어. 에이 그냥 내가 맘 달리 먹으믄 쓰겄다 하구는 승낙했지 이제 할 수 없이. [조사자: 아들 때문에? 할아버지 때문이 아니고?] 응. 아이 아들 자꾸 가자허지, 할아부지 자꾸 가자 허지, 그러니까 인자 할 수 없구나. 나하고는 다 통과하지. 몇 년을 서로 간에 인자 엄마엄마허구.

그 뭐 까불구 지랄하고 돌아댕기다 성질 바짝 냄서 너 자꾸 그렇게 나무래주믄 좀 수그러지고. 일꾼들이 말썽 얼마나 많아? 사람 육십 명이 됐는데 애들이 가서 실컷, 집이서 밥먹고 다니는 놈. 한번 강게 또 올라강게는 닭 잡어갖고 가서 그 물르래. 잡어갖고 가서 그 쌀 일어서, 소쿠리다 일른 놈 하나 놨는데 퍼갔어 누가. 암만해도 퍼갔어. 새북에 밥을 헐라고 보니까. 이상허다 이상허다 그랬어. 의정부새끼들이 알래 깡패들이야. 애들이 못써. 그놈을 퍼갖고 가서 닭허고 죽을 끓여서 퍼먹니라고. 술먹고 막 그러드래.

그래가지구서 애새끼들, 근데 우리는 줘패서 해놓고는 이놈으 새끼가 돈 내노랑게 지가 월급 안탔응게 돈이 어디가 있어? 엄마 돈 달래.

"저새끼들 내가 딱 잘라버릴랑게."

거 이르구 이르구 해서 다 깎고 죽 쒀 먹고 강게 그놈 먹고 앉어서 술 먹고 너덜거리고 일은 안하고는.

"내 저런 새끼는 잘러야 된다."

고. 아 그래 그서 얼마 가지믄 인건비 얼마 가지믄 주냐 헝게 계산해보드니 삼만 원만 내노믄 된대. 그래선 삼만 원 줬드니 그놈 가지구서 인자 때려패서 쫒아부렀어.

아이 하이타이도 못 남아. 그양 설겆이 허고 나믄 그놈 놔두므는 싹 가져가 버리고 없고. 낮에 저그들 나간 데 그 안에 들어가서 찾아보믄 다 있어. 세수비누 빨래비누 그냥 안 가져가는 게 없어. 못 살어, 진짜. 아주 그래까고 소장더러 얘기를 했드니 그런 놈으 새끼들은 쫒아버려야 되는데 잘 쫒았다고. 그러고 앉아서 고맙게 생각하드라고.

[조사자: 영감님은 재밌게 해주셔요?] 응. 재밌게 해주냐고? [조사자: 예.] 성질나 보지. (좌중 웃음) [조사자: 잘 어울리세요, 두 분이.] 저기 칠순 때 사진 둔 건데. [조사자: 2001년도였네요?] [임정환: 앞으로에 사는 게 문제지.]

불의에 부친을 잃고 힘겨웠던 피난 생활

고 영

"토굴 파갖고 산 디는 거지들도 아니고 사람들도 아니고 그릏게 다 갖다가 퍼붓어놨으니 오죽허요"

자 료 명: 20120724고영(담양)
조 사 일: 2012년 7월 24일
조사시간: 2시간 25분
구 연 자: 고영(여·1939년생)
조 사 자: 박현숙, 박혜진, 조홍윤, 황승업
조사장소: 전라남도 담양군 창평면 (구연자의 집)

[조사과정 및 구연상황]

제보자의 자녀들이 어머니의 살아온 이야기를 엮어 『천상의 꽃을 꺾은 죄로』라는 제목으로 환갑 기념 자서전을 출간한 바 있다. 제보자는 책에 전쟁 경험을 얼마 수록하지 못하여, 평소 인공 때 경험한 이야기들을 세상에 알리고 싶은 생각을 했다고 한다. 그러던 중 동화작가로 활동하고 있는 딸의 제안을 받고 선뜻 인터뷰에 응하였다.

제보자는 고운 모시 한복을 단정히 차려 입고 조사자들을 맞이하였다. 기억력이 좋고 표현력이 좋아서 생생하게 현장감이 살아 있는 전쟁체험담 채록이 되었다. 제보자의 남편이 청중으로 함께 동참하였다가 한국전쟁 때 상놈 취급하던 양반을 몰살시킨 마을 사람들 이야기를 구연하기도 하였다.

[구연자 정보]

고영 제보자는 1939년에 담양군 남면 만월리에서 태어났고 9살에 한국전쟁을 겪었다. 마을 이장이었던 부친이 반란군의 협박에 못 이겨 옷을 구해주었다는 이유로 고초를 겪고 난 뒤 사망하였다. 제보자는 그 후 철이 들었다고 한다. 제보자는 삶에서 전쟁이라는 험난한 고비를 겪고 난 뒤 또 한 번 삶의 고비를 맞는다. 천식으로 크게 고생하여 목숨이 위태로울 지경에 이르렀던 것이다. 이후 최후의 수단으로 시도한 단식을 통해 건강을 회복하였다고 한다.

[이야기 개요]

제보자는 담양군 남면 만월리 태생으로 9세에 전쟁을 겪었다. 큰오빠의 결혼식 날 반란군 30여명이 산에서 내려와 이장인 아버지에게 옷을 구해오라고 하였고, 이후 그들은 민간인으로 위장하여 마을에 함께 살았다. 이웃주민의 고발로 마을에서 총격전이 벌어지고, 아버지가 끌려가 모진 고문을 당한 뒤 그 후유증으로 목숨을 잃었다. 그 후 피난을 떠나 세 칸 집에 11가구가 힘겹게 생활했으며, 토굴에서의 2-3년간의 피난살이가 무척 고되고 힘들었다. 어린 나이에 피난 온 가족들의 생계를 위해 어머니와 함께 군인을 쫓아다니면서 나무 긁는 일을 하다가 죽을 고비를 여러 번 넘겨야만 했다. 대가족이 피난을 가서 인민군이 쓰다가 버리고 간 집에 들어가 잤다가 군인에게 오해를 받아 죽임을 당할 뻔했다고도 한다. 전쟁 통에 언니가 결혼을 하여 신행을 가다가 반란군을 만났는데, 그 대장이 구연자의 집안을 잘 아는 사람이라서 겨우 목숨을 건졌다. 피난 시절 친한 친구들이 헤어지면 서로 생사여부를 확인하자는 의미에서 팔에 표적으로 문신을 새기도 하였다.

[주제어] 사선(死線), 총격, 신행, 빨치산, 반란군, 피난민, 구호미, 토굴, 문신, 고문, 입산자, 피해, 부친사망, 상놈 취급

[1] 이장이었던 아버지가 반란군 도왔다는 죄로 경찰에 끌려가 고초를 당하다

저의 태어난 곳은 담양군 남면이여. 남면이라고 하믄 아주 산중, 완전히 산중이여요. 거기서 제가 태어났어. [조사자: 만월리?] 만월리. 담양군 남면 만월리. 그른게 좋은 가정에서, 고가라고 하믄 아르실거여. 고가들이, 고가들 중에서도 한 아버지, 큰할아버지 밑에 세 자손이 있는디 내가 말하자믄 알아들응가 몰라? 중파여. 중파 종녀여. 못 배우고 가난하게 살아서 그러지, 중파 종녀. 그른게 어려서 열 살까지는, 아홉 살까지는 아주 다복허게 살았어요. 이른 무명옷도 안 입어보고 명주옷만 입고, 아조 훈장허신 할아버지에다가 시인인 아버지에다가, 아주 어머니도 문장가에서도 오셨고, 다 집안이 그만큼 너른장허니 아주 잘 된 집안이었어.

근디 철따구니를 그때는 모른게. 어쩐 일인 줄 모른디 어린양만 하고 그러고 산 시상인디, 밤에믄 뭣이 와서 괴롭게 해싸트라고. 밤에믄. 밤에믄 반란군들이 와서 그냥 밥 해달라고 하고, 그냥 옷 달라고 하고 그냥이, 막 소도 끄집어가고이, 그냥 또 밀려가믄 낮에는 또 군인들이 와서 군인들이 와서 엊즈녁에 밥해줬다고 볶으고, 이자 밤 돌아오믄 반란군이 와서 볶으고, 이자 이른 식으로 그냥 살고 있는 거예요.

근디 인자 아홉 살 먹었을 적에 동짓달에 내 큰 오빠를 결혼을 했어. 근디 인자 신행을 헌게로 시집을 온게로, 그때는 가마타고 오거든요. 가마타고 오

고 나만한 집안에서 대사를 친게로 훌륭한 손님들도 많이 오셨고, 그날 하루 너무 많이 즐겁게 살았는디, 했는디, 느닷없이 반란군들이 그 인자 대사치기 안에 날 받아놨을 적에 한 삼십 명 정도 만월리로 들어왔어. 만월리로 들와가지고는 그걸 그냥 그, 들어왔다 나간 게 아니고 그냥 옷을 좀 빌려주라고 그래요. 한 삼십 명, 삼십 벌을 빌려 달라 그거여. 근디 인자 내 선친, 아부지께서 이장을 허셨어. 한 십칠 년간을. 그른게로 이자 이장 반장이 그것을 걷어야지, 옷을. 그르니 그거를 걷어다가 반란군들이 입었네. 입고 이룹게 개인, 일반민 맹이로 살고 있어요. 그르니 인자 보고를 갈라야 갈 수가 없제. 날마다 그 사람들은 그것만 지키고 있은게. 그 사람들은 날마다 고것만 지키고 있은게로 말하자믄 연락을 헐 수가 없어. 이자 내가 생각을 해본게 전부 기억이 나드라고. 요로코 헌다는 소리를 늘 들은게 기억을 난디.

그르니 해필 대사날 대사 안날. 이룹게 아 대사날 밤에 날이구나. 헷갈릴 수도 있소이. 대사날 대사를 잘 치고 대산 안인갑다. 안인게로. 만월리란 데가 꽂감을 많이 깎어요. 곶감이라 해야 맞제. 곶감을 많이 깎은데, 그 여기는 남면인디 남면서 사러 온 것이 아니라 이서면서 사러 왔어. 그래갖고 와서 본게로 낯선 사람들이 많이, 한 삼십 명이 동네가 있은게로 눈치를 챌 것 아니요? 반란군들이 그때는 주도를 밤에만 한 시상이라. 그른게 우리 아부지가 들어서 보고를 갔으므는 그룹게 죄가 적은디, 남이 와서 본게 아 만월리는 반란군들이 겁나 들어와서 한복을 입고 이룹게 살림을 하고 살드라 그르니 지서에 가서 보고를 해부렀어. 이서면에다가.

아 그른게 그양 그 말하자믄 형사제. 시방 말하믄이 형사. 그떡에는 군인이 뭣인지 형사가 뭣인지도 몰랐소. 근디 형사가 와갖고는 갈퀴를 지게에다가 메고, 권총을 메고 둘이가 모리게 만, 만원. 말하자믄 만월재라고, 만월봉 밑에 재가 만월재여. 그 재를 넘어서 형사들 둘이 와. 근게 그 사람들은 맨 고것만 봐올 거 아니요. 어이서 사람이 옹가 이것만 봐오제. 근게 그양 자기 보기에 일반민이 아닌게로 총을 쏴서 죽여부렀어, 한나를. 한나가 죽었어.

한나는 후퇴해서 가불고. 둘이가 왔는디. 그니 형사가 죽으믄 어쩔 것이요. 어쯔게 불이 떨어지겄소 동네가.

근게 인자 그러자 형사가 죽고. (전화벨이 울려 잠시 이야기 중단됨) 그래갖고는 군인들이 인자 그날 대사를 즐겁게 쳤는디 형사가 죽어갖고 난리가 나분게로 군인들이, 이 세상 사람들이 다 온 것같이 많은 그 만월봉, 만월봉 이라고 이롷게 뙤똥하니 산이 있어요. 그 산으로 누러니 다 차부렀어.

그래갖고 거그서 막 이롷게 총질을 허는 거여. 그른게 새로 해온 이불을 둘러쓰고 방에서 응신을 해갖고 그 방에 앙겄는 사람은 안 죽었지마는, 동네 가상으로 이르코 논이 조르르 있는데 그리 전부다 나와서 모이라고 한 거여요, 동네사람을. 군인들이 막 총구를 들이대고 막 반란군 그롷게 키움서 우리 형사가 죽었다고. 막 모이라고 이자 난리를 냈어.

근게 아주 연로허신 할머니 할아버지, 새로 시집온 각시, 우리 아부지께서는 인자 명주로 며느리가 해온 한복을, 이쁜 한복 입고 계신디, 이장 반장 나오라고 한게로 나가야제. 좋아 마치. 대사 침선 반란군들 잘 믹여갖고 형사 죽였다고. 그른 소리만 할라믄 마음 아퍼요 (당시의 기억에 목이 메임) 형사 죽였다고 죄 없이, 아무 죄도 없고 참 아주 선량하신 양반을, 왼 동네 사람 다 모아놓고 요런 작대기가 다 뿌러지도록, 명주옷이 착착 갈라지도록 뚜드러, 그 앞에서. [조사자: 사람들 보라고?] 인자 이 우리 대한민국 형사 죽였다고. 잘 믹여서, 대사치고 잘 믹여갖고 이장이 요롷게 반란군을 옷 걷어다 줘서 키와갖고 죽였다고. 그르니 그 연로허신 할아버지 할머니가 (목소리가 떨리며) 아들을 때릴 때 마음이 얼마나 아프며, 자식들이 얼매나 마음이 아팠겄소. 그래갖고 딱 묶어서 개 끄집어가듯이 끄집어가부렀어, 인자. 근게 지금 시상같으믄 전화라도 허고 이롷게 거시기가 되지마는, 그때는 전혀 만월동이란 데는 그양 그 반란군들이 와서 그른게로 인공이 와서 그른다고만 했제. 세상물정 모른 사람들이여. 그래갖고는 데리가부렀어, 아부지를.

근게 오기만 허믄, 군인들이 주로 온디, 이자 반란군들은 그 뒤로는 뜸허게 오고 군인들이 주로 들어온디, 이장, 마을에 이장양반을 찾으므는, 아 데리가고 시방 뚜드러고 델꼬 가불고 소식도 모른다고 여러 가지로 타협을 허고, 시방 생각을 허믄 그거이 무선 전화여. 여그서 요로코 말 해갖고 말을 하는 것이 무선전화여, 지금 생각해보믄. 우리 핸드폰맹키로 그것이였던가벼. 근디 어디가 대고 늘 말을 험선

"어쯔다가 빨갱이들이 와서 저녁이믄 그롷게 죽인다고 헌게 또 밥을 안 해줄 수도 없고, 옷을 걷어두라고 헌게 안 걷어줄 수도 없고, 아 그른게로 그랬는디 만월리 이장이 계셔야 우리도 오믄 거시기도 허고 근디."

그 이유가 어뚷게 됐느냐 하믄, 나중에 알고본게로 우리 어머니가 전에는 그 신분들이 오므는 입저택이다고 요런 요 모직에다가 막 엿도 해오고 떡도 해오고 허요이. 근디 그 군인들을 그 와중에도 우리 어머니가, 우리 어머니는 남자여 아주 여장부여, 돌아가셨지마는. 그 와중에도 무섭도 안 했든가 떡가래를 그냥 종이에다 똘똘 몰아서 막 군인들을 줌선

"시장허신디 잡숨서 허시라."고.

"우리야 뭔 죄가 있소마는, 그 이롷게 군인들이 생각기는 우리가 죄가 많은디 우리로 해서는 죄가 없다."

그런 말을 험선 막 주셨대요. 근게 그런 인연으로, 배가 고팠는디 그분들도 그 떡을 주시고 그 음식을, 남은 음식을 주고 그양

"우리는 죄가 없지마는 나라에서는 우리를 죄로 취급을 허니 별 수가 없이 당한다."

그 말씀을 허신 것이 너무 감동됐다고 와서 전화를 해, 고리. 이자 그 우리 아부지한티로, 있는 지서에로. 시방 말하믄 화순군이여. 화순군으로 넘어가 부렀어. 그래갖고는 딱 죽어불므는 물 한 바가지씩 팍 찌끄러갖고, 찌끌믄 살아난다드만, 딱 해갖고 한, 한 이십 일간을 거그서 못나오셨어요.

그 인자 그 양반들이 늘 막 이릏게 전화를 험서, 말을 함서 그래갖고 그 덕으로 오신디, 당신 발로도 못 오고, 그떡에는 차도 없은게로 져 왔어, 져 와. 화순서 둠벙재라는 재를 넘어서, 둠벙재가 엄청 커요. 재라는 재가, 둠벙재가 있는디, 엄청 큰디, 그 일꾼 둘을 사서 이케 바작에다가 번갈라가믄서 져 왔어. 근게 이 양반이 나무둥치가 돼갖고 이건 사람형상이 아녀요. 인자 아홉 살 때, 나 아홉 살 때 그랬는디, 긍께 지금 생각해보므는 일 년은 살은 거 같어, 우리 아부지가 사신 거 같어. 많이 아프셔갖고 부종으로 돌아져갖고. 그 부종에는 쌀밥을 잡수믄 못쓴다고 그러대. 보릿가리 그것만 쪼까씩 잡수고, 나슨다고 오만 약을 다 쓰고 해도 귀가 이릏게 붓어갖고 움직이들 못 허고 그대로 가셨어.

[2] 피난 길에 인공이 버리고 간 집에서 잤다가 경찰에 끌려가다

팔 월에 가셨는디, 열한 살 때, 이자 아홉 살 때 그래갖고 열한 살 때 팔 월에 가셨는디, 십일 월 달에 이자 피난길에 나섰지. 군인들이 그양 그때만침이나 많이 와갖고는 그양 사흘 먹을 양식하고 이불 한나하고만 갖고 싹–, 이 동네 한나, 개미 한나도 남지 말고 싹 나서라 그른게, 그양 우리들은 뭣도 모르고 인자, 애기들인게, 아부지 인자 돌아가셔서 시방 팔 월에 돌아가시고 동짓달인게, 그 지금 집안이 모다 울고 앙것는 상탠디이, 그 영위를 모셔놨싱신 산 부모 맹기로 받들고 있는디 사흘 묵을 양식만 갖고 나서라 헌게 기가 맥힐 노릇이제.

근게 시계를 거그다 걸어 놈선 우리 어머니가,

“이 시계 잘 맞춰서 보고 우리 갔다 올 것잉인게 잘 계시라.”고.

어서 나스라고 막 그양, 막 총부리를 들이댐선 어서 나서라고 군인들이 그양 죽일라고 혀, 사람을 그양. 근게 그양 군인들 따라서 인자 자기들이 가야 한게로, 그 사람들 따라가야 한게, 근게 남면으로만, 요 담양군으로만 피난을 왔어도 우리가 고생을 그렇게까장은 덜한디, 여그는 모다 인척이 있으니까, 우리 일가들 있은게, 화순군으로 피란을 갔어. 거그서 군인들이 왔은게.

그래갖고는 우리 막 그 만정재라는 재를 넘어강게로, 그양 싹– 불 질러부렀어, 동네를. 군인이 이자 반란군 산다고, 이유는 반란군, 여 집을 그대로 놔 두믄 반란군이 산다고. 우리 막 넘어가서 쪼까 저그 만정재라는 재를 머다 쪼까씩 이고, 인자 군인들이 사흘 먹을 양식 갖고 나서라고 한게 차대기다가 멘 사람, 뭣헌 사람 허고 나간디, 그 만정재 막 넘어강게 싹 불을 질러부러. 아 졸지에 거지가 안돼부렀소. 어쯜 것이여, 그 사람들을 다. 말하자믄 화순군 중면, 우리는 담양군 남면, 우리만 그른 것이 아니라 그 부근 사람들은 다 그 지경을 당해부렀어.

그래갖고는 인자 피란을 갔는디, 이제 그 우리 고가 한 집이 난산이라 한 디가 있어요. 진디라고 난산하고 요로코 아실랑가 몰라? 적벽강, 적벽강. 지금은 그 동네들이 적벽 거시기로 되었드만, 알고 본게. 내가 거그도 한번 가봤어, 하도 거시기 혀서. 긋드니 거그는 되아부렀어. 말하자믄 댐으로 되야부렀어. 그러고는 사 학년 학교 다님선 적벽강으로 소풍도 댕기고, 참 호강시럽게 아홉 살까장은 살았는디.

열한 살 묵어서 그 난산 고가 한 집으로 간다고 간 것이, 한 집이가 열한 집이 모였어. 피란민들이 쪼까 알믄 다 찾어강게, 그 열한 집이 강게로, 요 삼 칸 집인디, 옛날에 삼 칸 집인디 으디로 다 들어 앉어? 그때는 자식들도 많은게로 그양 다 이르케 많은디, 나는 사 남매에 막냉게로 별로 그룹게 우리 수는 많지 않지만, 할아버지 할머니 계시고, 아부지는 돌아가셔부렀은게 어머니, 두 오라비 댁들, 이룹게 해서 언니 한나하고 나하고 해서, 내가 막낸디 그릏게 인자 갔어요.

그니 째끔만 이러코 섰다가 앙그믄 자리가 없어져부러. 이릏게 뺑- 둘러서 앉은디, 이는 막 더글더글허고 그양 먹을 것이 없은게, 사람들이 근게 어쯔게 사냐. 요- 요 울타리 밑에다가 도르르허니 조 옹구솥, 옹구그릇을 다 이릏게 부엌마냥으로 걸어가지고 그냥, 그 동네 어디서 쌀 쪼까씩이라도 얻어다가 그양, 그 동네 그 본바닥 사람들도 불쌍할 정도여. 어쯔케 피난민을 갖다 붓어부렀든지 정말 밥을 못 먹는다고 그려. 그 말이 맞어.

근게 우리 어머니는 밭에 댕김서 그 좋은 반찬 다 짐장해서 독마당 다 해놔두고, 무시꼴랭이 한나씩 언디 가서 주서다가 동강지국 끄뭐갖고 그 식구들을 그릏게 해서 멕이고 산디, 한번은, 나는 그 어렸을 때 했던 일이라도 너무너무 인공이 미웅게, 지금도 저 이북사람 말만 하믄, 긂어. 느그들은 죽어야 맞어, 선조들이 모다 잘못해서, 그 없고 애잔한 사람들 많이 죽였은게 미워죽겄어, 그냥. 근게 그런 일이 생각키제 글 안으믄 다 잊어부러요.

근디 한번은, 우리 할아버지께서 인자 훈장이신디 딱 동네를 둘러본게로 좋은 집이 한나 빈 디가 있드라고. 우리 이럴 것이 아니라 한집이 나놔서 그 집 가서 좀 자자고 할아버지가 그러셨네. 근게 인자 우리 큰오라비 댁하고 작은오라비 댁하고, 저 작은 어머니허고 할아버지 내외분하고 그 집이로 우선 자러갔어, 저녁에. 긋드니 뭣도 모르고, 뭘라 그 수많은 동네서 집이 뭘라 비어갖고 있을 것이요이? 그 인공 집인게로 이케 인공, 산으로 후퇴해분 사람 집이였어. 비었어, 말하자믄. 아 그 집이 가서 잤네.

그 자다가 그 사람들이 늘 순찰을 돌든갑드구만. 몰르고 우리는 잘 욕심으로만 할아버지가 그러셨는디, 아- 공산당인게 연락헐라고 잤다고 인자 또 잡어다 뚜드러. 매도 큰외숙모가 엄청 맞었어. 글도 건강허니 살아야. [조사자: 주무신 분들 다 끌려가셨어요?] 다 끌려 가갖고 여그서 이러고 뚜드러 맞고 인자 끄집어 갔지, 지서에로. 우리 조회를 싹 넝궈본게로 그런 사람들이 아니거든, 전혀 그, 그게 요만치도 해당이 안 닿고 아버지만 그러코 억울허니 가셨지. 아조 인심 얻고 좋게 산 사람이거든. 근게 인자 요 군으로나 어디로다 그때도 연락을 다 해봉갑드만. 어뜬 사람이 어쯔고 어쯔고 허고 그룷게, 그렇지 않은게 인자 풀어줬어도 늘 조사가 나옹거여. 거가 하릿저녁 자다가 늘 조사가 나와.

그룷게 해갖고는 거그서 일 년인가를 인자 그룷게 살다가, 일년은 다 못살았구나. 살다– 살다 못 산게로 전부 저 진디라는 동네, 논에다가 굴을 팠어요. 근게 요쪽 사람들은 세상에 아무 물정 몰라요. 인공 겪었다고 해도, 단순요 피란만 쪼깨 갔다가 와서 살고, 근디 나라는 사람은 그 곡경을 다 겪었어. 그래갖고는 이케 말하자믄 굴을 요롷게 길쭉허니 요롷게, 이룷게 파갖고는 지벙이, 지벙이 땅허고 같이 인자, 굴은 밑으로 들어가고 계단으로 요롷게 해서 들어가고, 땅허고 같이 거리 인자 거그만 가서 살아도 살겄어. 인자 잔게.

[3] 식량 찾으러 나섰다가 반란군 총에 맞아 죽을 뻔하다

그래갖고 인자 뭔 수가 있냐므는, 군인들이 그때는 출동을 나가요. 이자 동네동네 출동을 나가. 그러믄 혹시 집 안태운 집 있어. 그럼 인자 고리 싹 몰려가갖고 그 수가 다 몰려가요. 엄청 막 겁나. 죽기도 죽고, 이른 사람 보기도 퉁퉁 떨어져서 죽고 막 그래. 양쪽에서 쏴재낀게 그 총탄을 무릅쓰고 사람이 살라믄, 그만침 산 것이 무서운갑습디다.

나는 어째서 그 환경을 봤냐. 우리 어머니가 아부지 그렇게 돌아가셔불고, 할머니 할아버지 계시고, 졸지에 딱 그지가 되야분게, 나라도 댕임서 무거운 것은 못 갖고 온게로, 담배, 이해 가실랑가 몰라? 그떡에는 여 써래기 담배, 뭐 담배를 요로코 키우므는 이룷게 뜯어서 모으는 담배가 있어요. 그건 아주 가볍거든. 근게

"너는 담배라도 갖다가 할아버지도 피우시고, 속상허실 때, 우리도 또 그냥 이룷게 허고 해서 너는 따라 댕김서 담배를 줏어라."

아– 그래갖고 어디를 어디를 대님서 멫 번이나 댕겼어.

그러믄 옷은 전부 여, 근게 내가 옷을 걷어간다고 허므는 저번 언제도 박스로 하나 좋게 해서 냈는디, 옷은 고물자의 옷을 입어 고물자. 미국서 어디서 옹가, 그냥 지금, 지금은 그런 옷 홈드레스네 뭔 드레스네 헌디, 글떡에는 그 이름이 요상시런디 잊어부렀구만. 한 테가 달린 옷이 있고. [조사자: 원피스?] 원피스라고도 않고 뭐라고 혀. 그래갖고는 그양 옷을 이삼십 개 벌통 같은 옷을 그양 째깐한 사람들도 이러코 잡아 쩜매고, 거기서 나온 대로 입은 게, 고로고 입고 그러고 출동을 댕긴디.

우리 오빠 두 분은 한량들이라 일을 안 허고 산 양반들이라. 지게질을 못헌게 나무만 조깨 주서 날르고, 죽을까 무선게, 오라비 댁 들은 둘이다 힘이 좋아. 근게 그양 죽으나 사나 그양 군인들을 죽고살고 따라 댕김서 그 양식을 여 날라요, 양식을. 양식을, 뭣이 됐든지 먹을 거. 그 주인이 엥기므는, 뭐 그냥 지금 생각키는 쬐깐헌게 아닌 것 같지만, 한마디로 이 이서면이 다 그러고, 저 남면 사람, 이서면 사람 다 합쳐 논게로 엄청 많애. 아주 뭐 굴도 요요 요런 데는 번지가 있어서 찾지마는, 그떡에는 굴도 못 찾어, 오믄. 그 정도로 이자 많애. 아조 굴도 지대로 못 해갖고 산 사람도 많고.

근디 그러게 갔다가 이자 식량을 이러 가므는, 불 안탄 데는 가므는 겨울이라 방애들을 모다 찧어놓고 나가부러놔서, 그거를 갖고놔서 와갖고 주인이 엥기믄 나놔먹고, 주인이 안 엥기믄 그양 갖 다 묵고 그런 식이여. 근게 니가 죽냐 내가 죽냐 판단을 허고, 그양 위험을 무릅쓰고 댕긴 사람들은 식량이라도 그롷게 갖다 묵고, 심도 약허고 그리 못 헌 사람들은 너무 고생들을 많이 허고, 아조 그때 고생했단 말은 어트게 말할 수가 없어.

인자 내가 오직해야 한 번은, 그건 진짜 생전도 안 잊어부러. 그 시방 화순온천이라고 들어봤는가 몰라? [조사자: 네, 풋말 있드라구요, 화순온천이라고.] 응. 북면 화순온천. 거기가 저 전에로 말하므는 옥굴이여, 동네이름이. [조사자: 옥굴?] 옥굴, 옥굴인디. 또 그날도 할머니가, 어머니가 담배를 줏으러 가

자고 허셔.

"옥굴은 동네가 안 태왔다드라. 그른게 인자 너는 가서, 너는 무거운 것은 못 갖고 온게로 나 따라 댕임서 나물감이라고 뭣이라도 가벼운 것 있으므는 쪼끔만 들어와도 우리 식구들이 산게 가자."

고 허시드라고요. 고물자 옷을 입고 갔는디. 인자 여기 군인들이 출동을 허고 간다고, 우리 소개민들한테 정보가 와서 따라가믄 괜찮았는디, 그날 역시는 출동을 간 것이 아니라 이케 망을 보러, 한 번씩 그룹게 망을 보러가. 인자 어디가 어츠고 생겼는가, 그 사람들도 첨잉께, 어디가 어츠고 생겼는가 망을 보러 갔는디, 피난민들이 군인들 따러오라고 헌 줄 알고 그양 그 굴 속에 산 사람들이 다 따러 나섰어. 그 역시 그 속에 나도 한나 들었어. 어머니하고 손 잡고 두 형님들하고 너이 식구가 거그를 갔제. 나는 인자 고물자 옷을, 이룹게 커. 아주 쩜매서 입고 그양 우 아래 꺼머니 달린 놈을 입고 갔네요.

갔는디 인자, 한쪽에서 그양 학– 인민군들이 그양 막 총질을 허고 칼질을 허고, 이룹게 사람을 차근차근차근 밧줄로 엮어, 한쪽에서, 인민군들이. 움직이지 못하게 헐라고 엮으고, 군인들은 저, 지금 생각해본게 가서 내가 화순 온천에를 많이 댕긴디, 거 백아산에서 달린 주령이드라구요, 지금 생각해보믄. 백아산 산 주령이여. 아 거그서 군인들이 주둔을 허고 봉아리 한나를 잡고 있는디, 요쪽에서는 반란군들이 쏘고 요쪽에서는 반란군한테 쏜다고 군인한테서 쏘고, 요요 온천 앞에가 이룹게 큰 또랑이 있었어요. 지금은 복구해갖고 담도 좋게 싸고 벽도 해놓고 그랬드만, 그떡에는 그냥 이룹게 그양 한마디로 하천이었어. 근데 그 많은 사람들이 하천에 엉덕에가 엎뎠어, 수대로. 근게 막 내려 쏘는 거여. 그냥 탄이 그양 막 휘휘휘휘–험서 그냥 막 쏟아져. 근게 내가 우아래 꺼머니 입어놔서, 저때 사람들이 뭐라고 허냐믄

"너 땀시 우리가 다 죽게 생겼다, 니가 꺼머니 입고 이러고 있은게로 군인은 반란군인중 알고 쏘고, 반란군은 군인인중 알고 쏘고, 이렇게 꺼머니 입은 사람이, 너땀시 우리가 이룹게 큰 피해를 보겄다."

그런게로 어머니가 손을 잡고

"죽으믄 우리나 죽제 넘을 피해줘서 쓰겄냐?"

그러고 인제 내 손을 그냥 끌코 막 총탄은 쏟아진디 어디를, 요로코 본게로는 그 속에서도 짊어지고 그 산에를 올라가드란게. 군인 찾어서 올라가. [조사자: 어머니가?] 이자 사람들이. 근게

"차라리 우리도 저 사람들을 따라가자."

어머니가, 눈이 수북허니 왔는디 눈을 한 주먹씩 집어먹음서 배도 고프도 목도 마른게 죽을 일이제. 막 겁은 나고, 총소리는 하도 쏟아진게, 근게로는 눈을 한 주먹씩 요로고 집어먹고

"엄마 나는 못 가겄어."

막 금서 주저앉을라고 허믄

"너땜시 다른 사람이 죽은디, 너는 죽어도 괜찮허고 나는 죽어도 괜찮허지만, 너땜시 다른 사람이 피해를 본게 기퍼 가야한다."는 거야, 거그를.

그래갖고 얼마나 얼마나 고생을 허고, 눈을 한 주먹씩 집어먹고 거그를 올라간게로 군인들이 있어요.

그래갖고 막 뭐라고 해, 거그를 간게. 저렇게 사람을 많이 죽었으니 어쩔 것이냐고, 자기들이 오라고 해갖고 간 것이 가야 한디, 우리 요롷게 망보러 왔는디, 요롷게 다 나서갖고 사람을 이롷게 피해를 많이 시켰으니 어쯜것이냐고 험서, 참 그 사람들도 마음 아프게 말 허믄서, 그 저 주먹밥을 이롷게 이롷게 똘똘 뭉쳐갖고, 요보돔은 크고 요보돔은 작게 주먹밥을 해갖고 와서, 서이, 서이 어울려서 한나씩을 나놔줘. 자기네들이 먹을 거를 인자 준 거여. 고놈을 한 볼탱이 얻어 먹은디, 뭐 뭣을 생전에 먹어도 그렇게 맛있는 것이 있을 것이요이.

그롷게 그거를 얻어먹고 인자 어느 정도 인자 해산이 되얐은게로 내려가라고 그러드만. 그러고 절대 앞으로는, 우리가 출동을 간다고 따라 나스라개야 따라 나스제 절대 가지마라고, 지금 인명피해가 얼마, 몇 천 명이 나부렀다

고, 그 사람들도, 군인들도 마음 아프게 험선 나를 해필 가르침선

"너는 집이 가 있제 뭣허러 나왔냐? 너 한질로 따라와갖고 세상에 이롷게 고생을 허냐."고.

"나 담배 줏으러 왔어라."

또 그때도 그랬어. 근게 담배가 뭣이다냐고, 이롷게 죽게 생긴 판국에 담배가 뭣이다냐고, 그러고 해갖고는 거그를 내려온게로 거그 있든 사람들이 다 죽었어요. [조사자: 가라고 했던 사람들이?] 응. 나 가라고 하던 사람들이, 나 땀시 피해를 본다고 나를 가라고 했던 사람들이 다 죽었어. 그냥 늘비-허니, 으메- 내가 한참은 그냥 그것이 꿈에가 보이고 막 해갖고 어머니하고 나하고 아주, 우리 어머니는 그래갖고, 우리 형님이 그 저 옛날에는 베로 만든 베기적 저고리가 있어. 마하고 만든 거이. 그거 입은 사람 다 또작거리고 댕겨, 어머니가. 메누리 죽었다고, 인자 우리는 살았는디 죽을 사람은 안 죽고 인자 메누리들이 죽었다고, 인자 다 또작거리고 댕겨, 시체를 다. 그래도 없어, 메누리는. 그양 피가 낭자해갖고 아주 허트러져갖고 있으니 누가 누군 줄도 모르고, 그양 어트게 보믄 그 고깃대를 쭉죽 잡아댕겨서 붓으므는 그 생각이 나. 그 정도 죽었어, 사람이. [조사자: 형체를 알아 볼 수가 없이?] 응. 그양 그 시체가 막어서 그냥 물은 벙벙허니 비러니, 그냥 아주 그 또랑이 말헐 수가 없이 죽었어도 그래도 사람이 남었어, 대처.

그래갖고는 방망이, 그 중에서도 방망이 두 짝을, 다듬이 방망이 두 짝을 내가 들고 산에를 올라갔다가 그 다듬이 방맹이를 갖고 내려왔어. 그래갖고 집이를 갖고 왔어. 근게 인자 원체 도구가 없으니까 그것도 다 필요헌 것이라서 엉겁결에 갖고 댕긴 것이 방망이 두 짝을 갖고 왔드라고. 어머니는 신짝을 벗어서 손에다 들고 인자 메누리들이 죽어부렀다고, 아 그래갖고 온게로 늦은디, 식구들은 우리 죽어불고 안 온다고 그양 난리가 났었다고. 안 죽고 다행히 와서, 그 속에서도 우리 식구들을 괜찮앴어. 죽지를 않애. 근게 그 인공을 그롷게 당했어도 아부지만 애매하게 그렇게 가셨제, 우리들은 아예 그냥

아무 거시기가 없어. 그렇게 막 총탄이 앞으로 숭숭 쏟아지고 그래도 우리 식구는 안 죽었어.

[4] 가족이 뿔뿔이 흩어져 고생한 사연

근게 인자 살다살다 못 살아요. 배고프고 옷도 없고 그냥, 그떡에는 뭐 화장실같은 것이 어디가 있겄어요? 포도시 굴만 파갖고 식구들이 산디, 그른게 얼굴만 손으로 개리고, 얼굴만 손으로 개리고 그냥 암 디라도 그냥 본거여, 다급허니까.

참 그 진디란 디서 우물을, 깊-은 샘이 있는디, 거그를 밤새도록 지켜, 사람들이. 두름박이 괴일만 허므는 한 두름박씩, 너 한 두름박 나 한 두름박 나놔서, 저녁이믄 그렇게 낮에도 밤에도 물 한 두름박을 얻을라믄, 원칭 사람은 갖다 많이 퍼붓어논게 본바닥에 샘을 몇 개 갖고 먹으니, 근게 물고란 아주 지금 물이 퐁퐁퐁퐁 사방에서 나와갖고 쓰믄 그때 일이 생각이 나는 거여. 세상에 그때 물 한 바가치만 맑은 놈 있었으믄 얼매나 좋았으까. 쌀도 못 씻고 그냥 한 주먹이나 뭐 저, 보리, 수시, 강냉이, 껍보리 그런 것을 고물로 나와, 말하자믄, 고물이라고 헌 것이 아니라 뭐라고 헌디? 옷 보고는 고물이라고 하고. [조사자: **보급품?**] 그 뭣을. [조사자: **구호물자**] 응. 구호품으로 나왔든가 어쨌든가, 쌀을 어디서 고롷고 미국서나 어디서나 고롷고 해갖고 나놔줘요. 이롷게 홉으로 되로 째까씩 째까씩, 그름 그것도 씻지 못 허고 넘으 학독에 가서 갈어다가 죽 끓여먹고. 그 그놈도 늘 먹을라고? 봄에는 나물 캐갖고 고놈을 딱딱 갈아다가 그 물에다가 쒀서 먹고, 그런 과정을 한 열한 살에 나가갖고 열니 살까장이나 그렇게 살았을 거야, 아마.

그래갖고 이자 열다섯 살 되든 해에, 이자 이서면, 이서면 이자 이서면서 그떡에는 상면이라고 했어, 이서면 보고. 이서면으로 인자 그 부근에 산 사람들은 전부 또 지서를 지어갖고 거그서 지서에서 구실을 허고는, 거그서 낮에 아침밥 묵고 해가 솔찬히 많이 뜨믄 그전에 살았든 동네, 전답은 있은게, 인자 저물면 일도 못 해 반란군들이 내려온게, 그믄 그 순경들이 그 부근을 이룽게 이룽게 돌아댕임서 잠복을 해주고, 밤에믄 이자 그양 내려온다고 허고 일찌거니 와불고, 낮에는 한참씩 가서 인자 고롱게 일허고. [조사자: 집에 가서?] 응.

근게 나도 참 얼마나 험허게 세상을 살았냐 허므는, 그 인공 그렇게 만나갖고 그르고 상면 가서 삼선 우리 할머니허고 할아버지허고 언니하고 작은어머니, 작은아버지, 작은오빠 내외. 그 양반들은 요리 가며는 덕촌 있지, 덕촌이? 덕촌, 교촌, 여여 고서면, 거기가 우리 일가들이 많이 가 산게로 할아버지는 거 가서 훈장 허셔갖고 사시고, 큰오빠, 나, 어머니, 큰형님, 이자 고리는 또 거그 이서면서 낮에믄 만월촌가서 일허고 저녁이믄 잠자고 그러고 산디.

언니가 한 분 있었는디 진외갓집에 가서, 성안 가서, 진외갓집은 잘 살고 거그는 불도 안태우고. 지금 말하면 충효동이여. 지금 인자 알고 본게 [따님: 광주 충효동?] 이. 알고본게 충효동이드라고. 그떡에는 성안이라고 했어. 성안 진외갓집이 가서 그룽게 밥도 해주고 베도 짜주고 인자 일을 해주고 인자 살았어. 거그서 얻어 묵고, 식구가 이자 다 뿔뿔이 흩어졌제.

어머니허고 나하고는 뭔 수가 있냐므는, 그떡에는 이룽고 나무 목때이가 지적껍데기 달려있소. 지금도 달렸제, 물론. 활용을 안 하니까 그러제. 그 참 뭣도 모리고 씀선, 책에도 그 소리를 했지마는, 지적껍데기를 가마니다 이고 배나무정재를 넘어 댕겼어. 배나무정재를 넘어가믄 겁나. 재가 급헌디 고놈을 이고 내려갈라믄 보통으로 해서는 이고 내려갈 수가 없어요, 얼마나 힘이 든지. 그러므는 그 경상이라고 동네가 있는디, 동네까장 내려가갖고 광주사람들이 구루마를 갖고 와갖고 받어 가. 광주 사람 땔나무 감이었어, 한마디로. 그래서 지적껍닥 장사도 많이 해보고, 그양 뭐 뭐 뭐이라도 해서 먹고산다는 것은 다 해봤제. 근게 그때부터서 고생길로 빠졌어, 내가, 그때부터서.

그래갖고는 무등산은 누구든지 다 안게로, 요 무등산에 요쪽에 산이 양기북산이여, 양기북산. 무등산에가 달린 한쪽에 산이 양기북산, 거기 가서 나물 같은 거 다 뜯어다가 우리 어머니가 고롷게 나를 델꼬 대님서 혀. 해다 팔아. 팔아서 우선 끼니 영면을 해야 된게. 그런 것도 해봤고.

[5] 전쟁 통에 시집간 언니 신행길에 반란군을 만나다

하이튼 우여곡절을 다 지내고 인자 언니를, 내가 언제 또 질로 생생허니 나냐믄 겁나. 다 빼먹어분게 이야기 다 못 허제. 내가 안 놈만 허는 것이제. 그 상면이란 디서 삼선 인자 우리 언니가 인자 진외갓집 가 있은게 디려다가 결혼을 시킨다고, 인자 여그 고서면 사람허고, 아무것도 우리가 아무것도 없은게, 인자 거그는 피란민이 아니라도 거그도 아무것도 없어. 그른 디로 결혼을 시켜.

근게 인자 신랑이 와갖고 결혼식을 허고 그 배나무정재란 데를 내려가. 넘어가, 신부랑. 근게 어째서 막내라 그랬든가? 그롷게 거그도 따라 갔어, 인자 어머니랑. 그 재 넘어간 거 보고 온다고, 반란군들 무서운게, 그러자 우리 작은오빠가 보올리라고 헌디서 이장, 저 말하자믄 의경이라고 해요, 순경보고. 임시로 들어가서 헌 것 보고 의경이라고 허제이. 그 순경질을 했어. 이자 직장도 못 잡고 인자 그러도 못 허고 헌게 지서에 가서 순경질을 헌디, 이자 아부지도 안계시고 이자 그런게 인자, 그런게 시방 생각허믄 우리어머니가 보통 양반이 아녀. 이케 모자를 계속 쓰믄 패가 있드만, 이롷게. 근디 어머니가 모자를 쓴 모자를, 너는 모자를 쓰믄, 위험한 데 감서는 모자를 쓰고 간 것이 아니다고, 거시기 신분증 같은 거 모자 그른 거 다 해서 여 지게를 요롷고 허므는 받침이 안 있어. 사람이 짊어지믄 모린가 몰라. 있어 요롷게 받침. 그러믄 그 속에다 너 부렀어, 우리 어머니가. 인자 만일을 모린게로.

만일을 모린게 고놈 속에다 너부리고는 재를 넘어갔는디 인자 거그 거 반란군이 그양 부랑당패 맹기로 달라 들어. 나왔어, 인자 산속에서. 그래갖고

"뭣허러 요롷게 행렬을 해갖고 가냐?"고.

우리 어머니가

"내가 여식이 하나 있는디 못 벌어먹게 생겨서 어린 것을 결혼 시켜갖고 지 오빠도 따러가고, 지 동생도 따러오고, 나도 따러오고, 그 신랑 간 디 시방 여식 보내주러 간다."고.

막 그럼선.

그 신행길을 가믄 뭐 술도 한 병 있고 인자, 쪼끔 인자 가서 거스그 헐 꺼 인자, 옛날식이 있은게 뭐 쪼까 해갖고 인자 짊어지고 간디, 고놈을 다 내려서 인자, 우리 어머니가 오직이 목도 마르고 그러겄냐고, 요놈이라도 한 잔씩 잡수라고 험선 그 뭐 째끔 입적때기 째깨, 없는 사람이 뭣을 허겄어. 요만치 해갖고 간 거 거그서 다 뇌줘불고 인자 무사히 가기를 인자 헐라고 했제.

근디 알고본게로 지는 안 나타났어도 우리 식구 아주 잘 안사람이 대장이었드라요. 인민군 중에서 대장이여. 그런게 인자 지금까장 인제 그 소리는 안 나타냈어도

"저 집은 원래부터 참 거슥헌 집이다. 무사히 보내줘라."

그러고 해갖고 신랑이랑 보내불고는, 요 고서서 시방 생각허믄 교통이 좋은게로 화순으로 돌아서 오므는 거그를 온디 그 재를 도로 넘어서 그 이튿날 우리 오빠가 왔어. 우리 어머니는 날마다 거그를, 그 이튿날 또 거그를 마중 나가시고, 그런일도 생생허니 남어있고.

근게 내가 인공만 안 돌아왔시믄 학교도 잘 배울 사람이고이, 또 어려서부터 할머니 할아버지 말씀을 잘 들은게

"아주 영택허니 너는 이제 괜찮을 것이다."

내 이름이 영이여요. 한 자.

"영 너는 이제 착한 사람 돼서 잘 살 거이다, 잘 살 거이다"

헌디, 심부름 잘 해준게 그랬등갑디다. 근게 인공을 만나갖고 사 학년 때 그래부렀으니 고롷게 돌아댕기고 거지생활 허고 산디 공부가 뭔인 중을 알 것이요, 아예.

근게 인자 참 저, 우리 쥔, 은희 아부지께서도 장성서 요리 인공 때 피난오신 분이고, 나는 또 저 만월리에서 그렇게 커갖고 상면서 삼서 또 그롷게 피란을 온 사람이고, 나는 고향 찾어 왔지, 오기는. 원래 유천가, 유천리가 원래 증조부 때 여그서 사당도 모시고 참 훌륭허니 살았등갑디다만은, 그 이병난리 때, 이병난리 때 징조할아버지가 피란가신다고 만월촌을 만나갖고 그 난리를 만나부렀어.

여그서만 산 사람은 암시렁 안 해. 저녁이믄 들어와갖고 괴롭히기만 허고, 사람 둘인가 서인가만 유격대로 나갔습니다. 그러고 암시렁도 안 해. 이 동네 사람은 이해를 못해. 우리 인공 이야기를 헐 수가 없어. 다 편히 잘 살았드라고. [조사자: 무슨 일 있었는지를 모르시는구나?] 응. 인공이 왔다는 거는 알제. [조사자: 만월리가 산이 많이 둘러 있어서 그런 거죠?] 응. 완전히 산중이라니까요.

[따님: 아까 그 작은 외숙 얘기헐 때, 이모 그 결혼식에 가시잖아요? 모자 아까 말하시다가 덜 하셨어. 모자를 쓰면 이렇게 테가 있잖아요. 그런디 인자 지게 속에다, 등받이에다 넣어 버렸는데 인공군이 잡았을 때 외할머니가 기지 발휘하신 거] 외할머니가 요로코 산속에 사심선 댕기심선 고생허신다고 음식을 나눠주고, 대두병이 있어, 그전에는. 큰 대두병 거그다 술을 한나 가져갔는디 이것도 골골루 나놔 잡수라고 험서 주고, 헌게로 저 고생하믄 같이 하자고 함선 내 작은 오빠를, 요로코 테두리가, 머리 테두리가 있은게로, 일해 묵는 사람 아니라고 험선 같이 가자고 혀. 근게 어머니가 앞으로 기회는 얼마든지 있다. 인생에 한번 났다 결혼이라고 허는 것은 우리로 해서는 중요

헌디, 이자 물론 같이 고생허신단 것도 좋지만은 이 기회는 좀 거스그허고 다음에 기회에 얼마든지 기회가 있지 않냐고, 막 오만 말씀을 다 하셔갖고 사정을 힜어. 그른게로 다시 이자 딜꼬 갈라고 아주 요쪽으로 세워놨는디, 한 사람이 오드라고. 근게 그 대장이 우리를 잘 안 사람이여, 아부지를. 친했든 사람이여. 근게 그 놔주라고 해갖고 모면이 되얐어요. [따님: 근데 나한테 옛날에 얘기할 때는 모자를 써서 니가 순경이라 이런 일을 하니까, 외할머니가 나 어렸을 때, 때리면서 이놈으 자식 뭐 수건 같은 거 둘르고, 지게질 할 때!] 그랬어. [따님: 그렇게 해서 이놈으 자식이 맨날 띠를 하고 다니드니 니가 이렇게 되부렀다. 그니까는 그랬다고 하니까 그 사람이 전화위복됐다, 그렇게 했어.] 일꾼은 아니라고 그냥 요리 세워놨단게. 근디 할머니가 그냥 대처 그 이야기를 하니까 고롷게 생각이 나누만. 이렇게 테두리가 있은게로 일꾼은 아니다고, 모자 태가 있다 그말이여. 뭣이든 이렇고 쩜매고 다니고 뻴거시리 허드니 이렇고 태가 나갖고 이른 거시기를 당한다고, 이룽게 잘못 되야서 그런거라고 그양 그래갖고, 그 때에도 아무 이상 없이 모면이 되얐어요, 되기는. [조사자: 그러니까 어머니가 기지를 발휘하셨네요?] 우리 어머니께서 참 지금 생각해보믄 얼마나 무섭지도 않았는가 그렇게 당당하게 나서서 그렇게 허셨는지 몰라. 여자라도, 그 망월촌 골짜기에서 사신 여자라도.

근게 여 시방 아까 수북면 갔다오셨다고 했지요? 수북면으가 내 외가여. 근게 우리 어머니가 함풍 이씬데 참 부잣집 따님이셨지. 그때 우리 어머니는, 근게 아버지께서 독선생을 앉혀놓고 공부를 계속 허신디, 연천이라고 아까 그 언제, 배낭정재 밑에서 동네서 서당을 허신디, 거그 오셔가지고 글 짓는 것을 보고 그냥, 그 망월촌 골짜기 가보도 안 허고 그양 여워부렀어. 근게 가매를 타고 외할머니가 배낭정재를 넘어간디, 날 죽이러 간 것인가 살리러 간 것인가 하고, 아이 너이 끌코 가도 얼매나 요런 재를 올라가니 무섭겄냐. 그양 근게 앞으로 굽어졌다 뒤로 굽어졌다 가매 속에서 울고 가셨는디, 가셔

본게로 동네는 아니나 한 삼십 호 돼. 아부지께서 글을 잘 짓고 원체 얌전허신게 오빠들이 동생을 줘부렀어, 그냥 그 보고.

내 이야기도 조까 허께. 이자 사 학년까장, 사 학년까지 댕기다 인공을 만나서 아부지 잃고, 그 좋은 집안 태어났지마는 풍지박산 돼갖고 끼니도 굶고 공부가 뭣인지 알겄소. 그래갖고는 인자 친정도 가난허고 요집이도 가난헌게로, 그떡에는 그때 살기는, 요 사람 하나 생활헌 것이 그렇게 어려와요, 먹고 사는 것이. 그른게 그냥 가지 마른 데가 놔두고, 막내딸이 하도 못 잊은게 가지 마른 데다 놔두고 저 건네서 내려다보믄 밥 헝가 안 헝가 보고 헐란다고, 가직헌 데다 여워부렀어, 결혼. 신랑 한동네 살았어도 남편 될 사람 얼굴 한 번도 안 봤고, 어쩐지도 모르고, 결혼사진 한 번도 안 찍어보고, 은반지 하나도 못 끼워보고, 그냥 얼굴 개리고 절만 허고는 여그 와서 시집 와서 산디. [조사자: 그때가 몇 살 때셔요?] 스무 살에. 그런게 인자 동짓달에 시집을 와서 산디, 이월부터서 밭 메기 시작허고 들판을 나댕김서 일을 허고, 산게 일만 해야 밥을 먹고 산줄 알제. 뭣도 모르고 공부가 뭣인 줄도 모르고 어디, 인자 얼매나 무식헌 사람인가.

우리 은희가 공부를 헐라고 허믄 내가 그려. 아이- 공부하믄 밥이 나오냐 옷이 나오냐? 일을 해야제. 오직해야 그런 사람이야, 내가. 근게 즈들게다 내가 미안허기도 하고, 때로는 부끄럽기도 했지만, 그때는 시대가 그래서 그러고 산게, 아무리 생각해봐도 공부는, 어머니가 어느 틈에라도 공부를 해야제, 암 것도 몰라갖고 어디 가므는 그떡에는 허드렛일 허는 것이 무섭고, 그도 양반집이라서 그런 것도 안 해봤고.

"너 어디 가서 콩나물 솥에 가서 불만 때믄 어쩌냐."고.

"잠을 자지 말고 공부를 해야지, 그렇게 공부하고는 남이냐."

수나 놓고 늘싸늘싸 그랬지, 공부는 뭣인지도 모르고 살았어. 아 그래갖고는 내가 슬하에 오 남매를 뒀는디, 그렇게 천식으로 몸을 관리를 못 해서 그런

게, 내 팔자가 그런가 천식으로 아주 딱 까무라쳐서 죽어불므는 병원에 딜꼬 가서 살리고- 살리고 해갖고, 십오 일간 단식도 해 보고 구 개월간 생식도 해보고 아주 내가 인내의 하나로 이룽게 사는 거여. 내가 육십 살까장 산다는 것은 정말 보장이 없었는디, 시방 칠십이 넘어 깐닥깐닥 팔십 살 게 되얐어.

[6] 구호미 받아 겨우겨우 먹고 산 이야기

[조사자: 처음에 반란군들이 큰오빠 결혼식 때 왔을 때, 한복을 입고 거주하고 살았어요? 산으로 안 올라가고?] 안 올라가고 동네서 산단게. 밥을 해주라고 허고. [조사자: 집을 얻어갖고?] 동네로 내려와갖고, 빈집이 아니제. 그때 우리 살 때여. [조사자: 같이 살아요?] 그래, 같이 살아. 왜그냐믄 그놈들이 뭔 수가 있냐므는, 옷을, 동네 사람들 옷을 걷어주라고 해요. 그믄 이제 이장이신게로 아부지가 반장 시켜서 다 걷었제, 남자들 옷을. 삼십 명이라고 혀 삼십 명. 삼십 명이 내려와갖고 근게 한 데서 산 것 같어요. 산데 형사가 죽었다니까, 그래갖고 그렇게 큰 난리를 만나부렀어. [조사자: 그렇게 얼마나 같이 사셨어요?] 그니까 인자 그 마을에 들어와서 살기 전에는 밤에믄 들어와서, 아까 내가 얘기했지? 밤에믄 들어와서 밥 해달라고 하고, 그냥 뭐 막 뭣도 가지가고 글 안으믄 죽인다고 헌게로, 밤에는 반란군한테 보대끼고, 낮에는 순경들이 반란군 왔다갔냐고 허믄 안 왔다고 허제, 거짓말로. 근게 그러믄 왔다갔는지 알고 왔다고 보복허고. 아조 그 그른 시상을 솔찬히 산 것 같어, 지금 생각해보믄. 그러다가 그 사람들이, 반란군들이 낮에믄 내려오고 밤에믄 올라가고 그런게로, 성가신게로 아예 그냥 마을에서 밥을 해달라고 해서 퍼 묵고 살았어. [조사자: 총 같은 것도 들고 있었어요?] 총이 있었은게로 형사를 죽였지. 형사를 막 죽이고는 그놈들이 어디로 도망가분지 우리가 알 것이여, 어디로 도망갔는지? 그래갖고 만월리란 데서 써바다가 되야부렀어. 그양 군인들이 그냥 시방 생각하믄 그양, 요런 데 있는 군인들이 전부 그리 몰려가갖고

그양, 근게 만월봉 한 번 보신 것도 좋아. 만월리라는 산이 그래서 만월리여, 만월봉. 그래갖고는 자그마니 요롷고 뙤똥하니 마을 앞에가 있는디 그 산이 전부 그양 누러니 그양 반란군, 군인들 산이 되야부렀단게. 그래갖고 그롷게 총을 쐬재끼니, 근게 그 사람은 안 죽은 것 본게로 그롷게 그냥 총만 쐈제.

[조사자: 그럼 그 형사들 죽고 나서 아버님만 괴롭히셨어요? 아니면 다른 마을 주민들도?] 당장은 매만 조깨 맞고 그 해산이 되고, 우리 아부지는 이장이라서, 시방은 이장이라 그러지만 그때는 구장이여, 구장. 그런디 그 양반이 근게 조건이 시방 생각허믄 맞어. 그떡에는 그냥 분허고 억울허고 아버지를 그냥 억지로 해서 돌아가셨다 싶은게 그런 억울헌 마음만 들어가드니, 지금 이렇게 철들고 생각해보므는 딱 맞어, 거시기가. 그 바란스가 딱 맞어. 왜냐? 옷을 걷어서 줬제, 마을에서 밥을 먹여 살렸제, 대사를 쳤제, 대사 쳤은게 그놈들을 잘 먹였제, 한마디로 근게 인자 그 형사만 안 죽였으므는 그런대로 무마가 되얐을 것인디, 해필 곶감을 사러 왔단게, 이서면서 일반민이. 그런게 와서 본게로 수상헌 사람들이 많이 그양 여그 여그 있제, 동네는 작은데 한 삼십 명 붓어놨은게 옹기옹기 있었겄제. 근게 만월리는 가서 본게로 고롷게 한복을 입고 인민군들이 살림을 허고 있드라. 갔다 고고 이서면다가 거시기를 보고를 해부렀어. 근게 그 뒤로 형사가 망을 보러 왔지. 인자 참말로 그런가 아닌가. 근게 지게를 짊어지고 권총을 차고 갈퀴를 짊어지고. 갈퀴 아요? 요케 떡떡 긁는 갈퀴. 그 갈퀴를 짊어지고 만월, 만정재여 만정재. 암만 그 재 생각이 안 나드니 이제 나구만. 만정재를 올라왔어. 올라와서 이렇고 넘어다보고, 그 사람들도 망을 봤겄죠. 근게 인제 요놈들이 보고는 쏴부렀어. 근게 하나가 죽었어, 형사가. 근게 난리가 나부렀제.

[조사자: 피난을 나가서 한 집에 많은 인원이 들어가 살았다고 하셨는데?] 열한 집이 살았어. [조사자: 열한 가구가?] 예. 말하자믄. [조사자: 인원수가 얼마나 돼요?] 모르제, 그것은. [조사자: 화장실을 갔다 오면 누울 자리가 없다고?] 응. 앙글 자리가 없어. 앙겄제, 눕들 못 헌디, 집이나 째깐해. 산간 집이여.

근디 요케 홱 둘러서 앙겄다가 볼 일 보러 나갔다 오므는 그 자리가 없어. 앉들 못 혀. 근게 빼집고 앉지. 아까 여그가 내 자리였다고 험서. 이도 드글드글허고 먹을 것도 없은게 사람들이 환자만치로, 지금 생각해보믄 그거 사람이겄소?

[조사자: 먹는 거는 어떻게 해결하셨어요?] 근게 먹는 것은, 그 어쯔게 했든가는 모르지만, 요롷고 담이락이든가 울타리든가 그 집이 울이 이롷게 생겼는디, 그 밑이다가 이만쓱한 옹구로 된 솥단지를, 솥단지가 아니제, 인자 옹구그릇이제. 그놈을 이롷게 독을 걸어갖고 만들어갖고 이롷게 끓여갖고 인자 자기식구는 자기식구꺼녕 먹어.

남자들은, 저 우리 쥔양반이나 알아들을까 선생님들은 못 알아들을 거야. 소우에가 더금이 있어. 소 키우는 디 밑이다가, 소를 밑이다 키우고 우에다 이러고 간짓대를 모다 질러갖고 우에가 그것보고 더금이라고 혀. 거그다가 짚다발을 깔고, 덕석을 깔고 인자, 덕석이라고 허믄 멍석, 고것을 깔고 남자들은 거그서 자. 인자 거그도 무서와. 거그도 반란군들이 오까 무선게 진디란디다 주둔이 되얐지만은 거그도 무솨. 근게 남자들은 그롷게 숨어서, 잘 디도 없은게 그런 디서 자고. 여자들은 그나마 요롷고 그냥 (방바닥을 가리키며) 요요 둘은 만들겄소, 방 요놈 가지믄. 그른 데서 열한 집이 식구가 모였으니 엄청 사람이 많제.

[조사자: 그렇게 모여 살 때가 몇 월이에요?] 십일 월 달이제, 십일 월 달에 나갔은게. 그래갖고 거그서 설을 쇠얐든가 안 쇠얐든가는 모른디, 인자 머다 그래갖고 토굴을 파갖고 나갔제. 근게 인자 그 구호미, 구호미를 갖다가 그렇게 나놔 준단게. 쪼까쓱 수시쌀도 주고이, 겉보리쌀도 주고이, 뭣헐 땐 겉보리도 주고이, 옥수수도 주고 알래미 쌀, 알래미 쌀도 주고, 그믄 이자 그놈 쪼깨쓱 넘으 집 학독에 가서 싹싹 갈아다가 삐-러니 죽 쒀서 쪼깨쓱 마시고 그러고 살았제. [따님: 밀가루는 안 줬나요?] 밀가리도 쪼깨쓱 주고, 밀가리를 줘도 그 요 자리 달려갖고 홉같은 것에다 떠서 조깨쓱 조깨쓱 나놔중께,

그 많은 수를 준디 많이 주겄소? 어특해? [조사자: 그러면 식구들끼리 따로 해서 먹어요?] 그러제, 그러제. 얻어 먹으믄 참말로 골고루 못 나놔 먹제. 각자 집으로 한 번씩 나놔 주믄 솥단지 요로고 걸어갖고 그 속에서 인자 거그다가 끓여갖고 먹어. 그러고 살아.

[7] 피난 가서 토굴 파고 들어가 살았던 사연

[조사자: 토굴로 옮겨 가서는 조금 살기가 좀 나앗다고 하던데?] 이이. 하절이 돌아온게로 [조사자: 계절이 바뀌니까?] 응. 하절이 돌아온게로 삼사월이나 되얏든가 어쨌든가, 말하자믄 굴을 판다믄 시방 요것이 땅바닥 아니요? 그믄 여여 판 것이 베랑빡이제, 파 들어간 데가. 그 여그는 땅인게 여그다 요롷고 뭣을 건너 지르고 뭣으로 덮고 인자, 풀 같은 것도 비어서 덮고 헌게로, 반란군들 모리게 허니라고, 전-체- 진들 토굴허믄, 근게 내가 그거 아쉬워서 내가 늘 그랬지만은, 그 참 토굴 그거 뭐, 인공 때 헌거 뭐 군인들이 뭐 헌거 그거허고 보따리 짊어지고 간 거만, 줄줄이 간 거 고론 것만 나오드만, 쪼까. 그러제 거그가, 피난 거시기는 거그서 했단게.

그래갖고는 진들 가서, 서울 가서 아무리 찾아도 진들 토굴에 가서 우리 집은 못 찾는다고 고로게 머다 말이 나고 그랬어요. 우리 집은 그나마도 오빠들이 둘이나 된게로 길쭉허니 요롷고 파갖고 벽을 땅으로 요롷고 대고 그 속에 굴로 허고, 들어간 디는 계단계단 해갖고 그렇게라도 좋게 했제, 다른 집은 참말로 그양 우습도 안 혀. 요로고 요로고 쪼그리고 앙겄제. 손대 없는 집은 그렇게 허고, 손대 없어서 거스그 허믄 가서 쪼까 해주고.

그래도 부락부락 두리두리허니, 쉽게 말하믄 망월촌 사람, 무등촌 사람, 생계사람, 영계 사람, 보올리 사람, 보리봉 사람, 저 그쪽에 동네이름이 다 동네동네 동이 있으믄 그래도 자기 동네는 요롷고 모여 굴을 파도, 요요 여그다 요롷고 허고 여그다 요롷고 허고 헌게, 아 이자 그 굴속에서 나옴서부터는 그 한집에서 벗어서 나옴서부터는 굴 파갖고 삼서는 안 사람 얼굴도 보이고, 인자 쪼금 더 낫제, 거그서 보담은.

거그서 근게 한 이삼년 살았나 몰라, 굴속에서. 그러고는 요 보올리로 왔제. 보올리란 데로, 상면, 상면으로 와서 주둔을 했어, 주둔을. 이자 순경들이 지서를 짓고, 지금 말하자믄 파출소제. 지서를 짓고 거그다가 요롷고 전부 요롷고 땟집을 거그도 지어갖고 내다보니라고 요만쓱허니 요롷고 내다보고, 거그다 총들 대고 저녁이믄 입초 스고, [따님: 초소?] 응. 이런 디도 전부 초소가 있었제. 동네동네 다 입초 서서 저녁이믄 그 토굴 속에. 멫 년 전까정도 저그 저 산소통도 있었다구. 그러듯기 거기도 그렇고 허고.

또 여 피난민들만 고롷게 한 들판을 요만쓱 요만쓱 토굴을 파갖고 산디, 그 시방 이북허고 여그 우리 나라허고 이롷게 거슥헌 디가 철조망 안 쳐졌소이? 그런식으로 이롷게 가상을 둘렀어, 그때도. 못 들어오게, 저녁이믄 못 들어오게 할라고. [따님: 토굴을 나름 보호했네요?] 보호했제. 그런게 살제. 보호 안허믄 못 살제. 군인들이 거그서 완전히 보호를 했제. 근게 구호물자, 옷 주제, 구호미 주제, 나라에서 그롷게 도와줬제, 고롷게라도. 근게 손대 있는 사람은 그나마 피난 대님서 그러고. 하래이틀 간 것이 아니라 날마다 간게 출동을, 근게 인자 군인들이 망보러 간 데를 따라 가믄 사람이 그렇게 많이 죽고, 우리가 오늘은 출동을 간게 따라와라 그믄, 요리 갔다 저리 갔다 안 죽은 날이 없이 사람들이 많이 죽었어.

[8] 피난 가서 어머니와 식량 구하러 다니던 사연

[조사자: 어머니랑 나물 뜯으러 가셔갖고 서로 먼저 일어나라고 하시다가 나물 뜯은 거 다 흩어져갖고 우셨단 얘기도 있던데요?] 근게 그게 아까 그, 그것이 지적 껍닥이여. 나무 껍닥, 나무껍닥을 가마니다가 이롷게 차곡차곡 [따님: 소나무 껍질만 한 게 아니라 다른 나무도 하셨어요?] 소나무 껍닥이제, 소나

무 껍닥. 차곡차곡차곡 담어갖고는 가마니다가 담으므는 그것이 얼마 안 들어가제. 그니 우에다 요롷게 해서 수북허니 담어요.

그래갖고 어머니허고 나하고 인자 이고 배남정재를 넘어와. 그믄 인자 어뜩해허냐믄 배남정재를 넘아가믄 요런 엉떡이, 이케 엉떡 있는 디가 있어. 독도 있고 엉떡도 있고, 산에가이. 요런 재를 내려 간디. 그러믄 그 엉떡에다가 내래 이렇고 고개를 대고, 금 일 떡에는 또 이롷고 앙거서 인자 고놈을 요롷게 자치므는 여져. 그믄 이자 어머니가 항상 나는 째깐헌게 힘이 부족허다고 요놈 요롷게 떠들어. 당신 야를 먼저 이믄 허지만은 내 야를 이어줘야 헌게로 나를 요롷게 떠들어주고, 당신은 인자 이어. 그믄 인자 내가 한 손으로 쪼까 요롷게 했자. 힘이 안지거든.

근게 한번은 인자 서로 도와준다고 어머니가 먼저, 내가 먼저 허고 인자 말다툼을 허고는, 어머니가

"니가 어리고 아직은, 내 죄다. 내가 망월촌 꼴짝으로 시집을 와놔서, 결혼을 안 해서 살았으믄, 안 살았으믄 이런 일이 없는디, 이 산중에서 삼선 내 죄다, 내 죄다."

밤낮 내 죄다 허시그든.

근게 인자 나를 이어주고 당신이 인디, 인자 요롷고 높은 디가 영그므는 요롷게 허믄 앙그므는 이어져요. 그래갖고 요롷고 스므는 슨디, 포도시 스지. 인제 무거웅게. 근디 내가 이놈을 이어 줬는디, 내가 이고 요놈을 요롷게 떠들라고 내 야가 넘어가부렀어, 고놈에 걸려서. 그래갖고 둘이 울고 대처 그런 적이 있었어요. 어머니가 허란 대로 히야헌디 내가 잘났다고 이어주느라고, 쪼까 떠들어주느라고.

"누가 너보고 나 떠들으라고 했냐?"고.

뭐라고 헌게, 나는 어머니 생각하고 그랬는디 그런다고 헌담선, 그런 시상을 살고 참 험허게 걸어왔는디 마직막판에 내가 이러고 편허게 사요, 아주. 끝까지 아주 안 풀리는 사람도 있고.

근게 시대도 잘못 타고 났고 또 험헌 데서 태어났고, 이상시럽게 그렇게 근게, 몸에 병만 안 들었어도 그대로, 지금 사람들이 우리 연령 치고는 이롷게 다 보릿고개가 있고 어려운 세상을 살았제. 근디 나는 천식이라고 숨을 못 쉬어, 숨을. 근게 뭔 심으로 살았냐므는, 이제 아그들은 그것을 모르제. 내가 이롷게 고생허고 피난민이다고 그럼 피난민이다고 그러제.

이자 내가 어느 정도는 한이 풀렸소. 인공으로 해서 어뜬 양반이 딱 해서 어느 나라에서 돌아가시게 헌 것은 아닌디 그 피해를 입었지요이. 인공으로 해서 피해 입었제. 대한민국한테도 맞기는 맞았제, 잘못했다고. 그롷게 해서 좋은 부모, 참 우리 아부지는 어디다 거시기 해도 대단헌 선비시고, 또 할아버지가 훈장이시고 아주 집안이 큰 집안이었어. 근디 그 죄값으로 그랬나 어쨌나, 양반 노릇허고 권세부리고 살았지, 전에 어른들은. 우리 할아버지께서는 군에 다니시고 아부지는 면에 다니시고, 젊어서 그롷게 권세 부리고 살았등갑디다.

그른게 노변에 가서 내가 오만 장사 다 허고. 내 성이 뭣이냐고 허믄 나 성도 없다고 했어.

"나 성도 없어."

어디서 왔냐고 허믄

"나 산 디서 왔소."

"왜 성이 없는 사람이 있다냐?'

그믄

"나 성을 잘 모리요, 잊어부러서."

그르고 내가 살았어. 부끄럼 없이 살았어, 일점의 부끄럼 없이. 오만 장사는, 장사는 다 허고, 아조 뭐 이불장시도 허고, 미역장시도 허고, 멸치장시도 허고, 감, 다 대추 이른 거 다 따갖고 대님선 다 시장에 가서 다 팔고 그랬어도 지금 어디 가서 이야기 허믄, 이렇고 앉어서 이야기 허믄 절대 아무 고생 없이 산 사람 같게 그롷게 고생했다고 한 사람 하나도 없어요. 곱지는 않은데 그냥 막 장돌뱅이마냥 닳아지든 안했지, 그렇게 했어도.

[조사자가 신행길에 가져가던 입적대기에 관해 묻자, 원래 입적대기는 신부가 간 날 저녁에 나누어 먹는 것으로 '입덮으기'라고 하는데, 입을 엿으로 감춘다고 해서 엿도 한다며, 말 내지 말라고 한 데서 연유했다고 한다. 창평에는 엿이 유명하다며 조사자들에게 엿을 내어 주시면서, 신부가 시집오면 온 동네 사람이 다 모여 잔치를 벌이는데 그때 그 신부에 대해 안 좋은 말 내지 말라고 모인 사람들에게 먹일 음식을 해 간 것이 입적대기라고 한다 하였다. 신부 집에서 보낸 음식은 퇴상, 신랑 집에서 보낸 음식은 이바지라고 했다고 한다.]

[9] 토굴 살 때의 일과에 관하여 말하다

[따님: 그 토굴 속에 사실 때도 식사는 굴 안에서 해결하고 그러셨을 거 아녜요? 밥 짓는 건 아까처럼 옹구항아리에다 다 해먹었다고?] 거시기여. 요쪽에다가 솥단지를 걸어놓고 토굴 속에서 밥을 해 먹었어. 근게 인자 출동 가서 쌀을 조깨 가져오므는 그거 놔서 밥을 묵고이, 구호미갖고 먹고사는디, 근게 큰형님이, 시방 외숙모가 내가 오죽허고, 서울이 아니믄 여그 같이 살믄 그 양반허고 그러고 상담을 허믄 좋은 소리가 많이 나오겄다 싶으드라고.

[조사자: 토굴 이야기 좀 자세히 해주세요.] 근게 내가 생각해볼 때는 요쪽 사람들 만나야 토굴 이야기가 돼. 나나 알제 다 모르드라구, 여그는. [조사자: 거기서 이삼 년 사셨으면 생활을 좀 자세히 얘기해 주세요.] 근게 거그서 그냥 생활을, 군인들 따라댕임서 갖다 먹고 그 고생허고, 근게 제일 기억에 또 남는 것이 뭣이냐믄, 물, 물이, 진들 동넨디, 동네이름이 진들이 [조사자: 진들?] 응. 진-들-. 또 우리가 열한 집 살았다고 헌데는 난산. [조사자: 난산?] 이. 이름이 난산. 난산 한골덕네 삼 칸 집으로. 한골덕이라고 대고 이름도 나오구만. 한골댁이 고가, 고씬디, 고가라고 헌 사람은 다 고리 모였어.

내가 피난 애초에 나간 디는 난산, 토굴 파갖고 산 디는 진들, 거지들도 아니고 사람들도 아니고 그냥 지금 생각해보믄 그 뭐라고 헐까? 그룹게 그 사람을 다 갖다가 퍼붓어놨으니 오죽허요. 근게 인자 피란, 그 사람들 그 저 일과가 뭣이냐므는 군인들 따라가서 뭐이라도 엥긴 대로 갖고 온 것이 일과여. 다른 거 없어. 인자 옷 같은 것은 고물자 주니까 그것 좀 갖다가 입고, 또 구호미 쪼까씩 준게 그거는 인자 갖다가 먹고, 인자 출동을 가며는 인자, 근게 출동 간 것은 시방 생각해보므는 그 이듬해 농사를 못 짓고 집들을 다 태워부렀은게, 인자 한꺼번에 동네를, 우리 만월리는 큰 불익을 당해서 그 형사가 죽었기난시 군인들이 그양 막 미움을 받아부러갖고 그룹게 그양 막 나감서 불을 질러부렀지만은, 군인들, 저 반란군들 산다고, 다른 동네는 피란을 시켜놓고 이룹게 저기도 질러불고 저기도 질러불고 인자 이룹게 해놔서, 그 불을 안 지른 디로 고로고 쫓아댕겼단게, 사람들이. 다른 이야기는 헐 이야기가 없어. 거 진들서 삼서는 갖다 벌어서 먹고 산 것이 일이제. 이고 갖고 댕김서.

[10] 피난 시절 친한 친구들과 생사를 알리는 표적으로 팔에 문신을 하다

[조사자: 친구들이랑 문신도 했다던데요? 그 이야기 좀 해주세요] 근게 인자 그, 그것은 문신은 진들서 헌 게 아니라 도리봉으로, 요요 도리봉, 말하자믄 지서 지어갖고 온 디가 보올리라고 헌 데도 있고 도리봉이라고 헌 디도 있어, 동네가. 나는 도리봉서 살았어. 말하자믄 또랑 사인디 보올리는 저짝이고 나는 도리봉이고, 인자 이름이. 거기서 삼서 우리 동네 애기들이 요룹게 또 평야 동네로 안 들어가고, 또 이렇고 상면 모여갖고 사니까 수십 동네가 모여갖고 살제. 북면, 화순군 북면, 남면, 다 한티로 모여분게 그것도 겁나고, 인자 면으로 따져서 인자 주둔을 해갖고 나놔져갖고 산게.

근게 인자 우리 친구가, 시방 한나도 이남서 산게 한 번씩 만나고 그런디.

한나는 죽고 너인가가 친허게 살았어요. 근게 인자 우리가 요랬어. 그 안은 시방 내가 헌 것은 아니여. 우리가 요롷고 피난민으로 삼서 어디 가서 어트게 죽을 지도 모르고, 이롷게 사람이 안정이 되들 않고 살고 있은게로 니가 죽으믄 요것이 죽고, 문신이, 시방은 등어리다가 호랭이도 그리고, 말도 그리고, 그래갖고 다니드만은, 그떡에는 바늘로 그렇게 헌다는 거이 무서운 일이거든. 요로고 요로고 여그를 잡고 요로고 바늘로 떴어. 먹 묻혀갖고, 바늘로. 그믄

"니가 죽으므는 요것이 죽는다."

그믄 그걸 안다는 표적으로, 아이- 대처 하나는 죽었는가 없어져라. [조사자: 그 인원수를?] 으. 서인디 (팔의 문신을 보이며) 요것도 기고, 이자 무장 늙은게 희미해지구만. 요것도 기고 요것도 기고 요것도 긴디, 요거는 없어지드란게. [조사자: 친구들 인원수만큼 문신을 새기신 거예요?] 이자 내가 새긴 것이 아니라 그 사람들이 떠. 그 사람들이 히 줘. [조사자: 친구들이?] 응. 나는 또 그 사람을, 저 친구를 해주고. 문신이라는 것이 그것이여. 그런게 인자 어츠게 허냐믄 째깐 수 논 바늘, 수를 잘 놨어 내가. 각개수도 잘 놓고 이런 십자수도 잘 놓고. 특히 내가 또 잘 놨어. 근게로 바늘이 째깐해요, 수 논 바늘은. 골로 우리가 문신을 뜨므는

"난리를 만나갖고 이러고 산게, 니가 죽을지 내가 죽을지 어디 가 죽을지 모른게, 이렇고 표를 해노므는 사람이 죽으믄 이것도 죽는다드라."

그른게로 바늘에다가 실을 껴갖고, 그 실에다가 먹을 묻혀. 먹물, 저 서예험선 쓴 먹물을 묻혀. 그래갖고 본인이 팔뚝만 대 주믄 그 사람이 손을 요로고 잡고 바늘을 끼어 여그다 떠. 그믄 바늘을 크게 뜨므는 이것이 크고, 통이 작아갖고 째까 뜨므는 작고. 그 대처 하나가 죽었네, 나 벌로 봤드니. 세 개를 서이, 나도 세 개 떠주고 그 애들도 이렇고 뜨고, 서이 이렇고 돌려감서 그러고 뜬 것이 문신이여. [조사자: 얼마나 아파요?] 껍닥을 뜬게 아프지만은, 그걸 참고 어디 가서 죽니 산지 안다고 째깐해서 했제.

[11] 배고픔에 고생한 사연

[조사자: 그 친구 분들은 가끔 만나셔요?] 인공 때 이야긴게 그 이야기도 해야겄네. 지금 저 재 너메가 있어, 한나가. 근디 얼매나 배도 고프든지 즈그 아부지가 늙고 딸만 서인디 저 벌들 못해요. 우리는 오빠들이 있고, 형님들이 계시고 헌게로 그래도 이롷게 출동 나가서 가져오기도 하고, 이자 또 상면으로 가갖고는 땅이 있은게 가서 벌어먹기도 허고, 근데 그 집같이 그롷게 가난허들 안 헌디, 그 집은 딸만 서이고 아들이 없고, 어머니 아버지가 늙은게로 벌 사람이 없어. 그른게 아버지하고 딸허고는 굶어서 한날에 같이 죽고.

니미끼. 니미끼라고 허믄 못 알아들을 것이여. 쌀 깎은 거, 저, 보릿저는 들 독헌디 이것은 엄청 독해요. 그것에다가 보리, 보리 그 잎싹 비어다 요롷고 섞어서 묵고 살고, 그래갖고 고 메뚜기를, 세상에 얼매나 배도 고프든지, 그 이해가 안가. 요 사람들은 이야기 해봐야 그게 이해가 안가. 논에 메뚜기 있죠, 벼에이? 그걸 이롷게 잡어서 뜯어불고, 대구빡 뜯어불고 먹어. 그냥 먹어. 꿉도 않고 지내댕김서 그냥 먹어. 맨날 메뚜기 잡어다가 갖고 댕김서 구워서 먹는 것이 일이고, 배고픈게. 메칠만 굶어봐 메뚜기도 먹을 정돈게. (화자 웃음)

요런 이야기 헐라고 안 죽어, 요런 이야기. 글 안했으믄 저저 옥굴 화순 온천 그 또랑에서 죽었어야 맞어. 그랬으믄, 그때 죽어부렀으믄 간단허제. 근디 기필 살아갖고 그 역경을 다 겪고 아이구메- 지나간 일 돌아보기 싫어, 진짜. 요 이야기를 해도 손이 벌벌벌- 떨려. 어츠게 힘들게 살았든지. 근게 그 피난 대님서 그 고생을 했기에 여그 와서도 그롷게 악착같이 그냥 몸빼 하나를 못 사입고, 떨어진 놈을 깁고 깁고 기워 입어갖고, 누가 몸빼 하나를 사줌선 요롷게 살아서 뭣헐라냐 헙디다. 그래도 그 속에서 내가 딸까장 그래도 저렇게 눈 띄였어. 그런게로 지금은 질로 편하게 됐어 인자.

[12] 토굴 만드는 과정을 말하다

[따님: 아까 토굴에서 논에다 만들었다고 했잖아요. 그믄 밖에서 모르는 사람들은 그냥 논인가 하고 지나갔는가요?] 논이라고 지내가진 않지. 검부쟁이가 있는 것처럼 이롷게, 원래 사람들 집이 가서 볏단도 얻어다가, 이자 나는 지푸라기라 그러지만은 볏단이라고 해야 알아들은게. 그 짚단을 얻어다가 그 많은 수를 어쯔게 집을 다 질 것이냐? 토굴도 못 짓고 땅에서 요로고 깔고 산 사람도 있고, 그 볏단을 갖다가, 근게 요것이 요롷게 요롷게 파고 들어가믄 요곳이, 땅이 요롷고 요롷고 벽이 될 거 아니여, 빤 듯이 파고 들어가믄? 금 인자 여그다가 섞을 나뭇대를 비어다가 여그다 여렇게 건너 질렀어, 여렇게. 진 놈은 요롷게 딱 허고 인자 잘른 놈은 요롷게 요롷게 요롷게 해갖고 인자 짱짱허니 해야지, 많이 나무를 많이 덮어가지고. 그래갖고 인자 집을 인자 반란군들이 봐도 사람 사는 딘지 모르게, 그렇게 허니라고 이롷게 깔았어. 그 인자 짚도 천시를 못 헌 사람은 인자 풀을 비어다가 말려갖고 이롷게 깔고.

[조사자: 비가 오거나 눈이 오거나 그러면 새지 않아요?] 새제. 줄줄 새. 새고, 여 하절이 된게로, 사 월 삼사 월이 된게로 여런 데서 막 지랭이 같은 것이 기어나와, 비렁빡에서. 비렁빡이래야 땅이제. 땅이 요롷고 파졌은게이. 거그서 지랭이도 나오고 뭣도 나오고 머다 기어나와. 바닥에도 그양 뭐 뭣이 있간디? 지푸라기 같은 것도 깔고 그 샛대기 나무이, 그거보다 갈대라 그러드만? 갈대라 그래야 알아들제이. 우리는 샛대기라 개야 알아듣고, 샛대기 나무, 내가 그 비어다가 말려갖고 깔믄 그거이 최고여. 그게 좋아. 내가 그 낙안온천, 순천 갈대밭 거그 돔서 그랬단게.

"아이고 요거 비어다가 토굴 속에다 깔고 덮고 허믄 엄청 좋겄다."

그랬어. 말은 안했어도. (화자 웃음)

[따님: 토굴에 여러 명이 있잖아요? 할아버지 할머니도 있고, 식구들이 많

잖아요? 방이 하나여?] 그니까 그때 나놔졌다니까. 그때 요쪽으로는 왕래를 못 헌게 저 화순으로 해서 요롷게 해서 광주로 돌아갖고 고서면으로 왔어. 요쪽으로는 배남정재를 넘어야 오니까. 근게 안 온 사람, 안 온 사람, 할아버지가 너루신 분이라 안 온 사람, 안 온 사람 연줄로 해서 이모까장 해서 자고 걸코 자고 걸코. 걸어서 걸어서, 차가 없은게 그때는. 걸어서 걸어서 여 교촌으로 한절이 오시고 덕촌으로 한절이 오시고, 언니는 그 충효동으로 오고, 인자 삼서 나놔졌지, 인자. 첨에 고롷게 나놔진 것이 아니고, 인자 할아버지가 거시기는 허고, 호주 노릇은 허고, 작은오빠 내외는 덕촌, 대소가 있는데 가서 얻어먹고 살아라. 그롷게 분반을 했제. 이자 할아부지는, 형님허고 오빠허고는 교촌, 할아버지허고 할머니허고 작은아버지허고 작은어머니허고는 덕촌, 그러고 인자 느그 이모는 인자 충효동 진외갓집이.

근디 너무 너무, 뭣에 질로 한이 맺혔냐므는, 그 좋으신 부모, 좋으신 조부모 밑에서 나도 나름대로 잘 태어났다고 생각했을 것인디, 커보지도 못 허고 배우지도 못 허고 난리 만나갖고, 그 아부지 돌아가신 것에, 다른 고생 했든 것은 이롷게 극복해서 잘 살아나갈 수 있는디, 한번 가셔분 분은 영원히 못 보잖아요. 근게 그러고도 살아서 이 자리에 왔는디, 그 웬수놈의 인공 때문에 이롷게 됐다 허므는 인공들이 미워 죽겄어. 미운 맘 가지믄 못 쓴디이.

[13] 화자 남편: 전쟁이 일어나자 상놈 취급받던 사람들이 양반들을 몰살시킨 사연

(* 이 대목은 화자의 남편이 주 구연자로 구술한 것이다.)

[따님: '전쟁이 일어났다.' 이것은 여기 시골에서는 어떻게 아시게 됐는지?] [고영: 알지도 못해. 밤이믄 그냥 와서 밥 해도라고 허고, 배고파 디진다고 밥 해도라고 허고, 그양 양슥 주라고 허고 그냥] [따님: 그게 인민군이라는 걸 아셨어요?] [고영: 인민군이제. 근게 밤사람이라고 했어, 그때는. 우리는

밤사람이라고 한다.]

인민군은 북한에서 넘어온 군인이고 여기서는 저 마을사람들이, 말하자믄 반혀는 사람들, 인자 지금같이 빈부가 없으믄 상관없는디, 그때는 빈부가 겁나게 심했다고. 왜냐믄 그냥 한 부락에도 오십 호, 육십 호 산 동네에서도 부자라고 자기 논 가지고 있는 사람들이 몇 명 안 돼. 몇 집 안 돼. 나는 그걸 알지만은 여그 와서는 그렇게까장 심하든 않드만.

장성 북하면 약수리라고 헌 데는 어트게 육이오가 심해부렀든지, 근게로 부자 몇 집이가, 한 부락에가 팔십 호 된다고 허믄 몇 집이가 있는디, 전부 가난헌 하인들이여. 그집 농사를 지어주고 포도시 죽이나 먹고 사는. 근게 그때 세상이 너무나 양반행세가 많아가지고, 여기 고씨로 말하믄 고씨들이 양반이라고 상당히 거시기 했는디, 장성 우리 마을 같은 디는 내가 울 김인데, 울산 김씨가 몇 집 되도 않은디, 그양 왼 부락, 팔십 호 된 부락을 그양 좌지를 해부러. 전부 다 부려먹고. 근게 육이오가 닥친게로 그 사람들 다 일어난 거야, 인자. 그래갖고 막 죽여부러, 또. 그런게 그러니까 장성 북하는 그마만치 육이오, 나는 거기서 인자 요리로 이사를 와부러서 상관이 없지만은 [조사자: 장성 어디라구요?] 북하면 약수리. 그런디 여기 요 삼지내라고 안 있냐, 요? 바로 삼지내 고씨들이 우리 울 김, 말하자믄 아주 큰 부자, 북하면서 요리 장개를 왔드만. 그집 딸이 또 수북으로 시집을 오고 그룹게 했는디, 여기는 삼지내 고씨들을 조용해부렀고 타성들이 뭐 양반행세헌다고 거시기도 않고.

장성 그 중평이라고 헌 데는 말하자믄 양반이 상놈들한테 너무나 못쓰게 해부렀어, 그냥. 순전히 없는 사람은 암 것도 없이 삼선 그 집이 가서 일이나 해주고 ,땅 마지기라도 포도시 얻어서 지어 먹을 정도로 요롷게 헌게, 그 너무나가 그때 잘못했다고. 그래갖고는 육이오가 돌아온게 그 사람들이 일어난 거여, 인자. 나 그때 열네 살 먹을 땐디, 국민학교 막 졸업하고 그 이듬해 육이오가 났는디, 아– 그 사람들이 싹 일어나가지고 인자 양반들 행세 헌 사람들 싹 잡어다가 몰살시켜, 그냥. 쪼그만 애기들만 놔두고 그양 싹 전멸시켜부렀어.

[고영: 누가 말헌 지 모른디, 화장실로 뛰어 들어 갔는디 못 나오게 했다고 그러드만?] 못 나오게 헌 것이 아니라 끌어다가 여러 그, 여러 사람들이 있는 데서 그냥 거시기 해갖고 죽여부렀지. [고영: 끄집어내갖고요?] 응. 끄집어내갖고, 죽인 것이 아니고 요상시럽게 어떻게 됐어, 그때.

나도 울산 김 씨지만은 참 울 김들이 몇 집이서 좌우지를 허믄서 근게 너무도 했다고, 너무나. 근게 전부가 타성이라고 허믄 무조건 그냥 상놈으로 취급허고, 자기네들 농사나 지어줌선, 육이오가 딱, 육이오가 뒤집어져분게 그 사람들이 일어나, 또. 그래갖고 그냥 중평이란 디가 요상시럽게 돼갖고 지금은 우리 울 김 한 집도 안 살고, 거기. 근게 나는 그때 열네 살, 막 국민학교 졸업허고 그 육이오를 만났는디 무사왔어, 무사. [조사자: 군인이 무서운 게 아니라 집안 대 집안의 좌우익 대립이?] 아모.

아이고 군인이 온게로 그렇게 좋아라고 했는디, 북한에서 밀어온 놈에다가 그 양반들이 이렇다 허니 살고, 그때만 해도 장성 중평이라고 헌 디는 무조건 허고 우리 울 김 내놓고 타성이라고 허믄 그냥 하인취급을 해갖고 그 농사도 그 사람들이 다 지어주고, 그니까 너무나 했지, 울 김들이. 그니까 그때는 다 일어났지, 타성들이.

[조사자: 마을에 인민군들도 들어왔었어요?] 다 들어왔지. [조사자: 그럼 열네 살이면 인민군들 들어왔을 때 소년단 같은 것도 꾸리고 노래도 배웠다던데?] 그 막 그런 것도 했제. 나 이제 국민학교 막 졸업하고 열다섯 살인디, 그때 열네 살 때 졸업허고, 열다섯 살 때 그거를 알아. 그 인공들 노래도 부르고 좋아라고 했지. [조사자: 재밌으셨어요?] 재밌기는 뭣이 얼마나 재밌어? 그래갖고는 몇 달 안 있어갖고는 도로 인자 북한에서 [조사자: 노래 가르치고 교육 같은 것도 시키고 그래요?] 교육은 안 시켜. 주로 노래 많이 갈치고. [조사자: 그때 배우신 노래 기억나시는 거 있으세요?] 없어.

근게로 우리 생각하기는 글드만, 그 하인들한테 헌 것이 너무도 했다 그런 마음도 있고, 히라를 하고 허쇼를 받고, 상놈한테는 히라를 허고 자기 양반이라고 돈냥이나 있고 허믄 허쇼 받고, 이랬냐 저랬냐 허고, 근게 그것이 육이오가 온 것이 그때 거시기로 해서는 잘 했다고 봐. 그것이 계속적으로 고롷게 나간다고 허므는 참 아무 것도 아니지.

[14] 아들을 숨기다가 반란군에게 죽임을 당한 고부 이야기

(* 이하 다시 고영 제보자가 구연한 것이다.)

우리 동네사람 하나가요 저 할머니는 고 씨고 아들이 이 씬데, 그 우리하고 엄청 같은 일가라고 해서 다정허니 살고, 할머니가 고 씨니까, 아들이 이 씨니까 외손 아녀요? 외손이지요이. 그 외손이고 허니까 그 집은 좀 빈한허게 살고, 우리는 또 그런대로 가진 가난으로 살고 하니까 많이 접촉도 하고, 그 할머니가 바느질 솜씨가 엄청 좋아가지고 동네 바느질도 다 허고, 아들을 낳은 것이 아니라 양자를 했어. 그래갖고 그 아들 양자 해갖고 결혼해갖고 엄청 이자 다복허니 산디, 근근히 벌어먹고 살아 인자 아들이. 말하자믄 일을 못 헌게.

근디 마누래도 좋고 그런디 죽을라고 그랬든가, 아까 만월, 만정재라고 했죠이. 만정재를 넘어서 첩을 얻어갖고 댕겨. 그 이씨라고 헌 인가. 아 그런게로는 이 인공들이 인자 그, 그 사람은 속은 첩 얻어갖고 인자 소실집이 간디, 그 인공 놈들은 인자 즈그들 왔다갔다 헌 디 거시기 허러 간다고, 보고 하러 간다고 밤에, 이케 만정재 넘어간 사람을 그냥 여그를 칼로 그냥 이케 쑤셔서 죽여갖고 그양 뭔 소나무로 덮어놨어.

근게 인자 아주 완전히 죽은듯기 허고 있다가는 어뜷게 어뜷게 정신을 채려갖고 인자 동네를 기어온게. 뭐 저 소실집이 간 사람이 지한테가 뭔 도구가 있겄어요. 근게 지 옷을 거스그 해갖고 여그를 막고 기어서 대밭으로 간게 그 피가 해필 대밭으로 졸졸졸졸 인자 알아. 근게 인공사람들이 얼매나 독헌 사람들이냐 하므는, 내가 근게 이야기 혀요. 얼마나 독헌 사람들이냐 하므는, 대밭으로 고롷게 숨어갖고 그 사람이 인자 이롷게 농군이 아니고 그도 활동을 허고 산 사람이요. 인자 똑똑해. 근게 어쯔게 어쯔게 해서 광주로 넘어가부렀어. 산으로 산으로 해갖고 모르게, 그 사람 인자 나중에 알고본게 넘어가드라고. 기어가다가 죽은줄 알았는디 대밭으로 숨었다가 즈 가족들이 뭐 가져다가 연명시키고 해갖고 쪼까 어느 정도, 쪼까 거스그 헌게 인자 그 병원에, 낫을라고 광주로 넘어갔는가 벼.

근디 그 고부이를 세상에 고부이를 잡어다가 그 만정재에다가 그냥, 이롷게 총이라도 쏘고 칼로라도 이롷게 해서 그양 거시기 했으믄 좋을 텐데, 동네 사람들 나오라 해갖고 보라는 데서 둘이 인자 아들 어디로 빼돌렸다 해갖고, 죽은 중 알고 덮었는데 덮어놓고 가부렀다가 와서 본게로 피를 졸졸 흘리고 대밭으로 들어가갖고 없어져분게, 그 아들 내노라고 이롷게 세워놓고 여그를 다 깎아내려, 시워 놓고. 근디 여기를 안 짜른게로 살을 다 해도 안 죽어요. 칼로, 사람들 본 데서. 본 데서 그래갖고 결국은 인자 둘이 다 죽여부렀어. 그만침 인공이 그만침 독헌 사람들이여. 근게 그냥 총으로 쏜다든지 칼로 거스기 헌다든지 해서 죽여부리믄 괜찮은디, 고부이를.

그래도 이를 깡 다물고 그 아들 어디로 넘어갔단 소리 안 했다요. 고롷게 죽으면서도. 그른게 며느리가 뭔 말을 헐라고 헌게로 그 시어머니가 이를 깡 앙다무닌게로 그 말 참으라고 한 줄, 그 암호다 허고 메느리도 결국 말을 안 허고, 고부이가 그 만경재에서 우리 동네사람들 모여놓고 앞에다 세워놓고 그 지랄 해. 그래서 죽은 거를 봤어.

근게 그 사람도 결국은 그냥 이케 목을 낫기는 나서갖고도 명주수건으로 이롷게 감고 나중에 왔드만 말을 제대로 못헙디다. 이케 속에서 걸걸허게 말이 나오제. 근게 그 소리 허드만. 인자 우리집이를 외갓집이를 잘 다니고 헌 사람이라 와서 이야기를 헌디, 차라리 그때 차라리 자기가 그냥 한 목숨 던졌으믄 우리 부모님들이 그룹게, 부모나 처가 그렇게 안됐을 텐데, 자기가 산 것이 원망을 허지만은 또 그렇게 되얐는디, 근게 우리, 우리 어머니가 그러셨다고 그려.

"올바른 길을 갔으므는 이런 폐단이 없을 것인디, 뭣헌디 마느래 놔두고 소실 집 댕김서, 그것도 다 팔자제 보통 일이냐."고.

그런 말을 들었어요.

[15] 시가가 고서면으로 피난 와서 남편과 만나 결혼하게 된 사연

[남편: 근디 지금 이런 세상은 참 좋은 세상이여. 그때만 해도 뭔 양반 상놈이 있어갖고 그 양반들은 잘 살고, 명색이 양반이라고 한 사람들은 타성들은 상놈으로 취급허고 그양, 그때 세상이 아주 몹쓸 세상이여.] 유난히 저, 울 김들이 유난히 그러드만 더. 아주 세력 있어갖고 [남편: 그런게로 마을에서는 아저씨뻘 되지마는 그 아저씨라는 양반이 삼지내 요리로 장개를 왔드만. 그러고 딸은 수북으로 여우고, 수북으로 여운 딸은 말하자믄 좌익사상을 가지고 있는, 남편은 좌익 사상을 가지고 있고 여기는 인자 우익 거시기로 해서 하고, 그것이 참 곤란허다고.]

[따님: 그래갖고 어떻게 곤란한 일이 있었는지 아세요?] [남편: 나는 모르제. 여기 와서 들었은게.] 울 김들이, 할머니 말씀을 들어보므는 울 김들이 그 지주들한테 엄청 심허니 했잖아요, 아주. 그러듯기 그런 식으로 호재들이 전부 농사는 다 짓고 즈그는 가만히 앉아서 양반노릇만 허고 그런 세상을 살았은게, 늙은 사람들한테도 이랬냐 저랬냐 허고 그양 전부 양반냄새를 피우고 그렇게 헌게로 그사람들이 그냥 인공이 돌아온게 '옳다, 되얐다.' 하고 그냥, 우리 모다 친척들을, 그만치 세력을 부렸은게, 느그도 맛을 봐라 허고 전부 호재들이 일어서갖고 그렇게 되얐다고 하드라고요. 나는 인제 거그서 안 살아나서 모른디, 전에요, 작가 어머니가, 할머니께서 말씀을 더러 허신

디, 쥔양반보고도 그 인공을 해서 그롷게 피난을 요리 오시고 했은게로 허실 말씀 있으믄 허시고 그런게.

[따님: 아버지도 그때 오셔가지고, 할머니도 피난을 오셔서 소내서 떨어지셔갖고 중풍이 오시고 그랬잖아요?] 그 이야기는, 아부지는 전에 전에 일은, 지금 건망증이 좀 있으셔요. 그래가지고 현실에 이야기는 잘 못 허신디 그 전 이야기는 잘 허신디, 그 지금 저 항아리 앞에 엎어진 거, 옛날 항아리 그걸 지고 오셨당가 어쨌당가, 할아부지가 지고 오셨다고 그래서 내가 저롷게 놔둔디, 저그 저 장성서. 장성서 요리 [조사자: 마을에 오실 때?] 응. 마을에 오실 때. 아부지께서는 열다섯 살 잡솼고 오심선 할아버지가 지고 오셨다고 이야기가 그런디, 이 아래 마을이 소내예요. 소내 마을이여. 여그는 유천리 1구고 저그는 유천리 2구여. 그런디 아래 소내라고 허드만. 그리 이사를 오셨어, 인자. 어뜩해 사시기가 복잡허고 여러 가지 복잡헌 일이 있어서 피난오신다고, 연척있은게로 아랫소내로 오셨어. 그래갖고 딱 살아본게로 여기 유천리는 인자, 물론 내가 고간게 고가를 그렇게 해서는 안 돼지만은, 고가를 주둔허고 살고, 아래 소내는 최 씨들이 주둔을 허고 살아요. 근디 할아부지께서 영리허셔, 똑똑허시고. 근디 그 양반이 딱 살아보신게 사람 살 디가 아니여, 거기. 조까 거시기해갖고 이사 들어온 사람이 있으믄 그냥 막 뜯어묵을라고 해. 그른게로 이 양반이 사람 살 디가 아니다 그래갖고는 여기 유천 어디 어르신을 만나갖고 방을 하나 얻어서 인자 유천으로 가셨어. 그래갖고 외할머니가, 우리 어머님이 무남독녀신디, 외할머니를, 친정어머니를 모시고 살았어요. 근게 인자 요 시댁일은 말씀을 들어본게 알지, 소상허니 모르제. 외할머니는 늙어서 못 버시고, 이자 저 주인은 젊어서, 아직 어린게로 타간에 와서 못 벌고, 할아버지는 여그다 데려다놓고 당신이라도 벌어 먹는다고 도로 고향으로 들어가시고, 이자 우리 어머님이 중풍으로 산후풍으로 팔다리를 못 써. 그른게로 은희 할머니가, 그래갖고는 외할머니가 굶어서 돌아가셨대요. 저 양반도 엄청 많은 곡절을 얻었어.

그른데 인자 여기가 지금은 어디 민속촌에나 가야 그런 집이 있지 없어요. 막집. 말하자믄 토담집이제. 토담집으로 저분이, 우리 어머니께서 보신게로 그롷게 참 빈한허게 살아도 저 신랑감이 밥은 먹고 살겄드라. 그른게 가즌 데다 두고 본다 그러고 그 토담집으로 여 저 결혼허고 절만 허고 여 논두룩 질, 지금은 신작로라도 있어. 이롷게 포장해갖고 좋게 해놨지만은, 요런 논두룩길 소랫길 있잖아요? 가르매마니 그 길, 반짇고리 하나 끼고 내가 그 집으로 시집을 왔어. 그 토담집으로. 그래갖고 거그서 이 년 살고 삼 년째 남선 집을 지섰제, 삼 간 집으로. 글고 거그서 살다가 인자 또 인자 요 집을 지섰지. 근게 움선 삼선 병치레 함선도 우리 어르신허고 같이 살면서 지금 생각해 보믄 돈도 엄청 벌었어요.

시동생이 한 칠십 섬쓱 빚을 얻어가갖고, 그떡에는 나락 한 섬 갖다 쓰믄 두 섬 줄 세상이여. 근게 지금 양반들은 이해를 못 해. 나락 한 섬을, 한 섬이라고 허믄 두 가마니요이. 두 가마니 갖다 쓰믄 일 년을 묵히고 나서믄 시 가마니를 줘야 돼. 시 가마니가 아니구나. 곱을 줘야 돼. 니 가마니를 줘야 돼. 그런 시상에 칠십 섬을 이자 형님 고생하고 사신게로, 서울 가서 사업을 해갖고 형님도 잘 살고 나도 잘 살자고, 나한테 한마디 없이 그 빚을 얻어줘 부렀어. 왼 동네 뒷돈을. 인제 그만치 신임을 얻으신 분이제. 아무 것도 없어도 왼 동네서 빚을 착착착 얻어갖고 칠십 섬을 사갖고 같이 가셔갖고 주고 와부렀어. 그것이 사업이 잘 되부렀으믄 괜찮을 것인디, 아예 못 되부렀어. 사업이 안 되부렀어. 근게 나한테로 업어져부렀어. 근게로 내가 갚은 놈을 계산해보니까 딱 백이십 섬을 갚았드만, 백 이십 섬. 그 속에서 그 병치레 했제, 그 빚 갚았제, 애기들 그래도 이롷게 오 남매라도 눈 띄웠제, 집을 두 번을 지섰제, 근게 어뜨게 생각허믄 돈을 엄청 벌었드라고, 아주.

열두 살짜리의 군 치하 생활

이 동 천

"막 딱콩 소리가 비 퍼붓듯 소리가 나는데, 얼마나 무서와. 세상에 거기서부터 우는 게 집이까지 울면서 고개를 넘어서 거기를 간 거야."

자 료 명: 20130218 이동천(가평)
조 사 일: 2013년 2월 18일
조사시간: 67분
구 연 자: 이동천(여 · 1939년생)
조 사 자: 신동흔, 박경열, 유효철, 김명수, 김명자
조사장소: 경기도 가평군 하색1리 경로당

[조사과정 및 구연상황]

가평에 있는 하색리 경로당에는 많은 할머니들이 놀고 계셨다. 조사팀이 방문하여 할머님들께 방문한 목적을 말씀드렸다. 이동천 화자는 다리가 아파서 안마 의자에 앉아 있었는데 조사팀의 이야기를 듣고 어릴 적 기억나는 경험이 많다고 하였다. 화자가 이야기를 시작하자 다른 할머니들은 화자를 중

심으로 양쪽에 앉아서 조사팀과 함께 이야기를 들었다. 할머니들은 화자의 이야기를 들으면서 자신의 경험과 같으면 맞장구를 치면서 이야기를 주고받았다. 화자는 기억력이 좋았고 묘사도 뛰어나서 주위 사람들의 귀를 집중하게 만들었다.

[구연자 정보]

1939년생으로 고향은 강원도 서면 토벌이다. 가족은 7남매로 딸 다섯에 오빠와 남동생이 있었다. 아들을 낳기 위해 화자의 이름을 여자 이름이 아닌 남자 이름으로 지었다고 한다. 17세에 결혼을 앞두고 6일 전에 오빠가 군대에 가자 매우 서운하여 많이 울었다. 슬하에 자식은 아들 둘, 딸 둘을 두고 있다. 기억력이 뛰어나며 이야기를 재미있게 한다.

[이야기 개요]

전쟁 당시 12세였다. 백양리에 살았는데 피난민들이 마을로 많이 들어와서 본토민이 오히려 다른 곳으로 피난을 갔다고 한다. 도토리를 따서 저장해 두면서 식량으로 먹었고 칡뿌리를 주로 캐서 먹었다고 한다. 올케와 엄마, 화자 이렇게 셋이 피난을 갔는데 집에서 고개 하나를 넘는 곳이었다고 한다. 피난 간 곳이 알고 보니 인민군이 자주 드나드는 길목이었음을 알았고, 피난 가지 않은 것과 다를 바 없었다고 한다. 조카가 체하여 앓게 되자 화자의 엄마는 다시 집으로 돌아간다. 올케가 출산이 임박하자 화자는 집에 있는 어머니를 모셔 와야 했다. 화자는 혼자 산을 넘어 어머니를 부르러 가는 그 순간이 가장 무서웠던 순간이라고 한다.

군인과 미군들이 여자들을 끌어가자 언니도 피난을 간다. 하루는 미군 2명이 갑자기 들어와서 올케를 데려가려 하자 올케가 애를 꼬집어 일부러 울리고 엄마에게서 떨어지지 못하도록 했다. 미군은 우는 아이를 보고 당황하여 사탕만 주고 돌아갔다고 한다. 중공군은 민간인과 접촉이 적었고, 밥에 독약을 넣을까 걱정하여 스스로 밥을 해먹었다고 한다.

[주제어] 백양리, 피난민, 본토민, 칡뿌리, 도토리, 피난, 인민군, 미군, 중공군, 아버지, 따발총, 독약, 올케, 어머니, 언니, 어린아이

[1] 마을에 들이닥친 피난민들을 보고 덩달아 피난 간 토박이들

나는 그때 어렸잖아. 열한 살인가, 열두 살인가 그렇게 됐는데, 우리 사는 동네가 강을 건너야 우리 동네로 들어와. 그런데 춘천에서 기차가 피난민을 잔득 싣고 물건을 싣고 기차 꼭대기도 사람이 타고 그러고서 간신히 여기 강원도, 시방 전철 난 사막 구렁이라는데, 거기를 나온 거야 기차가. 거기를 나왔는데, 강 건너 높은 산, 그게 이름이 무슨 산인지 몰라 나. 그 산에서 인민군들이 거기를 점령을 하고서 있다가는 포를 그냥 내리쏜 거야, 기차에다가. 그러니까는 피난민이 하나도 가지 못하고 그 많이 타고 아주 콩나물대가리가 얽혀 있는 그 곳을 억지로 거기를 나왔는데 거기서 포격을 하니까는 거기서 해산이 된 거야, 기차가 못 가고.

근데 그 기차의 그 손님이 우리 동네로 다 들어온 거야 하여튼. [청중: 동네가 어딘데?] 여기 경강. 그랬는데 아주 사람이 마당에 나가서 이렇게 내다보면은 피난민이 개울 버덩지가 돌담굴 같어, 얼마나 많은지 사람이. [청중: 그래도 죽지는 않았나, 그 사람들이다?] 죽기도 죽었죠.

그래가지고 그 손님이 다 쏟아져 거기로 내려와 가지고 집에 마다 피난민 들이고, 부엌께마다 하여튼 물을, 이런 가마솥이잖아. 옛날에는, 물을 퍼다 붇고는 물을 끓여가지고는, 추우니까, 10월 달 피난이니까 그 물들을 마시고. 거기서 불 쬐고 그 법석을 허는데.

본토배기는 피난민이 들이닥치니까 그게 무서와서 외려 덩달아, 그 사람은 여기 와서 피난을 허고 우리는 덩달아 내빼는 거야. (웃음) 그 짓을 했어요.

우리는 그때 김장을 안 허고서는 씻어서 하루씩 묵혀서 옛날에 했잖아. 김장을 이런 항아리다 몇 항아리를 해서 마당에 씻어서 해 놀라다가 난리가 났는데, 아침에 나가 보니까 배추를 다 건져다 먹고 한 개도 없어, 빈 항아리야. (웃음) [청중: 그렇지. 배가 고프니]

그때 우리 할머니가 돌아가셔서, 3월 달에 돌아가셨거든, 그때는 삼년상을 했잖어요. 술을 바탱이(진흙으로 만들었고 배가 나오고 키가 작으며 아가리가 좁은 그릇) 항아리다 하나 해서 사랑방에 담가서 놓고 덮어놨어. 삭망 지낼라고. [청중: 술도 모르게 숨어서 해먹지.] [청중: 고럼. 들키면 벌금 물어요.] 시골이(라)서 술 조사 안 나와. [청중: 전쟁 때라서 그래.] 아침에 가보니까 술 찌꺼지(찌꺼기) 하나 없어 다 퍼먹고. [청중: 웃음] [청중: 배고픈디, 뭘.]

[2] 폭격에 도강한 뒤 추위 속에 얼어 죽은 군인들

군인이, 저 건너서 차로다가 오다가, 거기서 폭격을 들이대니까는 강으로다가 건너오다가 거기서 무척 죽었어, 군인들. 그리고 억시고 흉이라도 치고 다부진 사람은 건너오고 그렇지 못한 사람은 죽구. 그리고 군인들이 세상에 물에 다 빠져서 추우니까 버적버적 다 어는 거야 이 옷이. 우리 안방 사랑방에 아궁지가 셋이지. 쇠가마 허는데 하나, 안복께(안팎에) 둘. 거기다 불을 낭구를 죄다 주워다가 들이 쳐 때는데 물을 거기다 한 솥씩 끓이구, 군인들이 와서 그 뜨거운 물 마시고. 그 아궁지 앞에 불 때는 거 거기 와설랑에 불 쬐고, 그리구설랑에 가면은 죽을 텐데 그 얼어 빠지는 게. 그래도 거기서 쬐고 물 한 모금 얻어먹고 그냥 또 가는 거야. 그렇게 밤새도록 가는 거야 밤새도록.

그래도 지 꾀로다 들어신(들어선) 사람은 뜨거운 물이라도 먹고. 그런데 와서 불이래도 한번 쬐고 나갔지만은 산으로다 올라붙은 사람은 다 죽었어. 군인이, 산으로 붙은 사람은. 산으로 올라간 사람은 다 죽었어. 무서와서 마을로 못 들어오고 산으로 올라간 사람은 다 죽었어. 마을로다가 들어와서 간 사람은 살아서 간 사람도 있고.

그런데 정진이 다 돼가지고 군인이, 아군이 들어와서 죽은 사람 이런 사람 댕기믄서 다 수색을 해서 찾는데, 시방 대전리 거기 팔공산이라고 있는데, 거기 군인이 그렇게 많이 죽었드래요 거기. 그래도 그 총을 그 오한 중에도 놓질 못하고 그걸 붙들고 낭구에 기대설랑에 그냥도 죽고. 그거 가지구 가다가 쓰러져서 죽구. 그렇게 그랬드래.

사람을, 복구돼 가지고 사람을 풀어가지고 사람을, 신체를 다 찾았어. 그래도 못 다 찾았어. 찾아서 양지다 묻었는데 낭중에 복구된 다음에 가족이 찾아온 사람도 있어. 갖다 묻어놨는데. 그래설랑에 가족이 와서 해서 가지고 간 사람도 있고. 옛날에 피난을 그렇게 했어. [청중: 제대로 했네 그냥, 피난을.] 난 그게 나이가 어렸건만 아주 엊그제같이 생생해. [청중: 어려서 헌 것은 생생해요.]

[3] 아껴뒀던 파란 명주 비단 치마를 훔쳐간 피난민

우스운 얘기를 해야 되겠네. 우리 옛날에 길쌈을 했잖아요. 명지(명주)가 비단이잖아. 명지를 우리 올케가 짜가지고 우리 어머니 아버지 치마저고리 한 벌, 그리구는 실뭉텅이는 내가 다 감아서 댔어. 우리 올케가 나를 새파란 한 추월이(색) 물을 들여가 지고 치마를 하나 해줬어. 신발 한 켤레하고, 그

치마를 해 준 거를 아까워서 입지를 못 허고. (웃음) 아직도 잊어먹지도 않어, 요만 헌 주머니가 있어 요렇게 올라간 주머니가 있어. 막 피난 나간다고 하고 그러니까는 그 신발하고, 추월이 새파란 물 들여서 치마 해준 거 하고, 그걸 그 가방에 넣고. 피난 나가믄 가지고 갈라고, 그걸 입지도 못 허고.

그러다가 사람이 들이밀어서 우리는 윗방 구석에 몰려있고, 피난민은 꽉 들어찼는데, 술 해 넣던 그 방에서 우리가 잤는데, 엄마 아부지하고. 아침에 나가보니까 술도 다 퍼서 먹고 찌꺼지도 하나 없고. 그 치마, 애껴서 거기다 뒀던 걸 그 자루 채, 주머니 채 들고 갔어, 없어. 시방도 그게 아까워 죽겄는 거야. (웃음)

그게 아주 비단인데. 광목, 무명 이런 거루다 옷 해 입었지. 뭘 어디 비단에다 옷을 해 입어. 그런 때 질쌈을 해서, 명주 치마를 하나 해준 거를 그걸 잊어(잃어) 먹어가지고 시방도 그게 아직 생각이 아주 그렇게 나. [청중: 사람이 다 죽어 자빠지는 판에] 그것도 다 주워가. 자기네 물건은 그 차에다가 다 버리고 와 가지고선, 민간집에 들어서. 자기 물건은 차에 다 버렸지. 그러고 몸뚱아리만 떠왔지. 그리고설랑에 우리네 집 같은데 동네 집에 들어서 뭐 있으믄 다 집어가지고 가는 거야 다. 아유 그 짓을 허구.

그러고 나서 나중에 피난을 다 나간 사람은 다 나갔고. 거기 쳐져 있는 사람은 쳐져 있고. 동네 사람도 가는 사람은 가고. 못 가는 사람은 못 가고 그러는데. 정진이 되고 밤이 어실어실 하고 밤 되고 그럴 적에는, 우리는 어려서 대녀보지도 않고 모르지만은, 거기 기차에 나갔었대, 그렇게. 거기 가니까 옷감이고 피륙이고 이불이고 쌀이고. 사람을 때려 싣고 오다가 그 짓을 했으니까는 거기 다 있는 거야. 피난민이고 본토백이 사람이고 막 나가설랑에 옷감도 가져오고 이불들도 가져오고 쌀도 타오고, 다들 퍼다 먹었다고 그러드라구.

[조사자: 그때가 몇 살이세요?] 내가 그때 한 열한 살? [청중: 어린 나이지.] 시방 내가 육십 여섯이니까, [청중: 왜 육십 여섯이야? 칠십 여섯이지. 웃음]

하하하, 내가 열두 살인지. [조사자: 몇 년생이세요?] 나 시방 한살이 줄어 가지고, 39년생이여. 호적상. 그렇게 헌 게, 고 나이에 헌 게 엇그저께 같애. [조사자: 할머니 성함이 어떻게 되세요?] 나 남자이름이야. 이동천. [조사자: 동자, 천자. 고향이 경강이에요?] 백양리. [청중: 강촌 전 역 백양리. 강원도로 들어가지.] 거기가 원래 살고(살던 고향 이고). 나는 태버린 고향이 거기야, 서면, 강원도.

[조사자: 고향에서 피난을 나오시면서 생긴 일이에요?] 아니지 그 동네 살았지. 그 동네에서 사는데, 기차에 오던 피난민이 우리 동네로 다 들어온 거야. 내다보니까 사람이 자갈더미 같애. 아주 빈틈이 없어. 개울 이런 바닥에도. 사람이 집이고 뭐 마구간이고, 무신 깍지짱이고, 그런데 다 사람이 들이찼지. 부엌이고 뭐고. 내 집이라도 방에 들어가서 앉었다가 소변이라도 나가서 누고 들어오면 자리가 없어. (웃음) 아주 요렇게 찡겨서 있다가, 나갔다 들어오면 어디 발 디딜 틈도 없어. 그렇게 고상을 허고.

[4] 가족을 살린 도토리와 칡뿌리

[조사자: 그때 가족관계가 어떻게 되세요?] 어머니 아버지 다 계시고 오라버니 올케, 조카 하나 있었고. 언니 하나. [조사자: 오빠께서 연세가, 나이 차이가 좀 있으셨나 봐요?] 우리가 칠 남맨데 우리 오빠가 맏인데 시방 팔십, 구십이 다 됐지 뭐. [조사자: 그때 오빠는 군대에 끌려가거나 그러진 않으셨어요?] 그때꺼정은 군대를 안 끌려갔지. 산속에만 가서 숨어 있었지. [조사자: 온 가족이 다?] 우리 오빠는 산속에만 숨어서 댕기면서, 우리 올케하고 숨어서 댕기면서 도토리만 주워가지고. 먹을 게 하나도 없는데, 도토리를 주서서. 피난을 산속에 가니 헐 게 없잖아.

도토리를 주서다가는 밤이믄 가져오면은 삶아서, 해서 널었다가 쌀을 만들어서 그거를 해서 놓고, 그것만 먹고 농사를 졌어. 먹을게 없어가지고. 뭐

곡식이라도 있으믄 인민군들 다 와서 죄다 파다가 죄 먹고, 뭐 먹을 게 뭐가 있어야지. 그래도 그 도토리가 사람을 살릴려고 그랬는지 그렇게 많이 열어가지고, 산속에서 따다가 많이 저장을 해 놨다가 그 도토리를 먹고 농사를 짓고.

또 봄이 돼가지고는 우리 오라버니가 칡뿌리기를 캐다가 그거를 쪄 가지고설랑에 그 녹말물을 빨아가지고. 그걸 앉혀서 해서, 그거를 해서 먹고. 그리고 농사를 짓고.

그래서 우리 어머니가 그전에 장갑이 있어 뭐가 있어, 맨손으루다가 그걸 두드려가지고. 이만한 댓가지(대나무의 가지), 채(대나무나 싸리나무 또는 버드나무를 가늘게 쪼갠 것)로 만든 바구니 있잖아. 그런 데다가 옛날에도 함지박 아니면 재배기(자배기: 둥글넓적하고 아가리가 넓게 벌어진 질그릇)야 [청중: 자배기] 거기다가시리 그걸 앉혀놓고, 그걸 빨아설랑에, 장갑도 없이 그걸 빨아가지고 손에 물이 들어서 시커머면서, 손이 세상에 소금뱅이 같애. 터져가지고. [청중: 겨울 되면 손 안터지는 사람이 읎었지 뭐.] 음력으로 정월달부터, 정월 그믐께 되면 그걸 캐다가시니, 농사 짓도록 그걸 캐서 두드려서 해먹고 났는데. 낭중에 그 빨은 찌꺼지(찌꺼기)가 소 덤팅이 만해.

그걸 해서 가라 앉히믄 하얀 가루는 밑에 가라앉고, 꼭대기는 뿌연 거 꺼무르스름헌 게 가라 앉어요. 그럼 읅어가기구. 꺼무스름헌 거는 해서 당금당금 먹고, 그 밑에 허연 거는 따로 해서 말려서, 흔들어서 말려서 항아리에 담아놨다가, 농사 일 헐 적에, 칡가루를. [청중: 칡가루를 말하자믄 우리네 수제비 끓이듯 끓이겄네?] 그렇게도 해먹고 송편도 해먹고 반디기도 해먹고, 뭐 못 해 먹는 게 없어요. 그건 아주 그렇게 좋아 쫄깃쫄깃 허고 그냥.

[5] 출산 막달인 올케와 함께 떠난 피난길

[조사자: 피난민이 기차를 타고 내려올 때 그때 몇 월이었어요? 겨울이었던 거 같은데?] 겨울, 음력으로다가 10월 달이야. 양력으로만 시방은 순 쳐서 그렇지, 음력으로 10월 달이야. [조사자: 그때가 전쟁 나던 해, 50년?] 전쟁이 나던 해지. 음력 5월 달에 전쟁이 났다구. 5월 달 피난을 허고 10월 달 피난하고 그렇게 허고서 또 그러고 지내 가지고선 음력으루다 3월 달 피난이 또 있었다구.

[조사자: 외부에서 피난민들이 오시니까 오히려 할머니 가족들이 또 피난을 가셨다면서요?] 그럼 나. [조사자: 어디로 가셨어요?] 우리는 멀리도 못 가고, 우리 친정 올케가 애기가 그 달에 날거야. [청중: 아이고.] 그달에 배가 이런데 (손으로 크게 원을 그리며), 피난을 간대. 우리 친정아버지가, 시아버지지 그러니까,

"산모가 몸은 저래가지고 길바닥에 애를 낳으면은 얼어 죽고 어른 죽고 애기 죽고 다 죽으니까."

죽어라고 말리면서 죽는다고 하면서 못 가게 허는 거야. 우리 올케가 고집이 셔가지고 집이 있으믄 곰방 죽는 것만 같애 가지고. 배는 이런 게,

"금방 가요, 가야 돼요."

그래가지구 우리 집 골짜구니를 들어가면은, 고개를 넘어서 이렇게 가는데. 우리 언니, 나, 우리 남동생이 밑에 하나 있고, 우리 오빠하고 친정 올케하고 이렇게 있는데. 우리 아버지가 우리 남동생 그 쪼끄만 거 데리고 가다가 얼어 죽으니까,

"집이서 나가서 죽으나, 집이서 죽으나 마찬가지니까 뜨뜻헌 데서 있다가 죽자."

이러고서 우리 아버지가 못 놓는 거야, 우리 막내를.

그러니까 우리 언니가 시방 칠십여덟 된 언니가 있어요. 그러니까 우리 언

니가 허는 소리가,

"아부지 하고 동생 하고 두면은 뭘 끓여 잡숫고, 뭘 어떻게 해구 살아요, 그러니까 나는 못 가요."

그리구 아버지하고, 우리 남동생하고, 언니허구, 서이가 집으로 떨어지구. 나는 어린 맘만 해도 그냥 쫓아만 가고 싶어, 나도 그때. [청중: 겁이 나서 쫓어 가지.]

우리 어머니는, 친정엄마는 산모가 이런 길 가니까는 가다 애라도 낳아 놓으면은 그걸 어떻게 해야잖아, 우리 엄마는 그래서 쫓아가는 거구. 나는 쫓아서 가서 어느 영을, 고개를 넘어서 저기 저 어느 골짜구니를 들어가서 밤에 그 집을 얻어 가지구선 거기 가서 정착을 허게 됐어.

[조사자: 거기가 어딘지 기억나세요?] 백양리 강촌 고 밑에 그 동네서 이 경강 너머야. 고개 하나 넘어간 걸 글쎄.

"뭐허러 거기서 있지 거기를 오냐구." (웃음)

외려 피난을 헐 곳이면 우리 동네야, 피난 곳이야. 그리고 이 경강은 질이 통해져설랑에 인민군도 더 많이 들오는 데고. (웃음) 가다가다 거기 가서 집을 하나 얻어 가지고 정착을 허고 있는 거야. 가다 가서 오도가지도 못하고 거기가 있었어.

[6] 둘째 조카의 탄생과 첫 조카의 죽음, 그리고 아버지의 눈물

우리 올케가 어느 날, 우리 조카 하나 있던 거를 그 난리 때 반공 구데기 속에 들어가설랑에 애를 데리고 피난을 갈라구 나섰는데, 시방 잊어먹지도 않아, 옛날에 지장 있잖아. 지장을 팥, 콩 이렇게 넣어서 지장밥을 해서(기장밥) 이런 그릇에 옴팽인지 함진지, 숯가마 구데기 가지고 가설랑은 거기서 먹는데, 우리 조카가 세 살 먹었는데. 방댕이가 이렇게 낭구 쏠은 게 있더라구, 옛날에 숯가마허면은 낭구 쏠아서 싸놓고 그러잖아. 거기 올라 앉어서 까불까불 밥을 먹고 그러드라구, 그 세 살 먹은 게.

그걸 업고 나갔는데 그게 먹은 게 체했는지, 애가 그냥 불치듯허고 앓아서 금방 죽게 생겼잖아 글쎄. 그래설랑에 우리 엄마가,

"죽어도 집에 가서 죽어야 된다."

그 애를 업고서 영월 넘어설랑에 도로 집으로 데려고 온 거야. 그렇게 집이다가 놓고 엄마가 집이를 계시는데, 아이고 내 사연이믄 책을 내도 이만해, 내가 어려서 겪었어두.

거기서 올케하고 우리 오빠하고, 나하고 이렇게 있고. 엄마는 그 병들은 손주를 데리고 집으로 가고, 그랬는데.

어느 날 배가 아파서 언니가 애기를 낳는데, 그런데 날 보고선 가서 엄마를 데려오래. 애기를 낳으니까는. 나는 소용 없잖어, 쬐끄마니까 뭐 간호를 해 뭘 해. 엄마를 가 데려오라는데. 그 영월 고개를 내가 넘어서 가서 집이를 가야 되는데. 세상에, 거기를 오는데 춥지, 아주 겨울이니까. 그 어린 게, 시방 애들 같으면 가지도 못해.

가서 엄마를 보내래니까는. 내가 내려와설랑에 내려오다가 보면, 거리가 떨어져서 그 동네 몇 집이 있고 한참 내려오면 거기 동네가 있어. 그런 골짜구니를 들어서 고개를 넘어가야 되는데. 거기를 와야 되는데, 집께까지는 왔는데, 그 고개를 넘어서 내 갈 생각을 하니께 아주 무서워가지고 죽겠는 거야.

그런데 굴봉산이라는 데 거기서 인민군이, 옛날에는 따발총이라고 했어. '딱콩딱콩딱콩' 이렇게 쏴, 소리가. 거기서 막 딱콩 소리가 비 퍼붓듯 허고

소리가 나는데, 내가 그 고개를 넘어서 가야 되는데, 얼마나 어린 게 무서와. 아주 그냥. 세상에 거기서부터 우는 게 집이꺼지 가면서 그냥 울면서 고개를 넘어서 거기를 간 거야 그냥. [청중: 세상에. 대단허네.] 거기를 가가지구,

"엄마, 언니가 애기를 낳을라 그래서 엄마 오래."

그러고 허니까 그러냐고. 그리고는 앓는 손주를 놔두고. 그리고 나는 쫓아 넘어가지는 않고 집이 있었어, 그냥.

엄마가 가서 애기를 간호를 허고설랑에, 한 일주일 됐는지. 열흘 됐는지, 그건 모르고. 얼마 데리고 간호를 허고 있다가는 그제서 다 데리고. 올케를 데리고설랑에 다 데리고 오셨드라구. 나는 거기 있었고.

그런데 고 안에, 언니가 오기 전에, 애기 낳은 엄마가 오기 전에 그 애가 죽었어. 약이 있어, 뭐가 있어 그냥. 그래가지고 죽었어 그만. 그래서 없애구는. 얼마 있으니까는, 애기를 업고서, 갓난애기 이만허지 금방 낳은 거니까. 고걸 업고설랑에 집이를 오니 애는 죽어서 갔지 뭘. 그래도 언니는 첫 애기래 가지고, 엄마 아버지가 엄청 그걸 좋아했거든. 고 죽은 애기를.

그런데 우리 아버지가 평상에 눈물 흘리는 걸 못 봤어. 할머니가 돌아가셔도 그렇고 무신 평상에 일이라는게. 그랬는데 그 손주 죽고는 우리 아버지가 그렇게 우시드라구, 그 애를 퍼대기에 싸서 말으며설랑에 그렇게 울으시드라구. 그렇게 해서 애를 하나 없애고. 피란을 그렇게 하구 했는데.

[7] 민간인과 접촉하지 않던 중공군에 대한 기억

그리구설랑에 봄에 한번은 3월 달 피난에, 또 언니 오빠가 또 피난을 갔어. 어디로 갔느냐면 원주 물막(문막)이란 데로 갔어. [청중: 문막.] 거기로다가 피난을 갔어. 나는 안 가고. 3월 달이니까 봄이지. 세상에 돌나물을 뜯어다가 시니, 먹을 게 없어서, 뭐가 있어요 그 어린게. 시방 어린애들 같으면 뭘 허우? [청중: 그럼.] 그 돌나물을 뜯아다가 그걸 다듬어서 울타리 밑에 우물이 있어, 샘물이. 그걸 뜯어설랑에 가지고 해가 어둑어둑헌데, 거기 나가설랑에 그릇을 가지고 가서는 돌나물을 씻는데.

아 여기서 꾹, 저기서 꾹 하더니 인민군이 하여튼 줄을 서서 쏟아지는데. 내가 그 생각을 하면 내가 시방도 내가 엄청 당차. 시방 애들 같으믄 왁 소리치고 내뺐을 거야 아마. 그런데 꼼짝달싹도 안 하고 그 우물에 앉아서, 우물이 이렇게 있다 하면 여기루두 길을 갈 수가 있고 일루두 길을 갈 수가 있어. 그리고 여기 우물이 있어 이렇게. 거기 앉아서 내가 그 돌나물을 씻으면서.

하여튼 아주 줄을 서서 따발총을 하나씩 둘러메고설랑에 가는데, 그래도 그 사람들은 고와 진짜, 중공놈들이. 거기 앉았는데 말 시키고 이렇게 해보지를 않아. 아주 그냥 지가는 길만 가는 거야. 그래서 그걸 다 가도록 그걸 앉어 씻는 거야 인제. [조사자: 그게 전부 인민군?] 다 인민군이지. [조사자: 중공군은 아니고? 중공군?] 중공놈이지. 그럼 중공군이지.

그런데 그 앉어설랑 씻는데 세상에 줄이, 끝도 없이 한도 없이 와. 일어서지도 못 허고 가지도 못 하고 거기 앉어서 그냥 그것만 씻는 것처럼 하고 그러고 앉었는 거야. 한참 얼만치 가더니만 그제서 가는 게 끊기더라구. [조사자: 그게 중국 사람들?] 예, 중국 사람이에요. 말이 통하지 않으니까 말을 시키지도 않는 거야. 이렇게 건너다보면 산이. 앞산이, 너무 그리 멀지 않은 앞산이 큰 산이 있는데, 그 산으로 다 들러 붙드라구, 중공군이. 산으로 다 올라가드라구. 거기서 그걸 씻어서 가지고 들어왔는데, 가슴이, 어린 맘에도, 불불불불 떨리는 것도. 그래도 거기 앉어서 그걸 다 씻어가지고 다 간 뒤로. 그래도 그 사람들은 탈치(터치)를 하나도 안 허드라구.

[조사자: 거기가 고향, 고향에서 그러신 거죠?] 그러니까 태버린 고향은 아니고. 애기 적에 우리 엄마 아부지가 나를 데리고 이사를 가셔서 내가 그만치 큰 거야. [조사자: 거기가 어디였어요? 돌나물 씻은데.] 백양리. 동네 이름이 건 농골이란 데야. 시방 거기 썰매장 나고 골프장 있는 데야, 거기가. [조사자: 동네 샘가에서 돌나물을 씻으셨어요?] 동네 물가가 아니고 우리 울타리, 우리만 물을 길어다 먹는 우물. 울타리 바깥에 멀리도 안가고. 요기서 요정도 가면은 우물이, 샘물이 있었어. 겨울에도 얼지도 않어 아주. 그런 물이 있었어. 고기서 그렇게 당허고, 무섭다고 소리도 못 지르고, 그걸 다들 거기 앉어서 씻고. 시방도 그 생각을 하면은. (웃음) 어린 저긴데도 그걸 하나도 안 잊어먹고 엊그저께 같은 일이 고대로 있어.

[조사자: 3월 피난에 오빠네 식구들은 피난을 갔고. 아버지 어머니 형제들은.] 그때는 나이 먹은 처녀는 막 군인들이 해악하고 그런다고 우리 언니는 크니까는 데리고 피난을 갔고, 나는 고때만 해도 어려가지고 그냥 집이다 뒀다고. 그래서 있었던 거야. 그런 피난은 난 안 겪었지. 나이 먹어서 큰 처녀들은 군인들이 막 끌어가고 그랬잖아. [조사자: 군인들이?] 아군이 건 그랬지 뭘, 미군허구.

그랬는데, 인민군, 중공놈은 하나도 타칠 안 해. 한 방에서 중공놈하고 한 방에서 있고, 한데서 들끓어도 허다 못해 하나 건드리질 않어요, 그 사람들은. 어린 맘에도 들으니까는, 중국 사람들은 여자한테 타치하고 그러면은 금방 총살이라구 그러드라구. 그래서 그런지, 저래서 그런지, 하여튼 노인네고 젊은이고간에 우리 사람한테는 조금도 타칠 안 해.

뭐 시키지도 않고 밥도 저그가 해먹어. 집이 막 들어와서 버글버글한데, 겁이 나가지고 독약 넣어서 밥해 줄까봐 그런데. 저그가 죽도 이만한 솥에다가, 죽이지 뭘 밥이야, 제대로 해먹어? 물 퍼다 붓고 죽 쒀가지고. 그 사람들은 그릇도 좋은 그릇인지 나쁜 그릇인지 드러운 그릇도 몰라. 그저 오줌 바가지고 뭐고 (웃음) 고저 뭐 아무 그릇쪼가리 담을 거만 있으믄 거기서 퍼서 먹어 그냥. 그 사람들은 그래. 그건 그래도 우리네보고 밥 해달라고 뭐 달라고 이런 소리 절대 없어.

[조사자: 3월 달에 두 번 피난이 있었고, 그 담에 내려갔다 올라갔다 한 번 더 있었죠? 세 차례가 있었다고 하던데.] 그러니까는 5월 달 피란하고 10월 달 피란하고 3월 달 피란하고, 그러니까 세 번이지. 그것만 생생해. 그 담에는 그냥 그것만.

[조사자: 그때 언니랑 오빠 부부는 문막까지 피난 가셨잖아요. 무사히 돌아오셨어요?] 네. 잘 돌아왔어. 오라버니의 처남네 식구하고 같이 갔었는데, 그 처남이 거기서 옘병인지 장질부사인지 그거 앓아가지고 거기서 돌아가셨어. [조사자: 아, 장티푸스.] 응, 그거 앓아가지고 돌아가셨어. 우리 식구는 잘 오셨어.

[조사자: 할머니는 7남매 중에 몇 째셨어요?] 우리가 딸 형제가 다섯이야. [조사자: 딸 다섯, 남동생 하나 오빠 하나, 이렇게 되는 거군요.] 으응. [조사자: 딸 다섯 중에 몇째?] 내가 다섯째. 막내딸이야. 고 밑으로다가 남동생이 하나 있어. 그전에는 딸만 낳으면 그렇게 하고. 아들만 낳으면 좋아했잖아. 시방은 안 그래도.

하도 딸을 낳으니까는 나를 남자이름으로 졌어. 남자이름이지 시방 이게. 창피스러워서 어디 가서 이름도 못 대. 그리고서 남동생을 하나 났어. 내가 하도 챙피시러워서 이래서, 시방은 이름도 바꾸잖아요 왜. 그래서 호적에 가

서 바꿀라고 맘도 먹었어, 어디 가서 이름대라믄 난 이름 읎어 읎어. (웃음) [청중: 그것도 이름인데.]

남자 이름이래서. 그걸 바꿔볼까 생각도 해고 그랬었는데. 이름을 바꿀라고 했었는데, 이름 잘 짓는 사람한테, 푸는 사람한테 내 이름을, 우리 며느리가 했어,

"내가 챙피스러워서 이름을 댈 수가 없다 댈 수가 없다."

그러니까. 우리 애들은 모두 바꿨어요 이름들을. 바꿀라고 그랬드니, 이름 푸는데 가서 풀어보니까는 내 이름이 그렇게 좋대. [청중: 좋아. (웃음)] 좋대. 남자 이름이래서 그렇지, 내 신상, 모든 저기에는 내가 이름이 좋은 거래요. 아직 뭐, 내가 칠십 여섯이 됐어도 그냥 아들 딸 사남매 두고. 시방 남한테 꾸러 안 가고 잘 사니까, 그만허면 됐지 뭐.

[8] 아기를 계속 울려 미군의 겁탈을 모면한 올케

[조사자: 사 남매 두셨어요?] 아들 둘, 딸 둘. [조사자: 결혼은 언제 하셨어요?] 난리통 안에 그 때만 해도 왜 그렇게 시집들을 일찍 줬는지 열일곱 살에 시집 갔어. [조사자: 전쟁 끝나고?] 고럼! [조사자: 전쟁이 끝났다는 걸 어떻게 아셨어요?] 끝났다는 건, 소문이 나설랑에 동네에 막 퍼지고 그러더라구. [조사자: 그 뒤로는 인민군 없고.]

그리고나가지고서 아군이 들어왔잖아. 그렇게 후퇴해서 가구. 아군이 들어왔는데, 아군이 못 살게 굴은 거야 모두 사람들을. 그냥 뭐 처녀 좀 큰 거 있으믄 밤이면 집안 뒤짐을 해설랑에, 눈에만 띄면 끌어다 갔으니 해악하고 이 짓을 해서 보내고. 엄마들도 그냥.

우리 올케가, 나 시방도 그 생각이 나. 피난을 나가서 애기를 낳은 걸 데리고 있는데, 우리 언니두 그때만 해도 어려서 시집을 갔잖아 옛날에는. 첫 애기를 낳고 둘째 낳았는데. 군인들이 들어와 가지고, 미군이 처음에 들어오드

라고 미군이. 나는 보초꾼이야 나는. 그 동네서 집이 이렇게 있잖아, 우리 집이서 뚜방을 나가면 저 아래 밑에가 질이 저 아래꺼정 다 보여요. 거기 나가서 나는 보초 서는 거야. 거기

섰다가 군인복 입은 사람만 거기서 올라오면은 막 뛰어 들어와서,

"저 군인 온다."

그러면 집이 있다가도 다 도망쳐서 달아났지. 가 숨니라고. 그래설랑 들키지 않고 들키지 않고. 나는 그때 어리고, 시방도 쪼그마치만 그때만 해도 쪼끄마하니까, 나는 그런 피난은 안 허고. 나는 그렇게만 연락을 허는 거야.

언제 한 번은 밀을 떨어서 그걸 씻어설랑에 멍석에 대서 널어놨는데, 그때는 내가 거길 나가서 지키질 않구 있었어. 올케하고 집안 식구가 다 있었어. 오빠만 읎구. 그랬는데 금방 미군 둘이 쑥 들어오는 거야. 언니가 마당에서 밀을 뒤적여서 펴서 놓는데, 아주 기절을 허지 뭘. 피난을 만날 숨어서 살았는데 금방 별안간 닥쳤으니깐.

그러니까 우리 조카딸이야, 그때 난리난 게. 고걸 갖다가시니 꼬집어 쥐어 틀어가지고, 그러면 에미한테 가야되잖아. 응뎅이를 꼬집어 틀어서 울려가지고 엄마한테 안겨주는 거야. 애를 가지고. 그러면서도 언니도 애를 자꾸 울리는 거야. 달랠꺼정은. (청중 웃음) [청중: 겁이 나니까.]

겁이 나니까 ,그렇지 않으면 붙잡혀 가는데. 애를 달래는 게 아니라 울리키는 거야. 애를 달래는 척하면서 울리는 거야. 애가 엎어져서 울지 뭘. 꼬집어

뜯으니 왜. 그러고 허니까는 미군이 와설랑에 들여다보고 애가 하도 울고 자반 뒤짐을 허고 그러니까는 주머니를 뒤적뒤적 허더니만은, 그게 뭐 카라멜이라나 뭐래나 구녕이 빵 뚫어진 사탕 있드라구. 요만헌 게 가운데 구멍이 딱 뚫어진 게 그런 사탕 있어. 여기서 끄내설랑에 애기를 갖다 주는 거야. 그거 먹고 울지 말라구. (웃음) 그렇게 애가 울고 난리 치고 그러니까는 고만 타치를 안하구설랑에 그냥 가드라구. [청중: 애기 덕 본거야.] 그렇게 한번 피난을 그렇게 했었어.

[조사자: 미군이 둘 다 백인?] 예. 껌댕이(흑인) 아니구. [조사자: 그때가 중공군이 가고, 한국군하고 미군이 왔을 때.] 그때가 더 피난이 더 무서웠었어. 숨어 댕기느냐구. 아유 징그러워 아주.

[9] 한국전쟁 중 가족이 겪은 세 번의 피난살이

[조사자: 처음에 6.25가, 전쟁이 났다는 걸 어떻게 아셨어요?] 아유, 뭐 전쟁이 났다고 동네가 홀깍 뒤집혀가지고 난리 쳐 가지구는. 그냥 보따리 짐들을 가지구, 5월 달 처음 난리 났을 적에. 보따리를 가지구는 저 골짜구니 암막이 속에 들어가면은, 옛날에 숯 구워서 나온 숯가마 있었어. 숯가마 있는 데를, 그 골짜구니를 엄청 많이 들어가야 그런 게 있거든. 산골짜기 낭구 많은 속에. 낮이면은 거기를 갔어. 밤이고 낮이고 거기를 갔어. 때면 어떻게 먹구는.

숯가마 구뎅이 그 속에 들어가서, 시방 찜질방 해놓는 거 있잖아. 고렇게 맨들어 놨지. 밤이면 자구 거기 가서 있고, 그때는 5월 달이면 덥잖아요. 밤에는 자지만은, 낮에는 개울이 그 앞에 산이 양짝에 있는데, 나무가 양쪽에 울러 서서, 개울물, 도랑물 내려가는 데가 아주 숲 속이야. 낮에는 더워 죽겠으니까 그 개울에 그 숲 속에 들어가서 있구, 밤에 잘 적에는 숯가마 들어가서 자구. 그렇게 피난을 그렇게 하구.

[조사자: 첫 피난은 누구랑 피난 가셨어요, 숯가마로?] 숯가마로 가는 거는 동

네 사람이 다 그냥. [조사자: 숯가마에 가셨다가 얼마 만에 돌아오셨어요?] 갔다가 밤이면 내려와서 밥도 끓여 먹고. 거기 가서 끓여 먹지는 않았어. [청중: 그때는 인민군 세상인데 뭘.] 눈에만 안 들킬려고 그렇게 가서 숨어있었지.

[조사자: 두 번째 피난, 겨울에. 골짜기로 갔다가 다시 온 게 몇 달 만에 오신 거예요? 영월 고개 넘었을 때.] 고개 넘어서 갔을 적에? 10월 달인데, 며칠이나 가 있었는지 그런 건 기억을 못 허고, 내가 아나 그 나이에 개뿔이나 뭐. 무조건 가서 있다가 그렇게 넘어왔는데. 우리 조카딸을 거기서 나(낳아) 가지고 왔는데 걔가 생일이 10월 음력으로 스무하루 날이야. 거기서 한 열흘도 더 있었든 거 같애, 어린 맘에. 음력으로 동짓달쯤 집으로 도로 넘어온 거 같애.

[조사자: 3월 피난, 마지막 피난. 오빠 식구들이 문막으로 가셨다고 하는.] 3월 달에 갔다가 아마 한 음력으로 5월 달에 들어왔어. [청중: 두 달 잘 있었네.] 거기 가서 일하느라고 혼났다고 그러드라구. 미군부대 들어가서 일도 하고 동네 사람 좀 사는 집이 가서 땔나무도 해주고 뭐 하고. 빈 몸으로 나갔으니 먹을 게 뭐가 있어. 문막으로다 그 동네 사람이 여러 집이 갔었어. 그러다가 시니 한 두어 서너 집은 고향에 안 들어오고 말아버리드라구. [청중: 기억력이 대단허네.]

[10] 군대 두 번 가느라 동생 결혼식에 못 온 오빠

[조사자: 오빠는 나이가 있으시니까, 말하자면 그때 징집을 당하신 거예요? 군인은 안 가셨어요?] 정전 되고 들어와 가지고 다 되고 설랑에 군인을 갔지. [조사자: 전쟁 끝나고?] 그럼, 그럼. 우리 오빠는 일본 군인도 갔다 오고 한국 군인도 갔다 오고. 우리 오빠는 두 번을 군인을 갔다 왔다구. 일본 때도 끌려서 군인으로 갔었잖아. 직접 군인으로. [청중: 보국단.] 보국단이 아니에요. 우리 오빠는 아주 춘천에서 들어가가지고 가서, 아주 군복 딱 입고 모자 딱 쓰고 아주 군인으로 갔다구 아주.

정부에서 그때 왜 한참, 그렇게 간 사람을 보상을 해준다 이랬잖아요. 그랬는데도, 우리 한국 사람들 그게 틀려먹었어. 우리 오빠가 거기 일본에설랑에 그 모자를, 그렇게 해설랑에. 그 왜 저기 무슨 모자같이 쓴 거 있잖아 저기 해병댄가? [조사자: 베레모 같은 거 말씀하신 거예요?] 아니야, 있잖아, [조사자: 육각모?] 이렇게 둘레 앞에 챙 달리고 모자 있잖아, [조사자: 순사 모자 같은 거?] 그런 모자지. 그런데 국방색 나는 거지. 군인을 갔다 와 가지고 사진을 하나 찍어가지고 오셨거든 우리 오빠가. 내가 간직을 해설랑에 둬 두고.

오빠가 한국 군인을 또 갔어. 오빠가 한국 군인을 갈 적에 내가 결혼을 했다고. 결혼 날짜를 받아놓고. 내가 정월 스무 엿샛날이, 이 달이야. 이 달 결혼식인데 우리 오빠가 스무날 가드라구. 동생 결혼날짜를 엿새를 앞두고설랑 군인을 가는 거야. 그때 내가 어린 맘에도, '한데 갔다가도 결혼식 때는 오는데.' 오빠가 군인을 가는데 어린 맘에 그렇게, 그렇게 그게 내가 서러웠던 거야. 나이 열일곱이 먹었어도. 내가 얼마나 울었는지 말도 못하게 울었어 아주 내가. 그래설랑에 갔는데, 그 사진을 내가 간직을 하고 있었는데.

그때 그런데 갔다 온 사람들 보상을 뭐 해준다고 해서, 그거를 조카들한테는 줬다고 이제. 조카들은 다 커서 장성을 했지, 장개 가고. 그래서 사진을 줬어. 아버지가 일본군인 가가지고 사진을 찍어온 거니까 군청에다 해서 뭐

다 해서 올려가지고 해라 했거든. 우리 오빠하고 같이 훈련을 받은 사람도 작년엔가 돌아가셨어. 살아계시다가, 그 양반도 같이 훈련을 하고 우리 오빠는 일차로 가고 그 양반은 낭중에 가고. 그랬는데 그 사진을 군에다 해서 올리니까 이게 일본 군인의 모자가 아니라구 글쎄 우겨 넘기는 거야. 아유.

[조사자: 할머니, 학교는?] 아유 학교가 무슨 떡을 칠 놈의 학교야. (웃음) 그때만 해도 일본놈 있었잖아. 학교도 못 가는 데다 시내 쪽에 있는 사람들은 우리 나이래도 학교를 갔고. 산골짜구니에 있는 우리 나이는, 하나 학교 못 갔어. 하나두. 그렇게 학교를 우리는 못 갔어요. 그래가지구 정전되고 난리 끝나고 동네에서 야학방을 만들어놓고선. 낮이(에)도 못하고 밤에면 모여 가서 야학방이 가서, 배우신 양반이 해서 가르쳐줘서 해구. 그래서 저우(겨우) 내 이름자 알고 그냥 그렇게 이렇게 사는 거야.

[조사자: 할머니, 전쟁 나기 전에 혹시 인민군을 보신 적은 있으세요?] 전쟁 나기 전에 인민군을 어떻게 봐? [조사자: 황학리? 그런데 가보니까 전쟁 나기 전에도 일주일에 한 번씩은 왔다 갔다구.] 거기는 왜그냐면은, 황학리 그쪽에만 해도 이북이 가차웠었잖아. 고개만 넘어오면 황학리랬었는 걸 뭐. 그러니까는 왔었는지도 모르지. 아주 가찹지, 거그는. 황학리 그쪽에선 아주 직선으루다가 군인들이 닥쳤잖아. 그래가지구는 이 가평이 아주 질 먼저 아주 쑥대밭이 됐었잖아. [청중: 그랬지. 아주 가차우니까.]

[11] 먹기 위해 죽음의 위험을 감수해야 했던 비극

[조사자: 할머니 좀 더 기억나는 거 있으세요? 하시고 싶은 말씀.] 그래도 우리 동네는, 그렇게 허구 그랬어두, 군인들 가서 많이 죽었다는 산에 폭격을 허구 그랬어도, 그 동네는 폭격을 하나도 안 맞었어 그 동네는. 다 살아났는데.

그 동네 사람 둘이, 두 형제가 이 가평에, 이 자리매기에 거기 소금 창고가 있었어요. 자리매기에 여기. 거기 소금 창고에 불이 나 가지구는 창고는 다 타고. 소금만 창고에 이렇게 쌓였던 게, 다 타고 물러앉아 있어가지고. 난리 때 소금도 없어 구멍구멍이들 와가지고 소금들을 와서 퍼갔어. 그래서 소금이래도 있지, 난리통에 소금도 못 구해서 없어.

그걸 푸러 왔다가던 두 형제가 그 자리목 고개 넘어서 모란까지 돌아갔는데. 거기서 폭격을 맞아가지고 두 형제가 한 자리에서 한 폭격에 맞어 죽었어. 그렇게해설랑에 동네 사람이 그렇게 죽었지. 그래도 실패 봐서 죽은 사람은 하나도 없어 그 동네 사람이 다. 그 양반도 그 소금만 안 푸러갔으면 안 죽었지. 소금 푸러 갔다 가시니 그 양반 둘이 죽었지.

[조사자: 그때 혹시 배급받으셨어요?] 그것도 하나 있어. 먹을 게 하나도 없어서 쌀이란 거, 낟알이란 거 구경 못 하고 칡뿌랭이 이런 거만 캐먹고 사는데. 가평에 자리매기 여기에서, 미국 군인이 들어와서 배급을 준대. 얼마나 주냐 하면은. 우리가 거기서 여기를 나올래믄 20리 길이야, 가평을 나올래면. 그걸 타러 날마다 나오는 거야.

나오는데 어떻게 했냐하믄 배가 요만헌 또딱배. 뽀드배, 고기 잡는 뽀드배 있잖아. 고런 거 하나를 자리매기 자리 밑으로다 건네주고, 건네오는 할아버지가 있는데. 고거를 타고 건너갔다 건너오고 하는데. 아주 그것도 서로 탈라고 미어지지. 그렇게 건너서 자리매기를 오면은 여기다 [청중: 팔목] 도장을 찍어줘. 시퍼런 도장을 여기다 콱 찍어주는 거야. 줄을 서 가지구 들어가면은 뭘로다 주느냐면은, 항구, 항구 뚜껑 있잖아. 군인들 항구(반합) 뚜껑 있잖아. 밥해먹는 거. 항구라 그래. [청중: 군인들 옛날에는 그게 밥그릇이에요. 밥 하구 국 하구.]

그 20리길을 걸어서 갔다 걸어와야 되는데, 또 다시 들어가서 탈래야 탈 수가 없어. 여기다 도장을 찍어주고 하질 않으니까는. 무엇이 시퍼런 걸 탁 찍어주드라구. 그거 보구설랑에 항구 뚜껑에 쌀 주는 거야. 그걸 타러 20리 길을 오는 거야. 그 배를. 위험스럽지 아주. 항구 뚜껑으로 하나 주는 거야. 그걸 타러 날마다 오는 거야 날마다.

한 번은 기차다리를, 시방 자리매기에 기차 다리 있잖아요. 시방은 신작로가 밑에 나서 다 폐지가 됐지만. 거기를 한번은 걸어서 거길 건너왔어 거기를. 걸어서 건너오는데, 중간쯤 오니까 기차가 와, 기차가. 그때는 사람 타는 기차가 아니고 화물차야. 짐 싣고 대니는 화물차야. 거기서 끽 소리 지르고서 오는 거야.

세상에 그냥, 사람 비켜 스는 데가 요런 데가 두어 군데 있어요. 요렇게 철길 지내라고 사람 비켜 스는 데가. 거기를 아주 죽겠다고 얼렁뚱땅 뛰어설랑에 가서, 거기 가서 발을 척 들여놓으니까 차가 그냥 내미는 거야. 이만큼만 있었으믄 죽었어 차에 밀려서. 그런 일도 다 적고. 말도 못했죠 뭐. [청중: 기억력이 대단허네.] 하나 또 안 잊어먹어요 아주.

인민의용군 탈출과 국군 참전의 기억

정 석 인

"거기는 군번 떼고 살라고만 생각을 하제. 우선 그냥 마냥 서로 먼저 죽여야 내가 살거든"

※ 첫 번째 구연

자 료 명: 20120522정석인외(보성)
조 사 일: 2013년 5월 22일
조사시간: 2시간 5분
구 연 자: 정석인(남 · 1932년생), 한경준(남 · 1937년생; 가명)
조 사 자: 박현숙, 조홍윤, 황승업
조사장소: 전라남도 보성군 봉강리 (마을회관)

[조사과정 및 구연상황]

조사자가 방문한 마을회관에는 많은 할아버지들이 모여 있었다. 어른들은 조사자가 정해룡에 관한 조사를 위해 마을회관을 방문한 줄 알고 민족학교 양정원과 설립자 봉강 정해룡에 관한 이야기만 하였다. 조사자가 마을 어른들에게 본 조사의 취지를 재차 설명하자 그때서야 자신들이 경험한 전쟁에 대해 구연을 시작하였다. 제보자는 조용하고 차분하게 구연해 나갔고, 많은 청중들은 경청하면서도 중간 중간 개입하여 자신들의 의견을 피력하였다. 제보자는 다른 제보자가 봉강에 대한 이야기를 구연할 때는 조용히 경청만 하고 있다가 조사자가 전쟁체험에 대한 이야기를 들려달라고 하자 적극적으로 구연을 시작하였다. 이야기판 후반부는 정석인 제보자가 주도해 나가면서 해가 질 때까지 구연을 이어나갔다. 마을회관 정리할 시간이 되어 정석인 제보자와 한경준 제보자를 익일 오전에 다시 만나기로 약속을 하고 조사를 마치었다.

[구연자 정보]

정석인 제보자는 1932년에 전라남도 보성군 회천면에서 태어났다. 제보자는 17세 때 작은 형이 억울하게 누명을 쓰고 경찰에게 죽임을 당하는 것을 목격했다. 19세 때에는 동네 친구와 함께 인민의용군에 입대하였다. 이후 인민군의 전세가 기울자 인민의용군에서 탈영하여 고향으로 돌아왔지만 살기 위해 다시 국군에 입대하였다. 제보자는 재치 있는 입담으로 청중을 집중시키고 웃음을 유도하였다. 제보자는 인민의용군과 국군에서의 경험을 생생하게 묘사하며 어린 나이였던 당시의 기억들을 기탄없이 풀어내었다. 제보자는 화순의 어느 인가에서 한복을 구해서 갈아입고 여러 위험한 고비를 넘기며 고향으로 돌아왔다. 제보자는 자수를 하지 않고 지내다가 휴전직전 국군 보충역으로 재입대하였다. 훈련을 마친 제보자는 중부전선에 배치되었는데, 살기위해 아군에게 총구를 겨누는 전장의 참혹함을 겪기도 하였다.

[이야기 개요]

정석인 제보자는 경찰에게 무고하게 잡혀간 형을 잃고 19세에 서자 출신 친구의 권유로 인민의용군에 입대했다. 각종 전투에 참여했던 제보자는 꾀가 많아서 전투에서도 위험한 상황을 잘 빠져 나왔다. 또한 꾀를 내어 월급은 세 번이나 받아내기도 하였다. 제보자는 조약도 전투에서 부상을 당하기도 하였다. 제보자의 부대는 퇴각하다가 퇴로가 끊겨 지리산으로 들어가 빨치산 부대의 지휘를 받았다. 그곳에서 빨치산부대 간부로 있던 고향 누이를 만나기도 하였다. 제보자는 죽을 때 죽더라도 고향에서 죽자는 생각에 총을 들고 탈영을 감행하였다. 간신히 귀향하여 은신해 있던 제보자에게 동네 어른이 한국군 입대 자원을 권하여 한국군으로 재입대하여 각종 전투에 참전하였다.

[주제어] 경찰, 인민의용군, 빨치산, 조약도, M1, 총격, 총상, 소대장 죽음, 죄수 위장, 탈영, 빨치산부대, 국군, 수류탄

[1] 작은 형의 억울한 죽음

[조사자: 어르신 경험한 얘기 좀 해주세요.] [청중: 저기는 진짜로 욕 본 시대.] 그 전에 이 마을에서 살 적에 그때는 반란 후란 말이여. 반란 후로 내가 그때 열일곱 살 먹었었는디. 저리 우리 마을 지내고 뒷마을이 모원이란 데가 하나 있어. 그러믄 율포지서에서 이 장터를 경유해서 우리 마을 가서로 돌아서 모원 올라가는 길이 있어. 그럼 경찰들이 집합해서 온단 말이야. 보면은 모원 올라가는 지초가 우리 마을이야. 안에 집이라는 데, 내가 그때 안에 집에 살았는데.

"나오라!" 그래, 무조건.

이제 나가지. 이제 무서워서 나가. 그라믄 줄지어 나가지고

"서로 뺨 치라!" 그라고

"주먹으로 귓달 치라."

그라고. 그래 시켜, 경찰들이.

또 살살 때리면 장작쪼가리로 내리 두드려 패버려.

"왜 살살 때리느냐?"고.

그런 것도 내가 많이 당했고. 그라믄 모원 올라감시로 모원은 저기 저 이진산이, 이진산 산봉우리가 가차운께 모원은 가서 반란군들이 내려오잖아. 자꾸 댕기거든. 그라고 우리 마을이 그 지초가 돼갖고 옴시로 한 주먹, 내려오면서도 한 주먹. 설 두드려 맞아. 무지하게 두드려 맞았는디. 결국 그것은 인자. [청중: 맛보기.] 나보다 더 어떤 순간이냐면, 그때는 그 경찰들이 무엇으로 잡냐 하면은 공산당으로 잡어. 왜 공산당으로 몰았냐 하면은, 아무 죄도 없는디 공산당으로 모는디. 우리 작은 형이 지금 갑자생이거든. 지금 살았으면 갑자생인디. 그래 왜정 때도 무조건 갑자생이믄 군대 갔거든. 그럼 살아 있으면은 갑자생이 그냥 막 90인데. 우리 형이 그때 그냥 우리하고 같이 들판에 나가서 나락을 베었어. 그라믄 그때가 언제냐면, 여순 반란 후고 인자 6.25. '6.25가 곧 터진다. 터진다.' 그럴 판이여. [조사자: 그런 소문이 미리 있었어요? 6.25가 터진다는 소문이?] 이이. '곧 터진다. 곧 터진다.' 하는 소리가 나왔어요. 그래 우리도 그 들어 봤지. 그런 거를 듣고 인자, 들에 나가서 우리 아버지, 나, 우리 작은 형하고 인자 나락을 베고 있는디, 경찰들이 막 쫓아가는 것이여 인자. 그라믄 들에 인자 그때 나락 벨 판인께 맨날 가정에는 사람이 없고, 청년들이 없고 하니께, 인자 들판을 쫓아서 사람을 잡더만이. 그러고 나는 그때 좀 아직 어리고, 우리 작은 형은 갑자생이라 차이가 날 것 아니여, 나하고. 우리 형제간이 내가 제일 막내거든. 우리 형을 잡아가버려. 경찰들이 무조건 잡아가. 나락을 베다가 그냥 잽혀서 지서로 가버렸제. 그래 지서에다가 가다놨더만 안 내놔. 아무 죄 없는데. 그럼 우리가 밥 해가지고 인자, 우리 작은 형이 이름이 석봉이인데. 석봉이. (울컥하며) 대강 세상 살다 돌아가셨고만.

(앞서 한경준 제보자가 갈마실 전투에 관해 이야기를 들려주었다.)

아니 그란께 율포지서에서 인자 그 창고가 있다고. 지서에 들어가면. 그래 사람이 많은께 큰 창고에다가 때리 옇어 놔두고는 있는 찰나에, 그라믄 인자 우리는 밥 해 날리고. 우리 어머니는 불쌍해. 우리 어머니가 밥 해갖고 발도 성하지 못한데, 그 발로 밥 해갖고 이고 그 십 리 길을 밥을 이고 하러 댕겨. 그래 그 짝에 인자 '3.8선이 곧 터진다.' 터졌던가, 그저 안 터졌던가. 곧 '터진다.' '터진다.' 하는 판인디.

한 마을에 또 이상기라는 사람이 있었는데. 이상기. 거시기 보성농협에 있던 그 상순이, 이상순이. 저그 성이거든. 하여간 한번은 우쨌는가는 경찰서에서 순경들이 그 사람들을 전부 다 차에 다 막 줏어 실어. 그래갖고는 저녁 땅에 다 묻을 판이여. 그래 봇질해서 보성으로 갔다고. 싣고 가. 양동재 꼬랑에서 내려 놔두마는 (총을 쏘는 시늉을 하며) 다 죽여부리네. 다 죽여 버려. [청중: 그란디 거기서 하나 산 사람이 누구냐면은 지금 목사를 한 손세진이라고 있거든. 순천서 그 인자 손목사. 인공 때 열여덟 이었어. 그란께 하도 주먹만하이 주먹만한 것이 뒤에 가 있은께 "야이, 새끼야, 너는 가." 그래 갖고 거기는 지금 살았어.]

그냥 거기서,

"다 죽여 버렸다."

막 이 상황을 듣고는 막 밴 친 소리가 나더만, 제일 처음에.

"다 죽여 버려."

그라고. 또 한 절에는 철사를 뭉거 갖고 둘이 짝꿍, 요짝에 하나, 나 하나가 이리 (손을 묶는 시늉을 하며) 둘이 손때를 묶어 버려. 철사로 확 때려 묶어 버려. 다 묶었어. 그래갖고 저기 저 선수, 덕양 넘어가는 데 거기 선수라는 데가 있는데. 거 배로 싣고 가서 갱물에 다. 발에 다가 독 달아갖고 (양팔로 어깨 넓이 정도의 동그라미를 만들며) 요만치한 독 달아갖고. [조사자: 산 채로?] 바닥에 다 막 밀어 버려. 한 절에는 또 그랬고. 그래갖고 우리 작은 형은 한 마을에 사는 이상기하고 둘이 폴 때기를 묶어 놨더라고. 철사로. [청중: 그라믄 같이 죽었소?] 같이 죽었어, 상기하고 같이 죽었어. 상순이 저그 성하고. 같이 팔 묶어서. 가서 시체를 찾으러 가서 본께 철사로 딱 엮어갖고 묶어 놨더라고. 상기, 이상기하고 정석봉이 하고. 묶어서 총으로 막 갈겨 버렸더라고. [청중: 그라고 여기 요 구시골서 죽었소?] 거가 우째 구시골이라고 하더라니까. 구시골. 그라고 그래서 인자 난세 때 그걸, 함부로 인자 송장도 못 찾아가. 경찰들 송장 찾으면 죽여 버려, 또. 그럴 때 앵기면 죽여 버려.

가면 인제 몰래 너머로 어째갖고 인자 우리 형을 찾아갖고 왔어. 그래 봤더니, 쥚어지고 가서 본께, 그놈의 철삿줄 짜리느라고, 뭔 연장을 갖고 왔을 것이여? 둘이 묶어 놨는데 어쩔 거 아니야? 어떻게 해서는 빼도롬 해가지고는 이제 형님을 사람 사갖고, 젊은 사람, 사람을 사갖고 발에 다 쥚어지고 인자. 후송 이제 때려 감시해갖고 피투성이 되아분 거이. 집에 들어가서 그냥 초상을 쳤어. 초상을 쳐갖고 인자,

"6.25사변이 터져 버렸겄다."

글카거든 인자. 그래갖고는 마을에서 제일 거기서 발랄라꼬 한 사람들이 밤사람들이 잡을라고 의논을 했는디, 강동열이하고 정석인하고 둘을 잡을라고 그래, 밤사람들이. [청중: 그라고 그때 순경이었을까? 순경이었어?] 강동열이는 예를 들면, 강동순이 옛날 저그 성이었잖아. 강약국. 강약국 서손이여. 작은 마누라서 델고 온 아들인데, 잘 놀아. 나하고 동갑이여. [청중: 우익으로 그렇게 뭐를 썼던가?] 아니, 글을 저 때 써도 안 해. 한디 반란군들이 요 놈들 두 놈들은 잡아다 놓고 심부름 시켜먹고 써먹기가 좋거든. 나하고, 나 정석인이 하고, 강동열이 하고. 그 마을에서 두 놈들만 잡아오면은 부려먹

기가 좋아. [청중: 날쌔고.] 그란께 저녁이면 인자 우리가 인자 피했어, 이자. 밤사람들 모르게. 여기서 자고, 저기서 자고, 저 바닷가에 가서 거기서도 자고 말이야. 물가에서도 자고 말이여. 이라고 피해서 자고 댕기는데, 아이 한 번은 밤사람들한테 앵겨버렸어. 내가 보초 서다가 저녁에. 앵겨갖고는

"가자."

하믄시 할 수 없이 갔지. 따라 가는 거여. 따라가서 어디로 갔냐 하면은 저기 저 절산에 옛날에 일림사 그 절산에 가가지고 거가 무슨 부대가 그 법당 그걸 차지하고 다 거기 있더라고, 가서 본께. 그라니 어떤 아는 사람이

"아 저 놈은."

거기서 한 사나흘 저녁을 잤어. 그라고 거기 지키고 한 판인데. 나중에 한 사람이 오더니만은 잘 모르겄더라고. 그런데 알고 본께 재인이 아버지였던 가비여. 재인이 하고 마재인이 아버지. 인제 날 알어. [청중: 재인이 하나였재?] 아버지. [청중: 아버지는 마승연 씨는 인민군 내려오기 전에 죽었는디.] 여하튼 아는 사람이 나를 알어, 우리 성을 알어. 우리 형을. 우리 형을 갑자생 정석봉이라는 사람을 알어. 산사람이. [청중: 재인이 할배가 마동신?] 마신영이여. [청중: 마신영이고 재인이 아버지가 마동신이재?] 동신이, 동신이가 할아버지. 재인이 할아버지. 마승연이. 거가 재인이 저거 아버지. [청중: 재인이 아버지가 안동에서 죽었어.] 아니여, 산에서 죽었어. [청중: 누구? 마승연 씨가?] 이이, 재인이 즈그 아버지가. [청중: 아니, 그라모 인자 경찰들이 진주 해갖고 재인이 하내는 동네 앞에서 죽여 버렸지, 인자.] 그래갖고는.

[청중: 그란께 인자 얘기를 들어보면, 재인이 하내가 인자 아들이 죽고 난께 뭔 정황이 있을 것이여? 그란게 상당히 좀 보복적으로 인공 때 나올라고 해버린 것이여. 그란께 봉강어르신으로 그냥

"안 된다."고.

그냥 자쳐 버렸다고 하더만.

그라고 선인옥 씨를 그냥 부안서장으로 이렇게 앉히고. 인옥 씨가 사람이

선하다 그라더만. 그란께 그런 것도 봉강어르신 덕분이여.]

[조사자: 그래서 어떻게 되셨어요?] 하여튼 그 어르신 덕이 덕택이 많애. 인자 죽을 사람 살려 볼라고 발버둥을 쫓아 내, 봉강어르신이.

[조사자: 이제 어르신은 절산으로 가서 어떻게 되셨어요?] 가갖고, 아 명령을 내리네. 거기서는 좀 높은 사람이었던 모냥이제.

"저 놈은 석봉이 동생이다. 석봉이 동생이니 내려 보내 줘라."

그런 말을 들어 봤어. 거기서 귀에 다 듣기더라고. 누가 그러더라고. 그란께는

"그랴."

그람서로 아 내려줘서 집에 와서 살았어. 그래 그 우리 형은 돌아가셔 불고. 그란께 우리 형은 아무 죄 없이 나락 끊는 사람 끄집어 다, '젊은 사람들이 3.8선이 터지면은 큰 난리를 일으킨께 젊은 사람은 다 없애 버린다.' 그라고 다 죽여 버린 것이여, 그래서. 젊은 사람들이 일어나갖고 또 뭐 일통 키운다고 해서 다 죽여 버린 것이여. 찾아갖고. 보도연맹 가입 딱 시켜 놔두고. 저그들이. 이제 죄인을 만들어 부린 것이야, 죄인을. 그래 잡아다가.

[조사자: 그러면 형님이 보도연맹 명단에 들어가 있었어요?] 그냥 농사짓고 살았지. 어. [청중: 입산도 안하고.] 입산도 안하고 뭐 선장 역할도 안하고 농사짓고 산거여, 꾸준히. [청중: 정 씨 집안이 좌익인께 거기서.] 그렇게 됐어. 그래갖고 애맨 죽음을 그렇게 많이 해. 그래 그 손위 방 성깔 갔네 정아름이 장기 잡 놈 있으면은 그 놈은 네 살 먹어서 돌아 가셔 버렸어. 그때 네 살 먹었어, 애기. 그 하나. 그때 잡아다가 그때 죽여 불면 뭐라 그래. 우리 동생들 (떠는 시늉을 하며) 벌벌벌벌.

[한경준: 회촌초등학교 60주년 행사에 딱 본께 23회가 졸업증하고 학적도 없어져 버렸어, 인자. 6.25 때 불을 질러 버려서. 없어져버렸는데. 1회 부터서 그 놈을 추적을 해갖고 짝 사천 명 되는 놈을 저 발에 다 내놨단 말이여. 내가 집이로 그 명단이 있어. 그란디. 그람시 이렇게 본께는 결국은 집안에서

쪼깐 문중에서 파워가 있다든지, 이렇게 그라믄 그 사람이 좌익으로 머리를 두느냐, 우익으로 머리를 두느냐에 따라서 그 집안이 그냥 우익이 되야 불고, 좌익이 되야불고 그래. 그라믄 인자 안 하던 사람도

"저 새끼 집안이 전부 좌익인께, 저 새끼도 기다."

그라고.

요새 같으면 관재공산당이여, 그것이. 그래갖고 또 죽은 사람이 많애.]

[2] 서자 출신 친구의 권유로 인민의용군에 입대

그라믄 인자, 6.25사변이 완전히 터져갖고 벌써 보성 와버렸어, 그때 인자. 그때쯤 된께. 그라니 이자 강동열이하고 반란군이 노리던 사람들이, 그 '써 먹겄다.' 한 사람들이 강동열이도 빨라. 날샜고 나도 날샜고 뛰니. 아주 비호야. 날쌨지. 저 처음엔 날싼게 써 먹을라고 반란군이 잡아 갈라고 했는디, 잡아 갔다가 나는 도로 와불고, 내줘서. 강동열이하고 나하고. 그때 인자 강동열이라는 사람은 서손으로서 그 집, 저 그 집에서 저그 어머니는 없고, 저그 큰어머니, 본어머니가 있어, 큰어머니가. 그란디 거기서 좀 눈치를 주야. 지금 말하자믄 차등이 나. 형제 간 차별이 나. 그란께 그 뜻으로 해서 나보다 강동열이란 사람이

"우리 인민군이나 가 불자."

이라데. 그라더라고.

"인민군 가서 뭣하게?"

그란께

"거기서 가면 출세하면 누가 아냐?"

그라믄서,

"지금 우리 사는 것도 요 모양으로 해갖고 사니까, 산다 할 것이 없을 것이여. 우리 인민군이나 가 불자. 그라고 누가 성가시게도 안할 것 아니냐."

어린 중청으로 소가지고 주면은 강동열이하고 나하고 갔어, 인민군이랑 갔어. 간다고 갔어. 의용군에 인자 따라 간다고 가. 인민군들이 사람을 또 찾아. 젊은 사람들 찾아.

[조사자: 그러면 어디로 가셨어요?] 보성중학교로 들어갔지. 지금 현재 중학교로. 거기서 저녁이면 인자 훈련을 받네? 훈련을 시키네. 그란디 그 데리고 간 사람이 뭐란고는

"숟가락하고 밥그릇하고, 숟가락 하나 하고, 밥그릇 하나 하고 갖고 오라." 고 하더만.

갖고 나오라고. 데리고 나가, 우리를 인제 인민군에. 그 동네 제일 빠릿빠릿한 사람 추려갖고 말이여. 그래 그것도 우리 동네에서는 강동열이하고 나하고 거든. 둘이 인자 그리 따라 갔어. 아이 따라 가서 보성중학교에서 저녁에 훈련 좀 받다가, 또 얘기 해갖고 저그, 봉래. 봉래 거그서 또 훈련을 받치더라고. 그란디 겪어 본께나

"인민군들이 똑똑하고 독하다."

이렇게 말을 들어 봤거든. 여기 평상시에 여기서 살면서. 그렇게 점잖을 수가 없더라고. 대하는 거, 우리들을 대하는 거 보면. 막 따르게 해, 우리가. 뭐 기합도 뭣도 없고 좋게 타일르고, 말로 타일르고. 아 이래주 그라더라고. 그래서

"아 이것들이 무섭다고만, 실제로 겪어나 보니깐 그라 안 한다."

그러고. 그래 그 뒤에 인자 봉래에 가서 훈련 좀 받다가, 광주 시내로 들어가서 인자 무장을 시키더라고. 그라 모두 3.8선에서부터 차근차근 내려오면서 늘 무장으로 칼빈, 고구신 뭐 M1 총 뭐 할 거 없이 늘 뺏어 들어온 놈이 많아, 그냥 무기가. 막 잡종이 되야 버렸어, 무기가. 그래 나는 인자 무기를 무엇을 탔냐 하면 M1을 짊어 줬어, M1원을. M1을 배치를 시켜 줘 불고. 그래 강동열이도 M1을 배치를 시켜 주고. M1 그 놈 들쳐 맬께는 이, 아 그때 열일곱 살인가? 그때는 열아홉 살, 6.25사변 때 열아홉 살 먹었어, 인자. 열

아홉 살 먹어갖고 그래도 마음은 그냥 홀딱홀딱 하고 그냥 폼 나는 것 같아도, 뭐이 M1을 알어, 우리가? 그래 아무 것도 모르고는 인자 따라 왔어. 인자 나왔어.

[3] 친절했던 인민군과 조약도로 도강 시도

부대 배치 인자, 완전 부대가 큰 대부대가 맨들어 갖고 인자 왔는디,

"해방을 시켜버린다!"

그러더라고.

"해방시킨다."고.

'해방시켜버린다는 게 뭔 소린고?'

인자 이라고 있지.

저 장흥 쪽으로 인자 행군을 해서, 순전 걸어서 밤에만 걸어서. 양쪽에 식량물자를 딱 나놔 가지고, 그때 대부대가 좌우로 가 대대로 가잖아. 그람시로 목적지가 어디냐 하면은 완도란 소리만 들어 봤는디, 완도 어딘지 몰랐어. 그라모 완도 조약도라고 하더라고 인자 본께. 완도에서 조약, 거가 조약군이더구만. 약산군이라 하던가, 약산면이라 하던가? 그란디 약산이여. 약산이고 섬이름으로는 약산면이여, 약산면. 그란디 그가 경찰들이 많이 있다고 그라모 인자 거서 못해가지고 여러 가지 눈치껏 전부다 장만해갖고 배에다 싣고 부산으로 막 쨀 판이야, 인자. 부산 밖에 갈 데가 없은께. 여까지 다 차지해 버렸은께, 인민군들이 와 버렸은게 인자.

그래갖고 인자 그걸 포위를 하고, 밤에 인자 포위를 해갖고 약산면에 들어갔제. 저녁에 배를 타고. 배를 타고 들어가다가 비바람이 불어가지고 그날 저녁에 들어가지를 못하고, 밧줄로 딱 엮어갖고 배를 만들어. 뗏맛선을 잘잘한 뗏마이. 그것을 타고 모두 들어 갔는디. 일개 분대가 뗏맛 두 척을 거느리고 갔어. 두 척씩 탔어. 인민군들 일개 분대라는 것은 기찔이 9명이더구만.

우리 한국은 그리 안하는데. 기찔이 9명이 일개 분대더란께. 11명인가 되야. 그란디 그건 딱 군인이여. 정식으로. 그래갖고 인자 그거를 가다가 중간쯤 가는디 비바람이 내려쳤싼께

"철수다!"

그라고 명령이 또 내려오더만, 철수한다고. 그래 인자 약산을 못가고

"철수다!"

그라더라고.

그래 인자 전투를 해서 인자 못하고 돌아와 버렸어. 와갖고 하루 밤을 겪으고 난께 비 인자 그친께 이자 조용하니 밤세가 좋더라고, 날씨가. 그래갖고 비 그놈 전부 두드려 맞고. 아이 거그서 그 방향에서 나오는데 뱃사공이 (물을 퍼내는 시늉을 하며) 물 푸는 병을 안 갖고 나왔더라고. 그라 인자 철썩철썩 하니 물은 바짝 찌크리고 말이야. 그 사람 바랑으로 첩으로 가는데, 바닷가에 떠갖고 그냥 무섭더라고, 그냥 죽을까 싶어서. 그래서 인자 거기서 울렁증 한 번 줬어.

"사공 놈의 새끼가 왜 요따구로 하고 있냐? 물 풀 준비도 안해 왔냐?"고.

"물 풀 그릇도 안 갖고 왔냐?"

그라믄서,

"해고다!"고 한께.

"이렇게 되았노라. 잘못 했다."고 빌더라고.

그란데 인자 여그 사람들이, 여기 이남 사람들이 우리매이로 끌려서 가는디, 그 사람이 나무랄라면 몽땅 나무라지. 이북 진짜 인민군들이 뭐라고 하냐면

"나무라지 말라."고.

"배에서 사공이 대가리 아니냐?"

그라이.

"잘할 땐 나무람 말고, 꾸짖지 말라."

하더라고.

"그 사람도 갖고 오기 싫어서 안 갖고 왔을 것이냐?"

아, 이라면서 인민군들이 그렇게 말을 하더라고. 아, 그렇게 보드랍게 말을 해.

[4] 인민군을 환영했던 조약도 사람들

그래갖고 어떻게 어떻게 해서 다시 철수를 해갖고 대륙으로 돌아와 버렸어. 그래갖고 하룻밤 지내고 인자 대대로 또 다시 가. 다시 건너 가, 저녁에 인자. 그래 잠잠하이 가기가 좋더만. 물결도 없고 말이야. 그래 배를, 자잘한 배를 거느리고 인자, 딱 호위를 하고 거길 가. 거기 조약도 섬엘 가. 아이 가서 있은께는 배에서 딱 본께 총을 메고 실탄 한 두 줄인가, 석 줄인가 지니고. 이래 탄띠에 매놓고 실탄 또 여덟 개씩. M1이랑. 지참한께 무겁게 말이라 귀찮아 죽겄어. 전투고 뭐이고.

그래 인자 저녁에 딱 건너이 가는디, 여기서 저기 저 창고 있는 데 만치 보인단 말이여. 섬쪽에가. 그래갖고 그 앞에가 바닷물이고. 그래 여기서 인자 배로 못가고, 무서운께 근처에 있다가 집에도 못가고 강물에 빠져 죽고잡냔 말이여. 그래 무서와서 거그를 못가고 늘 삿대로 인자 물만 짚어 보는 거여. 그래 키만 안 넘으면 물에 막 빠질라고 말이여. 그냥 물로 뛰어 들어갈라고. 걸어서 돌아갈라고. 그래 삿대를 짚어 본께 오 킬로가 딱 넘어. 내가 재본께. 삿대 들어가 갖고 딱 재본께 키가 넘어 버려. 그래서 못가고 살살 기어 붙은 거야, 인자. 그래 가짝에. 그란께 거기는 삿대로 짚어 보니깐 (가슴 정도 높이를 가리키며) 한 여기나 찼더만, 물이. 그란께 거기서 인자 가에까지 배를 안대고 거기서 내리라고 하더만, 내리라고. 그래 총을 이고 내렸어.

(머리 위에 총을 얹는 시늉을 하며)

"총에 물들어 가면 안 된다고. 총을 이고 내리라."

하더라고. 그래 물로 가만 거길 건너가. 간께는 뭔 연락이 막 오니라고 다 얘기해. 뭐 전달 뭐 사고 여기 없다고 전달, 뭐뭐 어쩌고 전달, 막 전달이 내려와. 그라고 본께 초소막이 바닷가에서 저 길게 됐더라고. 빵 돌려서. 그래갖고 그 그냥 일반 병을 잡아다 매놔두 지서에서 경찰들이 말하면 전부게 순행이 들어와가 빵. 전환해요. 이렇게 해놨더라고. 근데 그곳을 빽빽 기어서 인자 그 초소막 감자밭 같은 데가 탁 총을 들이대고

"손들어."

먼저 그랬제, 우리가 먼저 발견해갖고. 경찰이, 나 경찰인 줄 알았거든. 초소에 다 경찰이 들어가분 줄 알았어. 천만에 말씀. 경찰들은 한 명도 없고 마을에 다 농사짓는 사람들이여. 우리 하고 똑같은. 그러다 잡을라고 인제 전달 시켜.

"사고 있냐?"

"어디어디 사고 있냐?"

"사고 있냐?"

이리 전달하고.

"사고 없다."고.

"전달 무."

"사고 있다."고.

"전달 무."

이렇게 전달이 자꾸 오더라고. 그래 가서 그 사람을 딱 잡아 놓고 인자, 일반민이 둘이 나오던 모양이야. 초소 하나에 일반민들 둘씩 있더라고. 그래 딱 물어 봤어.

"경찰관들은 어디가고 당신들이 이러고 있소?"

그라고 물어 본께는,

"경찰관들이 이제 딱 내일 부산에 갈라고 소, 돼지 뭐 닭고기까지, 닭 한 마리까지 없이 싹 잡아서 맨들어 가지고, 음식을 배에 다 전부 실으고 내일 저녁에 뜰 것이요."

이라더라고. 그람시로 거기 사람들이 뭐라고 그란게

“당신네 잘 왔소. 내일 저녁 떠불 거인디.”

막 인민군들을 그냥 환영을 하더라고.

“진작 좀 오지.”

막 무릎팍을 치면서 통곡을 하더한께. 그렇게 살기가 고약했던 모양이여, 경찰들 압박이. 그람시로.

“아따, 오늘 저녁에라도 잘 왔소. 뜨기 전에 와서 잘 왔소, 잘 왔소.”

그라고 비밀을 다 갈쳐 줘버려. 여기서 한 이십 리 된다 그러더만. 거가, 지서 있는 데까지가. 여기서 지서를 갈라믄 한 이십 리 돼요. 그라믄 거가 학교도 있고, 지서도 있고. 본진이 거기라고 말하자믄. 그래 저녁에 인자 그 가서 보초 선 사람들이 전부 인자 전화가 딱 끊어져. 우리 잡아분께. 전화가 다 끊어져 부릴 거 아니요? 연락이 인자 지서로 안들가,

“아 인자 왔다.”

고 그라고 알아불제, 경찰들은.

“인민군들이 왔구나.”

그라고. 저녁에 날만 새면 전투를 할라고 저녁에 전투준비를 쭉 해. 산으로 올라가서 말이여. 여그서 뭐 기관총, 뭐 무반동총 이런 것을 모두 갖고 왔더만, 박격포 같은 거 말이여. 80미리, 60미리도 있고 말이야. 그래 인자 갖고. 여그 일개 대대가 가는 거, 얼마나 가져가는가 몰라. 거 비밀을 안 가르쳐 준께. 상부의 지시를 안 가르쳐 줘.

[5] 인민군과 경찰의 첫 전투

그래 요리 강동열이하고 나하고 같이 인자 그리로 갔는데, 인자 아침에 날이 세 시가 된께는 저 산고을 쪽에서 무반동총 한 대가 붕— 하니 날라 와. 그리 쏴 불더라고. 그래 그때가 인자 전투 개시여. 그래 인자 총을 짊어지고

막 쫓아가는 거여. 그때 한 가을쯤 되었는데, 인자 고구마밭으로, 서숙밭으로, 콩밭으로 해서 막 숨어서 가다가 짜막 만나버렸네. 경찰들 있는 데 하고 우리 하고 딱 만나부렀어. 커브 돌아 가다가. 그래갖고는 거기서 인자 접전이 붙었어. 머리빡을 맨져 맨져 보고, 머리빡을 만지면 머리 없는 놈은 인민군이여. 인민군 다 머리 다 깎았거든. 장교들은 머리 안 깎고. 저짝은 다 깎아 버렸더라고. 그래서 맨져서 칼로 찌르고 그짝 하다가 금방 그냥 헤어져 버리더란께. 우리는 우리대로 헤어져 불고. 나는 인제 총을 붙들고 (총을 온 몸에 바짝 붙이는 시늉을 하며) 그 콩밭에서 또굴 또굴 또굴 공그려서 저이로 막 내려 가버렸어. 그 엄한 데마다 그냥 그 누구 칼에 찔러 죽을지 모르겄더라고.

'옛다, 사는 방법은 요 밖에 없다.'

그러믄서 딱 가슴에다 M1 총을 쥐고 막 구부러 버렸어. 막 내다 궁그러 버렸어. 그라고 나서 궁그라고 나서 보니까 그새 딱 갈라져 버렸어. 인민군은 인민군대로 딱 모 쪽에 모이고. 그 경찰도 인자 들어가 불고. 그런 난경을 또 겪어 봤거든. 그러고 차근차근 인자 그래 쪼여 들어가. 경찰놈들이 인민군들이. 아 지서 뒤에가 국민학교가 있더만. 지서 뒤에가 한 백 메타 내지, 한 이백 메타 사이 떨어졌는디 국민학교가 있더라고, 그때. 내 짐작에 한 이백 메타 가차이 돼, 지서하고. 하니 국민학교가 있는디 아 그새 국민학교 지붕으로 올라갔어, 이놈들이. 저 지붕에서 또글또글 구르면서 총을 쏘네. 경찰들이 지서 아래다가 총을 갈겨. 아 그 새끼들 그런 거 보면 비호더라고. 언제 거글 올라갔는가 몰라. 그란디 나중에 알고 본게는 줄에 다가 돌멩이를 달아 갖고 뒤에서 (줄을 던지는 시늉을 하며) 획 쏴갖고 이쪽 처마에 딱 걸린께 그놈을 타고 올라갔어. 인민군이 아따

"그 놈의 새끼들."

그럼서 방정맞더라고. 그러더니

"그렇게 용감성이 없냐? 안 지키고?"

그래 겪어보니까 그러더라고. 그라고 총을 쏘고 한참 그리 접전을 하다 본께, 몇 시까지 이자, 전투가 몇 시까지 했냐면은 오후 3시까지 했어. 오후 3시에 인자 전투가 끝났어, 거그서. 그러고 인민군들을 쳐다본께, 인민군들이 나알게 여덟 명인가 죽었더구만? 여덟 명인가 죽었어. 사령관 하나가 죽었던가, 견장 이렇게 파란띠 두른 그 사령관이. 이거는 그때, 우리 한국으로 말하면 중대장이. 대위쯤 돼. 대위, 대위쯤 되는데. 그란께 그것들은 중대장 이름도 없고 소대장 이름이 없어. 그럼 우째 이름을 하냐면, 뭔 나무를 불르더라고. 우리 소대, 내가 그때 3소대였었는데, 우리는 3소대였었는데, 사과나무 동무라고 하더라고. 그래 사과나무 동무는 뭐냐? 소대장이 사과나무 동무여. 우리 소대장이 나중에 알고 본께. 그라믄 뭐 2소대는 뭐 몇 소대 이런 사람은 뭐 밤나무 동무, 뭐 은행나무 동무. 이거 다 소련 암호식으로, 소대장급들이더라고 본께. 그라고 나서 딱.

[6] 인민군 소대장의 죽음과 종아리 부상

그라고는 바짝 가서 본께는 잔득 급한께 경찰들이 안에서 수류탄을 얼마나 쟁여놓고 있었더믄 담을 복담으로 이렇게 뚜껍게 쌓아 갖고는 뱅 둘러쌓으면, (머리 크기만 한 사각형을 그리며) 요만석이 총구녕만 탁 내놓고는, (총 쏘는 시늉을 하며) 경찰들이 안에서, 인자 들어가서 총질만 하고 있는 거여. 그란께 뚫지를 못해. 벌짝 담 밑에 까지 갔는디, 침범을 못해. 못 들어가. 보고는 이렇게 쏴 논께. 그런께는 뭔 연락이 갔던고, 지금 인자 이번에는 무전기 또 갖고 댕기는 게 있더만, 인민군들도. 그라고 이야기 하는데, 산에서 내려다보고 그 담에다가 함포를 갖다가, 뭔 함폰가 뭐이 뭐 뭔, 무반동 총인가 뭐이 그런 것이여. 여하튼 그란디 글로 밑구멍을 내리 쌔리 삔께 담이 와에에– 허물어 지더라고. 담이 그때 얼마나 실하게 쌓아졌겄어? 그래 응급조치로 쌓아갖고 있는 것인디.

와— 그리 인민군들이 용감쳐갖고 뛰어 들어가갖고는 그냥 수류탄을 집어 땡기면은, 전때 급한께는 수류탄을 안전핀도 안 빼고 (수류탄을 던지는 시늉을 하며) 막 집어 던지더라고. 지서 아래에서. 그것을 보고는 수류탄을 줏어다가 다시 꿰갖고는 안으로 도로 들이쳤단께, 인민군들이. 그것을 봤어, 내가. 이햐— 이것은 저 우리는 죽어도 그리 못하겠다. 그래서 우리는 죽을까봐 가서이 이리 숨고, 저리 숨고 하고 있는디. 또 어짠거는 한 쪽에서 싸우는디, 개굴창에서 우리 소대장이 여 사과나무 동무 총을 탁 맞았거든. 아 뱃때기서 총을 탁 맞았는데, 총알이 옆구리에서 나왔단 말이지. 그때 내가 똑똑히 봤어. 내 앞에서 총을 맞았으니까. 같이 이제 지서로 들어 가다가. 그라고 폭 주저앉더라고.

"잘 싸운다."

그라고 탁 주저 앉어 버리더라고. 배때기 총 맞아 옆구리에서 나와 버렸는데. 그란디 경찰이 인자 하나가 권총을 딱 차고, 하나는 손에 들고, 요리 가죽반도를 착착 매고 실탄 요리 쟁여 갖고 있는디, 캬— 하고 있는 것은 그렇게 멋지더라고. 중대장이 없은께 그것을 하라고 해서 '나도 저때 한번 해봤으면 쓰겄다.'는 생각이 나더라고. 그렇게 속아지가 없어. 그때만 해도. 열아홉 살 먹을 때인디. 그 속에서도. '나도 저리 한 번 해봤으면 쓰겄어.' 행여나마. (일동 웃음) [청중: 열아홉 살이 무슨 자각이나 있겄소?] 그란께 내가 결국에는 공군에를 갔다가 왔지. (웃음)

아 그래, 거기 저 경찰관에서 좀 높은 사람인디 권총 하나 차고, 하나는 손에 들고 실탄이 떨어지고 없었더만. 나중에 인자 본께. 그라고 (양 손을 머리 위로 들며) 손을 들고 이라고 나오더라고. 콩밭에서. 지석 쪽에 그 콩밭에서 숨었다 이렇게 나와. 그란께 인자 우리 사과나무 동무가 총 맞아갖고 쓰러지면서 쓰러진 채에 손을 들고 나온께 부소대장이 '팡' 쏘아 대버렸어. 쏘아 버리더라고. 저거 전우가 죽은께 막 열이 나고 막 죽을라고 허더만, 인민군들이. 그라믄 인민군들 여덟 새에 우리 하나씩 찡겼거든. 나 같은 사람

하나씩 찡겨 주더라고. 전부 이북 사람들이여. 완전 나도 이제 이북 출신이라고 그 사람들은 봐 불제. 일 개 분대에 나 한나씩, 남한사람들 하나씩 찡겨 넣었는데.

아 그래 그것이 욕심 내갖고 탕 쏴불게 개골창에 다 떼굴 톡 떨어져 부리더라고. (뛰는 시늉을 하며) 그걸 쫓아 개골창에 후딱 뛰어 들어갔어. 꺼내서 내가 찰라고 말이야. 나는 그걸 차면은 내 것 될 줄 알았거든, 그것이. 권총 같은 거, 반도 같은 거. 내 것 될 줄 알았어. 속으로 어린 중정으로. 그래서 이자 끌렀어. 그 놈을 끌러갖고 탁 매고 권총 그 놈 손에 딱 걸고 그래갖고 나와. 이라고 나왔는디 뭣이 무릎팍 어디를 탁 쌔리 버린 것 같더라고.

"별일이다 어디 나 총 맞은 곳이 없는디?"

그래서

"이거는 뭣이 때려 분다."하고.

그래갖고 권총을 그 놈을 들고 탄띠를 그 놈을 딱 매고. (손으로 가슴에 X자를 그리며) 요렇게 반도이. 그래 가죽벨트 멋진 놈을 딱 매고는 인자 꾸약꾸약 나와. 어따 철딱 없이 나와. 그라믄 탁 들고 인자 웃고 나오는디, 아 뒤에서 (목덜미 뒤쪽을 손으로 잡으며) 여그를 잡고는 뒤에서 뭣이 쭉 잡아 댕겨부려. 인자 힘 없으니 찧어 버렸어. 엉덩이 방아를 찍어 버렸어. 퍽 주저앉아 버렸어. 퍽 주저 앉으면서 다릴 본께, 아 피가 벌갛이 섰네. 피가 벌갛어.

[청중: 어째 장딴지를 관통해 버렸을까?] (바지를 걷어 올려 흉터를 보여주며) 어이 총을, 인자 그란께 경찰들이 쏘아 버렸던 모양이라. 그란께 몸뚱이가 막 살라고 (무릎 부근의 살을 잡으며) 여그여그를 어째 근육만 해서 인제 뚫고 나갔네. 나 이걸 뭐이 이렇게 탁 다친 줄만 알았어. 그때 총 맞을 때.

[청중: 감각은 있습디요? 그렇게?] 아 독기가 들면서 아무 것도 안 보여. 나 살 것다고. 뭣이 뭣이 (다리를 치며) 쳐분 것만 같아. 그란께 그라 인자 아군이 모르고 저짜 뒤에서 쭉 잡아 당기더란께. 그라제, 인민군들은 의생병

이 따라 댕겨. 그 전방에 까지 따라 댕기더라고 인민군 의생병이. 그람시로 약을 갖다가 해서 때려 붙이고 붕대로 인자 뭉쿼 주고 그란디. 그때 인자 압박붕대 같은 거 요런 거, 가재 압박붕대 안 있던 것이 떨어져 버렸던가? 대검을 쏙 빼더만은 지 소매를 깔짝깔짝 하더만은 소매를 탁 찢어 갖고 나를 뭉커 주더라고. 와 이라캄시 진상이 저 지지잔지도 모를 거인디, 요거이 지 폴 때 옷을 짤라갖고 나를 다리를 뭉쿼 준다. 햐 '기특하네, 기특하다.' 또 생각이 나대? 이렇거니 전우 생각이 나대, 생각이 나. 아우 그래서 그 놈 인자 권총 들고, 반도 그 놈 매고 해놓은께 멋지제. 쫄병, 아무 것도 모르는 것이. 그라고 M1 총 거기 다 들고.

[7] 죄수인 척 위장한 경찰과 전우의 부상

그라고 오후 3시가 넘어서 딱 조사를 한께는 그 무기하고 사람하고 계산해서 세보니까 무기가 없어. 사람은 한 열이나 된다 그라면은, 무기는 한 닷샛나 밖에 없어. 이렇게 대충 말하자믄. 그래 인자, 지서 안에를 들어가서, 유치장을 딱, 죄인이 있더라고. 유치장에다 딱 잠가 놓고 죄인이 있어. 죄인 행세를 하고 있어. 그래 인자 우리는 인자 그 사람들 인자, 마을사람들 그

"괜한, 농민들을 갇아 놓고 여지껏 했다."

그라고는, 거기서 그냥 이리 앉고 저리 앉아갖고 대접을 후이 해. 그라이 금방 한 시간도 못 되어서 마을에서 자위대가, 자위대 단체가 생겨갖고, 청년들. 4-50대 해버린 게 경찰 많이 죽어 버렸어 그서. 엄청 죽어 버렸어. 그란디 조깐 있은께, 한 시간이나 있은께 동네에서, 동네마다 동네 자위대라고 생겨갖고 곡괭이 들고는 저 소쇠랑 들고 나오는 막, 막 부대들이 나오네, 마을에서. 그래 그 사람들이 보더만은 우리가 인자 우측, 좌측하고 이 자리에 앉아 가지고는 대접을 하고 있는디, 유치장에서 끄집어 내갖고. 죄인이라고.

"와매, 요 놈의 새끼가 살아갖고 있다."고.

그러고는 마을 사람이 때려 죽일라고 그래.

"왜 그러냐?"

그란께는

"여 순 경찰 놈의 새끼야. 우선 살기 위해서, 살기 위해서 틈 타 가지고, 틈 있으면 도망칠 놈!"

이라고 말이야.

"무지무지하게 악독한 놈!"

사람 많이 죽이고 있는 것들을 다 뺏어 가버린 거여. 경찰들이라고 이 양반들이. 악질들이야. 그란께 거기서 들어가서 살다가 얼른 틈을 봐서 도주 칠라고 인자 그래갖고 있었다 그거여. 그래 마을사람들이 다 가르쳐 줘버려. 그래 딱 잡아 버렸제. 잡아갖고 삼 일 동안 문을 전부 한께

"이러이러해서 너그 인구하고 비해서 무기가 이렇게 근 70%가 없어. 그래 무기를 어따 뒀냐?"

하고 문초를 한께, 그 지서 안에가 솔찬히 넓더만, 마당도 크고. 그 가 샘이 있어. 그 가 샘이 있는디, 그래 가 물아갖고 샘이 엄청 깊어. 한 석 길 이상 되겄더라고. 에이 (땅 깊숙이 내려다보는 시늉을 하며) 이렇게 내려다 봐야 돼요. 물이 저 아래 가 좀 있더라고. 거기에 다 빳쳐 버렸단 것이여. 에 무기를. 거기 다 빳쳐 버렸어.

"기왕에 죽을 바에는 우리가 무기까지 너거들 줄 거 뭐 있냐?"

이러면서

"상관명령 하에서 못 쓰게 만들라고 다 빠츠려 버렸소."

그라고 수냉식 기관총에도 그냥 경기인 기관총도 있고 그란디, 아 그 놈 인자 회수해가지고 우째 사용을 해볼라니까 안 돼야. 그래 뜯어놓고 본께는 총알이 요렇게 있으면은 (손가락으로 탁탁탁 주먹을 치며) 딱딱딱딱 때리는 공이 끄트리가 있거든? 이 방아쇠를 딱 댕기면 정이 끝엘 가서 딱 안 쎄리다 그러면 팍 폭발 해갖고 폭 뛰어 나가는디, 공이 끝을 다 뿐질러 버렸어. 망치

로 다 또닥또닥 해버렸어. 기관총 그 저그를. 그렇게 해부렸더라고. 다 갈쳐주더만. 그래갖고 이라고 저라고 지체 하고 있다가 해놓고 본께는 세 시가 넘었어.

그래 거기서 강동열이, 나하고 같이 간 강동열이도 부상을 당했더라고. 나보다 더 당했더만, 그거는. (복숭아 뼈 옆부분을 가리키며) 요 척출이라는 데 여기를 맞아가지고 요기를 맞아 부렸더라고. 그 아는(애는) 걸음은 걸어 댕기더라고 빠짝. 그래 나보다는 더 큰 부상이지. 나는 여기 살짝 때려 버렸는디. 그래서

"부상 당했냐?"

그란께

"여기 저 부상은 당했는데 괜찮하다. 요 거까지는 괜찮하다."

그라더라고.

그람 나는 그 부대에서 있으면서 치료를 해서 낫고, 인민군들이 낫아 주고. 그 강동열이라는 사람은 더 상처가 크다고 해서 고흥 녹동으로 왔어. 똑딱똑딱선을 그런, 그런 거를 마쳐갖고 똑딱선을 타고 녹동인가 거이 병원 생겼던가 보제, 며칠 전에. 그 병원을 딱 왔어, 동열이는. 그래갖고 거그서 갈려가지고 강동열이랑 나는 보질 못했어. 영영 못봐 버렸어.

[8] 인민군의 후퇴와 꾀를 부려 세 번 받은 봉급

그라고 인자, 우리는 어디로 나왔냐 하면, 거그서 그 조약도 그 섬에서 이틀 저녁 자고, 사흘 저녁 차 이 완도로, 거시기 완도로 인자 나왔어. 그런데 인자, 대륙으로 나왔어. 그람시로 늘 얻어먹고, 얻어먹고 하면서 마을에서 밥은 잘해주더만, 마을 사람들이. 가면은 딱 드시라고 해주더라고. 그럼 그놈 앉아서 먹고, 주먹밥 한 덩이씩 먹고, 맨날 밤낮으로 걸어. 걸어서 보성까지, 장흥까지 왔어. 장흥까지 와갖고 장흥 저 옛날 왜정 때 가리학교라고 그

랬어. 지금 순흥국민학교라고 안 잊어부려. 그래, 왜정 때 가리학교 같으면, 우리 형님 그 가리학교를 나왔단 말이여. 장흥에. 아 거가 출동이 돼갖고 인자 우리 3소대 거 가 있어. 거 가 있고, 또 다른 소대는 어디, 어디 모로 배치돼갖고 있는디. 거기서 한 2-3일 동안을 훈련을 받고 아침에 순흥 그 위에 올라가려면 그 굽은 데가 물이 안 좋다고 그 나가서, 다 그 가서 세수하고 그라고 있는디. 거기는 인자 우리 집이 가차와, 여그여.

그래 인편으로 어떻게 어떻게 해서 아는 사람을 만나갖고,

"'내가 여기 와 있으니, 날 면회나 옵소."

하고 진작 연락을 해줬어.

"떡을 좀 해갖고 오라."고 그랬어.

어째 먹고 싶은 거이 떡인고 했소만. (웃음) 아이 그 양반이, 노인 양반이 떡 한 놈을 해갖고 그걸 이고 왔더라고. 찾아 왔소. 아 그래갖고 떡 동가리 그 놈을 우선 훈련 받니라고 묵을 시간이 없어서 선반에 다가 영거 놔두고는, 그 놈을 못 먹고 또, 아 그때부터 후퇴했던 게비여. 우리는 몰라. 그래갖고 거기서 인자 떡 그 놈을 못 먹고, 입엘 대보도 못하고.

[청중: 그라믄 후퇴를 할 때, 이것이 후퇴다 그런 것은 전혀 몰랐습디요?] 전혀 몰라. [청중: 그럼 우뜨케 해서 인자 탈출을 했습디요?] 그래 인자 탈출을 한 것이 나와. 그래갖고 온다 그런 것이 순흥으로 해서 요리 인자 이리요 집 앞으로 해서 율포. 율포를 딱 간께 아니 뭔 사람들이 장작을 막 보듬어다가 지서에 다 막 쟁이대. 전혀 모르제. 사회물정을 아무 것도 몰라. 안 가르쳐 준께. 군대 비밀이라고 안 가르쳐 주더라고. 그래 자기네들만 알제, 우리는 전혀 몰라. '그라는 갑다.' 그라고.

거 부잣집이 그 뭔 양반 안 있나? [청중: 길주?] 길주 씨, 길주. 아, 길주 집에서 옛날 산사람들이 내려 와갖고 머리띠가 (머리띠를 묶는 시늉을 하며) 요래갖고 있는 사람들이 많이 있고. 아 거기서 생전 저 오면서 상 차려 놓고 호박국 끓이서, 고기를 또 몇 사리해서 그렇게 해서 대접을 받고 왔는디, 율포

와서 이자 주먹밥을 그냥 묵어. 주먹밥을 한 덩이씩 주더라고. 아침 식사라고. 그래 그 놈 한 뎅이를 배고픈께 묵제. 묵고 있는디, 아 조금 있으께나 또 그 놈을 묵고, 주먹밥을 얻어먹고, 갈 길이 바쁘다고 또 가는 거여. 그래 어디로 가냐, 또 걸어서 인자 반꼬부래 인자 본청으로 올라가는 거여. 본청으로 올라가서 보성군청 앞에까지 왔어. 그러니까 거기서는 사령관이 뭐라 하면은

"자, 우리의 목적지는 화순이다. 능주하고 화순이다."

거기는 왜 가냐? 낙오된 양코배기더라 그러더만, 양코배기라고 하더만, 그 사람들. 빨치산들이 양코배기라 하더만.

"거가 양코배기들이, 낙오가 된 양코배기들이 몇 십 명이 있는데, 요것들이 사람을 갖다가 많이 구타를 하고 성가시게 하니까, 요것들을 소멸하기 위해서 우리가 그리 간다."

딱 이라더라고. 양놈한테 그라더만은. 또 그라지 말고 가는 거여. 그라고 보성군청을 지나서 정지네다리 거 있다고. 신양로를 가다가 그짜는 뭐냐면, 그때는 잠을 못 잔께, 밤낮으로 밤낮 행군만 하니까 길에 가면서 이렇게 자. 밤낮 자. 그라믄 탁 부닥쳐 불면, 길 가에 나뒹굴고는 구르마하고 부닥친다고. 그 뭐야, 가로수, 그것이 탁 바친다 그래. 아 그라믄, 나는 거그서 졸고 또 가다가 저기 다리 밑으로 뚝 떨어져 버렸어. 툭툭 떨어져 버렸어. 툭 떨어져서 퍼뜩 정신 바짝 차려 보면은 떨어졌거든. 그래 인자 모래밭에 다 떨어졌거든. 그냥 여그 하나 떨어졌는가 어쨌는가 막 찾으러 나오더라고. 그라고 손을 잡고 같이 올라와서 또 행군을 해. 그라고 능주 가서, 능주 시내를 막 들어 간께는 비행기 세 대가 날라 댕겨. 쌕쌕기, 코죽기, 쌕쌕기라고 하대, 이 놈들 말이. 와— 마 비행기 세 대가 드럽더 공습을 해 재끼는데 사람 환장하겠더만.

[청자: 형님 군대를 보고?] 예이, 우리는 능주읍에 막 들어온께 비행기가 날라와서 딱. 그래 집중사격을 하더라고. 폭탄 같은 걸 쏘고 말이여. 그래

"거그서 죽으면 우짤고 콱 쳐박고 살려 달라."고.

그래 숨어 갖고 있어. 나중에 해결이 되아서 딱 나와서 본께는 이 인민군들은 하나도 안 죽고, 마을 사람만 서른여섯 명인가 일곱 명인가 죽었붓다고 하더라고. 서른일곱 명인가, 여섯 명인가 죽었다고 그러대. 그래갖고 능주읍을 지내서 이제 화순으로 올라가잖아? 그래 또 화순으로 올라가는디, 그 대나무에 다가 뭔 당간을 가마니에 쿡 꿰서, 당간을 이렇게 매갖고 거꾸로 내려와. 우리 지나가는디. 그라고 다리 주변에 가 머리띠를 이렇게 (머리띠를 매는 시늉을 하며) 이발도 안하고 머리띠를 감았댔어. 아주 방울땡이 만한 사람들이 넷이서 서갖고 다리 옆에 그거 뭔 쇠를 이 놈 뜯어 놓고 그라고 대기를 하고 있더라고. 그래

"뭔 일이냐?"

하고 물어본께, 우리 부대가 지나가면 다리는 폭파시켜 버린다 그거여. 그래 그거이 빨치산이었던가 보더라고. [청자: 마지막 부대였네.] 응. 마지막 후퇴했던 매양, 우리가. 그래 우리 대 부대가 온께,

"다리 끊지 말라!"

그라고 인자 약속이 있었든 뭐 전달사항이 있던 모양이여, 저그들한테. 그라고 막 지난께 빵 이라고 튀더라고. 다리 끊겨. 그라고 인자 화순읍으로 들어가 버렸지, 인자. 읍으로 싹 들어가서 본께 거그도 역시 율포 매이로 장작불을 갖다가 지서 안에다 막 떨쳐 질러, 불을. 질러갖고 뭔 문서떼기, 뭔 문서떼기를 그것을 할배이 갖다 모아놓고 막 불을 질러 버리더라고. 그래갖고는 저녁밥, 거그서 또 주먹밥 하나 얻어먹고 그 화순시의 어디 산골짝의 어데로 가면 무슨 절이 있는데, 그 절로 밤에 딱 들어가 불거든. 그래 절에 가서 그때 인자 늦은 가을이 차근차근된 판이라 추워이. 저녁에 밤이슬 맞고 춥더라고. 그래 내까지 가서 거기서 자고는 날이 샌께

"봉급을 준다."고.

인자 또

"열을 서라."고.

그래.

쪽 몇 줄을, 열을 서라고 하더라고, 봉급 준다고. 그라모 그때 당시에 그 돈이라는 것이 어째 천 원짜리였던가? 새로 나온 빨간 돈으로 맨들 갖고는 쓰지 못하고 그냥 이 고생이 안 나부렀다고. 그 돈을 하나 앞에 오만 원씩을 주더라고. 그 봉급이라고. 그래 그때부터 써 묵어. 써 묵을 판이여. 오만 원을 딱 타놓고 본께는 가만히 생각해본께 요것들이 뭔 명단을 준 것도 아니었고 줄배기로 봐서 그냥 돈을 짝짝 주고 여 내보내고 내고 그라더라고. 쪼까 강탈할 수 있겄더라고.

그 놈 타고는 (옆에 있는 줄로 옮겨 서는 시늉을 하며) 여고를 들어가서 또 탔어. (일동 웃음) 이십만 원, 아 이제 십만 원을 탔제. 또 들어가서 또 탔어. 한 사십만 원을 탔어. 이것이. 이리 가서 타고 저리 가서 타고. 안 탄 것 같이 해갖고 타고. 한 사십만 타 논께 나 이 놈 가졌은께 어디 가든 든든하더라고, 마음적으로. [청중: 그 때게 그 무렵에 시장에서 붉은 돈을 이렇게 유통을 하는디, 뒤에 있는 사람이

"인민군 화폐는 며칠이면 이거 못쓴다."

더라고. 그냥 자네 그냥, 그 돈만 규칙적으로 써 분 사람도 있고 그래.] 그란디 그 동안에 그 돈은 인자, 나중에는 못 쓴다고 그래서 나는 그냥 써 먹었어. 서울 가서 써 먹었어. 돈이 있으니 든든하더라고. 마음적으로. 아이 인제 지대로 써먹을지 알고 집에까지 갖고 온다고. 집에 갖고 왔으면 솔찬히 큰돈이여. 그때 돈 사십만 원이라면. [청중: 며칠이면 못 쓰는디.] 어이, 며칠이면 못 쓰지.

[9] 빨치산 부대 간부였던 고향 누이와의 만남

그때 올 때까지 인자 썼는디, 그 화순지역 어느 무슨 절인고 박연사라 하재, 뭔 사라 하대. 뭔 절이 있어. 지금 잊어 버렸는디, 그 절에 가니까는 우리

같은 사람들이, 보성 사람들이 무지무지하게 와 있었더라고 그 가. 아는 사람들도 있고 모르는 사람들도 있고. 아는 친구도 있고, 뭐 별 마이 있어. 그래 거기서 누굴 봤냐? 한날 누가 얼른 뵈이냐면은 내 집안에 거시기 동생. 바깥 집이. [청중: 예.] 그 바깥집 종희. 종희 누난가? 동생인가? [청중: 국남] 국남. 이름이 국남이여. 나를 찬찬히 보더라고, 그 아가씨가. 아가씨인디 옷도 멋지게 입었더라고. 멋지게 입고 권총 여기다 (허리춤에 권총을 차는 시늉을 하며) 탁 차고. 곱상하게 생겼네. [청중: 정종희 씨 누나.] 나를 봤나? 봤어. 그란께 내 집안사람들 설 명절에 큰 형님 네 집에 가서 봉정서 만났는데 모를 거여? 내 얼굴 알지. 나도 아는 기억은 있는데, 차마 거서 아는 기척은 못 하겄더라고. 무서와서, 그 속에서. 그래 모른침 하고 살짝 이래 있는데, 자글 가차케 오더라고. 그 양반이. 그래 본께는

"나 모르겄냐?"고.

물어갖고,

"알겄다."고.

인자 그때 했어.

"국남이 형이냐?"고.

그래,

"기다."

그러더라고.

아니 그렇게 멋졌대. 반 치마 요그만 하게. (종아리 부분을 가리키며) [청중: 거기랑 이복순이 누님이랑 다 핵심 당 간부였어.] 종희 누나 되면 나로서도 누나 된가? 동생 된가? 내가 더? 아니, 항렬이 같어. 종희하고 나하고 항렬이 같거든. [청중: 거가 더 누나 되지요? 지금 몇 살 됐습니까?] 나이가 팔십 둘. 나 31년 생. 내가 더 우겐 가베.

(잠시 등장인물과 청중의 나이에 대해 청중과 대화가 오고갔다.)

그래갖고 그 국남이를 만나갖고 둘이 인자 악수를 하고 인자, 보듬고 그냥

눈물을 흘리고 있는 거여, 그 대가창에서.

[청중: 아까 이복순 거기 하고, 정국남. 정종희 그 선생님 바로 손우에 언니. 거기하고 모두 같은 동창이여.]

[조사자: 아까 반 치마 입은 그 복장 이야기 좀 해주세요.] 치마는 까만 치마여. 여그 (무릎 아랫부분을 손으로 그으며) 무릎팍 밑에 이마하이 딱 차 접어. 반도이 검은 반돈데 탁 차갖고 (가슴팍에 반도를 차는 시늉을 하며) 총을, 총을 담는 케이스, (허리에 총을 넣는 시늉을 하며) 집도 그 딱 차갖고 있고, 권총을 다닥 찼더라고. 딱 본께 영 멋지더라고. 나도 또 저 완도서 한 놈이 그런 인간이 또 나왔는 갑제. (일동 웃음) 얼마나 멋지게 보이든지 기가 맥혀. 여자 몸으로 말이여, 날씬하게 쪽 빼갖고 이라고 있는디. 누가 지나가다 안 쳐다 볼 사람이 없고, 안 쳐다 볼 사람이 없어. 그렇게 해갖고 있더라고. [청중: 당 간부니까.] 간부니께 인자 어른이여. 인자 그런 양반이랑 거그서 울음 눈물하고 거그서 갈렸어. 헤어졌어. 거그는 빨치산 부대고, 우리는 인제 인민군 부대거든.

[10] 인민군 부대와 빨치산 부대의 반목

그란디 거기서 인자 그 절에서 말하기를,

"엊그저께 어제까지만 해도 당신네들은 인민군이었지, 인민군이었는디. 이제는 오늘 저녁부터서는 우리 빨치산의 지배 하에 움직여야 한다."고.

빨치산 하나가 딱 나오더니 강의를 쭉 하더라고.

"3.8선 이남이 맥혀 버렸다. 이미 맥혀 버렸다. 우리는 갈 수가 없다. 그러니까 우리 지배 하에 움직여야 당신들이 살제, 우리를 배반하면 당신들은 오도가도 갈 데가 없이 죽게 돼요."

그라고 인자 지리산 아는 사람들 말 들어야 될 것 아니요? 또 인자 빨치산들 지배 하에서 따라 댕겨 부려. [청중: 그라믄 정규 인민군하고는 거기서 떨어져 버렸시오?] 아니, 같이 있어. 그 부대가 거 가 있어. 그라 인자 빨치산하고 합해져버렸어, 인자. 거서 합해져버려. 합해져갖고 그 빨치산이 그렇게 얘기 하더라니께.

"우리 지배 하에 움직여야 돼요, 이제부터서는"

그란께 그 인민군들 장교들이 고개를 쑥 빼고 이라고 있더라고. 그래 보니, 낙심하고 있더만은. 난 그란지 저란지도 모르고 나만 살았은께. 지금 어디 가냐고, 집에 갈 것이라는 것만 생각하고 있는디. 아이 집에를 보내줘야 가지 매. 만날 안 보내 줘.

그라고

"지리산을 찾아 간다."고.

"저녁이면 이제 지리산을 향한다."고.

가네. 아– 이 놈으 지리산을 알 수가 있어야지. 처음에 그 빨치산들하고 같이 좀 움직이더니, 나중에 우리 인민군 부대가 대부대가 되아논께, 같이 댕길 수가 없어. 그냥 위치 발견이 되아불고, 큰일 나. 경찰들 군인들 할 것 없이 막 달라드는디 말이여, 인자. 소탕 시킬라고 보내는디 대부대를 움직이지는 못한께 아 빨치산들이 저들까지 싹 빠져 지리산 나가불고 없어. 우리만 똑 떼어 놔둬불고. 인민군들만 떼어 놔둬불고. 아 어찌 그러는가, 나중에 사령관이 그러더라고. 우리가 부대가 대부대가 원차 커 놔노니까, 저희가 델꼬 귀찮지마 인자. 즈그 위치발견도 되고. 지들까지 다 죽게 생겼어. 그란께 우리만 딱 떼어불고 저거들끼리 쏙 빠져 나가 버렸는디. 인자 그때부터서는 인민군이 뭐이라고 말하믄, 저그

"빨치산들 앵기면, 앵기는 대로 다 잡아 죽이라."그래.

[청중: 그 놈도 골이 났구만.] 에에, 골이 났어. 인민군들도 골이 났어, 저그만 떼어 버리고 가버렸다고. 그래 우리는 길도 모르제, 지리산을 찾아간다고 찾아가면 뭘 찾아가. 뱅뱅 돌고 있는디 어짤 거야. 광주 무등산 중터리 만치 올라가서 저녁에 거기서 밤을 새웠는데. 인자 배는 고프고 해서 시골에 내려

가서는 밥 한 재씩 얻어먹고는 거그서 잠을 자고 아침에 일라고 하는디, 모포를 둘러쓰고 잠을 잤으니마는, 만날 못 있어났어. 다리가 꽤갖고. 못 먹고 인자 추운디, 가을에 초가을에 자논께, 추와서 찬이슬만 맞고 자논께 그냥 힘들고 못 일어 나겄더라고.

'와 나 이거 집에 가도 못하고 죽게 생겼다.' 그 생각이 나. 그래 인자 그 해가 딱 볼그스레 떠갖고 햇볕 그놈을 쎄우고난께는 몸이 움직거려져. 그래갖고 그때부터서 일어나갖고 지리산 찾아간다고 찾아간 것이. 이제 낮에는 행동을 못한께 밤에 막, 밤에 막 간다고 지리산을 찾아가는디, 지리산 찾아갈 수 가 있어야제. 거 십 리 갔다가 간 사람이 있고, 저녁 내 걸었는디 오 리도 갔다 간 사람도 있고, 도로 그 자리로 왔다간 사람도 있고 그래. 시골에서 한번 물어본께

"우리가 어저깨는 어디에서 어디까지 지리산을 찾아간다고 왔는디, 어디만치로 왔냐?"한께,

"한 오리 왔다."

그라고.

"도로 그 자리로 와버렸다."고.

그라고. 일하는 사람들이 그라더라고.

마을 사람들이 갈쳐 줘. 도저히 못 찾아 가겠더라고, 길을 몰라서. 밤에만 또 행군하는데 어떻게 할 거여. 그래 행군을 하고 있다가

"아이, 안되겠다."

그라고. 그래서 선을 이제 짰어. 길을 짰어.

"우리 죽어도 고향에 가서 죽자."

"여그서 탈출을 해서 도망을 가자!"

우리 그랬거든.

[11] 인민의용군 탈영기

그래갖고 저 밀양 놈 이종춘이라고 있었는디. 아 그 사람이 우찌해서 군대를 왔던가 몰라. 눈 하나를 못 봐. 눈 하나를 어째 다쳤었는가 하나를 못 본디, 인민군으로 들어왔어. 의용군으로 들어 왔더라고. 그란디 저그 유가족고약하더라고. 저그 식구들 다 죽어 부렸다혀. 경찰서에서 그냥 다 죽어 불고이제 복수심에 지가 들어 왔던 모양이더라, 그 사람은. 그래 그 사람은 이름도 안 잊어버려. 이종춘이라고 나보다 나이 살 더 먹었어. 그때 당시. 나는그때 열아홉 살 먹었는디, 그 사람은 스물세 살 그때 묵었어. 이종춘이라는사람이. 아– 그라고 인자 우리 넷이 장흥 사람, 장흥 저 요치 사람 하나 하고, 나하고, 이종춘이 밀양 사람하고, 요치 사람하고. 서이서 인자 도망을 한것이여, 밤에. 그 부대를 떴어, 밤에. 총을 들고 도망을 쳤거든. 그래갖고 어디로 갔냐 하면은 화순 때 무슨 진털 밭으로 들어가서 본께는 오후에 석양쯤된께는 다 소개 했다가, 그때 들어와서 인자 논에 저, 밭에 보리를 갈아 먹을라고 풀 거를 말이여. 이것을 쪼작 거릴라고 시골서 올라 왔더라고. 그래 그사람들한테 자세히 물었어.

"우리는 이러이러 해서 인민군에 와갖고 짐을 인민군들이 짐을 져다줘라."

그래서 멀리까지 져다 주고 오다가,

"너그 가거라."

해서 가는 판인데,

"옷을 좀 구해 줍소."

인민군 옷을 입어 부렸거든.

"의복을 좀 구해 줍소."

그란께,

"그래."고.

그람시로 그 동네가 뭐 36호가 37호가 되는디, 싹 불 질러 버렸더만. 불 질러 버렸는디, 사람 한 집이 있는데, 거그는 순전히 우리 대장 집이라 그러더만. 한 집은 살아갖고 있더라고. 걔네 집은 인제 잘해갖고 그래 살아 버렸어. 그래서 그를 들어가서 인자, 그 사람들이 그냥 찾아와서 옷을 해서. 그때 마포 옷을 입고 인자 바꽈 입고, 한복 마포, 한복 그 놈을 바꽈 입고는 인자 내려 온단께. [청중: 그럼 상당히 쌀쌀하지.] 이이, 그런 판인디. 아 이 놈의 그 저 옷을 구하도록 까지는 무기를 안 내버려야 되겄어. 무기가 없으면 옷을 못 구해. 억지로라도 주라고 해야지, 안 주면이. 그래갖고 한복 그 놈 구한 뒤로 그 뜰 밭에 가갖고 하나하나 분해하고 다 쏴 버렸어. [청중: 서이 다 총을?] 예예. 다 쏴 버렸어.

그라고는 걸어서 걸어서 와. 아이, 온다고 온 것이 화순읍에를 가차이 와갖고 뿌득뿌득 와갖고 붙은 거야, 저녁에. 뭐이 기름 냄새가 고약하게 나고 차 소리가 막 붕–붕– 하고 난리더라고. 가만히 내가 앞전에서 땅에 다가 귀를 대고 들어본께는 뭔 말도 알아 듣도 못하는 소리. 뭐이 미국말인가, 영언가 뭐이 해. 그리고 말이야 또 한국말 한다는 것도 있고. 그때 껌둥이들이 많이 있다고이 차가. 검둥이들이 화순역에 꽉 차갖고 있어갖고 우리도 인자 앵기면 죽을 것 같은께 바짝이냐믄 캄캄하니마는 차 밑으로 들어가 버렸어, 나는 인자.

여기서 들어가서 인자, '어떻게 집에 여기서 도망해서 가옵고?' 이라고 연구만 하고 있는데, 공 생각이 하나 나더만. 그때는 그냥 전부 다 비포장이여. 바닥이 차끼리 공

구리 안하고 없어. 전부 다 비포장. 돌멩이 같은 거 있으면 꽉 차버려. 그래갖고 돌멩이 놈을 줏어, 몇 개 줏어갖고는 저쪽에다 보고 몇 개를 집어 던졌어. 차 밑에서. 그래 저기서 와사와삭 소리가, 뭔 소리가 나거든. 깜둥이 그저, UN군 할 것 없이 한국군이 막 거기를 보고 집중해서 총을 들이 대고 거기를 쫓아 가더라고.

"너그는 그리 가거라, 나는 요리 갈란다."

이라고. 이짝으로 빠져 나왔어. [청중: 성동격서구만.] (일동 웃음)

아따 그래가 그 거 빠져나온께 인자 살았다는 생각이 나대. 그래갖고 괜히 어디 저 산골짜기, 산 중 집으로 들어가서 하루 저녁을 묵고는 또 나와서 삽을 하나 주라고 했제.

"삽을 하나 주시오. 내가 집을 찾아갈라면 이 연장이 있어야 쓰겄소."

그래 삽을 하나 얻어갖고 딱 들쳐 메고 그냥 들판을 그냥 버젓이 와. 머리 딱 수건을 질끈 댕기고는 한복 허술한 거 그놈, 그 구해줘서 그 놈을 입고 삽을 (삽을 어깨에 들쳐 메고 가는 시늉을 하며) 이러고 지니고 오다가, 뭐이 좀 이상한 기가 있으면은 거 딱 삽을 내려놓고 (삽으로 땅을 파는 시늉을 하며) 넘의 논을 팠다가 방새를 했다가, 물고를 다시 맞춰봤다가 요 짓거리를 하고 있어. 이상한 사람이 지나가면은. 그라다가 그 사람 딱 지나가면은

"됐다."

하고 또 도망해서 와. 이라고 인자.

이래갖고 차근차근 하다가 구례 곡성까지 왔어. 그 짓거리 하고. 거까지 와갖고 본께는 인제 나중에 또

"엄한 데로 왔다."고.

그랬싸요, 물어 본께는.

그래 어데 온께는 구렌가 저 끼어서 문덕 너매 큰 강이 있더만. 거그를 배로 건너야 돼, 배로. 그거이 왔던가. 그거이 배로 건넜어. 그란디 어떤 만나가 그 배로 건너갖고 나무 가리나무를 한 짐을 잘 해갖고 그 사람도 그

배를 타더라고. 그라모 인자 봉래 짝으로 그거 인데, 그가 문덕인가 봉랜가 모르는디, 그짝으로 가면 지서가 있다고. 그래 넷이 큰 강을 건너면 지서가 하나 있더라고. 그라 이제 나래삯을 받어. 인자 돈 있은께 인자 돈 많이 주제. 그래,

"하나 앞에 얼마냐?"

한께,

나는 인자 거기서 혼자 또 떨어져 버렸어. 그 사람은 그 놈도 또 갈재서 떨어져 버려. 나 혼자 떨어져갖고 인자 거그를 오는디.

"사천 원."

이라고 하대.

그래서 이 사천 원, 만 원도 못 돼지. 그때 이만 원짜리는 뭐 어떻냐, 한 삼십만 원을 짊어졌는디. 돈 많이 내고, 그래 사천 원을 딱 주고 건너 왔어. 아이 막 건너 와서 한 백 미터 오는디, 거그 출장소가 하나 있더라고. 뭐이 지서가, 출장소. 있어가 거그서 (머리 높이 정도로 손을 올리며) 요만한 거이 퍼런 게이 기어 나옴서 내가 나온께

"아따, 동무 수고하셨소."

그라고 거서 그래갖고 깜짝 놀랬어.

"동무 수고했다."고.

악수를 청한단 말이여.

그란디 말이여 깜짝 놀래더라고. 놀랬다고.

"고향이 어디냐?"고.

"어디까지 갔다가 오시냐?"고.

그리 대접을 한다 말이여.

기분 좋게 말을 해. 그래서 이래이래서 무장했다는 소리도 안하고

"이러해서 보성 어디서 보성읍에서 어느 날 짐을 좀 져다 주라."고.

그래서 식량 그 쌀가마니 이런 것을 지고 가다가 저기 화순 간께는

"그냥 가거라 그래서 내려 온 판이라."고.

말이야.

이렇게 얘기를 한께,

"하, 그랬어도 고생했다."

하믄서, 아 거그는 저 그때 인민군들 세상이더란께 또. 빨치산 세상이더라고. 거까지는 또. 경찰인 줄 알았더니 경찰 아니고. 인자 알아본께. 그람시로,

"오늘 저녁 가면 해는 다 저물어 갔는디 집에까지 회천이라고 하면, 집에까지 못 가니까 문덕에서 저녁 잘해 자시고 자고 내일 아침에 그 고개를 넘어가면은 문덕이 나온다."고 하대.

그란께 고개 너매가 출장반이 있었는디, 그 다 어딘고 몰라, 그때 세상인께. 여하튼 그렇게 돼갖고 했어. 그래서 나한테 그런 얘기를 하더라고. 그라고 산 밑에 동네 들어와서 그 얘기를 하면서 거기서 들어 왔단께 여기 거시기하러 왔다 그란께,

"우리 아들도 군대 가서 아직 안 오요."

그람서 후히 대접을 하면서 밥상을 잘 해주더란 말이야. 그래서 그 어른들자는 사랑방에서 같이 하루 저녁 자고. 아침밥을 이렇게 잘 얻어먹어. 그 고개를 넘어오니께 복내더라고. 인제 복내면까지 왔어, 이자. 복내면까지 와서 차근차근 또 이라고 오는디, 인자 미력까지 왔지. 아이- 미력 온께 생전 그때 여기 살면서 여기가 인자 막 나가서부서 그날까지 태극기를 내가 못 봤는데, 아니 미력오니께 미력지서 앞에 태극기가 탁 꼽아졌어. 이렇게. 깜짝 놀랬네.

[청중: 경찰이 왔구마이.] 에이, '왔구나. 여기를 지낼 거인디 어떻게 하나?' 그라고는 그라믄 다음부터는 내가 죽으면 죽고 살면 살고. 인자 그기를 지나와. 그란디 경찰은 없고, 지서 안에가 경찰은 없고 태극기만 딱 꼽아 놔두고 지서 앞에 다 사람만 죽여 놨더구만. 서이를 죽여 놨더라고. 지서 앞에 다,

논에다가. 아따, 나 그것을 본께 또 짜게 돼. 그래갖고 거그를 어째 건넌지 모르게 그래갖고 보성읍에를 들어 가버렸어. 내가 보성읍에 저 북국민학교 있잖아? 북국민학교 뒤 아래가 우리 자형이 살았어, 그때 당시에. 우리 매형이 살았어. 그리로 날래 쏙 들어가 버렸어. 그란께 누나가

"내 동생아 어디 갔다 인제 오냐, 살아 오냐."

이래. 다 죽은 줄 알고.

"살아 오냐."

반가워 해갖고 거그서 인자, 누나 집에서 한 이 주일 동안 묵었어.

[12] 자수와 한국군 입대

그라고 하루는 인자, 보성장이 되어가지고 내가 한번 사정을 보러 나갈라고, 보성장이 옛날 구장 집 남국민학교 거가, 구장 댁 거가 아니여? 거가 장인디. 그리 가만가만히 인자 내려온께, 애기를 하나 업고, 누나 애기를 하나 업고. 딱 내려와서 상황을 쓱 본께 와— 순모가 뵈이고. 정순모가 보이더라고. 훈모도 있고. 그래 머리가 그냥 나 잡아다 죽일까이 머리까지 콱 서. 그래 인자 애기 그 놈을 업고는 저리 돌아서 다시 매형 집으로 그냥 누나 집으로 들어갈라 하는디, 어떤 놈 하나가 사복을 입었는디, 아마 경찰이었던 모양이야. 나를 보고 뭘 훑어보더니, 애기를 업었는디 쪼깐 해갖고 딱 애기를 업고 있는디,

"집이 어디요?"

그래갖고 여기 이라고 말이여. 그래,

"어디 갔다 왔어? 너 어디로 갔다 왔냐?"

하면은

"북평면에서 우리 집에서 농사 지어 먹고 내 거 사요."

그란께는

"그래?"

보고보고 하더만은 우째 놔주더라고.

'아따 모르겄다.' 하고는 빨리 들어 가갖고 매형 집에서 하루 더 자고 매형 보고

"내 회촌으로 넘어 갈란께. 죽어도 내가 죽을 바에 고향에서 죽을란께, 회천에서 넘어 갈란께."

지게하고 그 나무하러가는 시늉을 딱 하고 지게 하나 얻어주라고 해갖고 지게 짊어지고, 갈쿠 짊어지고. 그냥 그 놈을 짊어지고 인자 그 구장터로 해서 역전, 역전 그 놈을 건너 가갖고 수달피재를 넘었어. 나무짐 짊어지고. 그래갖고 건내간 다리. 거기를 건너갖고 수달피재를 넘어서, 수달피재는

"옛다, 모르겠다."

하고 지게 콱 때려 부셔 내던져불고 그것을 맨몸으로 봇재를 넘어 와. 가만 무안히 집에까지 왔어요. 집에까지 오니까, 그때 당시 이장을 누가 했냐면은 안득섭이 즈그 아버지, 안민근이가 이장을 했제. 그라믄 그때 당시는 이 놈무는 무리가 복잡해. 저녁에 날 파면 아침에 또 날 파고. 저녁에 날 파면 아침에 또 날 파고. 맨날 논에 물이 있는 겨. 지서에서 이제 묵은 돈, 돈 짓는 이장이 날 팔아요. 그란께 아침에 날 파고, 저녁에 날 팔고. 그렇게 고난헌 세상을 살지.

[청중: 그란께 인자이 그것이 지금 생각을 해보면은, 요새는 컴퓨터로 이렇게 나오니까. 그때는 그냥 등사판으로 이렇게 고지서로 나오거든. 또 면서기하고 인자 이장하고 속닥속닥 해갖고 백 원 나온 놈을 백오십 원이라 그렇게 얘기해. 그란께 인자 오십 원은 또 인자 면서기하고 이장하고 속닥속닥해서 또 먹고.] 그런 놈의 세상을 하고 있는데. 아이, 마을에 들어가니까 어른들이 나보고 오라고 하대. 한번은. 딱 간께 어른들 이제 사랑방으로 딱 갔어. 그래 인사를 하고. 내가

"죽지 않고 내가 살아 찾아 왔습니다."

그러니까, 동네 어른들이,

"큰일 났다."는 것이여.

"왜 그러냐?"니까,

"아니, 니가 인자 찾아 왔으니 경찰에서 얼마나 주목을 다 받고 살겄냐? 인민군에 갔다 온 놈이. 말짓이라도 '인민군에 갔다 온 놈이 들어 왔다.' 하면은 난리가 날 것 아니냐? 보통 취소가 된다. 그러니까 자수를 가자."

"내가 뭔 죄가 있어요. 억지로 끌려 가갖고 그 행세를 하고 오롯이 안 죽고 집에 찾아 왔는디, 내가 뭔 자수할 것이 있냐? 나는 자수할 수 없다. 안 한다."고 말이여.

암마– 막 잡고 나만 날만 새면 집으로 찾아와.

"지서에 가서 자수를 해!"

"아이 뭣을 해서 내가 자수를 할 것이여. 뭐가 있냐고."말이여.

"억지로 그렇게 갔다가 그 사람을 싫다고 하고 내가 찾아온 사람인디. 내가 무슨 자수할 거 뭐 있냐?"

그러하나 속으로 인자 위험해. 명색이 의용군이라도 갔다 왔다 말이 있으니까. 속으로 이제 위험해서 그때 당시에 율포에 지서에 병사계를 누가 봤냐 하면은 최 순경이라고 하나가 있었어, 최 씨. 최 순경이라고 하나가 봤는디, 거기 경사 계를 봤거든. 그라고 나는 집에 가 그라고 놀고 있는디. '내가 어떻게 해서 반가와서 내가 안 갈 수 있을 것이냐고.' 최순경을 한번 딱 청을 해갖고 대면해서 인사를 나눴는데. 밥상이나 사주고 그랬거든.

"나 어디에 사는 누구요. 아이 우리 가찹게 지내고 삽시다."

그래놓고 최 순경은 이제 퇴직을 했지.

[청중: 형님은 생각이 있어서 가까이 할라고 했는데.] 응, 나는 가까이, 그 사람은 내가 가까이 해야 안전할 것 같아서 그런 이유로라도 꾸밀 판인데. 아 그 이튿날 오면 또 내가 점심 대접을 또 내가 해. 그럼 내가 슬하에 그때 넉넉지로 살지 못하는 집인디. 넘의 빚을 내갖고 내가 아버지 슬하에서 인자

살면서 술도 대접해주고, 밥도 내가 사고. 그라고 세상을 몇날며칠 지냈단 말이여. 한 열흘 동안 그라고 있은께 돈도 없고, 이거 돈 갚을 길도 없고. 그래 막막하더라고. (청중 웃음)

지금 이렇게 나갔다가서는 내가 안되겠다 싶어서, 그때 당시 저기 일손이 급했던가, 한국군을 인자 모집을 한다고 6.25사변 후로 군인을 또 모집을 해. 그라믄 그때 당시에 내가 율포에서 신체검사를 막 받았는데, 지금 말하면, 왜정 때로 말하면 갑종합격이여. 합격이 되았거든. 나는 열아홉 살 먹었는데 합격이 돼. 그래갖고는 그해 집에 막 들어 와갖고 한 이십 일인가 며칠인가 있다가 한국군에 또 뛰어 들어가 버렸어. (청중 웃음)

'살 길이 여기 없다고.' 그렇게 생각을 잘해서 '인제 군인을 가버려야 되겠다.' 그래 갔다가는 아이 영장이 또 나와. 제 1기생이여. 6.25사변 후로 제 1기생이 내가 기여. 바로. [청중: 그때는 휴전선에서 막 쓸어낸 판인디.] 응, 막 쓸어낸 판인디. 가면 죽고, 가면 죽어. 막 산개같이 쓰러지는 판이여.

그래 그해 군대에 들어가 버렸어. 아이 그란데 우리 군대 갈 때 다 죽어분다고 중학생 이상, 뭐 국민학생은 말할 것 없고, 저기 보성 간께나 고등학생들까지 (좌우 어깨에 태극기를 매는 시늉을 하며) 태극기 다섯 개를 딱 차고, 요리 딱 차고 응원을 해주고. 죽으로 간다고 그런 거야. 막 쓰러진 판이야. 그라고 거기서 그랴 인자 좋은, 참 깃발이 팔팔하니 하고 군대를 갔지, 가기는.

[13] 훈련소 시절 배가 고파서 밥을 훔쳐 먹었던 일

아이 가서 훈련을 저기 어디로 갔냐면, 여수 14연대 있는 데, 신원리. 신원리로 갔어. [청중: 반란군 일으킨 데.] 응, 반란군 일으킨 데. 14연대가 거 와 있었어. 그래갖고 고마 비행선도 거 배에서 내려갖고 비행선도 쭉 육지로 올라오고. 비행선이 그렇게 했던 모양이야. 딱 잘 해놨는데. 그리 비탈길을 가서 보면, 총알이 그냥 막 뜩뜩 (땅을 긁는 시늉을 하며) 긁데. 그렇게 있더라고. 어떻게 사격연습을 했을 것이여, 14연대가. 그래 총알이 이렇게 말하면, 총 탄피가 그냥 막 구둘구둘해. 발질에 채이고 그러더라고. 그라고 거기서 인자 보충병으로 그라고 있다가, 밥을 타다 먹는디. 1개 소대 깡통 하나 갖고 밥솥에 가서 밥을 따르고 숟가락, 삽으로 조깐 다물어 지면은 그 놈을 30명 이상이 나눠 먹을라면은 밥이 한 때기씩 밖에 안 돼. 드러워서 못 먹겄어, 배가 고파 죽겠어. 말은 인제 군인들은 뭐 시럽을 준다 그랬것다.

[청중: 그란께 그때 경찰한 사람들 물어본께

"봉급이 얼마였습디요?"

그란께

"쌀 한 말이었다."

그랬더라고. 그라믄 밤이믄 반란군 행세를 댕김시로 반란군들하고 전투를 하고 있는디,

"세상에 한 달 봉급이 쌀 한 말이었단 말일시. 그란디 이놈을 갖고 식구들하고 어떻게 살겄는가?"

그란께 경찰서장한테 닷 되는 올려 주란께는

"못 올려 준다."고.

그래서 그냥 경찰서장 거 서장실에 그 벽장에다 보고 M1 여남 발을 쏴부렀단 말일시. 그란께 닷 되로 올려주더란 말일시. (일동 웃음) 그라 인자, 옆에서 "잘 쏴부렀다."고.

그란께 얼마나 가난하게 살 때여? 가난하게 그것이.

그때 세상에 그 짓을 하고 살래다가, 그라고 살다가 인자 어디 어떻게 하다가 잊어 버렸네. 내 어디까지 했는고. [청중: 여수 14연대 거기까지.] 14연대 신원리 거기서 인자 훈련을 받고 살아요. 훈련을 받고 인자 또 일개 부대, 어떻게 해서 또 몇 개 부대는 또 제주 저, 제주로 보내. 제주로 간다고. 제주도도 어디냐? 모슬포. 남제주 모슬포로 가더라고. 그래 모슬 포로훈련소 그 쪽에 있었지. 그라고 우리 부대는 안 옮기고 다른 놈들만 모슬포로 가버려.

제주도 가면 모슬포가 좋다는데, 나도 그리 갔으면 쓰겄는데 안 옮겨. [청중: 모처럼 제주도 구경도 가고.] (일동 웃음)

어이, 제주도 구경도 이제 해보고 그랄 거인디. 하 그 짭짭하고 이라다가 어떻게 해서 밥 그 놈만 타 먹고, 거기서 훈련받고 인자 거기서 화장실이 제대로 있는가이 그냥 이질병들이 걸려갖고, 화장실이 여그다가 이렇게 파 놨던 거, 저기만치 가서 이렇게 파 놓고 거다 대변을 보고. 막 피똥이 부들부들해. 그래갖고 이놈의 이질병에 걸린 사람들이 콱 채아 불더만. [청중: 우리 갈 때만 해도 인자 막 취사장에 가서 밥 도략 했다고 구둣발에 채이고 그래.] 잉 채이고 그래. 그래가지고는 밥 타서 지금까지 주는 그 놈 갖고는 못 나눈께는, 배가 고픈께는 인제 식당에 다 밥 도둑 하러 가. 복개이로 딱 들쳐가 뒷짐 딱 이라고 시다로 가. 시다로 가서 식당에는 많이 있고 식당에는 막 퍼먹고, 남고 누룽지 뭐 그냥 꽉 찼는데, 우리한테는 돌아오는 것이 그렇게 없어. 나는 배가 고파 죽겄으니 눈치 봐서 얼른 솥 우로 발로 탁 차버리면은 복개이 갖고 뚝 떠갖고 (달리는 시늉을 하며) 돌아 오재. (일동 웃음) 그라믄 장작, 취사병들이 장작쪼가리를 들고 막 뛰어 쫓아 와. 앵기면 죽어, 앵기면 이제 뒤지게 맞아 죽어. 변소로 들어가서도 먹고이. 세상에 그런 일이, 내 아는 사람이나 친한 사람은 델꼬 와서 나놔 먹고 말이야. 변소에 들어가서. 그런 짓을 해보고.

[14] 중위의 모자를 훔치고 칭찬 받았던 일

아니 한 번은 또 훈련을 받을 거인디, 금방 내 모자를 여기다 벗어 놨는디 모자가 없어져 버렸어. 만날 찾아보나 모자가 있나. 그래서 모자를 찾아봐도 하도 없어서, 그때는 군인은 요령, 군인들이 도둑질 가르치더라고. 모자가 없는데 거기서 쓰고 나가지, 안 쓰면 나 죽어. 기합 받어. 나도 도둑질 할 수밖에 없어. 가만히 인자 화장실 저리 가 있는데, 교관들 화장실 저리가 있는데 그리 가만하고 지나가는데 뭔 모자가 하나 딱 쓰고 대변을 보고 있더라고. 탁 퉁 쳐가지고 들고 도망가서 탁 쓰고 나왔어. 탁 쓰고는 계급장 뭐도 보도 안하고 그냥 쓰고 나왔더니, 연병장에서 본께 다른 사람들이 다 웃어싸. 나를 보고. 별놈이라고.

"내가 모자 돌라고 이렇한께 웃어싼고?"

그랬더니, 나중에 저이 그 우게서 교장을 싹 내려다 보고는 뵈이지 말이여. 아 여기 여 중위 모자를 밥튀 두 개짜리를, 중위가 그 대변을 보고 있었던가 보네. (일동 웃음) 그 놈을 퉁 쳐갖고 인자 쓰고 대연병장으로 나갔더니 나보고 오라 그러대. 나갔어. 나갔더니,

"교사로 올라오라." 그래.

그라고 내 얼굴이 천하로 찍힌 거이지 인자. 어떻게 챙피하고 죽겄던지. 아 그란디 그 중대장이 밥튀 두 개짜리가 나를 치하를 그렇게 해주네.

"사병들로 요래야 쓰는 것이라."고 말이여. (일동 웃음)

아 도둑 일을 가르치고 있어. [청중: 잔머리라고.] 에이. 그라고 그때는 마음 적으로 누그러졌지. 그 사람이 말하는디,

"이거이 군인정신이다."고 말이여.

"자기 것이 없으면 굶어 죽을 것이 아니라 다른 무기라도 갖고 싸우라."

그런 식이여. 그래 지 것이 없으면 사령관이 아니라 사단장 것이라도 채집어 쓰고 나오면 그 사람 나무람 안 한단 것이여. 아 군인이 이렇게 말을 하더라고. 아 그래갖고 치하 한번 들어 봤어. 모자 돌라 쓰고 날라갖고. 그래갖고 모자 좋은 놈 하나 주더라고. 나 그런 일 놈의 다해보고. 별난시런 거다 해 봤어. 내 역사를 얘기 하자면 한도 끝도 없어.

[15] 후진에서 전진을 명령하던 국군 간부에게 총을 겨눴던 일

[조사자: 전방으로 가셨어요?] 아 그때 사단이 5사단이여. 5사단 35연대 들어

갔는디, 그때 당시에 중부전선에 가 있다가 다시 동부전선으로. 동부전선 거가 어디냐면은 고성. 고성 뒤에 가 높은 산 있는디. 그 산이 이름이 월미봉이여. 그래 월미봉 앞에서 근무를 했거든. 그래 거기서 아이 가서 5사단에 가서 35연대 가서 딱 복구를 해놓고 가서 본께, 이때 보충 해놓고 본께 짝대기 세 개짜리. [청중: 상병.] 그때 이등중사라 그랬겄다. 우리 있을 때가 그것보다 이등중사라고 그랬어, 짝대기 세 개가. 그러니 제일 고참이여. 다 디져불고 없어. 그래갖고 1개 중대라는 거이 한 20명이나 있어. [청중: 그때 말이 하루살이라고 그랬어. 소위 때 하루살이라고.] 하루살이라고 그랬어. 하— 그래갖고 인자 거기를 들어가서 보충을 받아갖고 인자 또 전투준비를 한다 그래. 전투.

"내일 새벽에 전투를 한다."

그라더라고.

전투를 하믄 인자, 전투를 인자 인민군에 가갖고 한번 겪어봐 놔서 전투가 무섭기는 그렇게 무서워서, 내가 전투를 못 하겄더라고. 한번 겪어보면, 그렇게 무서와. 전투라는 것이. 곧 죽거든 내가. 금방 죽어버려 내가. 그라니 전투가 전쟁이란 없어야 쓰겄고, 내 생각에 인자 전투란 건 안해야 쓰겄더라고. 겪어보니까. 그래갖고 거기서 전투를 하는디, 아 우리 한국군하고 인민군하고 또 틀려, 전투하는 방식이. 인민군들은 전투를 할라믄 우리 사병들이 여그서 저기 이짜로 종대로 서가지고 이렇게 밀고 가믄, 소대장, 중대장, 우리 앞에서, 앞에서. 나중에는 어떻게 하냐면, 포복해 가면서 저그들이 올라 가, 먼저 앞에. 그란디 그렇게 해서 싸워 봤는디. 우리 한국군은 또 '그런 식으로 할

것이다.' 그라고 그럴 줄 알았더니, 아니 시벌, 우리만 죽어라 앞에다 몰아 세워놓고, (일동 웃음) 선임하사 할 건지, 소대장, 중대장 할 거 없이 저리 백 메타 이렇게 떨어져 갖고 막 저거들이

"가라!"

그래.

"얼른 올라가라."고.

'아 이런 꼴이 어디 있네? 아, 이리 안하던디?' 그라고. (일동 웃음) '아, 전투를 이리 안하던데.' 하고 이란다고 말이여. 그냥 그란가 보다 그라고 또 안 죽을란께 발쪽 밑으로 팡팡 쏘와 부러. 곧 사람한테 쏘아 부러. [청중: 전진하라고.] 어. 전진하라고. 분대장 뭐 향도, 거 소대장 고것들이. 그란께 그것도 생각해보면 그라더라고. 또 요령이 나더라고, 생각이. 얼른 나 먼저 가갖고 드릅, 그거 (뒤쪽 허리춤에서 야전삽을 꺼내는 시늉을 하며) 인자 곡괭이 들쳐 내면 안 있어? 드릅다 파갖고 그리 퐁 들어 가면은 그땐 이제 안심이여.

인자 여가 총알도 못 뚫고. 근께나 근 8분 쯤 가갖고 얼른 가서 내 자리 딱 앉았어. 그라믄 앉을 때, 혼자 가면 안돼. 위험해. 둘이 담을 짜갖고 가면서 약속을 했어. 어서 가갖고 언덕 저짝에 내 자리를 먼저 마련해야 된다. 그래야 내가 살지, 제일 먼 사람은 죽는다. 이래갖고 한 놈하고 둘이 인자 결정해갖고 둘이 얼른 가가지고 굴을 파고 딱 숨어갖고 총구를 인민군들 놔두고 한국에 다 들고 있어, 뒤로 해서. (일동 웃음) 우짤 수가 없어. 나한테 제일 먼저 쏜 놈을 쏘아불라 그라제. 그래서 총구가 적진으로 두는 것이 아니라 뒤로 돌리고 있어. 둘이

"하나, 둘."

그러면 되거든.

그라고 있는디 소대장이 인자 구불져가 총알이 웽웽 날라 들어가 버렸어. 소대장 그냥 죽어 버렸어. 하루소위라고 그랬어, 하루소위. 그라믄 그 소대장이 그때 당시에 인민군 총알에 맞아 죽는 거이 아니라, 우리 한국군 총에

맞아 죽어. 사병들이 갖다 쏘아부려. [청중: 감정이 있으면 그냥 쏴 불제.] 어떻게 강제로 사람 다 죽을지 알면서 막 보내. 저그는 저 뒤에서 후방에서 총을 쏘니까 안 밉겄어? 밉지. 전투를 그렇게 시키더라고 우리한테. 그라더라고. 그란께 그 뒤에는 또 군대가 내려온께는 소대장도 다 바꿔 불더라고. 5중대 중대장이 7중대로 가고, 7중대 중대장은 5중대로 가고. 다 바꽈 불더라고. 전투만 났다 그라믄 뭔 매긴 적 있으면 죽여 버리니까. 그래 갸들이 쏴 불제. [청중: 아군끼리?] 세상에 그런 놈의 세상이.

[조사자: 그러니까 전우애도 없고, 군기도 없고 그러네요?] 아 거기는 군번 떼고 살라고만 생각을 하제. 우선 그냥 마냥 서로 먼저 죽여야 내가 살거든. 적군이면 먼저 죽여 버려야 내가 살아가거든. 그래갖고 아이 모단, 모지리 같은 사람들은 인민군들이 잔득 그란께는 인민군도 모질게 했더라고. 가서 본께. 난 똑똑한 줄 알았더니. 허리에 다 여기 딱 밧줄로 묶어서 소나무, 뒤에 나무가 있는디 나무에 딱 묶어 놔두면은 여기 여, 옛날에 저 사랑방에 다 덕석 만들고 옹댕이 만들고 그랬다고. 거기다가 수류탄을 이렇게 담아 놔두고, (허리에 두르는 시늉을 하며) 여기 다 묶어 놔두고 똑똑한 놈 다 후퇴해버렸잖아. 그래서 저 쪽으로 달아나서는. 그러면 너는 죽도까지 내려 보면서 빼서 앞에 다 놔두면 막 가슴에 턱턱 부닥쳐, 수류탄이. 그라면은 우리 전투 한번 경험해 본 사람은 수류탄 같은 거 별로 안 무서워라 하는디, 인자 신병 보충 받은 것들은 뭐랴 하면, 사병이 뭐라 그러면,

"분대장님, 수류탄이 막 구벌러 와요."

그라고 있지.

"와요."

소리 떨어지기 전에 결국 터져 죽어 부려. 그란디 우리는 한번 전투 경험을 해봐논께, 같이 가다가도, 같이 올라가다가도 여그만치 수류탄이 오면 먼저 가져가서 (옆으로 치우는 시늉을 하며) 그 놈을 쳐 버렸어. 옆에 놈이 죽든지 살든지. 그래야 내가 살어. 전투를 해보면 그 놈이 나아. 절대로. 그란께 옆

에서는 옆에 놈이 죽든지 말든지 얼른 가서 (옆으로 치우는 시늉을 하며) 쳐 버려. 먼저 콱 그 가서 그 놈을 쳐 버려. 그럼 나는 살거든. 옆에 놈이 죽든지 살든지.

[16] 포를 잘 쏘았던 인민군과 포탄을 피하는 방법

그란디 그때 당시 인민군들이 전투에 나가서 포탄 잘 때리대. 포탄. 포탄을 잘 때려. 우리 처음에 그것들이 공격해 올라면은 포탄이 마 적진지에서 추르륵 하고 날라 와. 숑— 하면서 우리 아군진지 (책을 양쪽으로 펴서 중간 아랫부분을 가리키며) 여가 경계선이다 그라믄 (책의 중간부분을 가리키며) 요것이 경계선인디, 이 넘어에로 넘어와 버렸어, 한 발이. 한 발이 여가 와서 푹 떨어져. 그라고 조금 있은께 그 안에가 떨어지더라고. 아 그란데 세 번째는 가운데 줄을 명중하고 톡 떨어져. 그라모 여기 다 놓고 (손으로 之(갈지 자)를 그리면서 좌우로 움직이면서) 갈지 자(之)로 이렇게 때려 나오는데, 사람 기가 막히게 때려. 인민군들이. 잘해.

그러면 우리는 인제 인공 쪽에서 인자 경험이 있고, 말을 들어 봐서 알아갖고 포탄 떨어질 때 난리 나서 거기 뛰어 들어가 버려. 포탄 떨어지는 자리 들어가. 딴 자리에 가 있으면 다 죽어. 그라니 사병들은 모르고 포탄 쏘는데 그렇게 들어가. 그러면 난 경험상 거기 뛰어 들어 가. 그러면 사는 것이여. 그 사람은 살어. 만날 그 자리는 안 떨어져, 포탄이. 그리로 몸을 숨겨야 해. 그 자리는 만날 안 떨어져 부리는 겨. 그래갖고 거기서 부상 당해갖고 인제 대충 얘기 해부려도 이제 병원에 가서 어째 어쨌단 얘기 다 못해. 한도 끝도 없어.

※ 두 번째 구연

자 료 명: 20120523정석인외(보성)
조 사 일: 2013년 5월 23일
조사시간: 125분
구 연 자: 정석인(남 · 1932년생) 한경준(남 · 1937년생; 가명)
조 사 자: 박현숙, 조홍윤, 황승업
조사장소: 전라남도 보성군 봉강리 (마을회관)

[조사과정 및 구연상황]

전날 시간관계상 중단되었던 이야기 채록을 위해 아침 일찍 제보자들과 마을회관에서 만났다. 정석인 제보자가 먼저 전날 구연했던 사건 가운데 빠진 내용을 첨언하면서 구연을 시작하였다. 정석인 제보자가 이야기를 진행하는 가운데, 한경준 제보자가 해방 후 마을에서 일어난 방화사건과 죽창에 찔려 죽은 임산부 이야기를 시작으로 한국전쟁 시기 자신이 보고 들은 여러 일화들을 긴 시간 구연하였다. 한경준 제보자의 구연이 어느 정도 마무리 될 시점에 조사자가 정석인 제보자에게 앞서 중단된 이야기를 더 들려달라고 요청하여 제보자가 전투과정에서 당한 부상으로 하게 된 병원생활과 상이용사로 제대하기까지의 사연을 구연하였다.

[이야기 개요]

정석인 제보자는 인민군부대가 쫓기는 과정에서 몇몇 동료들과 함께 탈영하였다. 탈영과정에서 민가에서 옷을 빌려 입고 도피를 하던 중 함께 탈영한 동료가 경찰 측에 가담했던 일가를 총살시키는 현장을 목격하였다. 가까스로 귀향했지만 인민군 전력으로 고초를 겪게 될 것을 염려하여 국군에 재입대하였다. 전투과정에서 부상을 입고 강릉야전병원으로 후송되어 수술을 받았다. 부상으로 제대한 제보자는 주변의 권유로 상이용사 서류를 신청하여 지원금을 받고 있다.

한경준 제보자는 해방 후부터 한국전쟁 시기까지 보성과 인근에서 일어난 많은 사건들을 보고 들었다. 패망으로 도주하던 일본인에게 죽임을 당할 위급한 상황에서 기지로 살아남은 동네 어른, 일제강점기 때 독립운동 자금 지원과 교육 사업에 힘을 쓰고, 해방 이후에 건국준비위원회 활동 등 마을에서 다양한 일들을 해 온 정씨일가, 오소리를 먹고 아들 낳은 노인, 경찰에게 박치기를 한 노름꾼, 노름으로 인해 사람을 살해한 노름꾼 등 전쟁 시기의 다양한 인간군상 이야기들을 소개하였다.

[주제어] 인민의용군, 탈영, 방화, 대창, 불시착 미군 헬기, 창씨개명, 사회주의, 박헌영, 건국준비위원회, 재정부장, 정해룡, 독립운동 자금, 서민호, 이름 유래, 받아쓰기, 공산당, 누명, 오소리, 늦둥이, 가짜경찰, 노름꾼, 살인 사건, 복수, 귀향, 국군보충역, 오합지졸, 원대복귀, 제대, 상이용사, 포탄, 파편

[1] 정석인: 동복면에 고립된 인민군 부대와 탈영

그란께 우리가 인자 화순서, 화순까지 가갖고. [조사자: 언제 화순까지 가신 거예요?] 그때 인자 인민군에 가갖고 화순서 해체 돼버렸어. [조사자: 고향으로 돌아오실 때요?] 응, 집으로 돌아올 무렵에. 그런데 거기서 동복, 동복이라고 그러는데, 동복면이 있어 화순군에. 그래 인자 나 그 저 어저께도 얘기했지만은, 그 빨치산들이 우리가 가다 인자 인민군이 대부대가 되아부린께, 인솔을 못하고 댕겨. 저그들끼리 지리산으로 쏙 빠져 나가버렸는디. 내가 어저께 잠깐 얘기했는디, 이런저런 말 빼버리고 내가 본가지만 내가 얘기해버렸는데.

아 그 뒤에 우짤 수가 없으니 동복 1개 면을 차지를 하고 있었어, 인민군

대부대가. 들어오덜 못해. 그 화순에는 유엔군이, 화순읍에는 유엔군이 완전히 군인이 꽉 들어 맥히는데, 동복면에는 못 들어와. 한 번 들어오기는 들어왔어. 그 깜둥이들이. 유엔군들이 지엠우지 차를 열두 차를 한번 끌고 몰고 동복리로 오다가 기습을 당했어, 인민군들한테. 벌써 딱 알고는 인민군들이 거기 이렇게 갈린 것처럼 그렇게 골짜기 있어. 그런 데서 인제 양쪽에 능에 가가 탁 준비하고 있다가 안으로 들어오면 지져 대갖고 그냥, 거기서 어마어마한 실패를 당해갖고 그냥 쫓겨나가 버렸지, 인민군 대부대들한테. 그래갖고 그날 저녁 굴속에 들어 가갖고 인자 나도 있었는디, 만-날 내 집에 갈 생각밖에 안 나고, 가만히 들은가 아이 인자, 우리가 그냥 역적으로 몰려져 그냥 쫓겨나간 거란 것을 거기서 비로소 알았제.

'인자 쬦기는 판이구나.' 통 몰라. 근데 그 놈들이 안 갈쳐 줄라니까 모르지. 그때까지만 해도 '인민군 상황이 그란 거이다.' 그렇게만 했는디. 인자 가만히 생각해 본께는 '아이 저 사람들이 유엔군들이 막 달라들고 우리를 잡을라고 그라는데.' 이제 그때는 '아! 인민군이 내내 쫓겨나가는 편이다.' [청중 1: 가난이 인자 왔구만.] 에이, 가난이 그렇게 오더라고. 굴속에 가 있어논께 아무 뭐 소식을 못 들어, 사회 소식을. 안 가르쳐 주고 누가 말도 안 하고, 사회 사항도 척척 본 거도 아이고. 그라고 사는디, 거그서 그냥 인자 몇이 나와갖고 전라도 저기 보성군 사람들이 서넛이 나와갖고 그냥

"집에를 가자."고.

인자 약속을 해 밤에 탈출을 한 거여. 딱 짜갖고.

[청중 1: 어쨌든 형님은 어떻게 보면, 둘이 갔어, 일부러. 저 율포 임준 씨는 충청도 괴산까지 가갖고 혼자 탈출을 했어.] 이준이도 그랬다 그라더라고. 거기 나하고 동갑이거든. [청중 1: 임준이. 예 거기도 동갑이지요. 형님보다 더 험해.] 그란디 그거는 전방에는 안 갔는 모양이더만, 전방에. [청중 1: "어떻게 해서 탈출을 못 하겄습디요?"

그란께는

“못한단 말일시. 우리는 간부급이라 그래갖고 이보삼보 따발총 메고 정규 군인이 이렇게 해서 대열을 지어놓은께 탈출을 절대 못한다.”

그래.] 거 탈출하기 참– 어렵더만.

[청중 1: “그래, 어떻게 해서 탈출을 했습디요?”

그란께,

“해필 가다 우리 뒷부대가 밤에 쫄뻘쫄뻘 (조는 시늉을 하며) 이란께 엎으러져갖고 수류탄이 터져버렸단 말일시. 그란께 대열, 대오가 흩어져버렸지. 그 틈에 밤에 내가 빔 서버렸다.”고.

그라더라고.

우리는 그래 서이서 하리 저녁에 동복서 그냥 탈출을 해버렸어, 밤에. 그래갖고 서이 인자 참 고독, 고독이 고독하이 서이서 인자 하는디. 낮에는 행동을 못하고 밤으로만 행동을 할려니까 참– 찾을라니 힘들더라고.

[청중 2: 그 의용군에도 안 갔시유? 의용군에도.] 그래 의용군이 끝트배이라.

[청중 1: 의용군에 가갖고 탈출과정 얘기여, 지금.]

[청중 2: 인민군을 갔다지, 인민군에. 의용군.]

그래 내가 아– 전투까지 했어. 조약도 전투를 하고 나온 사람이여. 그래 나하고 강동열이하고 둘이 갔는데, 강동열이가 여기 여 소록도 병원에 와불고. 나는 그 부대 내에 있으면서 치료로 낫어불고, 그 사람은 소록도 병원에까지 왔어. 그래갖고 그 뒤로, 거그서 그 전투 같이하고는 헤어져갖고 여지껏 다나 몰라. 소식을 몰라. 그래 아마 이제 죽어버린 것 모양인 것 같애. 입산해가지고. [청중 2: 그 6.25때지요? 6.25] 응.

[2] 한경준: 해방 이후의 방화사건과 대창에 찔려 죽은 임산부

그란께 인자 우리 면에서 인자, 45년도 8월 15일 날 해방이 안 됐소? 그라면 제–일 먼저 일어난 큰 사건이라는 것이 청포 임상현 씨. 임득춘 씨 집을

불을 질러 분 상황이여. 회천서 해방 이후로 1번 사건이여. 그라믄 그때 인자, 후준이. (옆의 청중을 보며) 성님 알지라? 후준이 아버지 거가, 용기던가? 그전에 박성동 씨로 그 주모자가 한 넷이 돼. 그때 그 양반들이 주동자로 해갖고 징역을 살고 나오고 그랬거든. 징역을 한 13년쯤인가 살고 모두 그랬어. 그란께 그때는 인자 좌익, 우익이라는 것이 없어. 무정부 상탠께 미군들이 여그 들어오도 안하고 그란 판이라. 그래갖고 인자, 회령 이 짝에 사람들은 가담을 안 했는디, 율포서도 청년들이 가담을 해갖고 청포까지 쫓아가고 그랬거든.

그래갖고 인자 그 뒤로 어른들보고 물어본께, 그날 저녁에 인자 득춘 씨 집을 그냥 불을 안 질러 버렸소. 질러 부렀는디, 득춘 씨 딸이 그때 애기를 배갖고 만삭이었다라 하더라고 어른들이. 그래갖고 인자 울타리를 이렇게 뛰어 넘은께로 그냥 뒤에서 보골랑 (대창으로 찌르는 시늉을 하며) 쑤셔 버렸어, 그냥. 애기 밴 여자를 대창으로. 애기 밴 여자를 이제 죽여 버렸는디, 나중에 어른들이 그런 애기를 해. 득량초 어디, 거기가 친정이었던 모양이여.

그래 밭 귀퉁이에다 묏을(묘를) 이렇게 묻어 놨는디, 나중에 묏을(묘를) 이장을 할라고 이렇게 본께, 뱃속에 들어 있는 애기가 나와갖고 있더라요. 그란께 죽은 송장도 애기를 그렇게 어떻게 놔본 모양이여.

[청중 1: 아 그냥 물같은 그냥 물 되아 버렸을 거인디 어떻게 그렇게 눈에 뵈이지 그러것어. 그건 거지 안 잽히는 소리 같애.]

[청중 2: 아 만삭인께, 만삭인께 물은 아이지요.]

[청중 1: 그래도 거기 다 묻어 놨다 딴 데로 이제 뫼질을 할라하는 동시에 파본께 애가 낳아갖고 있더라지, 어떻게 아냐 말이지.]

[청중 2: 별도로 인자 쪼마이 애기 희여히 나와 있는 거지, 것이.]

그 낳았다는, 애기 밴 송장인디 그란께 우리가 들어도 그것이 고지가 안 들린디, 그런 얘기를 했샀더라고. 나중에 보니까 이렇게 애기가 별도로 나와 있더라 이것이여. 그란께 아주 만삭인께 그냥 밑에서 대창으로 그냥 배아지를 쭈셔분께 그렇게 그냥. 그때 인자 치마 속에 넣어 난께 뭉득뭉득 해갖고 갔다주면 묻어버렸던가나 모르겠소. [청중 1: 그란께. 그때 당시 그 알 수가 있나.]

[3] 한경준: 기지로 죽음 모면한 동네 어른

아 그라모 그때는 인자, 인자 사상관계란 건 없었단 말이여, 무정부 상태라. 일본 놈이 인자 쫓아 들어가불고 인자 지방에서 인자 이렇게 그냥 인자, 무정부 상태로 지방의 유지들이 인자 통제를 하고 요라는 판이여. 그란디 우리 집안에 지금 율포면사무소 댕기고 있는 오동식이라고 있소, 오이환이라고. 거 오동식이가 원래 뭣을 탔냐면, 큰– 그 배를 탔어. 이렇게 상선을. 그라고 해방이 되아갖고 일본 놈들이 인자 후퇴를 할람시로 큰 배를 거기다가 인자 일본 사람들을 싣고 인자, 일본 구주까지 이렇게 가게 됐어. 그란디 그 나중에 내가 그 오동식이 그 아재한테 들은 얘긴디,

"아, 이 새끼들이 내가 일본 말을 모르는 줄 알고 대마도 근방 어디로 가다가 저 새끼 빠쳐불고 우리 그냥 가불면, 이 배도 전부 우리 것 되고 재산도 인자 증복이 된다."

이것이여. 그 말도 맞지 조선 놈인께. 그래서 자기가,

"꾀를 냈다."고.

그라더라고.

"뭔 꾀를 냈습디요?"란께

"큰 물 탱크, 음료수 탱크 뒤에 가서 뽕을 빼버렸다." 그래.

그란께 물이 싹- 해서 빠져불제 인자. 그란께 여주 쪽에나 간께 인자, 묵으는 물이 없은께 가서 대야 쓸 것 아니요?

"안 되겄다."고.

"가서 대야 쓰겄다."고.

가서 대갖고 인제 그래야 물을 실어야 또 인제 배를 타고 그란께. 그래서

"이 새끼들이 내가 일본 말을 모르는 줄 알고 즈그들끼리 그라더란 말일시. 그래서 내가 물통의 물뽕을 빼버렸다." 그래.

[청중 1: 참말로 머리 잘 썼네.] 예에.

"그래갖고 가슬에 대갖고 탈출을 내가 왔다."

이것이여.

"그래갖고 그 놈들 부산 못가서 경비원한테 걸려갖고 살림 싹 뺏겨불고 빈털이로 갔다."

그러더라고.

그란께 그때, 그것이 난세여, 말하자믄 인자. 그래갖고 살아왔다고 그 얘기를 하더라고.

[4] 한경준: 불시착한 미군 헬기 때문에 회항했던 숙부와 부친

그란께 난세라고 해서 나는 인자이 우리 집에서 어떤 일을 겪었냐면, 인자 숙부님 그때 사진관을 안 했소? 녹동서 사진 일을 하고 그랬거든. 그래 작은 아버지가 그때 도민증 사진 찍을 때 돈을 많이 벌고 그랬거든. 그때는 도민증이라고 안 그랬소? (웃음) 그래갖고 그때 고흥 녹동서 사실 때인디, 아버지가 6.25사변이 일어난께 죽어도 형제간에 같이 죽는다고 서울시경 정찬형이 저거 아버지 정영규 씨라고 있어. 내가 이제 내종사촌 간 말하자믄, 매형되거든.

그란디 장내입 배를 해. 그때는 장내입 배가 섬에 댕김시로 적동을 갖고 와서 팔고 안 그라나요? [청중 1: 적동이 쫑쫑하니.] 쫑쫑하니 (두 팔을 벌려 아래에서 위로 올리며) 요렇게 생겨갖고. (웃음) 그래갖고 그 인자 고숙 배를 타고 이렇게 녹동을 이렇게 싣고 득량도 쪽으로 와. 오다가 인자, 해필 미군 헬기 하나가 우리동장방이로 그때 불시착을 했거든, 연료가 떨어져 갖고. 그거 미국 놈들이 서이 인가 있었어. 둘이 하고 경찰 하나 하고 가. 그래 갖고 어디 섬으로 도망을 칠라는가, 아 그래갖고 회천으로 와갖고 배를 요렇게 타고 득량도 쪽으로 오다가 아니 작은 아버지하고 아버지하고 그 타고 온, 녹동 싣고 들어 온 그 배하고 마주쳐갖고, 아니 득량도에서 타붙고 강제로 청산까지 배가 거꿀로 이제 (웃음) 미국 놈들 땜에. 아-이, 그때는 별일이 있었어요.

[5] 한경준: 일제강점기 창씨개명을 하지 않았던 정해룡 일가

그란디 나는 인자이 이 젊은이들은 모를 거이 한날 어저께 내가 또 얘기를 해야 쓰겄다 한 것은 그때기 사십 한 삼년 돈가 그때 일본 놈들이 인제 폐해야. 전쟁 일으키면서 '대동아공영권'이라고 인자 전쟁을 이렇게 하면서 일본

놈하고 조선 놈하고 '내선일체'로 한 몸뚱이라고. 저거들은 내고 우리 조선하고 해서 이렇게 한 몸뚱이다고 '내선일체'라고 이렇게 함시로 창씨개명을 했거든. [청중: 2: 맞어.] 성을 인자 전부 일본식으로 바깠는디. 그란디 내가 지금 알고 있기론 봉서동 경 씨들은 성을 안 바깠어. 일본식으로. [청중 2: 오야마라 하고 대이라고도 했어. 대이] 그란께 대이가코 대이카이사코라고 정예석이를 보고. 그렇게 했는디 여기서, 여기라도 도당이나 반내점 정 씨들은 '오야마'라고, (大자를 허공에 그리며) 대자. '오야마'라고 했는디, 봉서동 그 해룡 씨 집안으로 해서 그-리 봉서동 어른들은 성을 안 바깠어. 그래도 그냥 한국이름으로 해서 일본발음으로 요렇게 했제. [청중 1: 그란께. 그라네 나도 봉서동 정 씨거든. 봉서동 정 씨인디 나도 이름 못 갈았어. 못 갈고 뭐이라고 불렀냐면 '대이샤쿤' 이라고 했어. '대이'라고 그랬거든.]

그래가지고 아깐 말한, 여기서도 인자 정 씨들이 후세에 많이 사는디, 도댕이랑, 요리 반내정으로 요리 인자 정 씨들은 '오야마'라 그랬는디. 봉서동 해룡 씨를 중심으로, 그 집으로 중심을 해서 그 가까운데 가들은 그때도 안했어. 일본 놈들이 그렇게 압력을 가했어도. 내가 생각할 때는 아마 전라남도에서도 썩 드물 것이여. 일본 발음으로만 했제. 우리는 우리는 해 조 (吳자를 허공이 그리며) 한께 '구레'거든. 그란디 인제 해 주라 해서 '주'자를 넣어갖고 '구레시마' 라고 그렇게 했거든. [조사자: 아, 발음만.] 이이, 넉 자로 요렇게. 그래 일본 놈들은 성이 두 자, 이름이 두 자 그란디, 우리는 성이 한 자거든. 그란디 봉서동 정 씨들은 성을 한 자 그대로 했지. 아무리 일본 놈이 그랬어도 안 갈았어. 그것이 어떻게 하냐면 그래도 저변에 가 민족의식이 거의 다 살아 있은께 그란 것이거든.

[6] 한경준: 사회주의 운동에 심취한 당시의 지식인들

그란디 인자 해방되기 전에 보성군수가 해진 씨하고 경성제대를 다닐 때 동창이었다고 그라더라고. 그라믄 그때는 인자 경성제대라 해서 서울 거 대학교 하나 뿐이여. 그란께나 매년 이렇게 선후배관계지 모두 다 알고. 그래 여기를 와서도 편햐. 군수한 때 친군께. 인제 놀러도 다니고 그라는디. 그때는 아- 대학 나온 사람이 이제 뭐 하고 싶으면 다 하는 판이거든. 판사를 하든지, 군수를 하든지. (웃음) [청중 2: 대학생이 없어] 유일하니 그 양반이 그때 당시 회천서 대학생이 둘이었을 것이여. 조광조 유 선생이 1번이고, 내가 알고 있기는 해진 씨가 2번이거든. 그때 대학을 둘이 다니고, 그 다음에 인제 창신 씨가 다니고 인제 이렇게 했는디. 위경훈 선생은 회천초등학교 1회 생이여. 그란디 이 양반은 일본 명치대인가를 나와 갖고 요미우린가 외국 특파원 기자를 했어, 이 양반도. 그래갖고 중일전쟁 때 말하자믄, 저기 저 중경까지, 무한삼진(武漢三鎭) 거까지 특파원이나 기자를 이렇게 가서 하고 그래. 그람서 우리를 가르치면서도 글자를,

"내가 기자 생활을 해서 평생 끄지끈 쓰기를 해놔서 이렇게 글자를 반듯반듯 이쁘게 못쓴다."고.

그 양반이 그런 얘기를 했샀고이. 그라믄 (옆의 청중을 가리키며) 이 형님도, 우리가 다 제자여, 그 양반. 위경훈 선생. 어저께 영봉이라고 여그 말하자믄, 영봉이 친 고숙이 되제 인자. 거가, 그 양반이. 그란디 그 양반도 참 좋은 양반인디 일찍 돌아가셨지. 그란디 그뜨게 해방되든 안에 핸가, 내가 어른들한테 들은께는

"해진 씨가 그어- 강원도 어딘가로 하여튼 갔다."고 했다 그래.

그란께 여기서는 금강산 관광 간다고 갔던가, 뭔 핑계를 달아갖고 갔는디. 도중에 오다가 (왼쪽 팔을 만지며) 일본 놈들한테, 일본 헌병 저 말하자믄 형사들한테 걸려갖고 이렇게 두드려 맞아갖고 와갖고는 요 어깨가 안 빠져서 (가위로 옷의 왼쪽 팔 부분을 자르는 시늉을 하며) 옷을 이렇게 가위로 이렇게 비어갖고 어깨를 빼내고 그랬다고 하더라고. 그란께 어떻게 그때 당시 의

식층들은 다- 뭔 조직이 있어갖고 이렇게. 그랬던 모양이여. 해진 씨가. [청중 2: 해진 씨가 그 해룡 씨 바로 동생이제.] 밑에 동상이여. 월북해분 양반이거든. 그란께 이북 가서 인자 여기 같으면 장관 달고 대사도 하고 그란 양반이거든. 그란께 어떻게 보면, 그 양반이 진짜 에리트여.

그란디 내가 그 전에 인자 용백 씨라고, 안용백 씨라고 그 양반도 성대를 나왔어. 그래갖고 전남교육감도 하고 문교 분과위원장도 하고 그랬단 말이여. 그란디 그 양반이 일제시대에 인자 야달군 군수를 했어. 그란께 인자 친일파가 되아 버렸제, 언뜻 보면. 그래 그 양반 보고 인자 놀러 가갖고, 그때 한 4-50년 전이구만.

"그 해진이 집이 어디냐?"고 물어봐.

그러니,

"지금 이북 가 있고, 해룡 씨는 그렇게 그라고 있어요."

그람서로,

"내가 일본으로 동경 유학을 갈 때, 총독부에 있을 때 보증을 내가 섰단 말이다."

그래. 해진이 보증을. 그란께

"그럼 어떻게 돼요?"

그란께,

"해진이가 경성제대 1년 후배다."

그라더라고.

그라믄 보성분네거든. 그란께

"그때 보성서 경성제대를 나하고 둘이 밖에 안 다녔어야."

그라더라고.

그란께 또 보증을 서줄 만도 하제. 그란디,

"그때부터서 해진이는 맨 사회주의 서적만 그때부터 봤다."고.

그라더라고. 사회주의 서적을.

그란디 그때 당시의 소위 그 대학생들 그 이념이라는 것이 내가 볼 때는 1917년엔가 소련이 소위 말하자믄, 재정러시아를 무너트리고 소위 공산주의 혁명이 일어났거든. 그걸 혹시 아실까 몰라. 그란 것 같아 지금.

그래갖고 11월 달에 그 공산당이 집권을 하면서 전 세계에다가, 약소민족의 밑에다가 이렇게 수로관을 그은 것이 약소민족한테 소위 말하는 '사회주의운동 이렇게 이렇게 자금을 우리가 대줄 거인께 이렇게 노동운동을 해서 말하자믄 소위 인민공화국을 맨들어라.' 하는 요런 선동을 한 것인디. 그것에 소위 말하자믄, 정신이 자본주의사회에서 번득 뜨이갖고 1918년도 2월 달인가 언젠가 미국서 윌슨 대통령이 '민족자결주의'가 나온 것이여. 그란께 '민족자결주의'가 나온 것은 재정러시아를 엎으고, 공산주의 이론이 확대가 된께 이 놈 얼바치기로 언능 나온 것이란 말이여.

그란디 인자 우리나라에서는 그 놈을 그냥 '유일한 기회다.' 그라고 '민족자결주의 원칙'에 말하자믄, 감복이 되어갖고 3.1운동을 일으킨 거이거든. 그란디 그 3.1운동이라는 것이 실질적으로는 우리민족에게는 별 이득이 못 된 운동이여. 왜 그라냐면, 미국이 한국을 생각을 해서 '민족자결주의'를 말한 것은 아니여. 그라믄 그 전에 소위 말하자믄, 가쓰라-데이비트 협정이라 그래서 소위 말하자믄, 일본 외무성하고 미국외무장관하고 둘이 비밀협정을 한 것이 있거든. 조선은 일본 놈이 이렇게 지배를 한 것은 미국이 묵인해주고, 미국이 필리핀을 묵은 것은 일본이 이렇게 묵인을 해준다고 즈그들끼리 거의 비밀협정이 된 것이여. 그란께 조선에서 3.1운동이 요렇게 일어나봐도 미국 놈은 '내가 느그들 생각하고 민족자결주의를 부르짖은 것 아니다.'라고 콧방구 뚱뚱 끼어 분 것어여, 말하자믄.

그란디 그때 이제 소위 청년들 의식층에서는 그것을 암시로도 실질적으로 우리가 독립을 하기 위해서는 공산당선언서, 말하자믄 모스크바에서 나온 것이 더 우리민족에게는 더 옳다 이것이여, 인자. 그래서 해방되기 전에 소위 의식층들이. 학생들이라는 것이 거의 사회주의 책을 안 본 사람이 없어. 그때는 사회주의 책을 안 본 사람은 바로 대학생이 아니고 병신이여, 그때는. 그 시대가 그렇게 된 것이여. 그란데 인자 애국, 그 애국한 사람들은 맨 3.1 저기 저 상해로 나가불고 없고, 미국이나 요런 데로 다 가불고 없고. 국내에서 유일하니 독립운동을 하고 활동한 사람들은 사회주의 운동한 사람들이 지하로 다 활동을 안했는간, 말하자믄.

[7] 한경준: 박헌영에 관한 일화와 건국준비위원회 재정부장을 맡았던 정해룡

인자 박헌영이 같은 사람도 여기 지금 백운동, 광주가면 백운동이라고 있어. 그라믄 지금 일신방직이라고 광주 있거든. 거그 방직회사에서 똥푸는 인부는 들어 왔거든. 지하로 잠입을 해갖고. 거기서 있는디, 젊은 사람이라 이것이 징역이 될성 싶은께 백운동 백돌공장으로 안 들어왔는가. 그래갖고 거그서 백돌공장에서 백돌 일을 하는디, 간혹 혼자 (눈을 감고 명상을 하는 시늉을 하며) 우두커-니 이렇게 이렇게 명상에 잠겨서 생각을 하고 그란께 주인이 저 사람이 어디 시골 그래도 국민학교는 나왔는 거이다. 공부는 좀 잘핸 거이다. 그란께

"자네, 그라지 말고 여그서 사무나 좀 볼란가? 벽돌 일 하지 말고."

"아니, 난 이것이 더 좋아요."

그란디 그 산덩이 매이로 백돌을 요렇게 쟁여놔도이. 혼자 머리로 아 이건 몇 만, 몇 십만 장, 몇 천 장이라도 해불면 딱딱 맞어. 그란께 머리가 틀리제 인제. (웃음) 그래갖고 인자 그 사람이 그 해방이 된께, 해방되기 전에 며칠 전에 그 주인아주머이로 보고이 뭐 일본 의류, 그

"저 신사복이나 하나 있으면 오디서 구해주이소."

그란께,

"일해 묵은 사람이 뭐인 신사복이다냐?"고.

그때도

"그냥 노동자복으로 입제."

그라고 인자, 퉁 사이로 맞았단 말이여. 그라 인자 해방이 됐어 인자. 그란께 광주서 유지들이 인자, 극장에 모여서 인자 광주시민들하고 건국준비위원회를 만들다고 그라는디, 박헌영이는 그 밑에 뒤에 들어가서, 뒤에 앉아서 혼자 인자 우두커니 그 놈을 보고 있어. 그란디 저 8월 15일 날. 16일 날. 태창산업에 거그에 있는 그 트럭 하나가 오후에 서울을 간다고 광주서 일등 유지들이 전부 모여갖고 인자 서울서 인자 여운형 씨가 인자 조직한단께 그거를 요새 같으면, 간판 하나씩 들러 쓸라고 갔던 모양이제.

그란디 그때 그 여운형 씨 계열이 정해룡 씨가 그 근로인민당 할 때, 중앙당 재정부장을 했거든, 이 양반이. 그라믄 우리가 생각할 때는 이, 당이라고 한 것은 첫째는 조직이여. 조직인디, 조직을 할라믄 무엇이 있어야 돼? 기름이 있어야제. 아, 돈이 있어야제. 지금도 똑같어. 무엇을 하든지 단체를 만들라면 서이만 모여도 돈이제, 사람이. 그란디 이 양반이 중앙단 재정부장을 했거든, 그 여운형 씨 밑에서. 그란께 인자 여운형 씨가 돌아가셔 분께 인자, 그 계열이 무너짐쓰로 인자 이 양반이 빛을 못 봐버렸제, 어떻게 보면.

[8] 한경준: 독립운동 자금 지원과 교육사업에 힘쓴 정해룡

그란디 내가 생각할 때는이 그때 어른들이 그랬어.

"해룡이가 재산을 없애 분 것은 독립운동 함스로 그냥 한 칠, 팔 할을 없애 부렸을 것이다."

그란께 맨 그런대로 인자이, 만주로 멀리 댕김시로 그냥 독립군들한테 이렇게 주고, 인자 상해 가정부로 이렇게 인자 보내고 인자이. 이람시로 나머지

삼은 나중에 민의원 나온다고 한 두어 번 해불고. 그라고 인자 그런 식으로 해서. 그란께 어떻게 보면, 재산을 참- 좋게 쓴 것이여 인자, 재산을. 재산을 기가 맥히게 좋은 데로 쓴 것이여.

그라믄 내가 인자 왜 이 말을 할라냐 하믄, 그 회촌초등학교가 (커다란 네모를 그려 반을 가른 뒤 한 편을 가리키며) 요렇게 운동장이 요렇게 있단 말이여. 그라모 인자 교사가 요렇게 있어. 그란께 우리 아래서 보믄 저 운동장. (다시 커다란 네모를 그리며) 요것이 지금 운동장이다 그라믄 이 가운데, 저기 초등학교 운동장 가운데가 (두 팔을 벌려 크게 아름을 만들며) 요-만한 큰 나무가 있어갖고 싹- 빈 태죽이 항상 있어. 그 놈이 운동장 바닥하고 똑같이 (양 손의 날을 붙여 대며) 이렇게 베어졌어. 그래 내가이

"어떻게 요그 가운데가 이렇게 요 큰 나무가 요렇게 있는가 모르겄다."

그란께, 그때는 운동장이 (작은 네모를 그리며) 요렇게 밖에 안 되어갖고 그게 가에 가 있는 나문데, 요놈을 운동장을 확장을 시킴시로 요놈을 베어버렸다고 하더라고. 그러믄 (바닥에 동그라미를 그리며) 요 면적이 인제 이렇게 (아까보다 작은 동그라미를 그리며) 요 면적보다 요놈이 더 커. 그래 운동장을 요렇게 키우고 그랬는디.

"그때 운동장 키움시로 해룡이가 기부를 해갖고 그것도 그 운동장을 키웠다,"고.

그라더란 말이여. 그란께 봉강(정해룡) 어르신이. 그리고 그때 인제 어른들 얘기를 들은께 회천초등학교를 그렇게 집을 지을 때도,

"봉강 어르신이 논 몇 십 마지기 값 들어갔을 거이다."

그런 얘기를 하시더라고. 그란께 단 여그, 양정원만 이 양반이 한 것이 아니여. 저기서 정식으로 일제시대 학교가 들어선께 그렇게 인자, 학교에다가도 그렇게 큰돈을 바친 것이여. 그라고 우리 어렸어도 (옆에 있는 정해윤 씨를 바라보며) 형님 그 풍금 안 있었소? [청중 2: 있어.] 풍금 그것이 지금은 그게 없어. 그것이 오래된 것인디. 그것도 봉강 어르신이 그때 다 기부한 것이라 하더라

고, 그때. [청중 2: 맞어. 그때 그런 말 들었어.] 풍금이 참 좋아, 그것이.

(제보자는 잠시 청중과 풍금 이야기에 대해 대화를 나누었다.)

그란디 그 양반이 인자 풍금뿐 만이 아니야. 학교에 뭐 앰프 시설 같은 거. 지금은 앰프나 풍금이 아무 것도 아니지만은, 그때는 논이 몇 마지기 쓱 값이여, 그때 세상에는. 거그 학교도 그렇게 봉강 어르신이 그렇게 희생을 많이 했다네. 여 양정원은 아무 것도 아니여, 그에 비하믄. 양정원은 집이, 동네 앞에다가 잉여 땅에다가 뒤에 산에 나무 베어다가 목수 데려서 그 집 지어갖고 인자, 어떻게 보믄 아래는 교실 매이로 되도, 우게는 그뜨게 저 초가집으로 이렇게 했어. 초가집으로. 그란께 거그는 인자 양정원은 별도고 일반, 인자 일반공립학교도 그렇게 이 양반이 애를 많이 쓰고 그랬제. 그란께 지역사회에서 인자 어르신이 하도 교육사업으로 그렇게 좋은 일을 많이 한께 그 난세에 그 양반 덕 하나로 산 것이여. 실질적으로. 그 양반이 덕이 없는 사람이었으면 이 근방 청년들 많이 죽어버렸어, 말하자믄.

그란께 그랬어도 아까 말한 전라남도 도당위원장 하던 김선우 씨도 여그 말하자믄, 여 작은 아버지, 이북으로 넘어간 정해진 씨는 말하자믄, 봉강 어르신 영향을 그렇게 지대로 받고 인자, 후배고 재워주고 그란께나 그랬제. 그래도 그 분도 생전 여기를 안 왔거든. 여기로 와갖고 몰래 들랑달랑 했으면, 여기 청년들 엄청나게 죽어 부렸제. 안 그래했겄어? 전남 도당위원장이고, 지리산 유격대로 이현상이 하고 같이 참모로 그라고 다녔는디.

[청중 2: 처가가 이북이여. 강계. 그러니깐 강계 양반이여. 그 해진 씨 처가가.] 그가 전예준이라고? [청중 3: 예, 예] 나는 예춘인 줄 알았어. [청중 3: 준입니다.] 예준이라고이. [청중 1: 어려운 세상 때, 봉강 어르신이 그 재물을, 자기 재산을 쓸 적에 훌륭하게 쓴 양반이여. 그 양반은 이 나라 없는 사람들한테 다– 구제해주고 그런 양반이여.]

그란께 우리야 쭉– 밑에 세대지만은 하도 어른들한테 인제 이야기를 많이 들어서 인자, 그래도 후세한테 올바르게 전해주게끔 우리들이 전달을 해줄 의무는 있지. 안 그라네? 그 역사의 기록이라는 것은 왜곡돼서 기록은 안 되어야 쓰거든. 그라고 기록을 함써 권력에 아부해서 기록도 안 되어야 쓰고. 그런디 어떤 역사든지 보면은 승자의 편의 기록을 한께 약자의 편의 기록은 언제든지 올바른 일이라도 묻혀진다는 말이여. 그란께 그런 것은 유의를 해야 돼. 나는, 내 신념이 우리가 그래. 나쁜 것은 나쁘고, 옳은 것은 옳다고 이렇게 기록을 정당하니 해야지 안 그라네? 그 놈이 권력 있다고 해서 나쁜 짓거리한 놈들 '잘했다.' 그라고 그렇게 하면 쓸 거이여. 거 올바른 기록이 못 되제. 그라고 인자 이렇게 덕 있는 사람은 내가 볼 때는 대한민국에서는 없어. 없다니까. [청중 1: 없을 거여. 없어. 그런 양반 없어.] 없어. 그란께 갇혀 있었어도, 어제도 얘기를 했지만은 황성식 국회부의장 아부지가 나가서

"해룡이는 손대서는 안 된다!"고.

아 경찰서장이 국회부의장 아부지가 얘길 했는디 그라믄 말 안 듣겄어? 그래도 그런데서 그렇게 풀려나오다가. 그 양반 덕 하나여, 그렇게. 인격도 그

라제, 아는 것도 그라제, 덕행도 그라제 사람이 그래야 해. [청중 2: 처음부터 끝이 딱 맞아야 돼.]

[9] 한경준: 서민호 손자 이름의 유래

여기서는 인자 주로 인자, 그 전에 서민호 씨라고 알란가 몰라. 서민호 씨. 초대 전라남도 지사여. [청중 1: 대통령 나와갖고 급사혀. 여기 내려오다가 차에서 그냥 급살 당해버렸거든. 서민호 씨가. 아주 음흉한 양반이여, 그 양반이.] 서민호 씨가 순천 총격, 부엌에서 총격사건이 나갖고 먼저 죽여갖고 서민호가 갇혀 버렸는데, 4.19 때. 그 양반이 안 풀려났어. 그래갖고 인자 큰 아들이 인자 손자를 낳아서 델꼬 간께

"그럼 다스릴 치, 오얏 이 자를 써서 치이라고 해라."

그랬거든. 그 다음 놈이 또 간께나

"치승이라고 해라."

그라고. 그 다음 놈이 또 간께나

"치만이라고 해라."

이승만이 때문에 인자 고생을 해놓을께 이, 승, 만 이여. 그란께 서민호 씨 큰 손자가 치이, 둘째 번이 치승, 셋째 번이 치만. 그래. (일동 웃음) 이승만이 때문에 그렇게 감옥살이로 자기가 해서 고생을 해갖고. 이런 얘길 들어봤는가 몰라.

[10] 한경준: 지역에 따른 이념갈등과 방화사건

그라고 인자 내가 인자 우리 지역을 이렇게 본 것이여. 어른이 되아갖고. 6.25라는 것이 어떻게 보면, 이념적으로 남북 간의 전쟁을 했지만은, 시골에서의 6.25라는 것은 제일 첫째 지주하고 비지주 관계가 얽혀져 있는 것이여.

그 다음에 인자 양반하고 상놈 관계이. 그라고 인자 적손하고 서손하고 관계. 집안에서 그런 이런 알력이. 이런 것이 막 얽히고 얽힌데다가 뜬금없이 해방이 탁 되어갖고 봉건체제가 무너지고 이렇게 된께나 그냥 왁– 일어난 거이거든. 그래갖고 그 안에 이것저것 감정이 막 얽혀갖고 이렇게 한 것이 한국전쟁이거든. 일선에서 전쟁한 사람보담도 양민이 훨씬 더 많이 죽었어. 말하자믄 일반 국민이. 내가 어저께 얘기를 했지만 우리도 보성도 통계를 목차를 본께는 한 이천 명이 넘겠더라고. 보성군에서도 죽은 것이.

그란데 영광같은 데는 영산면에서 한 면에서 사천 몇 백 명이 죽어버렸더라고. 그란께 얼마나 많이 죽어버렸어. 한 면에서 그래 부렀는데. 그런데도 우리 면에서는 그런 것은 없었는디, 그래도 약–간은 있었지. 왜 약간은 있었냐면은 여기 회령으로 지금 5개 리란 말이야. 그란께 인자 전일리, 봉강리, 회령리, 영천리, 벽교리 이것이 5개 리인디. 이것이 우리 면의 서부지역이여. 그라믄 중부지역이라는 것은 율포리, 동율리야. 지금 해수욕장 있는 데. 율포 그라믄 옛날에는 포변항이라고 바닷가. 그란께 바닷가는 가난하게 살 땐께 암만해도 우거지인이 많애. 말하자믄 얻어먹고 다니다가 그래도 '해변에 오면 그래도 건어물이라도 줏어 먹고, 김 발이라도 줏어 먹고 어떻게 산다.' 그래갖고. 그란께 인자 출처를 우게를 할아버지, 말하자면 족보를 우게를 펼 수 없는 이런 사람들이 많아 인자. 이렇게.

그란께 포변이라는 것이 옛날부터 그라거든. 그란께 같은 지역사회라도 요짝 사람들이 율포나 이렇게 서바우를 이렇게 볼 때, 더 얕봐. 말하자믄. 그때는 농경사횐께 농사 많이 짓고, 논 많이 묵는 사람이 부자지만은, 그때는 바닷가에서 이렇게 고기나 잡아먹는 사람들은 더 천했거든, 직업상.

그란디 인자 이렇게 보면은 그때께 의경이나 이런 것을 주로한 사람도 오늘날 내가 딱 이렇게 생각을 해보고 그라거든. 그라믄 주로 인자 그런 계층사람들이 더 많애, 말하자믄. 그라믄 어쨌든지 같은 지역이라도

"이 방개놈으 새끼들."

그라고 더 안 알아주는 데거든. 인자 내가 산 데지만은 요가. 그란께 암암리에 그런 알력도 있었제. 그런 알력이 있었고 인자. 거기서 거그라도 인자 군농, 화죽, 천포, 인자 객산 인자. 요리는 인자, 군농 요 짝은 또 회천 동부지역이란 말이여, 동부지역, 요렇게. 회천이라는 데가 동서로는 27키로, 남북으로는 4키로 밖에 안 돼. 그란께 길다리쭈까니 요렇게 돼 있거든. 그러고 북쪽은 전부 산이고, 남쪽은 전부 바다고 요렇게 돼있어, 지형이. 그란께 생활권, 여기 회령 사람이 동부를, 옛날에는 모르는 사람이 쌨어. 동쪽 사람이 여기를 모르는 사람이 쌨고. 그때는. 지역이 지다라니 이렇게 생겨나서.

그란디 인제 지금은 교통이 좋은께 청년들이 더 왕래가 심하고 더 잘 알아불더라고. 그란게 인자 천포라는 데는 생활권이 득량으로 속해불고, 여그는 웅치는 안양으로 속해불고. 그란께 요 짝 사람들은 결혼을 해도 장흥 요 짝으로 결혼을 하고, 웅치나 요 짝으로 마이 결혼을 했지. 동쪽으로 안 하고. 동쪽은 전부 득량, 조성, 저리 인자 순천 쪽 저쪽으로 결혼을 하러가고. 이런 판이거든.

그란디 저 짝, 그 저 짝대로 또 항상 복잡한 일이 있어. 그란께 해방 막 되아 불고 제-일 불을 질러 불고 한 것이 동쪽에서 먼저 일어났거든, 그 일이. 그래 내가 인자 거그 주모자 인자이 그 화동 사람 그 아들을 보고

"형님 고생 많이 했지라?"

"아이고, 말 마소. 아버지가 그냥 주모자로 되어갖고 징역 사는 동안 우리가 칼 끄트리서 살았단 말일시."

함시로 그 남경우 주임이 (웃음) 인자 그래쌌고. 그것이 회천, 45년 때 1번으로 생겨난 사건이여, 대사건이여 인자.

그랬는디 그때 이제 그 양반들이 재판을 받았거든. 인자 나중에, 다음에 미군정이 들어 와갖고 인자 재판을 받았는디. 그 양반 생각하기는 '임석춘 씨, 임상현 씨가 부자로 살았은께 저놈은 부르조아고, 우리는 없이 살았은께 프로레타리아 소위, 농민 계층인께 그렇게 몰면 우리가 더 죄가 없겄다.' 그라고

요렇게 인자 아무 것도 모른 양반들 의식층을 생각을 해갖고 이란께 미국놈들
"옳다, 옳다. 요놈의 새끼들, 너 공산주의 운동이구나!"

그라고 인자 (일동 웃음) 덮어 씌워갖고 징역을 그냥 몽땅 10년 이상씩 쌔리갖고. 그란께 자기들은 '그렇게 얘길 하면, 얼른 나올 것이다.' 하고 (웃음) 요놈을 거기다가 인제 핑계를 댔는데. 그러면 뭣해, 그래갖고 인자 한 13년씩인가 모두 살았는디.

그 박동열 씨인가 그 양반은 도주를 해부렀어. 도주를 해갖고 십 몇 년 어디 군산인가 거기서 살아. 사는디 사람이 거 표하더라고. 동열 씨 인자 어머니가 돌아가신 날, 십 몇 년을 통— 편지 한 장이 없는디, 그날 아들 편지가 들어와. 그란께 그것도이 이상-하니 객지 가 있어도 그걸 쓰야된께 자식이 어머니한테 편지를 하고 싶은 생각이 있은께 그런 일이 생길라는가. 그 인간 사회라는 게 참 그리 이상해. 그래 그런 일이 있었거든.

[11] 한경준: 받침을 쓸 줄 몰랐던 선배의 받아쓰기

그라고 인자 성동 씨라고 인자 그분은 인자 면 관리도 되고 그라는디, 그 양반은 인자 무엇을 했는고. 형무소에서 죽물. 광주형무소에서 그 담양이 가까운께 그란가 모두 여 부채 만들고, 죽석 만들고 그런 거를 이 양반이 배웠거든. 그 뒤에, 그 다음에 인자 45년도에 일어난 인자 큰 사건 인자. 그것은 인자 이미 미군정이 이렇게 들어왔단 말이야. 들어 와갖고 인자 치안이 지금, 그란께 우리가 초등학교를 다닐 때, 국어책을 보면은 미군정청 요렇게 나와. 미군정청 교육부하고 인자 요런 식이여. 책 밑에 가. 요새 같으면 인자 문교부라고 그라고 그러는디, 그것이 없고 군정청이라고 그렇게 있어. 그란디 군정청이 되기 전에 자치적으로 인자 초등학교 학생들을 놀릴 수 없은께 지방에서 인자 유지들이 나서서 인자, 이렇게 국어를 이렇게 갈추고 그란단 말이여. 어떻게 보면은, 지대로 문법도 모르는 양반들이여, 그때 인자.

그라믄 (청중을 가리키며) 김상수라고 아요? [청중 1: 들은 기억은 나는디.] 형님 또래일 것인디. 한 살이나 덜 묵은. 내가 우째서 인자 그것을 기억을, 그 상수 형을 기억을 하냐고 하면, 그때 인자 지방에서 인자, 점잖은 어른들이 인자 우리 수업을 하면 '어머니', '아버지' 하고 이렇게 써놓고 가리친단 말이야. 그라믄 그때만 하더라도 이 필기도구란 것이 참 험하제. 우리 다닐 때만 해도, 백노지 이 놈, 16절지로 썰어갖고 바늘로 요렇게 꿰매갖고 노트를 혀. 우리 동네 김영기 씨라고 그 양반이 인자 면사무소를 다녀갖고, 그 양반도 일제시대 일본 유학을 갔다 온 양반인데, 국어학이 참 넉넉해. 그란디 이 양반이 인자 학교에서 국어를 갈쳐, 인자. 그라믄 그 상수 형님한테 받아쓰기를 이렇게 해. 그란께 인자

"면사무소를 가서 주자소를 보고, 학교로 요렇게 돌아온다."고 인자.

"면사무소를 가서."

그라고 인자, 그놈을 노트에다가 쓰라고 한께, 이 상수 형이 받침을 쓸 줄을 몰라. 그란게 '며사무소가가' (일동 웃음) 면사무소를 보고. '며사모 보리' 이라니까, '면사무소를 보고' (일동 웃음) 그래서 우리가 어려서 그 형님을 그 밑에서 인자, 이 양반이 칠팔도 없고,

"며사모 보리"

하고 인제 외운께는 그것이 화제가 되어갖고 어려서 거기를 건들고 그랬거든, 그 상수 형을. 그란께 그것을 그렇게 해서 인자 어려서 국어를 가르치는디 받침을 모른께. 그란께 그렇게 좀 상수 형님이 영특하든 못한 편이여, 사람이. 그란께,

"며사모 보리, 주자소 가가"

그라믄 우리가 건들고 그랬거든. 해방 막 돼서 국어를 배움서. 그라믄 그때는 인자 지방에서 어른들이 나서서 인자 아버지가 좀 가르쳤으면 쓰겄다 그래갖고 학교서 자치적으로 국어를 가르치고 그래. 아, 미국도 없고 무정부 상탠데 그때.

[12] 한경준: 이념갈등에 의한 방화사건과 선생님 면회 갔던 기억

그런 식으로 인자 그랬는데, 그 다음 해에, 그란께 내가 알고 있기론 45년도 11월 달 경에 모스크마 3상 회의란 것이 나와. 3상 회의가. 그것이 미, 소, 영이거든. 그란디 그뜩에 인자 어저께 영봉이는 지금 3.1운동 기념식을 여그 영천 지금 방죽 밑에서 모두 모여서 했다고 했거든. 그라믄 우리 면에서도 3.1운동 기념식을 두 반 데서 한 것이여. 두 반 데서. 그란께 모스크바 3상 회의 결정이 나와갖고, 말하자믄 처음에는 반탁을 인자, 그란께 김구나 이승만 노선이 전부 반탁을 하고, 좌익계열에서도 전부 반탁을 하다가 그 뒷날 그냥 '우리는 찬탁이다!' 그라고 공산진영에서는 찬탁을 한 거이거든. 그란께 그것이 소련의 소위 후견정치다 그래갖고. 신탁통치를 5년을 하자고 한께는 이제 반대운동이 일어나갖고 난리가 난 거이거든. 그란디 그때부터서 인자 쌀–쌀 요것이 인자 틈이 벌어져 인자. 좌익하고.

그란께 우리 면에서는 좌익, 우익이 벌어진 것이 45년도 겨울철부터서 조깐씩 이렇게 안 벌어졌지 않나? 왜 그라냐믄 그 뒤에 3.1운동 기념식을 율포초등학교서 하고, 여기 영천 방죽에서 요렇게 했거든. 그란께 영천 방죽에서 한 것은 주로 회령 쪽인데, 요 짝이 사회주의 물을 많이 묵은 데라나서 거기고. 저 짝은 인자 소재진께 어쨌든지 경찰이나, 학교고 면사무소고 있으니껜 그렇게 되고 인자. 그래 우리 면내는 그때부터서 좌, 우익이 이렇게 쪼까하이 갈라졌지 않나? 내가 시발점을, 내가 볼 때에는 그렇게 생각을 하고 있어. 그라믄 그뜩에 경찰들이 46년도 요때까지도 무기소지를 안 했어. 무기소지를 안 했는디. 내가 제일 처음에 알고 있기론 그때 지금 봉강 어르신 집에 행랑채를 경찰이 와서 그때 불태아 버렸어이. 그라고 재인이 집이도 그렇게 태우고이. 그란디 그것이 그뜨게 47년돈가, 6년도나 된가? 나 그란 것 같어. [청중 3: 불 태운 거요? 50년. 9.28 수복 이후.] 아니여, 50년은 대한민국 정부가 수립이 된. [청중 3: 6.25 직후. 6.25가 1950년 아닙니까? 그때 불태아 버렸는데.] 그 전이제. 그 전에 탔어. [청중 3: 그 전에요? 어째요?] 그때가 6.25 때 한국전쟁 훨씬 전이여.

[청중 2: 상객이. 그 문 누가, 그 작은댁에서 사랑채를 태와불고. 삼재기 그 누이가? 그가 대-지게 얻어맞고 거기서 저 그냥 어떻하니 맞아버렸던지 기절해 버렸어.]

[청중 1: 나는 동생은 아는데 모르긋네. 그 쌍둥이들, 쌍둥이.]

[청중 2: 쌍둥이 맞어. 그래갖고 그 띄고 가고 그랬어.]

[청중 3: 그란게 우리 집 불이 언제 났냔 그 말이여.]

[청중 2: 자네 집 사랑채 불은 나 기억이 잘 안나는디. 나는 그 바깥댁이, 작은댁이 사랑채를, 그놈을 태와 분 것을 내가 알아.]

[청중 3: 그때 작은댁이 사랑은 불이 언제 났어요?]

[청중 2: 그때가— 해방 되아가지고, 막 해방 되아가지고 났을 거이만.]

[청중 3: (화자를 보며) 그러면 아저씨 말이 맞네.]

그란까 내가 안 그란가. 45년도에 해방이 되아갖고 46년도 이렇게 되면서부터서는 좌익, 우익이 이렇게 갈라지기 시작을 했거든. 그란께 3월 1일 기념행사를 율포 학교에서 하고, 여기 영천 방죽둑에서 하고 이렇게 두 반 돼서 했거든, 우리 면에서도. 그때부터 갈라진 것이여. 우리 면에서도 좌익진영하고 우익진영이. 그랬는디 내가 할 때는 46년도 되아갖고 이렇게, 그란께 그때는 47년도나 됐냐 이것이여. 48년도에 대한민국 정부가 들어섰거든. 그란디 그때 오후에 된께 연기가 이렇게 나오더라고. 그란께 조부님이 와갖고

"경찰들이 그란디 봉서동 불을 질러 부렸다."

이것이여.

[청중 3: 48년에? 여순사건.] 47년인 것 같애. 여순사건 나기 전이란 말시여. 전이여. [청중 1: 전이여. 거 종주 저그 성이 거기서 죽었네. 종주.] 그란께 조부님이 올라오셔갖고는 아버지보고 난세가 이란께 몸조심을 하라고 그랬쌌고 그랬샀더라고. 그란께 내가 생각할 때는 그것이 한 47년이나 6년 가

을 쯤이나 여름이나 됐던가 이런 생각이 들어. 그랬는디 형님하고 저 학교를 다닌 임두한이라고 알지라? 임두한이가 지금 원주 살거든? 그란디 그때 저 내가 초등학교를 다니는데 형님이 그때 5학년이 됐던가? 나 지금 생각은 그렇게 생각이 들어. 그란께 내가 3학년이었던가? 이렇게 생각이 들거든.

그란디 저녁에, 그날 저녁에 인자 좌익들이 와서 인자 불을 지른 것이여. 그라믄 상리로 해서 배청옥 씨 집이, 소바구 와서 그가 임용호요. 임두한이 아버지가 부면장을 그때 했어. 임용호 씨집이, 화동 가서 오국영 씨 집이, 여그 지금 반내점마을 골 정홍모 씨 집이. 그라고 영천 가서 김한철 씨 집인가? 하루 저녁에 다섯 집을 좌익들이 불을 질러 부렸거든. [청중 1: 응, 밤사람들이 와서 그랬어.] 그란께 그 불 지른 것보다도 앞에 집이가, 봉서동 집이가 불을 맞았거든. 그란께 내가 볼 때, 그 뒷날 저녁에 인자 동쪽서 서방을 내려다본께 화―안 해. 인자 불을 질러 논께 인자. 그 불이 이렇게. 그 뒷날 학교를 일찍허니 간께 임두한이가 학교 그 와갖고 교장 집 앞에 나가 있는데, 거그 혼자 있더라고. 엊저녁에 집을 고실라 부린께는. 그란디 그뜩에 그 집이 임두한이 집이 (세로로 획을 그으며) 요렇게 있고, 여기서 요렇게 (가로획을 덧붙여서 ㄴ 자를 그리며) 있는 집이 이것이 영애 집이고, 여기는 임두한이 집이었거든. [청중 2: 박영애 집이고?] 박영애 집이고. 한 마당이여 이렇게. 그란디 (세로획 쪽의 집을 가리키며) 여기는 우익을 하고, (가로획 쪽의 집을 가리키며) 여그는 인자 좌익을 했거든. 한 마당인디. 그라고 여 마당에가 (양쪽 어깨를 벌려 동그라미를 만들며) 이렇게 푹하니 솔나무가 이렇게 있었어. 그라믄 모래둥이란 말이여. 그라믄 우리가 거기서 놀면 인제 마당에 맨 모래밭이라 발자국이 많아져. 그라믄 임두한이 아버지가 바닥을 빗자루로 싹 쓸어. 쓸어둔 다음에 거그루 막 모이라 그래. 그란께 밤이면 좌익들이 와서 이렇게 귀를 기울이고 뭣을 들여다보는가. 그 발자국을 볼라고, 이 양반이 나중에 생각을 한께 그렇게 듣고 댕기며 우리들한테. 애기 땐 몰랐던 거이라. 그란께 영애 집에서 이렇게 가서. 이제 그런 것을 안단 말이여. 그뜨게 인자 서로 보복으로 인자 이렇게 불지르기를 그렇게 한 것이여, 인자 말하자믄. 그란디 이 짝에서는 인자 저 동향 집 하고, 재인이 집이 그뜨게 행랑채를 또 불을 질러 부렸던가, 경찰들이 가. [청중 1: 재인 집이는 경찰들이 그랬고, 용호 집 같은 경우는 밤사람들이 그랬고.] 그렇게 그랬다 그말이여. 그란께 밤사람한테 다섯 집인가 회천에 그랬단께.

[청중 3: 그라믄 재인이형 집 불날 때, 우리 집도 불났습니까?] 집이가 더 앞에. [청중 3: 아니, 연도는 같냐 그말이여.] 그랄 것이여. 틀리면 1년 사이일 것이여. [청중 3: 그라믄 우리 집이 먼저 지르고, 그 다음에 재인이 집 지르고 막 그런 식이네.] [청중: 그래, 그렇기 했을 것이여.] [청중 3: 우리 작은댁이 지르고, 강삼댁에 지그로. 봉서동서 우리 집 지르고, 우리 작은 집 지르고, 또 우리 그 밑에 작은 집 지르고. 전부 불을 질렀구만? 그 다음 재인이 집. 그란께 우리 봉서동서 지금 누굽니까? 우리 집이, 작은댁이, 광주댁이, 강산댁이. 네 집이, 우리 집안만 네 집에 불을 질러 부렸구만.] 그렇다고 봐야 돼. 여그서. [청중 3: 그 다음에 우리 사미당.] 사미당도 그때 불을 질러 버렸던가. [청중3: 예, 예. 정해진이가 거기서 살았다고. 정해진이가 거기 거처한 자리라고.]

[청중 1: 아니 그란디. 그때 당시 말이여, 홍모란 사람 불 질러 분 다음에, 불 질러 버린 사람, 그 지금 인제 저그 아버지가 봉춘이 아니여? 정봉춘이. 그래 홍모가 그뜨게 율포국민학교 교편을 잡고 있었어.] 우리 담임을 했다니까. [청중 1: 아아. 그런디 교편 잡고 있는 중에 자기 집엘 불을 지른 것이 아니었다 나는 생각을 해.] 아니여. 우리 교편 잡을 때였어. 그래갖고 그 즉시 그냥 글로 경찰로 들어 가버렸어. [청중 1: 아니 그란께. 경찰로 들어간 연후에 불이 낫지 않냐 이거여, 내 생각은.] 아니여. [청중 1: 그래 안했는가?] 아녀. 그것은 확실해. [청중 1: 그란디 우리도 그때 인자 살고 있었지만은. 같이 한 마을에 살았지만은 어찌 그라냐면, 정 씨들이 이라고 저라고 안 그라고 안 살았소? 안에 집안에는. 정 씨들이 쫙– 기 빨고. 그 앞에 우리가 지나

댕길라면, 잘 못댕겼어, 무서와서 말이여. 어찌 권력이 쎄던지.] 거그는 극우로 했지. [청중 1: 순전히 우익인디, 인자 경찰서, 지서 같은 데나 아주 가찹께 지낸 사람들이야. 그 정 씨들이. 그란께 그 정 씨들 말이야 하면은 경찰들이 검은 것도 희다 하면은 아, 정 씨들 말이 옳다고 그랬어.] 그란디 우리가 순모 씨는 내가 얼굴을 모른단 말이여. 접촉이 없은께 모르지.

내가 인자 홍모 씨 다음에, 그란께 그때 학교 선생들도 인자 우익, 좌익이 있었던 가. 정치수 씨 하고, 백영철 씨가

"좌익이다!"

그래갖고 경찰서에 갇혀 있었어. 그래 내가 국민학교 4학년 때여. 그란디 걸어서 면회를 간다고 보성경찰서까지 갔단 말이여. [청중 2: 걸어서?] 예예. 그래서, 그라믄 나하고 윤요한이 하고 박성주하고 이두호하고 이철수하고 다섯이 갔어, 걸어서. 4학년 때. 그래갖고 인자 면회를 하고 그랬거든. 그래 내가 인자 졸업을 타갖고 인자, 중학교를 안 가고 1년을 쉬어 있을 때, 회령장에 여그를 오면, 율포서국민학교로 그때 치수 씨가 거기 가 있다가, 서국민학교에 와서 또 선생질을 해. 나가 가서 (양손을 모아서 목 근처로 올린 뒤에 턱을 괴는 시늉을 하며) 요라고 있으면, 머리만 요렇게 나가 요렇게 보이지. 그러믄 치수 씨가 나와서

"감시로 엿 사먹어라."

그라고 포켓에다가 돈을 넣어주고 그러더라고. 그란께 그때도 우째 선생 면회를 간다고 것까지 갔단 말이지. 보성경찰서까지 아이 거리가 상당히 먼가, 걸어서 다닐 때. [조사자: 혼자 가셨어요?] 다섯이 갔다니깐. 친구들이랑. 어려서 그때 국민학교 4학년 때. 경찰서까지. 그란께 어떻게 보면이 그란께 그래서 치수 씨가 영 이뻐했네, 평생. 그 애기 때, 우리가 뭐 경찰서에 면회를 간다 애기들이 갈 거이요? 그런디 그뜨게 4학년 때, 말하자믄 홍모 씨가 우리 담임을 하다가 집이 불나고 그란께 그냥 경찰로 막 들어 가버렸제.

[13] 정석인: 동네 청년들을 좌익으로 몰아 악행을 저질렀던 경찰 형제

그때 당시에 이제 정 씨들이 좌지우지하고 사는디, 그때 그 마을이 지금은 몇 가호, 한 10여 가호밖에 안되지만은, 그때는 37호 였었거든. [청중 3: 반내점 이야기죠?] [청중 1: 반내점 나라 정 자(鄭), 정 씨들.] 그 집안들이 싹– 좌지우지하고 살았어. 그란디 동네 마을 청년들 하고 화합이 안 되야. 그 집안들하고. 어째서 화합이 안 되냐? 그 집안들이 그렇게 딱 휘어 자버려. 휘어 잡아버려. 청년들을, 안에 있는 청년들을. 그라믄 그때 안에 있는 청년이라 하면, 달영이 동생 단영이, 거시기 어디 뭣 하러 가서 죽은 거그하고, 영모, 상기, 행수, 제춘이. 뭐 청년들이 많이 있었어. 강동수도 그 청년 측으로 들어가고, 달영이도 들어가고. 뭐 청년단 10여 수가 차이 돼. 그런디 정 씨들이 좌지우지를 하고 손아귀에다 쥘라 그래. 꽉 쥘라고. 그란디 이 사람들은 그것이 안 맞거든. 그란디 이제 정 씨들은 어떻게 말을 하자믄, 이거 이제 공산당으로 몰아요. [청중 3: 정 씨들이? 그 타 정 씨들이?] 에. 공산당으로 몰아가. 그래갖고 이제 경찰 측에서, 그때 경찰이 들어갔거든. 밤낮 와서 두드려 패고 끄집어서. 그런 그 악독한 짓을 해요. [청중 3: 정 씨들은 인자 경찰 소속이었고이?] 예. 그란께 그때 순모도 아이– 부모가 경찰직으로 들어 가버렸제, 또 순모도 경찰직으로 들어갔제, 순모 동생 평모 이것도 또 경찰직에 들어가 버렸제. 아 이것들이 통 좌지우지를 해부려. 무서와서 아이 못해. 총을 든 사람들 죽여버렸은께. 거기서 한 마디로 말해서 그 사람들은 우익, 딴 사람들은 좌익. 저거들이 그렇게 맨들어 버린 것이여. 그란디 좌익 역할을 안 하고 있는데, 그렇게

"주모다!"

해갖고, 주먹을 쥐어갖고 막 뚜르려 패고 죽이고 그란단 말이여. 그 당시에 행수, 김행수 똑똑하이. 그 여문 사람을, 그 청년들을. 제춘이도 그때 죽여버렸거든. 다 죽여 버려, 몰아갖고.

[14] 한경준: 오소리를 먹고 아들 낳은 노인

그라고 지금 저 종모 형이 안 있소? 임종모 [청중 1: 옳지, 그건 영모여, 임영모.] 그란디 인자 거의 내가 인자 종모를 가르치는데, 종모 아버지가 노인인디. 어떻게 보면 아들이 아니라 손자 같어. 아— 간혹 이 양반이 와. 그래가 인자 공부하는 것을 보고가고이 그래 인자. 그래 나중에 들어본께 종모 저거 성이 죽은 뒤로 인자 아들이 없은께 아들을 볼라고 손을 봤는디, 노인이라 인자 정력이 없은께 아들을 못 낳아. 그란께 어른들이 저

"너구를 해먹고 나면, 정력이 좋아진다."고.

그래갖고 너구리를.

[청중 2: 오소리, 오소리.] 오소리, 오소리.

"오소리를 먹으면 좋다."

그래갖고 오소리를 한 마리 해먹고 낳은 것이 종모라 하더라고. 그래서 종모가 어른 돼갖고

"종모야."

그란께

"예, 큰 아버지."

"너가 어떻게 낳은 줄 아냐? 너가 오소리 때문에 너가 생긴 것이여, 너가 인자."

그라고.

그래 지금도 내가

"오소리 먹고 나왔다."고.

종모보고. 그란디 종모가 이제 낼 모레 60이여. (일동 웃음) [청중 1: 그때 당시에 종모 저그 아버지가 육십 되았어. 육십인가 육십 하나 가 돼.] 그란께 아들이 아니라 저 손자라니까요, 아들이. 연혁으로 봐서.

[15] 한경준: 박치기로 가짜 경찰 잡은 노름꾼

그것이 인자 46년도로 가갖고 인자, 46년도 가을이 이렇게 된 판이여. 그라모 그때는 인자 체제가, 대한민국 체제가 들어설라 그라고 경찰들도 방망이를 차고 댕기고 이러한 판이란 말이여. 그란디 그때 난세가 되어도 노름하는 놈이 일등 노름꾼. 평화시대가 되어도 노름한 놈이 일등 노름꾼이요. 내가 지금 생각해보면. 그 좌익, 우익 험한 세상에서 노름한 놈들은 밤에 그래도 그 속에서도 노름을 하고 그란단 말이여.

그라이 어떤 일이 인자 있었냐면은, 46년, 47년도나 될 거이여. 그라믄 그때가 한참 그 무렵에도 보면, 순사들이 밤이면 동네 이렇게 이렇게 나갔는지도, 어디도 망원이 있다 하네. 그라믄 접촉을 이렇게 하고 그라거든. 그라믄 인자 총을 딱 갖고 가갖고 노름하는 집은 불이 빤-하게 써져 있은께 알거든, 그라믄. 그때는 창호지로 이렇게 문을 바르거든. 그라믄 그냥 칼빈 총구멍을 방에다가 (총으로 찌르는 시늉을 하며) 푹- 이렇게 쭈셔 넣어. 그라믄 노름하는 사람들은 뭔 총구멍이 인자 푹- 방으로 이렇게 들어오거든. 그라믄 '아, 순사가 알고 왔구나.' 그라고는 인자 안에서 또 인자 그 담당이 있어 인자. 노름을 하면 인자, 돈을 걷어갖고 인자 밤에 인자 나가갖고. [청중 1: 고리끼, 그것보다 고리끼가 알아서 해.] (웃음) 이란다.

그라믄 또 인자 가고 인자. 또 며칠날 뒤에 가 있으면 그놈이 약 효력이 떨어지면 또 오고, 순사들이 이란단 말이야. 그라모 인자 혼자 간 것이 아니야. 한청인가 그 청년들을 하나나 둘이나 이렇게 델꼬 가. 그래갖고 저만-치 한 이십 보나 떨어지믄 인자, 사람은 누구 인자, 사람은 분명히 사람인데 누군지는 모르지. 그라믄

"오야, 나 혼자 온 것이 아이라, 저렇게 서이, 저 둘이 안 왔는가?"

그란께 두 사람 몫을 더 주란 것이야. (일동 웃음) 그라모 인자 그때는 그래. 그라모 지금 우리가 이렇게 생각을 해보면, 경찰이 그런 짓거리를 해질

까? 지금 생각은, 사고방식이 그랄란지는 몰라도 노름한 사람 가둬갖고 경찰서에 보내면 뭣할 것이요, 그거. 내 수입 있으면 그것이 더 낫제, 경찰도. 그때 경찰들도 봉급이 지 입 구환도 못해, 그때 세상에는. 그란께 그것이 수입이 훨씬 나은께 인자 그것이 어떻게 보면, 더 전문이여 인자. 도둑 잡는 것보다. 순 그라제.

[청중 1: 경찰들이 정치를 하는 게 아니라, 순 돈 쫒기 바빠. 그라니 저짜 압수도 하고 말이야. 압수를 해가 돈을 뺏아 간단께. 그라고 호주머니에 다 넣어.] 그라모.

그때 제일 무서운 것이, 순사보다 더 무서운 것이 하나가 있어. 무엇이 무섭냐 하면, 세무서 직원. 세무서 직원도 여 막걸리 뒤로 댕기면, 그때는 막걸리를 집에서 다 해먹으니껜 안 걸린 사람이 없거든. 그때는. 세무서 직원이 더 무서와. 순사보다 그때는. 아이 그라 안하요? (웃음) 그라고 그때 집이서 누룩 안 한 사람이 누가 있으며, 막걸리 안 해먹는 사람이 누가 있어? 일꾼들 오면, 다 막걸리하고 그라제.

그란께 밤이믄 인자 그라고 이렇게 다닌단 말이여. 그란디 인자, 우리 면에 노름하는 데가 따로 있어. 그 노름쟁이들 모인 그 코스 집이. 그래 오늘 저녁에는 어디서 산장에서, 어디서 모이자 그러면 노름하는 사람은 그때 시대에도 다— 연락이 돼갖고 저녁에 딱 모이고 그라거든. 그라믄 여그 회령골 안에서 노름쟁이들 모인 자리가 어딨냐면, 삼정에서 한치재 넘어가는 데 거그 주막집이 있다 하더만은. 거가 회령 근방에서 여기 노름쟁이들 집합소야, 항상. 그라믄 중앙에 가서 율포는 노름을 어디서 했냐면은 상율에 못골이라는 데가 있어. 그리 뽈닥 넘어가면 상계거든. 말하자믄 하동. 그란께 천포 저 짝에 노름하는 사람이 재 뽈딱 넘어오면, 군농에서 재 뽈딱 넘어오면, 율포로 해서 딱 해갖고 완전히 노름이 거기서 크게 벌어져. 천포로 가면 어디서 벌어지냐면 인자, 참샘이 인자, 참샘이 거그가 사방들 모인 데란 말이여. 그란께. 그라고 군농에서는 석각. 정만이 집 앞에 거가 옛날에 있거든. 그란께 내가 볼 때는 해천이 그때 노름 코스가 네 반 데는 항상 노름집이야, 이렇게 인자. 항상 노름집인디.

그때는 세상이 이것이 어름투로한께, 못한 놈은 경찰이면 반란군매이로 하고 댕기는 놈. 저 놈은 반란군인디 또 경찰매이로 하고 댕기는 놈. 이것을 알더라도 못 잡어. 그라고 인자 돈이 없으면 노름판에 가면 돈은 있고 그란께 인자, 상율 못골이라고 하는 데서 인자 노름을 할 때, 율포 고을하고 인자 세 개 고을하고 노름이 인자, 한 20명 씩 모여갖고 노름이 항상 크게 벌어지고 그란단 말이야. 그란께 오후에 인자 군복을 입은 놈이 슬–슬 요래갖고는 마을에서 이라고 다닌께 '거기서 노름을 한 거이다.' 그라고는 거그를 노름판에를 빡– 들어 가갖고 이놈이 권총을 갖고와서는 판돈을 그냥 싹– 걷어갖고 요놈을 그냥 가버렸거든.

그란께 인자 노름한 사람들한테 언제든지 좀 거친 맛이 있거든, 건달들이라. 그때나 지금이나. 그래서 우리가 그라지 말고 이 다음에 그 놈의 새끼가 오면은 우리 수가 많은께. 손세경이라고 있어, 손세주 씨 저그 형님. 이 양반이 박치기를 잘–해. 그라고 이제 우리 동네 배창욱 씨, 송기평 씨 모두 요래맨 그 율포 노름쟁이들이 막거리를 갖고,

"그놈자식이 와갖고 있으면 환–히 대접을 하고, 문턱에서 인자 세주 씨가 박치기를 하는데 좋은 데를 앉그고 인자, 옆에서 인자 요 놈을 바가치로 떠서 인자 막걸리를 이렇게 대접해. 이렇게 마실 때 그냥 잡고 내리 박치기를 해버려라."

하고 딱– 짰단 말이여. 그란께 그날도 인자 거그 와갖고 노름을 한 개비다, 그라고 그랬는디, 터를 석각으로 옮겨 버렸어 인자, 석각으로. 그란게 이 놈의 자식이 그 상율에서 본께는 노름 그날 저녁에는 안 하거든. 그란께는 이 놈이 석각을 갔다 안하냐. 석각까지 갔어. 그래갖고 그 주막집에서 노름을 하는디, 그 놈이 또 들어 와갖고 또 판돈을 인자 그래야. 그란께 인자 환–연스럽게 인자 대접을 했제. 그래갖고 인자 세주 씨가 인자, 세주 씨가 박치기

를 내리 해버렸단 말이여. 그란께 막 그냥 이 놈이 붙들고, 저 놈이 붙들어갖고 막 생맥을 이렇게 까갖고는 짚으로 막 요놈을 묶어갖고, 수갑을. 그래서 인자 우리 동네도 그 노름쟁이가 그날 저녁에 있고 그란께는 잡았다고 하더라고. 그래서 우리가 지서에를 가봤단 말이여. 가서 봤어, 인자. 아랫동넨께. 지서 인자 밖에서 이렇게 묶어서 놔뒀더라고.

그란디 월-마나 박치기를 해버렸는가, 아주 딱 벌 쏜 놈매이로 이렇게 얼굴이 붓어버렸어요. (웃음) 나 그래서 박치기가 무서운 주를 알아. (일동 웃음) 나 김일이가 그래서 나 참, 김일이가. (웃음) 딱 이렇게 붓어버렸더라고. [청중 3: 경찰이?] 아니, 그놈이 그란께 경찰이 아이라, 그놈도 건달이제. [청중 3: 경찰 행세를 하고?] 어어, 경찰 그런 행세를, 군복을 입고, 총을 갖고 그라고 왔단 말일시. 그란디 인자 그 무기를 들어 놓은께는 사람들이 다 그라제. 그란께 그것도 무기를 어떻게 또 구했는가를 모르제. 그래서 금매, 애기 때 금매 지서에를 가서 본께 그렇게 붓었더란 말이여. 그것이 47년도의 일이거든. 47년도에.

그란께 얼마나 치안이 불안했소? 치안이 아무것도 아인께 그랬제. 그라모 율포가 지서가 있는데, 서방 그거 한 삼백 미터나 된 거리서 임용호 씨 집이 좌익들이 와서 밤에 불을 질러버렸는디, 순사들이 율포 거기서 거기 나오도 못 하고, 팽-팽- 거 지서에서만 그라고 있고이.

[청중 1: 그라고 우리들 인자 내 보내고, 대창 줘서 앞에 보내고. 저그는 총이 있는데 저-게서 시키고. (일동 웃음) 그란께 그때 경찰관들은 주로 무엇이냐 그러면, 뭔 사건을 내는 경우는 그 돈 뜯어 먹을라고. 호주머니에 다가 뭉탱이 넣을라고 이것만 연구를 한 거여.]

아- 그렇제, 인자. 그란께 돈이란 것이 저건 참말로 무서운 것이거든. 부자도 없고, 형님도 없소, 동생도 없고 이 무서운 것이 돈이여. 그래도 세종대왕이나 이퇴계 선생이 있다하면 해결을 다 해. 이 양반들이 들어가면 안 되는 것도 다 해결해 준단 말이야. 그래 훌륭한 양반들이라. (일동 웃음) 실지론 그래, 지금도. 그란께 그때나 지금이나 돈이란 것이 항상 말썽을 부리거든. 그 건이 그 불 질러 분 건 다음에 큰 건이었단 말이여.

[16] 한경준: 노름 때문에 발생한 살인사건

또 한 건은 인자 그해에 인자 뭔 일이 생겼냐 그라믄, 상율에서 인자 그 아까 박치기 잘하는 양반이 그냥 성철 씨 형님 되시는 말하자믄 성택 씨, 성철 씨, 성주 씨, 성호 씨, 성근이 그래갖고 거가 오형제거든. 그 성택 씨를 그냥 낫으로 그냥 배아지를 이렇게 찔러갖고 죽여분 일이 있었거든. 그란디 인자 세주 씨 집하고 한 집안이여. 그란디 사적인 감정에 인제 그랬제. 그란께는 항상 노름방에 댕김시로 인자 이렇게 인자, 거기서 갱편이나 뜯고 있어. 글로 살아. 건달들 편이야. 지금이나 옛날이나 그라지. 그란께 인자 성택 씨도, 그 양반도 노름을 잘하는 양반이라 인자 숙질간인디, 당질간인디 와서 그래쌌고 그라모 뭐이라 했쌌고 그란께 자기로 봐서는 장애물이제.

'자기는 논밭이라도 있고 잘 살지만은 나는 여그 아니면 굶어 죽은디, 항상 못 오게 한다.'그라고 요것이 인자 감정이 생긴 것이 인자. 그래갖고 인자 그것이 결국 살인까지 이렇게 나고 그랬단 말이야. 그라믄 상율 때 거기 산이 항상 봉홧불이 올라가. 그라믄 동북쪽에가 좌익을 한 사람이 많이 있었거든. 그란께 지서에서는 인자 그걸로 의심으로 하고 인자 요이 잡아 왔는데. 그란께 인자 사람을 죽였다 해서 요새 같으면 인자 재판 절차가 있는 것이 아니라,

"너는 사람 죽인 놈인께, 사람 죽여 분다."고.

동네 앞에서 세경 씨를 경찰이 와서 죽였거든.

그란디 인자 거가 인자이 백제상 씨, 최진앙 씨, 윤종태 씨, 배두명 씨. 다섯인가 돼. 그란께 인자 같이 봉홧불을 피웠다고 인자 그란께는 아 그 사람들이 와서

"그 세경 씨 총 쏘는 데 와서 보라."

이것이여,

"현장을 보라."

이것이여, 지서에서.

그란께 그 최진안 씨를 보고 그랬어, 동네 사람들이.

"아이 놈아 뒤질라면 니만 뒤지지 우리까지 같이 뒤지라고 이 새끼야 그라냐."

그라고 그란께는 그 총 맞아 죽을 사람이 으드드득 갈고 그라더라고. 그란께 뭔 사람이 그런 소리를 할 거이냐고. 그래갖고 총으로 마을 앞에서 이렇게 쏴불더라고. 그런 얘기를 했싸. 그것도 뭐 47년도에 난 일이거든. 그란게 결국은 그것이 노름 그때에 모두 난 사건이야. 그란께는 그냥 우리는 지금 생각을 하면은 난세가 되면은 제일 시끄러운 것이 노름 이것도 그렇게 같이 시끄럽더라고. 그란디 지서에서 그래서 노름한 사람은 안 잡아가. 왜? 항상 포켓에 들어오는 것이 있거든. (웃음) 그란께 그 사람은 좌익은 그렇게 두드려도 노름한 놈은 벌만 세우지 안 두드린다니까.

[17] 정석인: 경찰에게 가족을 잃은 탈영병의 잔혹한 복수

[조사자: 왜 어제 휴전 직전에 전투할 때, 우리 군인들은 자기가 살려고 하고, 오합지졸이라고 그랬잖아요? 그러면 인민군들은 어때요? 인민군들은 군기가 딱 잡혀 있어요?]

그란께 인자 내가 의용군에 가서 이제 마지막 끝에 인자 살아나온 끝으리인데. 화순 동복면을 인민군 대부대가 딱 일제히 차지를 해버렸어. 그래 누가 못 들어와. 군대는, 웬만한 몇 백 명 들어와서는 못 해와. 그가 2개 대댄가 3개 대댄가 있었어. 동복을 차지하고 딱 있었어. 그라 이제 반란군이 지리산으로 뎃고 간다고 했는디, 원체 대부대라 위치발견이 돼가 저거까지 죽게 생겼은께 딱 떼어놓고는 저거들 빨치산들만 짝- 가고 없어. 그란께는 인민군들이, 그 장교들이 그러더라고.

"빨치산이 앵기면 죽여 버리라."고 하더라고.

죽여불자고. 저거 띠어 불고 가버렸다고, 인자. 그렇게 강연을 하더라고, 사령관이. 그래 인자 그것을 우리가 매갖고 저녁이면 인자, 그 시골에서 밥해서 먹고. 저 일반병들이 다 해서 주더만, 그때까지도. 그란디 거그서 인자 집에 갈 생각 밖에 안 나서 '어떻게 예 빠져 나가냐?' 하는 생각이. 여하튼 여기에 있어서는 똑 틀림없이 죽을 것만 같고.

"죽어도 집에 가서 죽어야 쓰는디."

인자 친한 그 친구들하고 몇이 앉아서 그런 소리를 했어. 그라 이제

"그라제."

그라더만.

그라믄 한 놈은 저 미력 그 이종춘이라는 사람이고, 성명이. 그래 하나는 장흥 유치서 사는디 그놈 이름은 잘 모르겄구만. 맨 저 거시기여. 뭐냐면 저 그 부모형제간들 모두 괜히 다 죽어버리고 나서 혼자 남은 사람들이여. 그래 막끈이여, 막끈. [청중 1: 죽으면 죽고 살면 산 사람들이여.] 에.

"죽으면 죽어. 일가친척이 다 죽어버렸다."

그거여.

저기 유치서 사는 놈도,

"저그 하나 남았다."는 것이여.

"저이 각시까지 다 죽어버렸다."

이거여.

"소탕을 당해버렸다."

그거여. 경찰들이 와서. 그라이 무지하게 독해. 우리보다 나이 세 살인가 더 먹었는데, 우리가 달싹을 못 해. 그놈의 지배하에 우리가 움직이. 독골이야, 아주 이렇게 무서와. 아무 것도 남은 것이 없어. [청중 1: 사람 그렇게 되

면 인자 악바리만 남지. 그것이 무어이 남겄어? 사람이.] 아무 것도 남은 것이 없어. 그라 인자 그 사람하고 앵겨갖고 저 미력 사람하고 저 유치 사람하고 나하고 서이 만났거든. 하루 저녁에 보초 서래. 약술 할거이, 거기서 도지를 한 거야. 도망해서 나와 죽으면 죽고, 살믄 살고. 하여튼 이 자식이,

"도망을 하자. 기회는 이때 밖에 없다."

그래갖고 도망을 가갖고 나온다고 나온 것이 화순 주변에를 와버렸어. 거서 읍 주변까지 와버렸어, 밤에.

그란께, 온께 인자 UN군들이 그때는 미국사람들이 지금 보면 그렇게 안 꺼멀더만은 어째 그때 군대 온 사람들 숯댕이같이 시컴하냔 말이여. 새-카마이. 여 검은 칠해 놓은 것 같애, 그렇게. 지금도 그런 사람이 하나씩 있더만. 어뜨케 인자 갔다온께 그런 사람 봤고. 미국사람이라는데. 새-카만 사람이 고마 이빨이 헐게갖고 막- 짝짝짝 무엇을 씹고 돌아댕겨. (일동 웃음) [청중 2: 껌둥이들이요?] 껌둥이들이지. 그 미국사람들 아니요? 그 사람들도. 그래 나는 그때 당시에 미국사람들은 다 그렇게만 생긴 줄 알았든. 까만지만 알았거든. 흑색으로. 그랬더만이 신사들이 (일동 웃음) 쌘 것이 그런데 이 세상에.

그란께 화순읍에 들어와서 화순읍에 동복 골짝으로 들어가는데, 옷을 구해 입어야 쓸거인디,

"옷을 구하기 전에는 무기를 못 버린다."는 거여.

그 사람 말이 그래. 유치 놈이.

"이 무기 이것이 아직까지는 우리가 살아나갈 생명인디, 무기를 버릴 수가 없다."

그란께 우리가 한복을, 일꾼들 복을, 옷을 구하기 전에는 버릴 수가 없어.

[청중 1: 그라믄 그때는 무기를 노출을 했습디요? 속에 다 숨켜매이로?] 아니지. M1 총인데. 그라 인자 화순은 골짝을 이제 한복을 구할라고 안 갔다고. 근데 한 집은 멀쩡한 것이 기압이라 번다 있는 산 초가집 같은 걸 싹 태

와 불고 그 한 집 밖에 안 남았어. 그래서 마을 사람들이 그리 와서 물어.

"여가 우찌 되았가디 이 집이 아직까지 살고 있냐?"고.

다 불질러 버렸는디. 소각시켜 불고. 거기서 지서를 내려갈라면 산중인디,

"20-30리 가야 지서가 나온다."

그런 소리하더라고. 20리니까 한 10리 이상 되는 모양이더라고 지서가. 그래 그 사람은 밀대라 그라더라고. 그 마을 사람이 와서 얘기를 해줘.

"그 사람이 밀대여."

바로

"그 사람 집이요."

그래.

"4대가 살고 있다."고.

그러더만. 4대가 그 집에서. 그 집만 딱 빠져갖고 있어.

"그래요?"

아이 귀는 쫑긋해가지고 유치 놈이 들어 가. 그러면 내려가 얘기를 쭉 해주라고. 그때 당시에 총 들고 댕김시로 아까 재산이 일어 났소이? 돈 벌라면

"돈 줘!"

한 10만 원은 벌겄더라고 그때 돈으로. 벌라면 총 앞세우고 돈 주라 돈 안 줄 놈 하나도 없어. 하나도 없어요.

그란디 거기 가서 인자 그라도 못 하고, 여 모가지 요것만 살아나갈라고 그런 생각을 하네. 그 집에 인자 저녁에 인자 약속을 했어.

"요 집에 들어가서 털자! 요 집에는 밥 술이나 묵고 했으니까, 요 옷이라도 많이 있을 것이다. 일꾼들 데리고 말이야. 일꾼 셋, 넷을 데리고 산다."고 하더만.

마을 사람한테 들어본께.

그래 그날 저녁에 어두운께 인자, 어둡도록만 기다리고 있어. 숨어갖고 산 속에서. 산 속에서 내-이 세 놈 다 자빠져 자다가 그 집으로 찾아, 또 그

마을로 찾아 들어갔어. 인자 복수전이야 그거는 인자. 마을 청년들을 뭐 서른 몇 명을 죽여 불따 그래.

[청중 1: 아– 그 사람이?] 응, 그 사람이 못된 짓을 해갖고 말이야. 그래갖고 그 사람으로 인해서 마을 청년이 30명이 넘는디, 그 사람으로 인해서 다 죽어버렸어.

"지서에서 와서 다 죽여 버렸다."

그래. 경찰들이. 그래 인자 유치 놈이 그냥 이빨을 막 드러갈더라고.

"내 가족들이 다 죽어버렸는데, 이런 놈의 새끼가 있다."고 말이여.

그래,

"요걸 없애모 소탕을 시켜분다."

그것이여, 그 놈 말이.

"그랄 것도 없이 우리가 그리 들어가서 옷쿠리라도 주라 해갖고 옷만 구하고, 옷만 구해서 집에 내려가면 안 쓰겄냐?"

하니깐

"아니, 요 복수해야 한다."고.
"요런 놈은 죽여버려야 한다."고.
이를 뜩뜩 갈더라고.
"그래, 가자!"
하고 저녁에 내려왔거든. 저녁에 내려와서 그 집을 인자 딱 포위를 했어. 나는 앞에 대문이나 배에 보초를 서고, 저기 저 미력 종춘이는 뒤 안에 가서 거그 보초를 서고. 둘이 딱 세우더라고. 지가 들어간다 그래.
"내 안에 들어간다."
그람시로 유치 놈 그 놈이 뭐라이라면은 저 산을 쳐다 보면서,
"3소대 경비 잘 하라."고.
또 그라거든.
아무도 없는디, 인자 숫자를 꾸민 것이여. 수 십 명 왔다는 것을 위해서. [청중 3: 수 십 명 왔다는 것을 그 사람한테 보일라고?] 으이. 또 요 산에
"2고지는, 2고지 1소대는 경비 잘 하라."
고 딱 말을 하고. 혼자 시불거려, 마당에서 이리 막 쳐다보고 저리 쳐다보고. 아 공작을 부리더라고. (모두 웃음)
[청중 3: 대장이라 틀려 부려야.]
[청중 1: 그때는 생각을 못했소? 형님은?]
어, 나는 거기까지 생각을 안 했제. 그란디 뭔가를 하며 요 앞에 보초를 딱 서갖고 있는데, 바로 그 놈이 들어가서 사비로 살고 심지어 애기 업고 있는 것까지 싹– 이제 마당에 갖다가 세워놨부렸나. [청중 1: 아– 전 가족을.] 전 가족을. 총알 두 개가 아깝다 이거여. 총알 아까우니 총알 하나를 꿰운다는 거여. 그라고 총을 놔. 그래 인자 우리들도 인자 마당에 뒤에 후문에 보초 서는 사람, 정문에 나 보초 서는 사람. 딱 그때 인자 들어갔거든. 들어가서 보는데 고 짓을 해놨더만. 마당에 다 쪽 세워놨더만. 총알 두 개가 아까우니까.

"요런 것들은 사람 수 천 명 죽인 놈들이라."

그 말이여.

"총알 하나로 꿰어분다."

그거여. 그러더니

"지따딱"

해부네.

[청중 2: 지져대부려?] 지져대부려.

"한 알가지고 될 것이여? 나가 복수를 할라면 이거 천 배를 해도 내 복수를 못할 것이다."

하면서 다 죽여 버렸어.

이래가지고 다 죽여 버린겨. 하루저녁에.

[청중 3: 한 가족을?] 응, 한 가족을.

[청중 3: 그라모 인자, 빨치산 잔당이, 의용군 잔당이 인자 경찰 가족을 죽여 버렸네?] 그렇제.

[청중 1: 아니제, 밀대를 죽여 버렸제.] 밀대, 밀대 집을 죽여 버렸제. 밀대 그 가족을 다 죽여 버렸제.

그래갖고는 그날 저녁 뺄로 도망을 해갖고는 한번은 촌에서 그리. 어떤 사람은 후히 대접을 해서 옷도. 어디 논에서 입는 것을 끄집어내서 주고 말이여, 그것을 입고 고향엘 찾아가라고 주는 사람도 있고. 그 집에는 처음에 간게 옷 한 벌을 제하고, 총도 뭐도 안 갖고 갔어요. 그냥 들어갔어, 유친 놈 혼자. 그래

"우리가 이러 이러한 사람인데, 그 일꾼들 옷이 없소?"

이렇게 말하니까

"없다."

퍼뜩 대불더라여.

[청중 1: 그란께는 미움죄를 더 들었겠겄구만?]

"지서에다 보고해야 쓰겄다."고.

"요것들 당췌 인민군에 갔다온 사람들이라."고.

"지서에다가 연락을 해야 쓰겄다."고.

그라고 아 몽땅 그냥 나오더라요.

그 놈을 탁- 틀어잡고는 옆구리에다가 숭 밑에다가 총을 딱 채워놓고 총을 딱 대분께 파르르르르 해, 그때. 그래 그 산중에 산골짝에서 사는데 한 가족 다 죽여 버렸어, 하루저녁에. 그래 우리가 나오면서 그랬어.

"에이 사람, 아무리 그렇지만 한 가족을, 젊은 사람들을 죽여야 되겠냐?"고.

"나에다 대면 당 멀어."

저에다 대면 당 멀었다는 것이여, 복수가. 인제도

"몇 십 곱을 해야 복수가 된다!"

그래.

진즉 즈그 처자식 다 죽어불고, 심지어 키우는 오리 새끼까지 다 죽어버렸다는 것이여. 그렇게 막 그렇게 독하더랐고. 집이 그렇게 되면은 독한 모양이더라고.

[청중 1: 그란데 내가 그전에 본교, 지금 저 다원에 지금 그 박물관 안 있소? 거가 그전에 텃골 그가. 텃골이거든. 텃골이 거가 집이 세 챈가 두 챈가 거기 옛날에 있었다 그래. 그란디 해채가 얘기를 하는데 거가 해채로 봐서는 당숙이 거기서 살았다고 하대?]

[청중 2: 응, 예년 살았어. 그 분이 살다가 어째 밤이믄 선용이 행님도 어디서 쫓겨 나와가지고 여 양동으로 와가지고 양동서 안전스럽게 이자 살다가 해채 저 집이, 해채 광주 살아. 해채 집 와서 좀 살라 했어. 거기서 좀 살았어. 이리 봉서동 와서.]

[청중 1: 그란디 해채 말 들은께 거기서 있는데 경찰들이 가족을 그래 절명시켜버렸다고 하더라고.]

[청중 2: 그랬다더라고.]

[청중 2: 거가 일곱 이가 됐는데, 7호가 됐는디 전부 몰살 되어부렸시오.]

[청중 1: 그란께 경찰들이 그냥 애기고 뭐이고 그냥 싹- 죽여 부렸다고 하더라고.]

경찰들 독하더라고, 그때 보믄. 뭔 죄가 있다고 막 그라고 다 죽여 부냐.

[청중 2: 다원. 그쪽에 그 다원 안 있습니까? 그리 쑥- 올라가면 집을 지금 멋지게 지어놨어요. 그 자리.]

[청중 3: 초가집 일곱 채가 몰살 당해버렸어.]

[청중 1: 애기들까지 싹- 죽여 버렸지.]

[18] 정석인: 귀향과 어쩔 수 없는 국군의 입대

그래갖고 이리저리 해가지고 집에를 찾아온다고 찾아왔는디. 보성 장에를 딱 들어선께는 내가 누나 집에 들어가갖고 애기 업고 나가고, 저 상황을 한 번 볼라고 애기 업고 시장에, 장에를 나가 보니까 아는 손이 얼른 뵈버려, 눈에가 딱 뵈버려. 홍모 뵈이지, 순모 뵈이지. 둘이가 딱 뵈이 더라고. 어-떻게 떨리던지 그냥 그대로 서서 도망을 쳐갖고. 그때는 그랬어.

그래 인자 매시 집으로 들어가갖고 뭐 나무를 하러 간다고 지게, 어저께 얘기 했잖아. 그 놈을 짊어지고 봇재를 저 수달피재를 해서 봇재를 넘어서 집으로 무난히 들어간께, 아 집에 돌아오면 편할 줄 알았더만 완-만 마을에서 어른들이 꽉 잡어. 무든 못 가게 말이여. 자수하라고. 자수해서 내가 인민군을 갔다 온 것을 자수해서 내가. 그래

"나는 죄 없다!"고.

"뭐 아무 죄 없다!" 고.

"내가 억지로 끌려가고, 내가 자원해 간 것도 아니고 억지로 끌려가갖고 이역만리 가서 도망쳐서 집에 온 사람이 뭔 죄가 있어?"

카고.

"나 죄 하나도 없다."

그랬어.

어째서 또 자수를 안 한다는 소리를 내가 끝끝내 박았냐면은 앞전에 집에 살뜩에 '자수자'란 명칭을 만들어 논 사람은 보도연맹에 가입해가 이제 자수자는 다 갖다 죽여 버렸거든. [청중 1: 그랬지 인자.] 그러했다고. 그란디 '그것이 호적에 내 이름이 딱 올라갖고 있으면은 나 언제나 죄인이 될 것이다.' 그 생각이 딱 들어가더라고. 그때 어린이라도 그 생각이 들어가. 자수자를 다 끄집어다 다 죽여 버리거든. 조금만 비뜩하면 자수자 끄집어가고, 잡아가고. 그래 갖다가 죽여버려. 그 놈의 머리가 안 좋아서, 골치가 안 좋아서 내가 자수를 기연이 안 하고 버텼어. 자수는 안 하고 버티고. 그래 내가 경찰이랑 친해가지고 그 사람 밥 사 멕이고, 술 사 멕이고 내내 하고 있다가, 그 다음에 있다가 이제 영장이 나와갖고 제 1기생으로 그냥 6.25사변 후로 제 1기가 나여. 고짝에서는. 재인이, 저 신근이 형, 저 모원 상환이, 요짝 해령에서 삼십 몇 명인가 갔어, 그때 당시에. 하나 없이 다 죽어 버리고 나 밖에 없어요, 나. 지금 현재.

[청중 1: 그때 군대로 가서는?] 아니, 거그도 죽고, 여기 와서 인자 집에 제대 해갖고 가서 또 죽어 불고 말이야. 그렇게 죽어버렸어. [청중 1: 그라거니 저라거니 저 명은 긴 사람이여.] 응, 질어. 그렇지. 내가 생각해도 무자게 길어. (일동 웃음) 죽을 고비를 무지무지하게 내가 겪은 사람이거든. 완도 가서는 또 우짜고. 아이고 나. [청중 4: 선량한 사람은 다 죽어 버렸는데, 불량한 사람들만 살았는 게비여.] 아니제, 내가 선량한께 살지. (일동 웃음) 불량하면 먼저 담가불제. 아 그리 안 한가? 요새는 알도 모를 거여. (일동 웃음)

[청중 2: 6.25 때 인민군이 제일 뭐야, 회천으로 와갖고 왔을 때, 저 (청중 3을 가리키며) 자네 집으로 제일 먼저 왔을 것이. 내가 생각한께는.]

[청중 3: 우리 집으로?]

[청중 2: 어어. 요리 6.25 때 인민군들이.]

[청중 1: 그래도 회천 사람이 봉강 어르신 덕에 엄청나게 생명이 많이 살았제.]

[청중 2: 이런 거를 처음 봤어. 아따 거이 따발총 좋더만이. 따발총, 장총을 맨 군인, 인민군들이 거 봉의정으로 오는디 와따 무섭더만. 그라면서 내가 쪼만할 때, 국민학교 때]

[청중 1: 아 국민학교를 졸업을 했제.]

[청중 2: 했을 거이만. 그란께 중학교 다닐 때인 것이여. 중학교 보성서 다닐 때인가벼. 기발이 인자 있어. 있는디 와서 그러고 인자, 인민군들이 내일부터 인자 우리 또래로 내일부터 전부 아침이믄 밥 먹고 저-리 율포로 나오라 그래, 학교. 그래서는 인자 율포학교로 나갔어. 나가 있다 저짜 거기서 인자 모여 놓고 뭐이 한 거는, 이북 인자 애국가를 가르쳐 주고, 장백산 노래도 가르쳐 주고.]

[청중 1: 김일성이 노래.]

[청중 2: 응. 그라면서 비행기가, 여 미군기가 미국 비행기가 웽- 오면은 언능 그 벚나무 밑으로 숨어 불라고 말이여.]

[청중 4: 그걸 보고 악몽이라고 그랬지, 그때는. 항공기 왔다 그러면은 그냥 전부 숨어 버렸어]

[청중 2: 그래갖고 율포는 여러 번, 암튼 한 일 주일이상 다녔을 거이만. 노래도 배우고. '장백산 줄기, 피어린 자국' '아침은 빛나라.' 이북 그.]

[청중 4: 동네마다 다 그랬어.]

[청중 2: 그란께 거기서 훈련을, 순전 노래 가르치고. 고놈을 가르쳐 주더라고.]

그 양코배기 노래는 어짜고. 양코배기 노래가 또 진짜 대단해. [조사자: 한 번 불러 주세요.] 아니, 잊어버리고 안 불러.

[19] 정석인: 오합지졸이었던 국군에 대한 기억

[조사자: 그래 이제 입대 영장 나와서 어떻게 됐어요?] 그래갖고 집에까지 왔는디. 영장을 받아갖고. 인자 중고등학생들 중학생, 국민학교 학생들이 전부 응원 해준다고 요리 다섯 개, 저 태극기를 그려서 이 다섯 개를 메고 막 줄줄이 막 따라오고 그랬거든. 그때는 막 가믄 죽을 판이여. 막 쓰러질 판이거든. 그라고 인자 내가 어저께 얘기했지만은 전방에 가서, 그렇게 저렇게 해갖고는 나중에는 소대장까지 바꼈다 안 하대요. 소대장이 또 적진 총에 죽은 것이 아니고, 우리 아군 손에 소대장이 다 죽었어, 그때는. 교육을 잘못한께 지가 죽어부려. [청중 1: 감정이 있는 놈이 인자 쏴 불제.] 감정이 있어. 그래 소대 내에서 같이 살면서도 또 감정을 다 선 사람이 있고, 기합을 당한 사람이 있고 그라더라고. [청중 1: 뚜들고 닦고 그란께 그라지.] 그란께

"전쟁만, 전투만 나가라."

그래 사병들은. 사병들이. 그렇게 두드려 패고 괜히 군기를 준다고

"군기 잡는다!"

그러면서 그 짓을 하거든.

그란께 '전투만 나라. 그때 죽여 분다.'이거여. 아 어떤 총에 죽은 지를 어떻게 아냔 말이여. 죽여 분지 옆에서. 가다가도 죽여 버렸제. 아 그거 쏴면 그만이여.

그라고 나가 인자 거그서 전방에서는 얼른 저 부상당했다는 소리는 못 하겄더라고. 그때 겪어 본께. 어째서 부상을 당했다는 소리를 못 하냐면, 그때 당시에 부상을 당한 사람이 있다믄 그 옆에 전우가 그 사람을 데꼬 업고 간다 하든지, 저 손 잡고 간다 하든지 후송을 가게 되면은 그 사람 목숨이 살어. 그 사람은 전투를 안 한께, 나와분께. 그란께 부상당한 사람이 있으면, 눈을 똑바로 뜨고 부상당해서 먼저 본 거이 지가 산 거이거든. 막 끌고 내려 가버려. 깔꼬막에서. 그래 이자 그것을 본께는 아니 어중간하이 부상을 당했는데

옆에 놈이 전우보고는 그 놈을 가리키는데 집어 끌고는 막 억지로 끌고 내려가버려. 산비탈 길을 막 끼겨 내려가면은 다 죽어가. 그래갖고 죽은 사람도 많아요. 우선 저 살라고, 데꼬 갈라고 말이여. 그람 지는 산 거지. 전투 안 하고. 그 동안 안 하거던.

[청중 1: 그란디 인자 내가 그런 소리를 들었어. 그때 인자 그 경험자들이 얘기를 하는디. 전쟁을 안 할라고 잉여 기지에 잉여 총을 쏴 분다 그라더라고.] 거기 가서 그랬어. 그게 휴전 되아갖고 그런 사람이 더러 있었어. 나도 알아.

[청중 1: 예. 그란디 인자 (총구를 아래로 해서 쏘는 시늉을 하며) 요렇게 하면, 요렇게 총을 쏘면 화약이 여가 (다리 부분을 가리키며) 여 백힌다 하더만. 가까이 이렇게 쏴 불면.] 그란께 그것이 자기가 자기 저 부상을 입히는디 어떻게 하냐면,

"이런 사람은 버리게."

그랬어, 우리 소대에서.

(자리에서 일어서며) 전방에서 이건 나무가 이렇게 안 섰다고. 그라믄 (왼손을 올려서 나무 뒤에 대고는 팔 쪽을 총으로 쏘는 시늉을 하며) 그리 나무에다 딱. 나무가 앞에 가서 이렇게. 그라믄 손을 뒤에다 대고 놓고. 여기서 총구를 대. 그라고 이렇게 쏘더라고. 그라믄 그 나무 그 놈을 뚫고 팔 깨는 흝고. [청중 1: 아 그라믄 화약이 그게 안 들키겠구만?] 화약이 들어간 것이 없어. 그래서 살아서 나온 사람이 있고. 음흉한 사람들 쨌어. [청중 1: 아이 그란께 저그 인자, 고무신을 이렇게 놔두고는 (종아리 부분에 고무신을 대는 시늉을 하며) 요렇게 쏴 불면은 화약이 요리 안 들어간다고 하더라고. 그래갖고 부상병동 후송을 한고 그란다고.]

[20] 정석인: 전투에서 빠지기 위해 자해했던 경험과 후송 갔던 병원에서의 일화

나도 그 짓을 할라고, 살라고 말이여 수류탄을 한 대 여섯 개를 내가 없애버렸을 거네. 수류탄을 갖고 가서 딱 놔둬. 이렇게 비탈길, (팔을 비스듬히 들며) 깔끄마니 이렇게. 깔끄만 하거든 산이. 그래 수류탄을 거기 다 걸어놔두고 요리 딱. 안전핀을 딱 걸어놓고, 그 위에 다 걸어놓고 우그로 올라가서 (발로 밟는 시늉을 하며) 탁 담가부리면 안전핀이 쏙 빠져 불 거 아니여? 그라믄 한 발만 (옆으로 이동하는 시늉을 하며) 우로 뽁 가면 올라 가버려. 그라믄 요 무릎팍 우그로는 부상을 안 당해. 두 다리 밑으로만 부상을 당해 그려. 살아나갈라고 그 짓을 해불라고 하는디 차마이 이거이 못 하겠어. [청중 1: 잘못하면 요리 떨어져 불지 않던가요?] 떨어져 버려. 잘못하면. 그란께 얼른 발로 달려들어 (발로 밟는 시늉을 하며) 탁 밟아서 빼 놓고는 금방 딱 올라가 여기서야 한다니께. 그라이 밑으로만 다쳐, 인자. 파편이 45도 각도로 터지잖아, 이것이. 수류탄이란 것이. 아이 그까지 다 알고 그렇게 한 사람이 쌨어요, 없는 것이 아니라.

[청중 1: 마을에 인자, 우리 동네만 해서도 둘이가 있거든. 군대를 안 갈라고요 작두로 손가락 잘라 분, 사람이. (웃음) 작두로 손가락을 잘라 불 거인가.]

[청중 3: 우리 동네에서도 저기

"경찰 오냐?"

"오냐?"

해갖고

"온다!"

그란께

"빨리 뜯어야."

"빨리 뜯어."

작두 빨리 뜯으라고. (웃음)]

그래갖고 거기서 부상을 나도 입었어. 부상을 입고 나는 인자 배때기에 가 파편이 하나 들어가고 인자. 나중에사 빼놓고 본께 인자 파편이 들어갔는지 어짠지를 알제. 뭐 총이 맞은지 어짠지 모르지. 그래갖고 요쪽 (왼쪽 가슴 쪽을 만지며) 가슴 앞으로는 돌이 (검지 한 마디 정도를 집으며) 요만씩 한 것이 피일체가 포탄있는데 때려 버렸거든. 피일체 갖고 가슴에 가 돌이 여남은 개배기갖고 있고. (오른 쪽 옆구리를 만지며) 여그 또 배때기 요가 또 뭐이 들어가갖고 있고. 그란디 그것이 인자, 소대장이 인자 소대장실로 가서, 소대장이 인제 중대본부로 가는디. 중대장이 뭐이라고면. 그때 우리하고 따지게 되면 나이가 한 거의 십여 살 가차이 그렇게 봬여. 중대장이 나이가 더 든 것 같이 보여.

그란디 나를 환영을 하더라고. 그 어린 애기한테다 그때는 스물한 살, 아! 열아홉 살에 군대 거의 갔으니까. 저그 인민군 저기 갈 때 해갖고 거기 갔은께 열아홉 살인가 보네, 그때도. 스무 살인가, 열아홉 살인가 먹었어. 그란디 중대장이 좋은 양담배를 태아갖고, 세상에 쬐깐한 애기한테, 철 모르는 그 애기들한테 담배를 태아주면서

"너는 살았다."

그라더라고, 중대장이.

아– 중대장도 있다가 금방 죽어 분께.

"너는 살았다. 좋겄다."

그라더라고.

"너는 이대로 후송해서 너가 살아라."

중대장이 마지막 말을 그렇게 하더구만.

그래서 거기 후송해서 내려와갖고 어디로 갔냐면 저그 강원도 강릉이라는 데가 있더만. 바닷가에. 그 밑으로 내려가면 묵호가 있고. 그런 데가 있는데, 강릉가 그때 군인들 야전병원이라고 병원이 생겼거든. 강릉 큰 병원이 있었

어. 그래 나는 인자 손구락이나 시 개 다 절단 해불고, 도시리 (왼쪽 가슴을 만지며) 요리 맞아갖고 붕대를 막 몸땡이를 감고 있고. 독이 침투해 들어갔더라고 (가슴 쪽을 가리키며) 요런 데는. 빼놓고 본께.

[청중 3: 그 손가락 좀 봅시다.]

(제보자 손을 들어 손가락을 보여 주었다.)

[청중 3: 그걸 수류탄으로 나가 분 것이요?] 아니, 포탄. 포탄이 떨어졌는데, 막 집어 쏘았는데. 그래갖고 그 놈 부상자 찾어 (붕대를 감는 시늉을 하며) 히–카이 해불고는.

[청중 3: 그럼 형님이 6.25 참전을 하셨소?] 무이 참전을 해. 아이 참전을 해 여이 이렇게 당했다니까.

[청중 3: 그럼 지금 얼마 타요?] 아니 그것은 이따가 내가 얘기 해줄게. (일동 웃음)

아, 그래가지고 인자 중대본부로 해서 후송을 해가지고. 나는 인자 수술을 해야 한다 그거여. 군의관이 볼 때. 사방에 다 막 때려 뭉거져갖고 있은께 몸뚱이가 피가 흘러갖고. 그래갖고 강릉야전병원이란 데가 들어가서 거그서 내가 수술을 받았어. 그란디 수술장에를 아래 인자 뎃고 가대? 딱 뎃고 들어가. 그란디 (탁자를 가리키며) 요 의자가 요렇게 생겼대요. 그라고 뭐이 폭삭하니 뭐 깔아졌더만. (허리 정도 되는 높이로 손을 올리며) 요마이 높으고. 그리 올라가서, 난 요리 올라가라 해서 거기 딱 올라가고. 양쪽 다리를 고무줄로 요쪽에 나무에다 때려 뭉그더라고. (오른쪽 왼쪽 발을 각각 묶는 시늉을 하며) 요 놈은 요 놈대로 묶고, 요 놈은 요 놈대로 묶고. 어깨는 (팔을 양쪽으로 벌려 묶는 시늉을 하며) 어깨접지가 이래 딱 대아갖고 때려 뭉크더라고. '이 놈이 시발 어쩔라고 그러나?'고 겁이 나더라고. 그래 수술하는 데는 으양으양 그랬지. 그라더만 주사를 놨던 가봐. 마취주사를 놨던 가비여. 그라고 나보고 하나, 둘 그라고 시라 그라대. 수술장 그 놈 올라가서 돌아 누워갖고 있는데. 그래 옆에서 모든 의사들이 대기하고 있고. 저그들 쓰던 뭐 칼

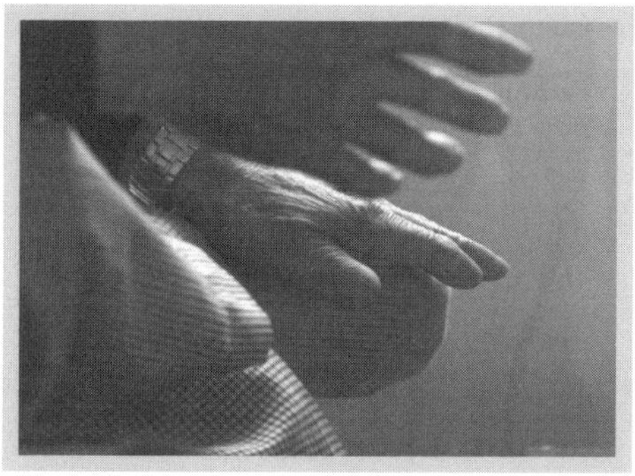

뭐 그냥, 막 연장을 막 갖다 놔두고 있어. 그래 인자 거기서 시어. 내가 스물여섯까지 시었어. 스물여섯까지 신지는 아는데 그 뒤는 몰라버려. 그때부터 수술 시작했던 모양이더라니. [청중 1: 몽이 되아버렸구만.] 에이, 몽이 되아버렸어. 완전히. 그라고 손가락 여기도 너덜너덜 해졌는디, 아이 나중에 인자 치료받을 때 본께 아주 매끄러니 좋게 맹길어 놨더라고. (일동 웃음)

아 그래갖고 인자 거기서 있다가, 그 야전병원에 거가 있다가 거기서 또 묘-하게 다친 놈이 쌨어. 여기 얘 나란히 붕알이 떨어져 부린 사람이 있어. 딱 거그만. 붕알 앞에. 가운데 다리만 떨어져부러. 그런 사람이 있어. 아이, 치료를 인자 같이 받으러, 아래 한 번씩 그 응급실로 가서 이제 치료를 받는디. 그때 군의관의 보통 저 개달짝 세 개, 육군 대위더만. 그래 거가 군의관인데 요기서 수면하고 돌아댕김서 여자들, 여자들 간호사가 인자 치료를 해주는디, 그 군의관이 딱 보더만은 그렇게 부상을 당해갖고 있거든. 그란께 치료받는 것을 딱 보고는

"차라리 너 이 새끼 디져 버려라!"

군의관이 그래 불더라고. 아 곰냥이 되아부니 시빠른 시러부니. [청중 1: 도시 같으면 향방이도 갈 것인디.] 예이.

"너 차라리 디져 버려라."

인자 군댓말로 인자 군의관이 그랬거든. 짠하단 그런식으로 인자. 젊은 신세 조졌다 그거여. 거짓말 아니고 딱 거그만 다친 사람이 있고, 귀만 또 딱 날라간 사람이 있고 그라네. 묘-하니 다쳐.

이상하더라고. 그란께는 저는 기속으로 심회강탄을 하고 있고 내 세상이, 이거이 세상 살았다 할 것이 없는디 속에 다 자기까지 인자 불을 확– 질러 부렸다 이거여. 아– 나중에 그 군의관이 죽어 버렸다 그래. 우찌 그란께는 그 어떤 사병 하나가 권총으로 쏴서 죽여버렸다고 하더라고. [청중 1: 그때 부애가 난께 그 놈이.] 그란디 나중에 알고 본께 그 놈이 갖다가 죽여버렸다 하더라고. [청중 1: 그렇게 말했다고이?] 예– 그 말 했다고. 그래갖고 그런 얘기도 있고, 나는 직접 보덜 안 했는데 옆에 사람들 들은께 그래. 그래 죽었단 소리는 맞어. 죽기는 죽었는디, 죽은 줄은 아는데 누가 죽인지는 몰라. 그래 나중에 들은께 그 치료받은 그 사람이 그 청년이 죽였다 하더라고. [청중 1: 에라 너 죽고 나 죽자 뭐 이런 거야.] '에이, 너 죽고 나 죽자!' 그라고. 그란디 그 사람이 살아 분건가. 치료 받아갖고 집에 가니 거그서는 몰라 인자.

[21] 정석인: 원대 복귀와 제대 사이의 선택

그래갖고 어디로 내려 왔냐면 부산. 인자 부산으로 후송을 했어. 저 미국사람 배, 큰– 배에다가, 저 배 우에가 참말로 야채전까지 다 있대? 야채밭까지 있더라고. 그렇게 큰 배가. 비행기 한 대씩 있고. 지엠우지차 늘 고장 나거든. 뭐이 삼백 몇 댄가 싣고는 인자 부산으로 그 차를 탔는데, 부산으로 왔더만 부산 삼육군병원을 인자 딱 입학을 하더만. 그래 인자 부산 삼육군병원에서 치료를 받았어, 삼육군에서 치료를 받다가.

인자 다 낫어 분께 밥만 쳐 묵고 만날 낮잠이나 자논께 살이 쪄갖고. 내 군대 가는데 69키로 나거더만은 아이 인자 70키로 가차이 되아부려, 부산서는, 병원에서는 참 퍼먹고 인자 자빠져 놀고는 그란께. 아무 것도 안 하고. 그라고 인자 제대.

"특명이 내려올 거이다."

"내려올 거이다."

하더라고, 군의관이.

그람시로 군의관이 나더러 뭐이라는 고로

"너 제대를 할래? 원대 복구를 할래?"

그라더라고.

아이고 내 전투가 어찌 신물증이 나서 할 생각이 안 나, 그때까지도. 전투라고 하면 좌우간. 아주 눈 앞이 캄캄한께. 그라니 우리 같은 사람은 전투인자 안 보낸다는 것을 거기서. 그람스로 그 대대자이 그라대.

"너는 전방에 안 가, 인자. 너는 상이제대한 사람이여, 명색이. 그란데 강원 원대 복귀를 하게 되면 니 자리도 많고 편하고. 장애물 없이 군생활을 할 거인데, 니 안 할랴?"

그라더라고.

전방에서 아주 싫은 꼴을, 싫은 꼴을 봐 놔서. 그 죽은 거이. 전투를 경험을 해봐 논께는 도저히 가서 생각이 안 난다 그말이여.

[청중 1: 그라믄 그 전투할 때, 중공군이나 하나나 어찌 죽여 봤습디요?] 우뜨케 알어? 대빡 최고까지 지고 쏘아 붙는데. [청중 1: 그란께 포탄으로 집신집신한께 저가 싸움을 하는 지, 우짤지도.] 포탄이 막 떨어지는데 눈이나 뜰 수가 있어? 어떻게 인민군들 포탄을 잘 때리는지. 말도 못하게 잘 때리더만. 우리 아군들은 제일 그 뒤에 한 백오십, 백오십 메타. 오히려 더 멀구만은. 앞 지원해준다는 그거. 포로 말이여 곡사포로 쏴서 하는디, 그것들은 조준 잘못 해갖고 우리 아군을 또 많이 죽여버려. (일동 웃음) 아군에 다 내 떨어져 버려. 지원 온 장병들이. 포병들이 아이 쏘는디. 아군들도 많이 그랬어. 아군 포탄에 말이여. 우리 전방에 다 때려 줘야 쓸 거인디, 바로 우리에 다 때려 버려. 뒤에 다 때리고 있다고. 그렇게 배워갖고매 그때 사람 죽은 것이 개죽음만도 못하고 그렇게 해서 죽어 불더라 그 말이여. 그래가지고 부산 삼육군병원에서 인자 제대를 해갖고, 제대장을 딱 받고 내려왔어.

[22] 정석인: 상이용사 신청과 포탄 파편을 직접 뺀 이야기

그래 그때까지 인자 인민군 군복이. 아 제대복인디 군복을 하나 딱 입고 왔는디. 집에 오니까 인자 그런 세상이 되아갖고 있거든. 그래 내가 '인자 살아야 쓰겄다'는 것을 해서 인자 그때 상이군들이 거꾸로 때려 부셔갖고 막 억새를 막 동네에 들어서면 들어 뜨대기질 하고 그때 세상이거든. 그라고 나도 그리 들어갔으면 그때부터 상이군인이여. 그래서,

"요런 것을 안 한다."

그라고.

열-심히 땅 파고 일해가지고 새끼들 하고 먹고 살고 이랬거든. 낮에 일을 다 못해서 저녁에만 일을 하고 말이야. 노탈하게 되면 저녁에 무지하게 내가 불서는 거 노타리 내가 많이 한 사람일시. 그래갖고 지금 다리를 못 써, 인자 이 무릎이. 그라고 살다가,

"나보다 너무나도 자네는 억울하네, 억울하네."

같이 갔던 일행들이,

"거시기 저 상이용사 신청을 하라."

그거여. 여기 와서 그라고 한 몇 십 년 농사짓고 살았는디.

"에이, 그런 것이 무슨 소용이 있더냐."고.

"내 나름대로 먹고 살지."

심지어 여기 여 지금 거시기 맹교리 여 선주학장. 아 거기도 그라더라고.

"이 차시에 가서 신청을 하라."

고 말이야.

그래 이 서류작성을 하는디 뭣이 가야 되고, 뭐 때고, 어디 가서 뭐 때고 뭐 때고 해갖고. 인자 신청을 해보겠다고 한다고. 다 서류작성을 광주로, 어디로 막 댕김시로 서류작성을 다 때갖고. 인자 순천보훈청에 갔어.

"나 이러 해서 신청을 하고 이제 서류를 다 해가지고 왔다."

그라고는 봉투에 서류 해갖고 인자 보훈청에 딱 갖다바친께, 딱 보더만은

"이거이 육군본부 육본에 이것을 보냈는디, 될랑가 안 될랑가 모르겄소."

그라더라고 보훈청에서. 상이용사 될랑가 안 될랑가 모르겄다. 그래도 넣어보라고. 그라면서 넣기는 넣되 보훈청 직원이,

"한 4개월 넘어가요. 한 4개월 훨씬 넘어가니까 그때까지 소식이 없고, 4개월 넘어가야 소식이 올 것이요."

그래.

"어째 이리 늦단께?"

"당신 명의 찾을라면 그렇게 된다. 육본에 가면 보통 힘든지 아냐?"고 말이야.

나 이름 성명, 주소, 그 명의를 찾을라니까 그렇게 걸린다 그래. 그때 하는 말이. 그때는 컴퓨타도 뭣도 없고 아무 것도 없는 판이거든. 그렇잖아? 그래 손으로 일일이 들쳐갖고 명단을 찾는다 그거여, 내 명단을. 내가 기록부에 있는가 없는가 볼라고. 그래갖고 찾아갖고는 넉 달 13일 만에 편지가 왔더만, 보훈청으로 왔어. 그라고 보훈청에서 나한테 인자 왔더라고, 또 이중이로 왔더라고. '그 분은 아무 전투해가지고.' 이 일지에 말이여, 뭐라고 쓰여진고 하면

"좌수지, 1, 2, 3 지가 절단"

그래 기록부에 다 쓰져갖고 있거든. 아무 전투 하다가 그렇게 부상을 입었다고. 거그서 얘길 해. [청중 1: (가슴과 옆구리 쪽을 가리키며) 요런 데 맞은 것은 기록이 안 되고 요것만 안 되어 있습디까?] 응 그것만 기록해놨거든.

아니 그때 당시에는 인자 (가슴 쪽을 만지며) 여그는 도기들이 백혔거든. 포탄 떨어진 놈을 잘못하면 그 놈의 도기에 맞아 죽고 그래. 그래 도기에가 몇 개 백히고. 저 강릉서 수술하는데, 여기는 파편이 들어가 딱 있더만. 그래 이걸 안 빼고 말이여. 거기서 안 빼고 인자 제대를 해버렸어요. 속에 가 들어서 못 뺐던 모양이라. 실생활이 지장도 별로 없고 그라더라고.

그래갖고 집에 와서 살면서 이 도기가 꺼죽으로 불거지더만. 속에 가 들은 것이. 꺼죽으로 불거져 껍데기가 얇더라고. 곧 터질라고 말이야. 맨도칼로 딱 기리면은 폭 빠져 불고, 또 맨도칼로 딱 그리면 폭 빠져 불고 그라더라고. (일동 웃음)

여그는 (옆구리를 가리키며) 여기는 본께 도기 아니고, 여그는 쇳조각이 들었더라고. 이거는 제일 늦게 뺏는데 이것도 집에 와서 내가 뺀거여. (일동 웃음) [조사자: 그럼 어떻게 빼셨어요?] 그냥 오래 께 꺼죽으로 붉은 게 톡 불거져. 인자 꺼죽은 얇아지고, 그 자리가 얇아지고. 아 그 놈을 딱 기대가지고는 (손으로 짜내는 시늉을 하며) 이렇게 한께 푹 나와 불더라고. (일동 웃음) [청중 3: 못 살아. 혼자 의사, 간호사 다 해버렸구만.] 눈 찔끔 감고 했어. 그란디 이것이 쇳조각이 쪼깐해. (리모컨의 한쪽 귀퉁을 만지며) 이 귀퉁이 요만하더라고. 이 배에 들어간 것이. 그래갖고 그 쇳조각을 빼서 딱 본께 새-카매 까시가 둘러 씨아갖고 쇳조각이. 맑갈 줄 알았더니 새카맣더라고. [청중 2: 시크만게 녹이 난께 시컴하제, 그것이.] 그래갖고 씻쳐갖고 갖고 있다가 몇 년을 갖고 놀았어. [청중 1: 기념으로?] (웃음) 어이, 기념으로. '요것이 내 뱃속에서 나온 거이다' 그라고. 그란께 결국에는 어이로 가버리고 어디로 없어져 버렸더라고. [청중 4: 지금 갖고 있으면 그것도 보물인디.] 그래 그 골동품 보물 될건디 그랬어.

아 육군본부에 기록부에 내가 딱 나와 있는디. 이러이러해서 부상을 내가 지금 상이제대가 됐다고.

[23] 정석인: 전장의 두려움과 살기 위한 몸부림

[조사자: 포탄 맞으셨을 때 그때 상황을 좀 자세히 설명해 주세요.] 아니 그란께 그거이 뒤에서 막 들어 총으로 겨눠서 안 올라간다고 그라고 막 그라면은 우리 사병은 안 갈 수가 없어. 가도 죽고, 뒤에도 쳐져도 죽고 그래. 뒤에서 뭐 선임하사, 분대장, 향도, 소대장 뭐이 그냥 상당히 쌔아 버렸어요. 장차급들이. 그래갖고 뒤에 서갖고는 막 안가는 사람 죽여 버려요. 거기서 그냥 호소 없어. 누가 죽여 버렸든지 시컷 죽여 버리고. 그라니 안 갈수가 없어. 그래 얼른 머리를 써갖고는 막 가서 전방으로 저 쪽 있다면은 한 8부까지는 벼락같이 가야 쓰겄더라고. [청중 1: 아이 그라모 보통 한 20미터 딱 가갖고, 딱 엎드렸다가 또 가고 그라요?] 응, 찬스 봐갖고.

그란디 대공판이란 것이 있어, 대공판. 대공판 짊어지는 사람이 있거든. 소대에서 하나씩. 그라모 그 대공판이란 것은 뭐이냐면, 한계를 가르쳐 주는 것이여. [청중 1: 그란께. 그 놈 보고 포탄을 쏜다고 그라대.] 이– 그 놈 보고 포탄 지원을 해 주는 것이여. 그 대공판을 보고. 1개 소대에 대공판을 짊어진 사람이 하나거든. 그란디 그 대공판 사람도 잘못하면 우리 아군 다 때려 죽여 버려. 대공판 짊어지는 사람이 메는디, 대공판을 어떻게 메냐면 등에 다 짊어 져. 짊어지면, 어깨를 딱 양쪽 어깨, 저그 다리까지. 십자매이로 이렇게 빨–간 것으로. 아주 빨간 베로. 옷이 지어져갖고 있어. 그 놈을 입으면은 십자로 딱 보여, 등뜨리가. 그러니 저–기 후방에서 아군이 지원을 할라믄 그 대공판 보고. [청중 1: 그까지 아군이 갔다 표신 겨 인자.] 표시여. 그까지 아군이 있다는 것을. 그라모 지원을 해주면, 앞에 다 때려 줘야, 어떤 때는 뒤에 다 때려 부려. [청중 1: 잘못하면 인자.] 잘못하면. 그라고 대공판을 짊어진 사람이 뒤떨어지면, 앞에 간 사람이 또 다 죽어 불고 말이야. 참 그 괴롭더라고, 맞추기도. 그때 당시 본께.

그래갖고 인자 나중에 8부에나 바짝 가갖고 인민군들이 가찹다. 이것은 육전을 못할 정도가 된다. 가서 여기서 (창밖을 가리키며) 저 주유소 정도나 딱 되면, 여그 여 딱 숨어갖고 바닥으로 몸을 감추잖아. 감차 놓고는 아 총구는 인민군들이 아니라 뒤로 거꾸로 해서 한국으로한테 들고 있단께, 거기 가서 인자. 그래 어째서 돌리냐? 남한 지휘자가 막 죽일라고 한께 저것을 없애버려야 내가 자유가 생긴다 이거야. (일동 웃음) 그란께 뒤에 인자 선임하사랄지기, 분대장 그 강정맞게 한 놈, 소대장 요런 놈들. 둘이 딱 겨누고 있다가 하나, 둘, 셋 그래 땅으로 쐈어. 잘 맞아부려. 그라고 뒤에 지휘자가 없으면, 그렇게 또 도망하기도 하고. 뒤로 후퇴해가지고 숨고. [청중 1: 그란께 아군이 죽인지 적군이 죽인지를 몰라.] 응. 몰라. 아군인지 적군인지 어떻게 아냔 말이여. 아무 데나 쏴 버리는데. 내가 살란께.

전쟁이 나면 그게 무서와. 아 수류탄 궁그르면은 그 놈을 손으로 쳐버려야 한다고 일어선단께. 도망을 갈라고 저리 도망갈라고. 얼른 손으로 쳐분지. 옆에 서는 인자 죽든지 살든지 내비두고. 그래야서 근디 인자 사병들은 일어서. 이 수류탄 무서운께. 가슴에 와 철딱 부닥치는데, 그래 막 두글두글 구르고 와. 그란께 얼른 (옆으로 치우는 시늉을 하며) 요렇게 요렇게 쳐 부려야제. 다 죽어.그래갖고 와서 어느 날 날짜를 정해서 보훈청에서,

"신체검사를 받으러 오시오."

그라고 연락이 왔습디다. 육군부에서 온 뒤에. 그래 인자 광주 어디 가서, 그리 가서 신체검사를 할 것인 게 그리 오라고 모집을 딱 해놨어. 아이- 가서 본께는 와- 마- 둘인가 서인가 당선이 되았는디, 한 이백여 명이 왔어. 상이용사 신체검사를 한다 그거여. 저그들도 해본다 그거여. 그라모 거짓가림 많고, 거짓말이모 많고 집에서 병신인 사람도 많고. 그런디 어떻게 써물라는데 되아? 안 되지. 그라고 어디 사람하고 나하고 둘이 딱 당선이 되더라고. 그라고 그것이 7급을 받았어 인자. [청중 2: 그라모 얼마나 나오요? 7급 받으면.] 그때 당시에 돈 25만원 나오더라고. 그때 당시에 돈 25만원 나왔는데, 논 두 단지 내주고 그 묵가리 값보다 더 낫더라고. 더 이익 되더라고.

보고 들은 전쟁을 전하다

한 경 준

"이것이 군인이 와서 죽인지, 경찰이 죽인지, 반란군이 죽인지를 잘 몰라"

※ 첫 번째 구연

자 료 명: 201522한경준(보성)
조 사 일: 2013년 5월 22일
조사시간: 125분
구 연 자: 한경준(남 · 1937년생; 가명)
조 사 자: 박현숙, 조홍윤, 황승업
조사장소: 전라남도 보성군 봉강리 (마을회관)

[조사과정 및 구연상황]

조사자가 마을회관에 들어서자 많은 아버지들이 모여 있었다. 모여 있던 어른들은 조사자가 정해룡에 관한 조사를 하러 온 줄 알고, 처음에는 양정원을 설립한 봉강 정해룡에 관한 이야기만 하려고 하였다. 조사자가 본 조사의 취지를 재차 설명을 하자 제보자와 청중들은 자신들이 경험한 전쟁에 대해 구연을 하기 시작하였다. 제보자는 조용하고 차분하게 구연해 나갔고, 많은 청중들은 경청하면서도 중간 중간 개입하며 자신들의 생각을 피력하였다.

[구연자 정보]

한경준 제보자는 1937년에 전라남도 보성군 회천면 봉강리에서 태어났다. 제보자는 구연 내내 양정원 설립자 정해룡의 인품이나 품성, 사상 등에 대해 존경심을 드러내었다. 기억력이 매우 좋고, 차분하고 조리있게 구연을 잘하였다. 긴 시간 구연에도 청중이 움직이지 않게 할 정도로 표현력이 좋았다. 봉강리 마을과 그 이웃마을에서 전쟁 중에 겪은 많은 이야기를 듣고 기억했다가 구연 현장에서 생생하게 전하였다. 제보자의 요청에 따라 제보자의 이름은 가명으로 한다.

[이야기 개요]

한경준 제보자는 봉강 정해룡이 민족학교 양정원을 세웠다고 전했다. 봉강이 일찍부터 종문서를 태워 종의 신분에서 해방시켜주었는데, 종들은 떠날 수 없다고 울며불며 매달렸고, 소작인들에게는 자신이 필요한 땅을 제외하고는 모든 땅을 소작인들에게 나눠주고 무상으로 농사를 짓게 했다고 전한다. 또한 봉강의 인품이 뛰어나 어린이, 하인, 당골 등 나이와 신분에 관계없이 인사를 받으면 모자를 벗어 정중히 답례를 했다고 전한다. 봉강이 구속 되었을 때, 우익인사들이 발 벗고 나서서 구명운동을 펼칠 정도였다고 한다. 한국전쟁 당시에는 마을에 인명피해가 하나도 없었는데, 그 이유는 봉강이 우익인사들과 만나 밀약을 한 것이 유용했다고 한다. 쌍방의 세상이 되면 쌍방에서 구명운동을 펼치기로 한 약속이 양진영간에 지켜졌다고 한다.

청포에서 경찰이 후퇴하면서 한 나절 집단학살로 29명이 숨졌다. 또한 경찰들이 마을 남성들을 운동장에 집결시켜서 훈련을 시키는데, 서로 상대방의 뺨을 후려치는 것을 시키는 등 경찰들의 잔혹함을 말한다.

[주제어] 정해룡, 양정원, 문명퇴치, 야학, 윤윤기, 보복전, 신사 방화, 잔혹 경찰, 애국심, 구명(求命), 빨치산, 김선우, 전봇대, 암호실수, 인민군 주둔, 면서기, 요강, 일제, 병사계, 반란군, 갈마실 전투

[1] 봉강 정해룡이 세운 민족학교 양정원

[조사자: 예 저기 민족학교 양정원이 생길 때, 저 그때부터 아시는 거, 그냥 편안하게 아시는 대로 그냥 이렇게 얘기를 좀 해주시면. 어떤 학교였어요, 이 학교가?] 인자 양정원은 정해룡 그- 해룡 선생님이 순수하니 사비를 들여서 자기 동네 집 앞에다가 소위 말하자면 설립을 한 교육기관이었거든. 어떻게 보면은 일본 놈들이 조깐 감시의 대상도 되었다고 봐야지, 그때는. 그래서 인자 이름 자체가 양정원이거든, 이름 자체가. 그래서 인자 본관 어르신이 순수하니 지금 그 동서동이란 마을 뒤 자기 산에서 그 놈을 솔나무를 전부 비어다가 치목을 목수들을 해서 작업을 해서 그것이 세운 것이 그것이 양정원이제. [조사자: 네, 네. 이 설립을 정해룡 선생님이 하시고?] 그렇제. [조사자: 아- 그러면 윤윤기 선생님은 어떤 역할을 하신 거예요?] 그란께 어떻게 보면, 현장에서 그 분은 은자, 현장에서 교육책임자로 인자 그렇게 있었는데, 그뜩에 인자 정해진 씨라고 있어. 해룡 씨 말하자면 동생 된 분. 인자 그때 유일하니 회천면서는 경성제대를 다니신 분이었거든. 그래갖고 일본 동경제대를 유학을 하신 분이거든. 그랑께 그때 교육으로 봐서 에리트 중에서도 에리트야. 인자 그분, 인자 그분은 월북을 하셨제. 그런데 인자 그분의 마누래, 전예춘 씬가? [청중: 전예준입니다.] 예준이. 그 마누래는 그뜨게 이화학당인가 거기도 여기서 선생질을 같이 하시고 그랬거든, 거기도. 그럼 그때도 거기도 여성으로서는 최

고의 엘리트야. 그때 당시로는 누가 뭐 초등학교도 안 다닐 땐께, 일반인들은. 인자 그렇게 하시고 지방에서 인자 저, 유망한 후배들이 거기서 같이 모다 갖고 협조를 해서 이렇게 글을 가르치고 모두 그랬제. 그렇게. 그란데 인자, 윤윤기 씨 자손들은 윤윤기 씨가 인자 양정원을 세웠다 그라는데, 원래 그 양반은 봉래 살치 양반이거든. 살치 양반인디 말하자면, 자기 동네서 세우지 뭣 하러 너무 동네 와서 학교를 지았다는 건 말이 안 되는 소리지, 그런 것은. 아 그라네, 아 사실은 사실대로 얘길 해야제. 나쁘게 말하자믄, 그때 그 윤윤기 씨라고 그분은 해룡 씨 집에 와서 말하자면 밥 빌어먹고 있는 거여, 나쁘게 말하자면. 그란데 인자 그것을 자기가 설립을 했다고 그러면 그것이 적반하장도 분수가 있지. 안 그라네? [조사자: 그러네요.] 거짓말도 정도로 해야지, 그런 것은. 그 지역주민이 다 아는 것인디. [조사자: 아 지역주민들이 다 같이?] 다 알고, 우리 때까지 다 알고 우리가 어른들한테 들어서 우리 고향이고 우리 동넨데, 그럼 그걸 모를 것이여.

[2] 봉강 정해룡의 인품

[장장수: 우리 세대에서 직접 거기서 체험하고 공부를 한 터전인데, 우리 세대는. 양정원에서.] [조사자: 직접 거기서 공부를 하셨어요?] 네, 그라제, 그 세대여서. [조사자: 그럼 주로 어떤 걸 가르칩니까, 양정원에서?] 그란께 인자 옛날에는 우리가 초근목피하고 어려운 시대에 우리가 태어난 사람들인데, 그때는 인자 이 교육 분야가 아주 뒤떠이 해갖고 우리나라 정세가 이 배우는 것이 지금하고는 비교 할 수는 없제. 그란께 없는 사람들이 배우고 싶어도 못 배우고 아 이런 시대다 그 말이여. 근디 봉강 선생님이 덕망가로 거기서 사시면서, 얼른 말해서 첫째는 경제적으로 좀 여유가 있어야 좋은 일도 하는 것이고, 하는 거인디. 첫째는 경제고. 또 경제적으로 여유가 있다고 해도 관심이 없으므는 또 그런 좋은 일을 못하는 못 하는 거 아니여, 그 시대가? 근

디 봉강 그 선생님은 양자가 다 관심이 지대하신 분이여. 경제도 여유가 있고, 또 교육면에서 이런 것도 아주 관심이 많으시고. 그래 우리가 항상 어려서 듣는 내용은 그 분을 호칭 봉강선생, 또는 우국지사 이렇게도 표현도 하고 했다고. 나라를 걱정하고 근심을 하고. 그래 자기 사비를 들여서 자기 터에다가 학교를 설립을 해가지고, 그 윤윤기 그 분을 초빙을 해다가 인자, 얼른 말해서 지금으로 하면 월급을 주고 인자, 기용을 하는 거이제.

그 생활 기반조성을 해주고 윤윤기 어른이. 그 모든 비용을 인자 봉강선생이 전부 자기 자부담으로 부담을 했고. 그란께 이 지역에서는 얼마나 그 덕망, 덕이 높으시고 덕망가다. 그래 우리가 거는 이 지역에서 그런 분이 탄신, 나오셨다는 건 참 현재로 우리가 전무후무하다 이렇게 얘기 할 수가 있어. 또 그분이 얼른 말해서 풍신도 아주 독특하고, 모든 그 인품이 훌륭하신 분이고. 따라서 인품이, 풍신이 좋아도 마음 자체가 안 좋은 그것이 안 좋은 거 아니여? 다 겸했어. 그러고 에- 또 경제적으로 충분한 여유 있어 사니까 참 수십, 여러 많은 그 자기 산하의 씨족들 정문, 없는 사람들 전부 돌보면서 거기서 전부 에- 없을 때 다 식량을 줘가면서 어- 그렇게 했고. [청중: 흉년이 들면, 흉년이 들면 창고에 기문(개문)을 그렇게 해.] 또 따라서, 따라서 또 봉강선생님이 좋은 일을 하신 것이 그 농사를 그때는 옛날이여. 지금은, 지금은 뭐 농토 이것이 가진 게, 농촌 가진 게 없지만은 옛날에는 이 지역에 논이 제일 일이여. 땅을 많이 가지고 있어야 그때는 뭐 땅만 많으면 먹고 살기, 배부른 시댄께. 또 그리고 그분이 농사를 많이 지으면서도, 이 지역에서도 많이 지으면서도 또 외작을 많이 했어.

저 보성군에 타 면에도 땅을 많이 갖고 계셨다 그 말이여. 그러믄 인자 일년 농사를 지으면은 그 인자 수를 조금슥 이라도 받어. 그냥 줄 수 없는 것이니까. 외작을 줘 갖고 수를 조금슥 인자 받아 갖고 싹 오면서 없는 사람들, 아주 극히 밥도 없는 사람들을 외작 수를 받아갖고 둘러보고 오시면서 다 노놔 주고. 봉양을 하라고, 다 먹고 살으라고. 그렇게 좋은 일을 많이 하신 분이다 하고는 이렇게 알고 있고. 우리가 직접 또 어려서 느끼고 보고 체험했기 때문에 다 아는 사항이여. 인자 그러다가 시대에, 시대를 인자 그 양반도 좋은 시대를 못 타고 났어. 참 옛날에 우리 어렸을 때, 이 왜란, 인자 왜정 겪었제. 여수반란사건 겪었제. 6.25 겪었제. 엄청난 이 어려운 시대를 우리가 겪고 나온 시대다 그 말이여. 역시 그 봉강선생님도 그런 시대에 태어나서 좋은 일을 엄청 했지만 빛을 못보고 생애를 마친 분 아니냐 그 말이여. 그래 역사를 안께, 우리가 역사를 우리가 인정을 하니까 우리 세대에서는 이 지역에서 인정을 하고 있어. 아— 이렇게 훌륭하신 분이 이 지역에서 태어나서 이렇게 좋은 일을 많이 하셨다. 아— 이랬고, 그런 분이야 하여튼.

[한경준: 그 분이 원래 인자 다른 말씀을 이렇게 언소가 그렇게 그냥 적은 양반이여. 생전 뭔 좋은 일을 해도 말을 안 하시는 분이거든, 원래가. 그라고 인자 중앙에서 크게 놀았제. 지방에서는 잘잘한 것은 그런 데는 인자 개입도 안하고.] 그란데 그분의 인격이 이 지역사회에서 '아 그 자식.'하고 이런 말을 그 분 입에서 나온 것을 들어본 사람이 없어. 그라믄 그 분의 인격이 어느 정도란 것을 알 수 가 있어. 그란께 요새말로 말하면 또 이태규 같은 양반이여. 그런 양반이여. 그란데 내가 인자, 평생 동안을 집에서 독서질을 안채갔고, 유학사상만 이렇게 머리에 딱 드신 분이란 말이여. 그래 내가 한 번은 손성철 씨라고 그 양반하고 인자 봉강 어르신 집에를 놀러 가갖고 뭐 쬐깐한 나무 한나 이렇게 사고 판 것이 있어. 그란디 봉강 어르신이

"좀 기다려 보쇼잉."

그람스로 그 노모한테 가서

"어머니 이것을 이렇게 팔란데 우짜 것이야?"

거 이런데. 물어 보더라고. 성철 씨 그 양반이

"저기서 저 해룡이 가서 그까짓 것 팔면서 저 어머니한테 가서 타협을 한다."고.

그랑께. 말하자면 그렇게 효자였다고. 그 양반 하신 것이. 그러고 어떤 일

화가 있냐 그라믄. 그 양반이 그렇게 있어 삶서, 한번은 보성서 이렇게 회천을 요렇게 넘어오게 됐어. 넘어오게 됐는데, 그 일제 말엽에 그 배고픈 세상에 부인이 슬프게 이렇게 울고 지나가. 그란께 우째서 그 울고 지나 가냐고 붙잡아서 그렇게 인자 물었어, 이 양반이 옴서로. 그란께 배가 고픈께 무엇을 팔아서라도 저녁을 묵어야 쓸 것인디, 뭐 팔 것이 없어서 족보라도 팔아갔고 어떻게 쌀빼라도 해서 저녁이라도 묵어야 쓰것다고 그라고 보첩을 갖고 여자가 인자 넘어와. 그란께 얼마나 곤란했는지 알 수가 있지. 그라믄 그때 당시만하도 족보란 것을 아주 신주 하듯이 우한 시대거든. 요새는 누가 족보 하지만 별 것도 아닌 걸로 취급을 하거든. 그래갖고 그 양반이 포켓에서 있는 돈을 싹 내갖고 그 아주머니를 다 드려버렸다니까. 그 어르신이. 그라고 생전 얘기도 안하고 딱 입을 덮어 불고 몰랐어. 몰랐는디, 이 양반이 나중에 면의원 올라가서 딱 사진을 볼께로 그 양반이거든. 그라니깐 그 여자가 이렇게 좋은 양반이라고 이렇게 선전을 하고 다니고 말하자면, 품성이 그런 양반이야, 생–전. 있으면 그대로 이렇게. 그래갖고 내가 지리산 지금 그, 금안낙지라고 그 집이를 가보고, 저기 저 경주 밑에 지금 최 부자 집이도 가봤거든. 거기도 간께 밖에다가 이렇게 쌀 퍼가라고 안 보이는데다가 이렇게 다 해놓고 그랬더라고, 그때 부잣집이. 그란디 내가 볼 때는 이 양반도 그 이상으로 한 양반이여.

[3] 한국전쟁 때 이념 갈등 보복전이 없었던 마을

그라므이 6.25라는 것이 우리가 볼 땐 6.25사변, 남북전쟁 이란디, 실지는 그것이 아니라 봉건시대 양반, 상놈, 지주 이? 말하자믄 인자 경작이. 또 씨족 간에 '너는 양반 족이다.', '우리는 상놈 족이다.' 이래갖고 각 부락이 이렇게 알력이 이렇게 해갖고 그것이 봉합적으로 버무러진 것이 6.25사변이거든. 그라믄 실질적으로 인민군하고 국방군하고 싸운 그 군인 보듬도 남북한이 양민이 더 많이 죽은 것이여, 몇 배가. 그라믄 여기서 지금 영광, 영산 같은 데서는 한 면에서 4,700명인가 양민이 죽은 것이여, 이짝 저짝에서. 그래 내가 우리 면도 이렇게 세어 본께는 한 100명은 넘겼다. 그란디 우리 면에선 절대 그것은 없었어.

[4] 해방되던 날 전국 최초로 신사 방화 사건 (1)

그라믄 봉강 어르신 같은 분이 아 재산 그렇게 많고, 종들 많고 그란디. 아 다른 데서는 종들이 그냥 이 해방이 된께, 주인 놈 쌔리 죽인다고 난리가 나는디. 이 양반은 인자 자유 몸으로 이렇게 가라 그란께 종들이 울고불고 안가고 그랬다니까. 그라믄 그 양반이 요새 같으면 얼마만큼 그 인류애에 이렇게 밝은 사람이냐. 그래서 우리보다 훠-얼씬 머리가 앞에, 앞에 선 양반이여. 그란께 집안에 종들이 안 간다고 울고불고 '우리가 어떻게 쇤님을 놔두고 가겄냐'고, 그랬다니까.

그래 내가 인자 해방이 되던 날, 우리가 인자 그때 일본 놈들이 마을에서 수업을 해. 그라고 학교는 지붕에다가 전부 솔나무를 이렇게 영궈갖고 인자, 미국 뱅기가 학굔지를 모르게 이렇게 한다 그라고 인자, 종을 안치고 판자때기로 이렇게 들어가고 나오라고 (박수를 치며) 딱딱 이렇게 한단 말이여. 그래갖고 인자 패색이 가까운께는 마을에서 수업을 한디,

"평난이 됐다." 그래,

왜래서. 그래서 왜래서 '평난이 뭐인고?' 그랬지 인자이. '난리가 평정이 됐다.' 이것이여. 그래서 인자이 그 소재지로 간께, 막 면서기들은 뭐 그냥 소등안하, 막 그냥 이렇게 악수를 했쌌고, 어저께 군대 간다는 사람들이 막 좋아서 흔들고 그라고 그러더라고. 그런데 오후에 인자 (꽹과리 치는 시늉을 하며) 매구(꽹과리)를 쳐 이렇게 인자, 농악을. 그래서 내려와 봤제. 그래 그 뒤에를 내가 졸랑졸랑 따라 다녔제. 그라믄 전국에서 해방이 돼갖고 신사 등

을 8월 15일 날 습격해서 불을 꼬슬라고 내가. 요가 제 1번이여. 대한민국에서 우리 회천면이 1번이라고. 그란께, 인자. 그때 얘기를 들어 보면은 해진 씨 같은 분에들도 인자 해방되기 전에 그 아래 '강원도서 옮서로 일경한테 접혀갖고 어째 몸이 두르려 맞아갖고 옷을 못 벗을 정도로 몸이 이렇게 붓었다.' 그래. 그래 갖고 칼로 막 찢어갖고 옷을 뱃기고 그랬다 하더라고. 그란께 그 아래부터서 항일운동이 비밀리에 다 이렇게 접속을 한 것이여. 그란께 일본 놈들이 다른 것을 몰라도, 봉시동 정해룡 씨 집은 아주 딱 거기다 촛점을 두고

"요새끼-."

요시찰인으로 이렇게 감시를 그렇게 했제. 그라믄 해진 씨가 온 것도 다 알아, 일본 놈이. 그란께 처음에 지서에 그렇게 간께 일본 놈이

"당신 온 줄도 다 알고 있다."고.

"그란디 일본이 내일모레 망한디 내가 뭐다라고 응-."

그리하고. 그란디 해방 되던 그 안 해에, 그 해에 설에 회천면서 유지된 분 한 삼십 명을 이렇게 모집을 해갖고 일본 놈이 집집마다 댕김스로 그렇게 음식 대접을. 이렇게 그란께 즈그도 해방이 되믄, 여기서 일본으로 가기가 어려울 것이다. 그라고 지방 유지들한테 미리서 이렇게 말할 테면 요새 같으면, 교제를 한 것이여. 애네들 그뜩에 그 날 저녁에 모인 어르신들이 그라더라고. 하- 그때도 귀한 양주가 나오고 일본 놈에서 속에서 그라고 다 그라더라고. 그람스로 그런 얘기를 해. 그래 갖고 그때 인자 해방이 이렇게 되아갖고이, 그날 우리가 이렇게 (꽹과리 치는 시늉을 하며) 매구를 치고 그란데 신사당을 습격하고 불 질러 버리는 뒤에를 졸래졸래 따라 다녔제, 인자. 우리는 왜인께 인자 좋다, 그라고. 그래서 그 뒤 어른들도 막-그 태극기를 그날 처음 봤단 말이여. 그란께 (태극기 휘두르는 시늉을 하며) 이렇게 국기를 막 흔들고 앞에서 막- 그 사람이 까불고 그라더라고.

"그 사람이 누구요?"

그라고 내가 이자 어르신들한테 여러 사람한테 물어봤어. 그란께

“에이- 근께 그 놈의 새끼가 해룡이 집에 종놈의 새끼란 말일시. 그란데 그 놈의 새끼가 그렇게 까불고 그랬다.”고.

인자 그렇게 그런 (웃음)얘기를 했싸. 그래 인자 초등학교 가갖고 그 교탁에 올라가서 연설을 다 하더라고. 그래서 ‘그 양반이 누굴까?’ 그란디, 일제시대 이 군복 매이로 단고스복이라고 요리 (다리 부분을 가리키며) 단추 다섯 개 이러게 달은 거여, 반 군복이 있어. 그래 파란히 그 놈을 입고 이 양반이 연설을 짝- 해. 그란께 야- 하고 가니까 교실에 그 전부 그 일본 천황폐하 그 신을 모셔논 데 있거든. (창으로 찌르는 시늉을 하며) 대창으로 그냥 막 쭈시면 와삭하게 나가면 우리는 인자 재밌지, 애기 때라. 인자 그래서 교실을 따라다니고 그랬는디. 그뜨게 그 어르신이 누구였냐라고 내가 해진 씨였다냐, 해주 씨였다냐. 내가 인자이. 그라믄 해진 씨하고 해주 씨하고 6촌 간이거든. 그래 물어봤어.

“그때 그 어르신이 해주 씨여, 해진 씨여?”

그라고 인자 물어본께 그랬더니,

“해주였단 말씨.”그래.

그라믄 해주 씨가 광주 요즘 서문학교 [청중: 광주농고.] 그란께 다니다가 학생운동 해 갖고 광주농고로 갔거든. 그래 갖고 그 양반이 내가 그 영관 씨라고 군수 한 양반도 같이 그때 다녔는데, 그 양반 그 재판기록을 내가 다 봤어. 그걸 저기 저 부산고법에 가서 카피를 해왔다 왔더라고. 일제시대, 그란디 보성서 여섯인가 되더라고, 그뜩에 학생운동 한 양반이. 그란디 영관 씨는 그때 6개월인가 했는디, 이 양반이 3개월, 3년, 2년인가 돼, 해주 씨가. 그랑께 훨-씬 기냥 선두 앞장 선 사람이여. 그래 여기서 우리 선배들보고 물어봤어. 물어본께

“두 번 가라믄 아예 데모 그런거 안 해본다.”

이것이여, 해주라고 그 양반이. 그란디 성격이 좀 과격해. 말하자면, 봉강

어르신은 아-주 어진 양반인디, 여기는 인자 파쇼주의여 성격이. (웃음) 해주 씨는. 그래 인자 이 양반은 결국 해방, 일제시대란께 그 해주 씨가. 그란디 인자 이 양반은 해방이 되갖고 좌익으로 해갖고 입산해서 돌아가시고. [조사자: 그럼 이분은 산에, 그러니까 빨치산 활동을 하셨습니까?] 그랬지 인자. 그라다가 돌아가셨재, 그 양반은. 그란데 그 양반도 성격상 이 짝으로 했으면, 참 출세를 할 양반이여, 말하자믄. 그란디 인자 시대가 묘한의 시대가 되 갖고 좌우익으로 갈라진께 인자 그런 시대가 되고 인자 그랬제. 그란데 인제 해진 씨는, 우리가 인자 직접은 내가 인자 봉강 어르신은 어른 돼서 여 와 계신께 항상 접촉을 많이 했는디, 해진 씨는 월북을 해버리고 나서 거그는 인자 접촉을 우리가 인자 못했지.

[청중: 그 혹시요, 학산 윤윤기 씨가 펴낸 책이나 여러 가지 군데서 율포 신사당을 윤윤기 씨가 앞장서서 보성, 회천 사람들 동원해서 율포 신사당을 주도적으로 불을 태웠다 그렇게 보도가 되안디, 그 사실은 어떻게 된 거에요?] 그거는 아니지. 그것은 내가 인자 저녁에, 해방된 날 저녁에 엄니가 니쿠사쿠(배낭)를 이렇게, 그때 인자 피난 간다고 만들어 갖고 미숫가루 했는디, 저녁에 요 놈을 갖고 뒷산으로 도망을 치라고. 그라믄 내가 지금 그때 아홉 살이었는데, 아홉 살짜리가 무엇을 알 것이여. 그라믄 낮에 인자 신사당 습격을 해부렸으면 뒤에 따라 댐시로 구경을 했단 말이여. 그라모 그 앞 날 이미 일본이 기울러 진다 기울러 진다를 알아, 해진 씨랑 봉강 어르신 집은. 그라믄 유일하니 그때, 다른 데는 없어도 봉강 어르신 집은 라디오가 있었으.

[청중: 유일하게 그 집만 있었어.] 유일하게. 그란께 방송을 미국에서 하는 거를 잘 들어보면, 일본이 일본 놈은 그렇게 이긴다고 그랬샀는디, 내일모레 요놈들은 '느그 진다, 이 놈.'하고 다 알고 있제. 그란께 벌써 이렇게 일본이 이렇게 즌께 그 앞 날 부터서 동네서 모이기로 한 것이여. 일본 해방되면 습격 해 불자고. 그란께 미리 또 대창 같은 것도 다 맨들어 갖고 [조사자: 준비를 했어요?] 준비를 했은께, 오늘 해방이 된께로 된 날 가서 습격을 해부렸제.

요렇게 탁 (머리띠를 두르는 시늉을 하며) 동채 갖고 요기다 태극기 했으니, 예로서 태극기 저거이 뭔고 처음 봤다니까. 그래 내가 (태극기 흔드는 시늉을 하며) 흔든 사람을 하도 까불길래 어른들한테 물어본께, 그런 얘기를 하더라고. [청중: 아 그러니까, 아니 아까 이야기 하는 윤윤기 씨가 거기에 참여를 했냐?] 그란께 그것은 엉토당토 안한 말이여. 그것은 내가 볼 때는 해진 씨나 봉강 어르신 집에서 모토가 되 갖고, 봉시동에서 되 갖고 여기 청년들이 나선 것이여. 그때 탁- 이렇게 (대창을 드는 시늉을 하며) 앞에서 이렇게 대창을 요렇게 메고 뒤에서는 이렇게 (꽹과리를 치는 시늉을 하며) 꽹맹이를 치고. 그라고 몰라, 그때 인원수가 한 이백 명 되았는가, 청년들이. 그라고 싹 나서 버렸지. 그라고 이자 그것이 봉시동 지금 저 해룡 씨 집을 중심으로 해서 봉시동 정문에서 이렇게 신근리로 이렇게 해서 모토가 된 거지, 어디.

[5] 양정원을 세워 문명퇴치에 앞장섰던 정해룡

[정해윤: 그랬어요, 그래. 나는 그때 따라 갔는데 나는 그때 따라 가봤어요 그 오실 때. 따라 갔어요. 따라 갔는데, 에- 인자 그것은 아까 저 분이 하는 말이 그렇고 어- 제가 하고 싶은 말은 가만히 지금 생각 해보면은 정해룡 씨라는 그 분이 문맹퇴치를 제대로 했다고 봐요, 문맹퇴치를. 그 양정원 학교를 지어 가지고 밤이믄 야학을 했어요, 야학. 옛날에 우리 국민들이 글을 몰라, 우리 한글을 몰라 가지고 편지도 쓸 줄 모르고 뭐, 글자도 못 쓰지 않았어요, 전부? 그란디 그 분, 야학을 우리 부락원 뿐만 아니라, 거 봉강리 아마 요쪽까지라도 아마 다닌 사람이 많이 있었을 것입니다. 야학을. [청중: 많이 다녔지, 저 저쪽 오개리. 저 우에로 해서 많이 다녔제.] 밤이믄 야학을. 그 야학으로 해서 완전히 어- 글을 배왔어요, 배아. 그라믄 윤승원이라는 사람은 야학, 그 거그 관리자여. 쉽게 말하믄, 집을 지어 놓고 선생 비슷하게 지금 말하자면, 교장이랄까. 비슷하게 책임자로 거기 있는 분이었어, 그 분은.

그래 가지고 그 야학으로 인해서 아주 글을 다 배았습니다. 어머니, 아버지들도 밤이믄 다녔어요. 많이 다녔어요, 어머니, 아버지들도. 우리 어머니도 살아 계십니다. 101살 자셨는데, 살아 계신디. 우리 어머니도 거기 다님서 글을 배았어요. 그래 가지고 인자 해방이 되니께 글을 가르쳐 (글을 쓰는 시늉을 하며) 기역 니은을 가르쳐 나보고 말이여, 요거 기역 니은이라고 그런 걸 가르쳐 줍디다요. 결국 어머니한테 나도 한글을 좀 배았습니다. 그래서 우리 부락 젊은 청년들이 말이요이, 어- 해룡 씨라는 그 분이 아- 주 참 애국자면 그리 애국자가 아니랄까, 젊은 사람들이 전- 부 아, 글을 알아야 쓰겄다. 알아야 쓰겄다. 전부 어린이들, 그래 갖고 우리 부락 애기들은 전부 거기서 말이여 글을 배와 가지고 즈그들이 노력해 가지고 객지로 다 나가 가지고, 성공을 다 해가지고 말이여, 지금은 차가 요, 승용차가 많습니다. 옛날만 해도 승용차가 귀하지 않았어요? 그라믄 저 가서 택시를 불러 타고 모두 오며는 봉중으로 다 와. 그란께 요 그 밑에 부락들이

"와 어떤 자식들은 잘 짜이고 조금 타를 타고 올라 온다야?"

이런 말을 다 했어요. 그래 가지고 우리 부락 애기들은 한나도 깡패도 없고, 지금으로 같으면 누구, 강도도 없고. 자기 노력으로 인해서 전부 객지에서 해 가지고 다- 밥 먹고 살고 있습니다. 그렇큼 교육을 시켰어요.

그란께 인자 그 양정원으로 인해서 개화의 눈을 일찍 떴제. [청중: 그렇제.] 말하자면 이 지역 사회가. 현대 개환의 눈을 일찍 뜬 것이여.

[6] 해방되던 날 전국 최초로 신사 방화 사건 (2)

[조사자: 그러면 신사 방화 하는데 간 청년들이 200명이나 되면, 이 부락이 굉장히 컸었나 봐요?] [청중: 아니. 우리 부락 뿐만이 아니라여, 여기 싹.] 그란께 여기 인자 회룡, 요리 전일 요 것이 꽉. [청중: 5개 리.] [조사자: 5개 리의 청년들이 모여서?] [청중: 5개 리의 청년들이 합체를 해 가지고 출동을 해서

합동으로.] 그걸 그랬는디 그 뒷날 만주서부터, 만주서부터 이렇게 관동군이 그냥 막 밀려서 이렇게 내려와 갖고 보성읍에도 몇 백 명이가 무장한 일본 군인이 있었어. 있었는디, 달라 들면 난리나 불제, 지금. 그것도 맨손 갖고 할 것이여? 그 놈들은 무장을 했는디. 그래 갖고 동네에서 봉시동 마을에서 뒷산으로 또 피난 가니라고 그 뒷날 난리가 나부렀제. [청중: 그건 16일 날입니다.] 그건 16일 날. [조사자: 해방 이후?] 일본 놈들 인자, 말하자면 일본천황폐하가 항복은 했어도 무장해제가 안 되있제. 그란디 그렇게 불을 질러 부렀으니 그 놈들 볼 때는 눈에 산불이 씌제. [청중: 동네를 불 지를라고 또 온 거여.]

[무명씨: 거시기 저, 우리 보성군사, 95년 때 방행된 보성군사가 잘못 된 것이 하나 있더만. 그걸 보면은 우리 보성군에서 가장 먼저 신사당 불을 지른 데가 율어라 그랬어. 그때가 오후 한 두시 경 된다 이렇게 써 놨는데, 그래서 나도 인자 그 걸 가지고 상당히 이런 얘기 저런 얘기 했는데. 우리가 어려서, 나도 거그 불 탄 걸 봤어. 거 오는데 뒤에 불탄 걸 봤단 말이여. 그라믄 평난이란 말이 뭔 말인지 모르고 무조건 좋았어. 어른들이 좋아하니까 우리도 따라서 좋은 거여. 그래 인자 거기를 가서 구경하고 했는데, 우리가 어른한테 들을 때는 봉강 선생 집이 유일하게 우리 회천서는 그 집하나 라디오가 있는데, 일본천황이 항복 그 여 뭐냐, 방송 들음과 동시에 갔단 말이여, 여기서도.] [청중: 그 앞날부터 8월 15일 날 "내일 중대발표가 있을 것이다.", "중대발표가 있을 것이다." 나온께, 중대발표가 이것이 무엇이겄냐 이것이여. 틀림없이 지금 일본 항복 한다는 거이제. 그란께는 동네서 미리서 준비를 한 것이지.]

[정해윤: 그때 라디오를 내가 봤는디요. 요만한 막 쇠꼬챙이가 있는디요, 봤어요 나는.] [조사자: 어디, 거기 해룡 선생님 집에서요?] 어- 이, 그란디 사랑채가 있는디 거기서 저- 리 말이여, 저 요 집이 대밭이 있어요, 대밭이 상당히 높습니다. 고리 뭐 선이 말이여 저거 저 대를 베어가지고, 지금 같으면

저 전주 같이 말이여, 세아 났더라고. 그 안테나인 모양이여. 그런 것이 딱 꺼만하이 세워졌더라고. 그래서 본께 지금 같으면 그것이 라디오였어요, 라디오. 그게 라디오였어요. 내가 그건 봤습니다.

[7] 봉강 정해룡의 사상과 외모

[무명씨: 그 양반이 민족주의자지, 사상은. 그리고 한가지요이 우리가 어려서 그 봉강 선생이 제가 누군지 몰라, 어리니까. 그러고 우리는 안단 말이여. 그래 인자 인사를 하지요. 조그마한 열 남 살 먹은 애기가 인사를 해도 이 양반이 요렇게 (모자를 벗고 인사하는 시늉을 하며) 모자를 벗어 탁.] [조사자: 참, 인품이 대단하신 분이시네요.]

[정해윤: 얼굴도요, 얼굴도 기생 뺨 맞습니다. 잘 생겼어요, 이쁘게. 걸음도 아무리 비가 오나 눈이 와도 그저시에요, 그저시.] [조사자: 선비님이시구나.] 예- 그런 분이에요 그런 분. 얼굴이 기가 막히게 이뻐요, 참말로.

[8] 6.25 전후 잔혹 경찰 (1)

[조사자: 봉강 선생님은 언제 돌아 가셨습니까?] [청중: 육십, 육십구 년이요.] [조사자: 그러면 학산 선생님이 그 6.25전쟁 때, 그 봉강 선생님 자택에서 거기 이제, 돌아가셨다 그랬잖아요?] [한경준: 자택이 아이라, 그때 보성 인쇄소가 있어.] 그라믄 봉강 어르신이 그 말하자면 인쇄소를 그렇게 경영을 했단 말이여. 그란께 내가 이야기를 들어 본께로는 그때 거기서 종사한 사람들이 열 세 명인가 됐다 하더라고. 인쇄소서. 그란께 실정은 요새는 지방에서 조그마한 신문사 그 규모 정도를 인쇄소를 그랬단 말일시 그래. 그란디 근읍에서 족보나 이런 것을 하면 전부 거기 와서 했다 하더라고, 보첩을 이렇게 하면은. 그란께 인쇄소 규모가 상당히 크제. 그라믄 거기에서 있던 양반이여, 있

던 양반인디. 6.25사변이 이렇게 나 갖고 우리 면에서 청포에서 이렇게 경찰이 후퇴하면서 한 나절에 집단학살 시킨 것이 스물아홉인가 죽었거든, 이렇게. 그래 갖고 그때는 인자 우게서 어떻게 됐는가는 모르는디, 나름 사회주의 활동 한 사람들이 A, B, C 요렇게 있으면, 그 아래 인자 수원이나 내려오면 A급 주변, 대전이나 내려오면 B급 주변이다, 인자 그걸 인자 전라북도면 뭐 C급 주변이라고 이렇게 지령이 인자 내려와. 그란께 보도연맹이 이렇게

"가입해 있던 사람들 오라."

그래 갖고는 집단으로 딱 가다 놓고는 내려가믄서 경찰들이 들어오면서 우리 면에서도 한 번에 스물아홉인가 죽어 버렸다니까. 한 번에 죽인 것이. [조사자: 그런데 그 분들이 진짜 보도연맹 회원들이었습니까? 활동을 하셨어요?] 그런데 인자 그런 사람도 있고, 인자 평생 인자 애맨 사람도 있고, 결국은 인자 좌익에 가담한 사람도 있고 그렇겄제. 그라믄 그 후손들이 지금 여기 다 살고 있어 모두, 이런디. 그렇게 해서 이렇게 많이 죽었단 말이여. 그라믄 그뜩에 그 인쇄소에 있으면서 학산이- 경찰들 후퇴 함스로 미력면 반룡리 앞에 지금 다리 있고 그란데, 거기다가 총살을 시켜 분 거이제. [조사자: 아- 그때 집단학살 시킬 때 같이? 아님 따로 찾아 가서?] 아니, 따로. 그 인쇄소에 있는 직원들. 그란께 그 해필 씨라고 그 양반이랑 모두 거그서 그 날짜에 같이 그렇게 죽어 버렸지. [청중: 정해필 씨하고 그때 AB 검속이, 아까 오선생님이 이야기 하시는 A, B. 그때도 인자 그 봉강, 봉강리에 있는, 봉서동에 있는 정 씨들은 벌써 A급 발령 하기 전에 전부 산으로 가버렸고, 산으로 갈려버렸고. 인자, 그런데 인자 B급, C급 된겐데 학산하고 정해필은

"나는 죄가 없다. 아- 믄 한 것도 없고, 학생들 가르친 것 밖에 없는데 나는 죄가 없다. 나는 아무 죄가 없는데 나를 뭐 잡아 갈래?"

하고. 그라고 그 인쇄소에서 지배인으로 직원들 독려하고 일을 하고 있었어, 인쇄소 일을. 인자 봉강의 그 인쇄소에서. 그란께 인쇄소를 또 왜 갔냐고 하믄, 양정원이 해방 되니까 45년, 해방 되니까 한글을 가르칠 필요가 없잖

아요. 필요 없잖아요, 한글을 가르칠 필요가. 그란께 그러니까 그 양반이 그걸 또 발령을 낸 거예요, 보성 인쇄소로. 거그서 근무 하시다가 아까, 그 마지막 다 도망가 분데, 인자 경찰이 화순 정도 왔어. 어, 인민군이. 그란께 이렇게 3차도 아니고 4차나 이렇게 한 번 더 텨다가 인쇄소 있는 사람들이 전부 빨갛다 그 말이여. 그란께는 죄가 있건 없건 그 자리에, 그 사무실에 있는 사람이 다 도망가고 두 명밖에 없으니까는 두 명을 끄집어다 죽여 분거여. 어떤 뭐, 그러니까 거 가만 개죽음이제.] 그란께 그 날 저녁에 그러더라고. 경찰이 나와 갖고

"피해불시다."

해 갖고 피해 분 사람들은 살고, 그 날 저녁 안 피한 사람은 잡혀 가지고 반룡리 앞에서 그렇게 죽은 거이제. [청중: 그러니 뭐 학산이 뭐 어떤 그 사상운동을 했다든지, 이념운동을 했다든지 그런 것은 없다고. 오직 그 학교 선생님, 교사자격증 받아 학교 선생님. 그런데 그 것 밖에 없으니깐 본인이 안 피한거지. 본인이 어떤 사상운동을 했다고 하믄, 정씨들 같이로 A급 발령하기 전에 벌써 산으로 다 도망 가버렸제. 사상운동 한 것도 없고.] 내가 어려서 인자 사람 죽인 것을 한 200메타 못 되는 지점에서 내가 봤거든. 그라믄 지금 율포, 지금 그 농협 자리에서 어떻게 내가 사람을 네 사람을, 그때 세 사람인가? 이렇게 죽인 것을 이렇게 본 것이디, 그때 그 사람들이 이렇게 한 네 시경이나 됐을 거이가. 그래 그 자제 분이 어째서 그때 오전에 그것을 봤다 하고 있어, 그것을 손을 찢힘서 그 걸 죽인 것을 봤다고 하대, 정경만이가. 그라믄 그때는 밤에만 인자 전봇대를 짤라브러싼께, 낮에믄 인자, 오늘은 우리 면이 지금 12개 리란 말이여. 그라믄 한 4개 리 씩 요렇게 인자 요래 갖고

"오늘은 무슨 리."

이래 갖고 청년들이 싹– 20살에서 50살까지 이렇게 나오라고 해 갖고 낮이믄 대창 갖고 밖에서 밤에 반란군 만내면 인자 옆구리 이렇게 (대창으로

찌르는 시늉을 하며) 쑤셔라 그라고, 요새 같으면 총검술을 갈쳐 인자. 그라믄 내가 생각할 때 그때 그 양반들이 순구하니 시골에서 농사짓는 사람이라 우향우 좌향좌 그라믄 우향우가 뭐인지, 좌향좌가 뭐인지를 몰라. 모르믄 그냥 그 대창으로 그냥 등골을 두드려 재끼면 이 놈으 대창이 그냥 와삭와삭하니 된단 말이여. 그 것이 또 문제가 아이라. 그래 운동장이면 500인가 인자 그렇게 훈련을 받어. 그라믄 (왼쪽을 가리키며) 요짝에서 인자 250명, (오른쪽을 가리키며) 요짝에서 250명, 그래 갖고 가운데서 경찰이 총을 빵– 놔. 그라믄 야– 하고 가. 그래 갖고 여기 1번 하고 여기 1번 하고 인자 권투 시합을 해 인자. 여기 2번 하고 여기 2번 하고. 그라믄 250명이면 500명이 운동장에서 권투시합을 하지. 그란께 벌 날라 가는 소리야

"야."

"야."

소리가. 그라믄 저 짝에 이웃동넨데 저 양반은 쉬흔 살을 먹었어. 나는 스무 살이여. 아이 스무 살은 누구 내가 번호가 뛰어가 10번이고 나도 10번인께 내 상대가 같이 권투를 하는디 이것이 싸움이 되겄어, 이웃동네 어른을. 그란께 인자 살짝이 권투 한 것 매이로 이라다가 인자 앵기믄 인자, 안 한다고 두드려 재끼거든. 그란께 솔직히 말을 하자면 산에서 좌익운동한 사람이 나쁜 일을 하나나 둘이나 했으면, 경찰은 여덟이나 아홉을 했어. 말하자면, 일반인을 두들기를, 말하자면. 그라믄 인자 아이, 이래서 이라고 딱 점심시간에 본단 말이여. 그라믄 잘 못하믄 자기 집에 가면, 그래도 어른인께 궤받혀서 밥상 이렇게 할 거인데, 꽤탱이를 딱 빤스고 뭐이고 하나도 없이 그 운동장을 돌린 다니까. 그라믄 우리는 애기 때이

"저 누구 아버지다."

"누구 아버지다."

그라고. 그렇게 잔인하게 그때 그랬어.

또 재밌는 애길 해줄까? [조사자: 네.] 이 동네 살아. 요기 여 지금 저 (창

밖을 가리키며) 사장나무 있는 데, 사장나무 밑에서 요렇게 윷을 놀다가 경찰들한테 앵겼어. 그란께 윷 종재기 하고 덕석 하고 이렇게 딱 갖고. 나 누구누구라고는 지적을 안 하겠어. 율포 가면 삼거리가 있는데 지서에 까지 (어깨에 물건을 들쳐 매는 시늉을 하며) 덕석을 이렇게 딱 짊어지고 앞에 가는 사람이

"노름했습니다."

그러면 뒤에서 너 댓이 또 이고 가는 사람이

"우리 노름했습니다."

그라고 어른들이. (웃음) 두드려 맞아 가지고 병신 되는 것보단 낫재. [조사자: 아 집에 들어갈라고 아예?] 아 경찰이 그라라고 한께. 무스와서 내가 무서와서

"노름했습니다."

덕석 짊어지고. 그 양반들 다 돌아가셔 버렸어. 그때 얘기를 할라믄 한정이 없어, 그런 얘기를 할라믄. [청중: 낮에는 경찰들한테 시달리고, 밤에는 그때 당시에 호칭을 반란군이라고 했어. 산에 올라간 사람들을 반란군. 그 사람들한테 시달리고. 그래 그 날 저녁에 반란군들이 내려와서 배고프니 밥을 주라면 밥 안줄 수가 없단 말이여. 그 뒷날은 경찰들 밥이 없다고 데려다가 죽여요. 지금도 여기가 교외자린지 내가 기억이 안나. 그때 나도 군댈 싹 동원해 갖고 죽였기 때문에. 아홉이를 한 번에 죽였거든. 이 자린지, 요 교회 자린지. 아홉이를 반란군들한테 그런 거 해줬다고. 경찰들이 아까 이 분 말씀한 거와 마찬가지로 반란군들은 그렇게, 우리 지역에서는 딴 데는 몰라, 우리 지역에서는 이 사람들한테 그렇게 많은 피해 본 거는 없어. 문제는 경찰들한테 피해를 많이 봤어. 불 질러 불고, 의심스러우면 그 집 불 질러 불고.]

[조사자: 그럼 한국전쟁 때 어르신은 몇 살이셨어요?] 한국전쟁 때는 열다섯 살이었지. [조사자: 열다섯 살이셨어요?] 열다섯 열여섯 이었은께는. 내가 고등학교 다님스로 휴전이 되았거든. 그란께 이 놈으 학교를 다니믄 일 년에만 (옆을 가리키며) 저기 저 친구도 있구 말이여. 이놈의 학교서 군사훈련을 받

으믄 보통 석 달 넉 달씩을 받어.

[**무명씨:** 내가 제일로, 우리가 율포를 3학년 때 일루 왔어. 그때가 왜 3학년 초던가, 2학년 말인가 된데, 여순반란사건이 일어나가지고 동천 길로 사람들이 그렇게 탁- 올라 가더만. 그러니께 선생님들이 빨리 집으로 가라고 전부 학생들 보내버린단 말이여. 인자 그때는 이건 도로가 있어서 한 게 아니라 산 고개 넘어서 학교를 왔거든 그래요. 고개를 넘어 오는데, 지금도 나 그게 생생한데, 순경들이 거 고개를 딱 지키더라고. 통상 요쪽 사람들이 거기 그 고개를 넘어 다닌다고 하더를. 거기를 올라오니까 자기를 짐 지는 놈들 온다 하고 (가슴 정도 높이를 손으로 표시하며) 요만한 이 학년, 삼 학년짜리 잘하면 사 학년 이렇게 있는데, 그 사람들을 그렇게 두들겨 패버려요. 그래 가지고 어떡하냐면 저-리 다시 바닥으로 넘어가서 쭉 돌아서 이러게 와가지고 집엘 가버려. 그란데 그렇게 혼이 났으면, 그걸로 끝내야 한디, 그 뒷날은 환자가 있어서 집엘 가야한다고 굵은 ? 업고, 우리 어린 사람들은 책(?)을 들고 거길 또 와 갖고 그날은 얻어맞았어요, 진짜. 경찰들 그렇게 혹독했어요.]

[**한경준:** 여그 인자 여기 백동이라고 있어, 마을이. 우리 인자 마을인디. 거기 인자 사신 분네들이 그때 춘섭이 형하고 길램이 성으로 모두 그렇게 봉홧불 핀 것인디, 그랬는디. 그 날 저녁에 거기서 마을 사람들이 이렇게 노름을 했거든. 노름을 했는데 노름은 그 국본 사람들이 언릉 갔다 온 께, 갔다 온 거이다 했는디. 해필 짚을 요 놈을 빼 갖고 저 땅재라고 저 올라가서 봉홧불을 피웠던 모양이여. 피워 갖고 인자 그 뒷 날 경찰들이 본께 짚이 조- 올 졸 요리 솔나무에 걸려 갖고 하나씩 빠져 있어. 그래가 잡았거든. 그라믄 이 사람들 그냥 바다에 가서 양 쪽에다 돌을 달아 갖고 그냥 경물에 빠쳐 죽여 버렸어. (웃음) 그래 갖고 동네에서 송장을 못 찾아 버렸지.]

[**장장수:** 그 시대야 무법천지고. 또 얼른 말해서 그때 그 경찰이라는 것이 의경이라고, 의경.] [**조사자:** 의경, 의경.] 그것은 정시 경찰이 아니라 인자 그

거기서 고용 해다가 앞잡이로 이용을 했단 말이여. 그 사람들이 전부 이자 무기를 휴대하고 있어. 그란께 그때 무정부, 그냥 무법질서라나서 의경들한테도 막권을 줘 본 세대여. 그란께 즈그들 마음에 미우면 죽여 버려. 아- 무죄 없어도 죄를 덮어 씌아 갖고 죽여 부리던 시대였어, 그때는. 죄가 있어 죽은 게 아니여. 그라고 서로 그 감정싸움. 같은 우리 국민 동족끼리 좌익, 우익으로 노놔졌단 말이여. 그래 얼른 우리가 여수반란이란 표현은 아주 나쁘제, 반란이. 같은 동족, 같은 군인끼리 인자 반란을 일으켰단 말이여. 그래 서로 감정싸움이야, 감정싸움. 그래 감정에서 서로 죽이고 살리고 이러다 보니깐, 이 지역에서도 엄청난 인명피해를 보는 그 원인이 바로 거 가 있어. 그라고 인자 6.25가 터져 가지고 인민군들이 여그 왔을 때는 인민군은, 북한 군인들은 이 지역에 와서 그렇게 학살을, 만행을 안했어.

[청중: 그래 안했지.] 만행을 안했다, 그지요. 순경이 그 이 저, 여수반란 후로 경찰이 후퇴를 해 가지고 다시 수복을 했단 말이여, 수복을 했어. 수복을 했을 때 인자 그 의경들이 설치고 날뛰어 가지고 지역에서 잔인하게 그냥 죄 없는 사람을 죽였다 그것이여. 그것이 너무나도 그 시대에 참, 우리 너무나 못된 그 자행을 했다, 이런 시대였다 그 말이여. 그래 우리가 이 지역에는 5개 리 마을에서, 여기 회천면인데, 저그 저 중앙이 있고, 동부가 있고 여기가 서부라 그런단 말이여. 요 5개 지역에서 여그는 참- 말로 충효와 효친사상이 투철하고 같은 가족 같은 분위기에서 사는 데가 바로 이 지역이여.

인자 그런가 하면은 또, 이 독립투쟁, 이 해방운동을 특히 많이 한 데가 이 지역이여. 우리 예를 들어서 저거 영천이라고, 요 올라가면 지금은 저수지가 막 이리 됐단 말이여. 그때 저수지 우에서 그 독립운동을 할 때, 이 지역민들이 수, 수 천 명이 모았을 거여, 그 둑에가. 거기서 은자 독립운동 하고 막 그냥 난린디, 그래 갖고 저 봇제서 거 왜군들이 왜경들이 한 다섯인가 짚차를 타고 내려 오더만은 요만한 장총 있다고, 밤 고개서 막 집중 사격하니까, 우째 총 앞에는 재주가 없제. 그 수 백 명이 싹- 분산을 해 갖고 전부 도망을 쳐놓은께, 아 산에 까지 쫒아 와서 우리도 그 저 갑룡이한테 엄청 두드려 맞았어. 일곱 살인가 먹어서, 아홉 살인가 먹어서. 갑룡이 거. 그 의경이거든. 그런 시대를 우리가 겪었을 때, 이 투쟁이, 이 저 애국심이 아주 투철한 지역이 바로 여기여. 그러니 애국심이 가장 얼이 졌고, 투철한 지역이다. 지금도 어느 지역 어느 못지않게, 이 지역이 그래도 옛날 그 풍습 그대로 지금 이어가고, 이런 세대여.

[9] 예로부터 애국심이 강했던 회천마을

[한경준: 우리가 항상 국사를 배우면 이순신 장군을 제 1번으로 들먹이든. 21전 21승을 했으니까, 그 양반이. 한 번을 안 졌거든. 그라믄 이순신 장군을 그렇게 유명하게 만들은 사람이 누구냐. 목포에서 여수한 청년들이야, 바닷가에. 그때는 서울사람이 여그 와서 수군을 할 수가 없어.] [조사자: 그렇죠.] 그라믄 그때 당시부터서 여기에 있는 우리 선조들이 임란 때부터서 뭐 정명렬이 씨, 백거이 씨 하고 거 마하수 씨하고 그 어른들부터서 그때 이 지방 청년들이 얼마나 애를 썼어. 그라믄 배 열 두 척을 갖고 간 것이 바로 요그 군항리 군미역에서 열 두 척을 갖고 회진으로 간 것이거든, 그것이. 그라믄 그때부터서 아주 이 왜놈 아주 이 사상이라는 것이 이 지역사회가 딱 원래 이 선조 때부터 딱 뼈가 백힌 거여, 여가 애국운동이라는 것이. 철두철미하게. 그란께 여기 지역 이름이 맨 그런 이름이 많아.

[무명씨: 이 지역이 은자 다른 지역도 그런 것이 있다고 보지만은, 유일하게 지금까지 향약이 남아 있습니다, 향약. 그리고 금도개안이라고 했는데, 그 내용을 대충 보면은 그 탐욕하지 말아라, 욕심 부리지 마라, 나쁜 짓 하지 말고 걱정하지 말라는 주로 그런 조항을 만들어 갖고 질서 유지를 했고, 또 하나는 인재양성을 위해서 양사재라가 하는 그런 또 재를 만들어, 요 그런 형식으로 단체를 만들어 갖고, 거기에 그 서명했던, 등록 그 뭐냐, 그 기록

됐던 그 사람들 굉장히 많은 사람들이 이랬었다. 옛날부터 이 지역이 그런 지역이에요. 이 지역이, 원래가. 그라께 주로 인자 무도 아까 이 양반이 말씀드린 거와 마찬가지로 정유, 특히나 정유재란 때 이 지역 청년들이 대거 어, 그렇게 이순신 장군 밑에 의병장으로 활동을 많이 했고, 또 인자 아까 말씀드린 대로 이순신 장군이 그렇게 대승을 할 수 있는 여건을 만들어 준 것이 바닷가에 산 향산데, 그 배들이 가서 우리, 저 지금 말하면 수군 역할, 지금 말하자면 형설 해주고 하는 그런 것들이.] [청중: 장수도 장수지만은 밑에 쫄병이 싸움을 잘해줘야 장수가 이기고 그라제.] 그라고 인자 최근에도요, 요것은 토지회라고 했단, 됐단 말이여, 토지회. 조직이 됐어. 그 목적은 무엇이냐. 경로, 다음에 지금 말하자면 인재육성 두 가지 목적으로 그 토지회라는 것이 조직이 되았는데. 지금은 흐지부지 되았지만은, 아마 옛날 어른들의 맥을 그렇게 여기선 이어가고 있지 않느냐 이런 생각이 들고. 이 경로당도 왜정 또 6.25동란, 여순반란사건, 5.16 큰, 그 많은 사건들을 겪으면서 가장 먼저, 경로당을 만들어진 데가 또 이 지역이거든요. 우리 보성군에서란 말이야. 그란데 원래 이런 지역에서 그렇기 때문에 봉강 선생 그런 분들이 태어나서 살았다.

[10] 봉강 덕으로 살아난 사람들

[한경준: 그란께 어떻게 보면은 봉강 어르신이 그렇게 덕이 없으믄, 그 양반이 일찍 죽을 양반들이여, 경찰서에 잡혀가지고.] 사람이 어– 찌나 사람이 덕이 있고 인격이 잘난께, 그 양반 앞에서는 욕 한 자루를 못해. 내가 이, 학교에서 군인들이 많이 왔다 그래서 이렇게 나온께로 봉강 어르신 이렇게 (두 손을 모으며) 딱 묶여 갖고 이렇게 경찰이 소위인디, 철모에다가 동백꽃을 요렇게 (머리에 꽃을 꽂는 시늉을 하며) 딱 찔렀더라고, 동백꽃을. 그란데 그때 껌은 두르매기, 껌은 고무신을 신었는데 이렇게 와. 내가 그래서 그 뒤에

"어떻게 해서 그 양반이 지금 석방을 됐소?"

하고 재구 씨라고, 어른들보고 여러분한테 물어 봤어. 그란께 그때 그것은 횡성출신이라고 그뜨게 외교 분과위원장인가 국회에서 했거든. 그 뒤에 나중에 황석규 씨가 국회 부의장을 하고 그랬는디. 성수 씨 아버지 황보희 씨라고 그 양반이

"해룡이는 손을 대서는 안 된다."

그라고 경찰서에 가서 말 했다 하더라고. 그란데 인자 이 양반이 가서 인자 면회를 가 갖고, 해룡 씨한테 가 갖고

"정 선생, 저 면회 왔소."

그란께는 (왼쪽 상의 밑을 잡으며) 이렇게 곤라를 잡고 나왔는데,

"나하고 교회나 다니고 그랍시다."

인자 그거가 황목산데, 황성수 씨가 국회부의장 아버지가. 그라믄 인자 그 말을 점잖은 사람끼리 '내가 당신 구명운동 한께 내일모레 나올 것이여.' 어떻게 말을 해질 것이여, 인자. 인자 점잖은 말로 그렇게 말을 했지. 그란께나 아– 무 말도 안하고 (고개를 숙이며)

"고개를 숙이고 이라고 하여튼 은긋이 웃더라."

그래요. 웃음스로

"그것은 더 생각을 해봐야지요."

그라믄 원래 인자 여운형 씨하고 중도 소위 좌파계열이라고 보거든, 민족주의 쪽으로. 그란께 어떻게 보면 참 '사상도 좀 고쳐도가 나오고 교회나 다닙시다.' 인자 이렇게 했는디, 절대 그 양반이 그렇게 한 번 마음 묵은 것을 말이여, 했다 안했다가 이리저리 바꾸는 성격이 아니거든. 그래 갖고 그 양반이 그때 인자 그 분이 보석운동을 해서 나왔다고 어르신들이 그러더라고. 그런데 그 뒤에 내가 인자 성수 씨하고 그뜨게 저기 저 보성 닭죽사건이 국회에 있어 갖고 그것이 이정래 씨하고 재선거가 붙었었거든. 붙었었는디 내가 그 황성수 씨 연설할 때, 율포서 내가 딱 들어 봤어. 그랬드만 갱장히 봉강 어르

신을 그렇게 좋게 얘길 하시면서 '어찬가 보자.' 그랬더만, 봉강 어르신한테 가서 인사를 하고 그라더라고. [조사자: 아, 따로 찾아뵙고?] 그래도 그 양반이 경찰서서 그렇게 맞고 그러면 생- 전 아무 말도 안 함시로

"참 분- 하다."

똑 그 소리만 하더라 하더라고.

"참- 분하다."

그런데 말하자면 일제시대부터 애국운동해서 나라 찾아 놓은께 그 참 삐돌이 같은 것들이 (웃음) 이렇게 사람을 두들고 이렇게 한다고.

[조사자: 그러면 여기 인민군들이 여기 마을에 주둔을 얼마나 했습니까?] 인민군들이 여그는 은자 마을이니깐 율포 소재지에 와서 쪼깐 있었지. [청중: 아니요, 인민군들이 우리 부락까지는 왔어요.] 아- 니, 오기는 왔어도 일반 주둔은 하지는 안하고 율포 가 있었어.

[조사자: 아, 주둔은 안하고 인민군들이 마을에는 들어 왔어요? 그러면 들어오는 거 보셨어요?] 어? [조사자: 마을에 들어오는 모습을 봤어요?] 아, 봤제. [조사자: 그 모습들이 어땠어요?] [정해윤: 아니 그, 따발총, 장총 가지고 마, 거 갖고 있더만.] 와 가지고, 와 가지고 인민군들이 우리 부락에 와 가지고 그때, 무엇을 했냐면, 저 닭 아니 소, 소. 소 키우는 집을 찾더라고. 그란께 소 키우는, 그때 소 이리 키우는 사람이 뭐 없어 그때는. 그래 저 아래 부락 가면은 한 사람 있다 그란께, 거기 가더만 그 소를 갖고 와서, 바로 현장에서 딱 잡어 가지고 뼈따구를 던져불고, 살로 갖고 와서 딱 해서, 거기서 이제 저 딱 싸가지고 가는 걸 내가 봤어요. [청중: 돈도 안주고?] 어? [청중: 돈도 안주고?] 돈도 안 주고. 돈 안 주고. 내가 그것을 봤어요.

[한경준: 그런데 인자 그것은 알아야 돼. 워째 그랬냐면은, 인자 좌익들이 말한 소위 그 우리 면 내에 오적이 있어. 말하자믄 우익으로 인자 머리를 쓴 사람들이.] 그 양반들이 누구누구냐 그라믄 아까 말한 황성수 씨 작은 아버지 황두이 씨 하고, 이봉룡 씨라고 동생이 그 밑에 장룡 씨라고 도청에서 내무과

장을 했어. 인자 그 양반이 있고 인자이. 그라고 인자 병원을 한 문주일 씨라고 인자 그 양반이 인자 그거는 아주 예수교인이여. 그라믄 주로 그 기독교인들이 소위 우익을 많이 했거든, 인자. 인자 그 양반하고 우리 집안에 내 증고조부님 오국룡 씨라고 그 양반이 인자 친명이 보성읍장을 한 정해성 씨라고 인자 그 양반이 친명이고 인자, 거기도 인자 황, 아까 말한 성수 아버지하고 같이 그 기독교인이란 말이여. 그래서 그리가 소위 말하자면, 회천의 좌익이 말한 오적에 들어간 사람들이여 인자. 그라믄 인자 그 국룡 씨라고 그 분이 위태로워서 피해있었거든, 피해 있었어. 그런데 그 국룡 씨 부인이 낮에 집에를 왔어. 이래이래서 밤에 누가 만나재 한다고. 그란께 누구냐고 그란께, 새태 김영철 씨라고 이 분이 보냈다 이것이여. 그라믄 김영철 씨는 그 양반이 인자 일제시대도 면장을 하고, 해방 후에도 면장을 하신 분이여. 그래 밤에 연락을 취했어. 그란께,

"그랄 사람이 아닐께 만내도 한– 나 일 없다."

이것이여.

"낼모레 지금 국군이 올라오고 지금 모두 후퇴를 하는디, 지금 난리가 나 갖고 요 때 만나면 좌익들이 다 죽여불고 올라 갈 것인디, 내가 누구를 만나겄냐?"고.

거기도 긴장이 된께 인자. 그래 갖고 밤에 인자 만냈어. 영철 씨 집으로 가 갖고 영래 씨 집서 아까 저 동생한테도 얘길 했던 건데, 만난께 봉강 어르신 아까 해룡 씨랑 있어. 해룡 씨하고 봉석 씨하고 요렇게 있고. 그래 갖고 그라믄 국룡 씨라고 그 분하고 해룡 씨하고 동갑이고 친구여. 그란께

"자네는 우익을 하고, 나는 좌경인께 우리가 면에서 서로 인명피해가 있어서 쓰겠는가? 저 짝은 우리가 구하고 이 짝은 저 짝에서 구하고 이렇게 해서 사람은 우리가 죽이는 일은 회천서는 안 되겄네."

해 갖고는 그 양반들이 귀를 물고 약속을 한 것이여. 한나도 6.25사변은 사람이 안 죽었어. 그 어른들이 그렇게 비밀리에 약속을 해서. 그란께 저 짝

이 들어오면 요기서 석방하고, 이 짝이 들어오면 저 짝에서 석방을 하고. 그때 그 해룡 씨가 그 고안을 내 갖고 봉강 어르신 때문에 그때 회천 청년들이 그렇게 안 죽은 것이여. 그것은 알아야 돼, 그 어른을. 그란께 그때만 하더라도 그 양반이 얼마나 깊이 생각한 양반이여. 그라모 그때 이렇게 국룡 씨라고, 그 내 증조부님도

"오야, 내일모레 순사가 올라오면 내가 그라면 환영하고 벽보 붙여야 쓸 것인디 우짤 것인가?" 그래서 "그런 것은 붙이지, 그라믄 안 붙여서 쓰겄는가?"

그래 그때 해룡이 막 붙이라고 한단 말이다, 나도. 그래서 나는 막 써 갖고 그냥 막 붙였다고. 그란디 밑에 젊은 사람들은 모르고 가면 짝 찢어 불고, 짝 찢어 불고 그랬다고. (웃음) 다 그렇게 귀를 물었은께 그때 회천서 사람이 안 죽었어야. 그런 얘길 하더라고. 그게 다 그, 그 봉강 어르신 덕이제. 이렇게 밤중에 그렇게 촛불을 꺼놓고 그렇게 얘기를 해서 그렇게 했다 하더라니까. 그러니까 실상은 6.25 나 갖고 우리 면에선 사람은 안 죽었어. 몇 이만 그렇게. [조사자: 그러니깐 오히려 전쟁나기 전에 좌우익 대립에서는 학살도 있고 했는데?] 아, 여수반란 모두 그 무렵에 죽었제, 6.25사변 때는 안 죽었다니까. [조사자: 전쟁 때는 오히려, 아-] [청중: 연순 반란 때 다 죽었어.] 여수반란 사건 때 죽었제, 6.25때는 그렇게 사람이 안 생했어.

[청중: 사람들이 세금도 엄청나게 걷어 갈라고 계획을 세웠더만, 인민군들이. 보니까 마을에 대표를 딱 선정을 해. 수확도 조사를 해. 무엇을 봤냐면 고추를 세어. 고추 열매를 세어. 그 다음에 그 조 있죠? 고개 팍 숙이고 익으면. 하나가 전부를 세. 사람 동원해 갖고. 그래 그 숫자를 의해서만 세금을 물리라 카는갑대. 그란데 그 세금을 물지도 못하고 후퇴를 가버린께, 그 사람들이.] [조사자: 아, 급하게, 쫓겨서?] [청중: 그래 못 받았어, 그 사람들이. 그렇게 지독하니 세상을 해버렸다.] 그란디 인자 그 무렵에 인자 우리 동네 사람이 부안 서장을 했거든, 신정록이라고. 그란데 인자 그뜩에 인자 그 얘기를

하더라고. 그라믄 그때 면서기를 열 둘인가 됐는디, 우리 동네서 면서기를 너이가 다녔어. 그래 갖고 막 동네서 그란께 그때 면 얘기를 잘 들어 보제. 그라믄 김창술 씨, 김영기 씨, 강조곤 씨, 강대인 씨 모두 다 그뜨게 구면하고 그란께 항상 면 얘기를 많이 잘 들어 부제, 그 양반들한테. 그란데 맨 그거를 그 저, 총무회장 요새 같으면 회계원이라고 그랬어. 창술 씨 그때 회계원을 했는디, 그 양반 외에는 누가 이 끄를지를 모른다고 하더라고. 그것이 말하자면 다이알로 돼 갖고. 그랬는디 그 속에 돈이 들었는디, 신정록 씨가 주라 그래 갖고 후퇴함서로 이제 거기 다 그냥, 쇠통에다 그냥 쇠통을 깨불었다더라고. (웃음) 그 어른들이 들어본께. 그래 갖고 그래 또 그런 얘길 해쌌고이. 그때 얘기를 할라믄 한정도 없어이, 그때 얘기를 할라믄. 해방이 되갖고, 해방 되던 날 우리가 초등학교를 이렇게 갔단 말이여. 그라믄 학교서 이렇게 누에도 키우고, 토끼도 키우고, 소도 키우고 그래. 그라 또 우리는 예래서 그 놈, 목총이 좋아서 목총을 이렇게 짊어지고 오는디, 황정욱 선생이

"이 새키들, 거기 안 있어?"

이라믄서

"일본 놈 교장 오디로 가기야?"

그러더라고. 그래 가지고 웃통을 할딱 벗고 일본 교장이 요리 일본 국기를 요렇게 들고 뒷산으로 도망을 친 걸 봤거든. 우리가 인자 학교를 다닌께 교장을 잘 알지, 이제 날마다 본께. 그랬는디 인자 그 놈 목총 매고 온다고 인자 그래서 인자, 그 놈을 뺏겨 불고는 어째 애기 때 그것이 아까운 것이여, 목총이. 그라고 하는디, 그날 저녁 인자 송아지를 잡아다가 인자 다 해먹어 버렸거든. 그라믄 그 시람 중 사람들이 그래 부렀거든. 그래 다 알제. 그란디 6.25 때 내가 복룡 씨를 보고

"아제, 아제도 인자 돌아가실 나이가 됐고 그란께 좋은 얘기 많이 해주쇼."

언제 나보고

"차분한 얘기 해주마."

그란디 등잔동에서 그 양반이 잽혀 왔거든 그란디 그 양반이

"야– 오바도 어떤 놈의 새끼가 입고 댕기고, 나 (파이프 담배를 피는 시늉을 하며) 사까, 파이프, 빠이찌 요 담배, 그것도 요래 동네 축음기도 어떤 놈의 새끼가 돌라 갖고 그 가 있고."

다 그런 얘기를 하더라고. 그란께 그때 세상이 먼자 본 넘이 임자여. 약탈.

"내가 요 얘기를 하믄 그 놈은 평생 내 앞으로 못 다닐 거 아니냐. 그란께 그 얘기를 차마 그 놈한테 내가 얘기를 하겄냐."고.

그런 얘기를 하더라고. 그란디 그때는 그렇게 무질서 했어. 무질서 해.

[11] 마을의 잔혹 경찰 (2)

[무명씨: 사실은 저 6.25가 인자 수복이 되어 가지고 경찰들이 인자 저 시설보초를 갔잖아. 그 당시 전주, 반란군들이 짤라분께 전주 가서 지키고. 맨 손에 전주 그 세워봤자 반란군들이 오면 다 짤리지, 저 어떡할거여. 그 사람들이 지금 막 그렇게 두들겨 팬 사람이 지금 한 명 살아 있네.] [청중: 그라제.] 그게 안 잊어져. 죽을 때 까지 안 잊을 것 같더라고. [조사자: 그런데 왜 때렸어요?] 그렇게 때렸냐면은 군 사람이 참, 청년들이 가면은 이유 없이 얻어맞고, 참 어려운 일을 많이 시켜, 지서를 가면은. 그러니까 아주 나이가 많던지 우리 같이 어린 사람들 간단 말이여. 인자 어린께 어린 게 왔다고, '어린 것이 왔다.' 아 그래 가지고 인자 빰 한두 댈 때리고 넘어 갈만 한대여. 사정없더라고. 그란디 그 사람들이 정식 자비를 가진 순경도 아니고. 그 한청이란 거 있잖아, 한청. [청중: 한청, 대한청년단.] 대한청년인가 뭐인가 고 사람들이 그때 거이 있어 갖고 했는디, 지금 안 죽고 한 사람 딱 남았어. 한 두어 달 전에 죽어 불고. 딱 그때 얻어맞은 일을 잘 안 잊어버려요. 그래 가지고 어린 것을 제일 어려운 데다가 보초를 세워요. 두드려 패 가지고. 그래 아퍼서 아침에 그 집에가 잠 못 자, 내 시간 끝나도. 어디 어디서 눈 좀 붙이

다 말다 날이 흐려지면 집에를 간- 신히 걸어, 걸어오고 그런 일이 있었어요. 그렇게 경찰들이 주민들한테 아주 혹- 독하니 했어.

[한경준: 한경준: 나보고 얘길 허는디,]

"아이고, 동생이 입산하는 통에 내가 지서에 가서 거꾸로 달아 갖고, 콧구멍에다 주전자에다 고치가리를 타 갖고 부슨디, 그 어떻겠냐."

그런 고문도 당해 봤네. [조사자: 고 얘기도 좀 해주세요.] 아니, 그란께 교시라고 그 양반이 지금도 살아 있어. 그란데 그 양반 인자 동생이 인자 입산을 했어. 그랬는디 그렇게 그러네. 지서에 가서, 고문을 그렇게 모질게 당했다고. [조사자: 아, 동생 분이 입산을 하는 바람에?] [청중: 아, 엄청난 고문을 했제.] 사람이, 콧구멍에다가 그냥 고치가루 주전자로 해 갖고 이렇게 부서 재끼더란 말일시. 그란디

"내가 그런 꼴을 다 당했네."

그란디, 그런 지경에 살림이고 뭐이고 뭐이 정신이 있겄는가? 집구석은 반란군 집이라 그래 갖고, 한- 나 없이 이제 몽둥이로 벽을 다 두들겨 불고, 그라고 그란 판에.

[장장수: 그란께 옛날에 억울하게 사상이념에 죽은 사람도 거 지대로 규명이 안 되더라고.] 거, 우리 동네가 그때 동학마을인데, 그때 마을에서 그 저, 그때는 구장이라고 했어, 구장이. 지금은 이장이제, 옛날엔 구장. 구장을 하니까 여수반란 땐께 인자 빨치산은 밤에 인자 득세를 하고 행세를 하고, 경찰들은 낮에 먼저 행세를 하고. 그란께 밤에는 이 지역이 빨치산 지역이고, 일모가 되면은 경찰들이 전부 마을에 들어온다 말이여. 그렇게 각 마을에서 저 이 야경이라고 해, 야경을 해, 야경. 야경을 하믄, 야경을 해 갖고 저녁에 인자 보고를 해야 된다 그 말이여. 지서로. 저녁에 수상한 사람이 오면은 즉시 보고를 해야 돼. 안하면 또 인자 보고 안했다고 그걸 얘기하면 그 사람 데려다 죽는 거여. 그런께 우리 동네 구장 한 분이 에- 야경을 그때 인자 나도 그때 인자 야경이래서 해서, 세 군데서 하는디, 저녁에 인자 잡아다가 우리

동네 사당 앞에서 죽여 버렸단 말이여, 구장을 이. 죽여 버렸는디, 에 그냥 어떻게 죽였냐 하면은 칼로 서른- 한 서너 군데를 찔러 죽였어. 칼로 퍽퍽 찔러서. 두르려 죽인 것도 아니여. 그란께 처음에는

"나 죽네."라는

그 소리가 몇 번 나더라고. 서너 번은. 그래 내중에는 안나버려 인자 거 몇 군데 찢어. 그래 갖고 인자 아침에 날이 세서 인자 지서로 보고를 하고, 현지를 가서 보니까 인자, 가서 그냥 끌러 놓고 가만 있대, 그 사람들이 서른 몇 군데를 칼로 찔러 죽였더라 그 말이여. 그란데 그때 시대는 '반란군이 죽였다.' 했거든? '반란군이 그랬다.' 그란데 그것이 아니었어. 그것이 경찰들이 죽였어. 그래 갖고 반란군이 죽였다고 덮어씌우게 됨으로써 그렇게 왜곡된 거시기로 했다고. 왜냐면은 '이 빨치산 반란군들이 그렇게 나쁜 만행을 했다.' 이런 것을 우리 국민들한테 보여주기 위해서 그런 만행, 잔인하게 죽였다. 그런 사건들이 수없이 많단 말이여.

[한경준: 그때는 그란께 경찰이 이렇게 면에가 보통 인자 한 사 오십 병씩 있어.] 그란께 오늘 온 사람, 내일 간 사람, 자꾸 이란께 몰라. 이렇게 인자 날마다 바까진께. 그란디 우리 마을에서도 한 분이 죽었거든. 2월 초 하드렛날. 그란디 내가 나중에 우리가 알고 있기로는 그 양반이 '반란군들이 와서 죽였다.' 그랬는디, 몇 십 년이 지난 다음에 어른들이 그라더라고. 그때 경찰하던 양반들이나 그뜨게 한청하던 양반들이

"오야, 그때 그 양반이 반란군 들어 와서 죽인 줄 안가? 그것이 아이시."

그래 내가 여러 사람한테 물은께

"그 말이 옳제."

그란께노. 그란께 인자 '저 놈이 우익을 하는디, 꼭 반란군한테 밤에만 정보 제공도 하고 그란다.' 이것이여, 우익은 우익인디. (웃음) 그라모 경찰이 내일 갈 사람이 오늘 저녁에 반란군 옷을 이렇게 행세를 하고는 전부 죽여 불고 내일 가분다 말일시. 그라믄 누가 보니 이렇게 전부 산에서 내려와 죽인

줄 알지 그란다 이것이여. 그란디 내가 인자 그날 저녁에 정황을 딱 보면 '아하― 그 말이 맞겄구나.' 저녁에 우리 집에서 딱 들어본께 한 열시 경이나 됐는디, 휘파람 휘갑소리가 쐐― 쐐 났아. 그라믄 한 400메타나 된 이렇게 거리에서. 그란디 총소리가 그때 빵빵― 난단 말이여. 그란께 그때는 밤이 되믄 인자 전부 공부를 할래면 이렇게 문을 요렇게 검은 보재기로 개래. 그래 갖고 밖에 나가서 인자 '빛이 비친다니, 안 비친다냐?' 그라고 그란디. 그란께 총소리가 난께 인자, 형님들 하고 공부를 하다 쪽 꿇고 요라고 딱 앉아 있는데, 아버지가 우리 방으로 왔어.

그라믄 우리 방에서는 혹시 누가 오믄 그냥 뒤 안으로 해 갖고 산으로 올라가기도 위치가 좋단 말이여. 그란께 딱― 불을 끄고 (몸을 앞으로 숙이며) 요라고 있는데, 우스 있다가 마을 앞에 거 사당나무 있는 데서 또 총소리가 빵빵― 나더라고. 빵 하고 한 방이 났어. 그라고 있는디 우스 있다가 창욱 씨라고 그 양반이 그 우리 방에서 (양 팔을 펼치며) 이렇게 한두 발 정도나 되믄 울타리가 아래 집이 있단 말이여. 거기서 "동생 있는가? 동생 있는가?" 그라고 이렇게 목 멘 소릴 해. 그란께 인자 방으로 그 양반이 울타리를 넘어서 들어 왔단 말이여, 들어 왔는디. 아까 총소리 나기 전에 형님을 데려 가버렸다고 한단 말일시, 반란군들이 와 갖고. 그래 걱정을 했어. 그래 갖고 인자 아버지가 인자 동네 문병남 씨라고 인자 거기 보고 인자 지서에 고발하러 간디, 이 양반이 넋이 나가 갖고, 그때가 인자 한 시경이나 되았어. 와서 본께 그 사당나무 있는 데 이렇게 길 가니까 누가 이렇게 벌떡 들어오겄다 이것이여.

그란께 인자 거기다 그 양반을 죽여 분 것인디. 아침에 인자 지금 백완섭이라고 목사 할아버지가 소란대기를 질르고 그냥 동네가 난리가 났지, 인자 사람을 죽여부렸으니. 그란데 그것이 '반란군이 그랬다.' 그때는 그랬는디, 세월이 이십 년, 삼십 년이 간께 그 얘기를 하더라고.

"그것이 경찰이 죽인 거 이제, 반란군이 죽인 것이 아니란 말일세."

그란디 그 날 저녁에 정황을 딱 보믄, 그것이 총소리 들어보고 맞어, 내가 볼 때. 그라믄 이 양반이 굴 넘지가 인제 작은 마누래가 있어. 그란께 항상 그 작은 마누래 집을 다님스로 자주 그 용성이라는 데가 좌익구 모델이었거든, 거가. 그런께 그 사람들 하고 만나면 뭔 얘기를 하고 하고 그란께, 지서에서 인자 그것을 인자 알았던 모양이여. 그란께 그때의 경우로 이것이 군인이 와서 죽인지, 경찰이 죽인지, 반란군이 죽인지를 잘 몰라. 그렇게 위장을 하고 댕기, 그란께 아 가운데 있는 사람은 일하도 못하겄제. 그란게 옷만 입으믄 저녁 밥 일찍허니 먹고 넘 집으로 자러 댕께, 숨어서. 집에가 있으면 앵기믄 순경이 오는지, 반란군이 오는지 모를께노. 그라고 댕기고 그래, 그때 세상은. 그란께 얼마나 그거이 사람이 고통스럽겄소.

더군다나 출입 한 사람은 면의 유지라도 맡은 사람은. 그렇게 어려운 세상이여. 한 번은 인자 내가 광주서 (머리를 숙이고) 요라고 있는데, 이라고 있는디 나는 넋이 나가분 사람을 봤단 말일시. 그래 그 양반하고 내가 인자 동서 집에를 놀러 와 갖고 다방에를 가자 그래 갖고 다방에서 만났는데, 거기도 수창국민학교를 다녔다고 그래. 그래 내가 고향이 어디냐고 그래서 연포라고

그란께 얘가 그 전에 연포에서 근무를 했다고 그래요. 그래서

"연포 언제 있었대요?"

그란께 경찰로 했는데,

"그때 지서장이 누구였소?"

그란께

"정득만이었다."고 하더라고. (웃음)

그래서

"오매 오매 집에서 사람 많이 죽였겄소?"

내가 멋도 모르고 푹— 이 말이 나와버렸단 말일시. 그란께 홍당무가 되어 불더라고, 얼굴이.

'아, 내가 실수를 했다, 인자.'

언뜽 내가 실수제, 나는 멋 모르고 푹— 해버렸는디.

"그래도 그때 그런 사람들이 있을께 난세를 다 진압을 하고 그랬제요."

그라더라고. 그래서 나도 같이 호응을 했단 말이여. 그란께 인자 정나잘래 우리 면에서 일어난, 그 지서에서 일어난 얘기를 한 것이여. 그래

"넋이 나가 버렸다."고.

그래서

"뭣이 넋이 나갔디요?"

그란께나

"이장노무 새끼가 있는데, 이것이 꼭 밤에만 좌익들한테 연락을 한다."

이것이여. 이장회의만 하면 딱 연락을 하고. '그래서 인자 이장 저 것을 죽여부려야 쓰겄다.' 그라고 지서에서 딱 마음을 먹고는 이랬는데, 면장 이하 유지들이 절– 대 그거는 죽여서는 안 된다고, 사람이 선한 사람이라고. 그래서 인자 저녁에 인자 이장 하고, 여자 하나하고, 남자하고 서이를 죽이기로 했는디, 지서에서

"요렇게 넘어가면 마을이 하나 보이제?"

그래. 그란게 맹교리가 보인다 이것이여. 그란께 뒤안박 지금 있는 데 그곳이여. 그런데 보리가 이렇게 크는디, 그 보리 밭뚝에다 서이를 딱– 요렇게 세아 놓고는 인자 밤에 총질을 한다 이것이여. 그란데 인자 처음에 남자를 이렇게 탕 쏜께 인자 거기는 총에 맞아 갖고 인자 이렇게 죽었어. 둘째 번이 여자여 인자. 아니, 그 중에서도 여자는 도망을 친단 말일시. 그란께 막 쏜게 불탄이 치마를 인자 푹 쭈신께 치마에다 불이 붙어 갖고 막 달림스로 불을 비빔스로 옷이 뜨거운께. 그라다가 인자 밭뚝에서 여러 발 가 갖고 거기 죽었다 이었이여. 그담에 인자 이장을 죽일 판이여. 그란디 지서장이

"저 자식은 하담 유지들이 저래산케 살려 놓기를 살려 논디, 저렇게 욕을 뵈어 놓고 살려 놓자."

이것이여. 그래서 인자 총을 그냥 앞에다 대고 귀 옆으로 가 가지고 요렇게 해서 쐈는데, 이장이 넋이 안 나가겄는가, 그 사람이. 그래 갖고 이장을 안

죽이고 끗고 와 갖고 아침에 집에를 가라고 요렇게 한께, 지서 앞에 가 넋이 가 갖고 서 갖고는 자동차가 와도 비킬 줄을 안가, 사람이 와도 인사를 할 줄 안가. 내가 그 얘기를 들었소. 그래 여기 다방에서 얘기를 한께로 고것이

"저기 저 반내점 길화란 말일시."

그래 내가 연태를 보고 물어 봤어.

"아버지가 전에 그런 일이 있어?"께 "예, 아버지가 그런 일이 있어."

자네 아버지가 그렇게 넋이 나가 버렸다고 하대. [청중: 길화 씨가?] 으이. 그람시로 동환 형님이 그 여자가 누구고, 그 남자가 누구라고 이 반내점 사람이라고 알더라고.

그라고 참 넋 나간 사람이 또이, 아 얘길 할래면 한정도 없단께 그때. [조사자: 예, 들은 얘기 좀 많이 해주세요.] 그렇지 넋이 나가 불제. 저것이 안 나가겄어. 넋이 나가 불제. 나는 인자 내 동네 얘긴께 귀 담아서 이렇게 듣제 인자. 그람스러 또 인자 한 번은 아이- 그란께 그라고 다니면서도 여기 저기 저, 여기 누구냐 그라믄 이모라꼬 홀엄씨가 있었던가 보제. [청중: 거시기, 점순이. 김점순이.] 그란께 또 그가 이쁘게 생겼던가? [청중: 아니제, 경호 즈그 어머니, 즈그 어머니 죽고. 그 경호 즈그 어머니가 그랬어.] 아니, 그란께 경찰들이 그라고 다니믄서도 홀엄씨들은 몰래 또 보고 건들고 그라고 그런 얘기여. 그란데 인자 그 내화 형님은 그 그러니까 사람이 참, 여그 지금 거 이 아래 지금 거 곽 뭐인가, 거? 우리 5년 선배거든? [청중: 평동?] 아니 저, 신근린가, 반내점. 거 곽, 거가. [청중: 곽, 지금은 여기서 안 살고 딴 데로 갔제?] 없제, 거가 죽었거든. [청중: 곽성욱이?] 어이, 그란께 거가 형님보담도 3년 선밴가, 2년 선밴가 그러제. [청중: 곽성욱이여.] 거가 급장을 하고 영리했어. 거가 그런께 임준 씨로 그리 동창이든, 조양환이도. 그란께 장군제 산에서 이렇게 입산한 사람 요라고 아침에 이라고 딱 있으니까 그때 조양환이가 면사무소로 여 임진으로 급사로 다닐 때거든. 밑으루 조양환이가 인자 지나간께 친구라고 인자

"아, 양환아."

그라고 요렇게 불렀어 인자. (웃음) 불렀는디, 이 사람이 와서 딱 거, 거산에 거가 있더라고 이 얘기를 해부렀네 인자. 여기는 동창이라고 반가워서 그랬는디. 그래 갖고 지서에서 딱 가 갖고 잡아 갖고 총살 시켜 부렀제. 그란께 그랬어 거가.

[청중: 아까 그 정해준 씨만 나왔죠잉?] [조사자: 네.] [청중: 자기 아버지가요 회천 2대 회장이었어요. 종배 씨라고. 이 양반 아버지가.] 그란디 그 양반 해주 씨 성격이 좀 과격해. 인자 그것이 그 양반 좀 결점이여. 정의를 위해서는 물불을 모를 양반인디.

[12] 빨치산 전남도당부위원장 김선우와 마을 출신 비서 이복순

[한경준: 그래서 그것이 있고 인자, 우리 면 내가 전라남도 인민위원회 도당위원장 김선우라고 여기서 살았거든. 여기 선우 씨 동생이 지금도 여기 살고 있어, 여동생이.] [청중: 선우 씨 여동생이 삶니까 지금?] 그렇제. [청중: 어디요?] 요기 요, 신근리 살제. [청중: 그 여동생이 누굽니까? 신근리 누구요?] 그 백... [청중: 백성만이 형제간 입니까?] 그 마누래제. 나도 몰랐는디, 원래 선우 씨가 우치 아인가. 광산 김 씬디. 여거 서울약방에 약을 지으러 왔더라고, 선우 씨 동생이. 그 얘길 하더라고. 그란디 이 양반이 그 이현상이, 말하자면 밑에서 소위 도당 위원장을 하믄스로 김선우 씨가 아주, 백운산에서, 백아산에서 죽었제, 자폭 했제. 인자 거기를 보니까 자폭을 함스로 그 아지트 밑에서 서적이 두 리어카가 나왔드라고. 그란께 그 속에서도 그렇게 독서를 하고 그랬더라고. 여기 회천초등학교 5회 졸업생이여, 김선우 씨가. 그라고 우리 국민학교 다닐 때, 이복순 여선생이 있었거든. 그란데 이복순 여선생이 그 선우 씨 비서를 했제. 그래 내가 그거를 잘 알제. [청중: 그 이복순 씨란 분이 잠개 사시는 분이시지요?] [청중: 남출이, 남출이 누나.] [청중: 아 거가

김선우 씨 비서 했다고?] 어, 비서를 했어. 여비서를 했어. [청중: 복순이가 저 지리산에도 있었고 그랬어.] 그래서 내가 지리산 저그를 달곡 마을을 들먹였어, 달곡이라고. [조사자: 예, 달곡.] 달곡 마을. 그란께 "동상이 어째서 달곡 마을을 알가?" 그란게 거그 감 따먹다 뭐도 죽고 그랬더구만. [조사자: 그건 또 무슨 얘기에요? 감 따 먹다 죽은 얘기는?] [청중: 지금도 여든 서인가 됐는데 팽팽허네이.] [조사자: 누가요? 이복순 님이?] 여든 너이. [청중: 여든 너인가 되아.] [조사자: 지금도 생존해 계신 거에요?] [청중: 아 생생해 아주. 지리산 빨치산 했어, 빨치산 살았어.] 거기도 이 마을 여자여, 이 마을 사람이여. 회천초등학교 20회. [청중: 여기 살다가 지금 광주 살아. 광주 살고 있어. 거 선생질 안했는가, 예전에.] [조사자: 광주에요?] 광주사범학교 나왔어. 그라고 지금 살고 계셔. [조사자: 지금 광주에 살고 계시다고?] 김선우 씨, 도당 위원장 비서. [청중: 자, 그란디 김선우 씨 동생 광주서 조그마한 그 저 뭔 일을 하신다고 하더라고. 그분을 만났어요 내가. 거기서 만났더니, 그가 김 뭐이더라, 외자던데? 그란데 만났는데, 자기 어머니가 돌아가시면서 까지도 내 똑똑한 선우를 해진이가 죽여 버렸다고. 해진이 따라 댕기다가 내 자식 죽여 버렸다고, 그렇게 아주 숨이 끊어질 때 가지 해진이가 내 자식 죽여 버렸다고 한 대요.]

그란디 여기서는 선우라고 안 하고, 김선동이라고 그랬어. [조사자: 선동?] 선봉이. [조사자: 선봉? 아-] 그란디 학교 다닐 때 공부도 잘하고, 씨름도 잘 고, 당구도 잘 치고, 말도 잘 타고 못하는 것이 없이 그렇게 잘 했다 하더라고. [청중: 그러니까 6.25 직전에 김선우 씨가 내 삼촌집엔가 계셨어. 같이 운동 하다가 거 저기 저 어디냐, 저 부평 병기지창 거기 둘이 잽혀 들어 갔어. 부천 경찰서로. 그래 갖고 인자 우리 아버지가 빼내는 이야기를 쭉 하시더라고. 그란께 그라고 나와선 인자 해진이

"선우 너는 현장으로 뛰어 가거라. 나는 여기 가 있게."

그라고는 인자 삼촌은 인자 6.25 때 서울시 문화부장을 하시고, 여기는 인

자 지리산으로 내려가고 역할을 나눴지.] 지리산, 말하자면 무장부대.

[조사자: 그 아까 달곡 마을에서 감 따 먹다가 죽을 뻔 했다는 이야기는 뭘까요?] 내 얘기가 그래서 복순이 보고, 누나보고 달곡 마을 얘길 할께는 그 얘기를

"우찌 자네가 달곡을 알가?"

그래서

"아이, 내가 이현상이 책을 본께는 거가 그런 것이 써졌습디다."

그란께는 그때 자기도 거 모두 있고 그랬다고 그런 얘기를 하시더라고. 그 복순이 누나가. [조사자: 그런데 거기 책에는 뭐라고 써 있는대요? 감 따 먹다가 왜 죽을 뻔해요?] 그 밑에 아지트에 가 모두 들어 있었는데, 경찰들은 그 장작배기 속에가 들어 있었는지도 모르고 그 욱에서 이렇게 감을 따 먹고 그렇게 있더라고, 그렇게. 그라고 있더라고. (웃음)

그라고 실상은 우리 여그 지역에서는 여수 14연대를 그렇게 간 사람이 별로 없었어이. 율포서 달영이는 그뜨게 14연대를 갔거든. [청중: 아– 달영이?] [조사자: 여수 14연대가 유명한 곳이에요?] 반란이 그쪽이제. [조사자: 아, 14연대. 거기 같이 합류 하셨던 분이 계셔요, 마을에?] 다 죽었지, 인자.

[청중: 자, 김선우 씨 동생이 김결이라고 나하고 통화를 하고 있어요. 김결이라고. 그란데 김결이를 서울대 정근식 교수가 소개를 시키더라고. 김선우 씨 동생이니가 친하게 지내라고. 그래 만났더니 자– 빡 반갑게 하고, 자기 어머니가 "내 선우, 똑똑한 선우 해진이가 죽여 버렸다."고] [조사자: 그럼 연락처는 가지고 계신 거죠?] [청중: 어, 연락처 있어.] [조사자: 예, 나중에 좀 알려주세요.] [청중: 그런데 "내, 내 선우 씨가 그 봉강리 거기 출입하고 왔다갔다 하다가 물들어 가지고, 물들어 가지고 내 자식 죽여 버렸다"고.] (청중 웃음) [조사자: 그러면 이복순 여사님은 연락처가 어디 있으신가요?] [청중: 나한테 다 있어요.] 지금 살아 계세요. 광주 살아 계세요. [청중: 아까 내가 저 광주로 그걸 한다는 것이 아까 그 분.] [조사자: 아, 이분이세요? 아–] 나보고

"오야, 나 평양 갔다 왔단 말시"

나보고 그랬어.

[조사자: 그래서 들었던 얘기 좀 해주세요.] 세세한 것은 안하시더라고.

그란디 인자 그 동호 형님하고 한 분 그, 전라남도 도당 본부가 있는 그 마을을 한 번 갔다하대. 가 갖고 그 쪽 간께, 이렇게 노인이 이렇게 곡괭이로 부설하고 있더라 그래. 그래 이렇게 본께 노인이

"엄마— 이복순 동무 아니라?"고.

아 몇 십 년이 지났는데 알더란 말이지. 그래 얘기를 하더라고. 그래 가지고 동호 형님도 참 재밌는 양반이야. 탁 후퇴를 해서 철진이 형님이 하고, 동호 형님하고, 온양 형님하고 서이 탁— 김일성이를 만나러 갈라고. 그때 맨 스무 살 미만이 김일성이를 만날 거 이가. 광주로 탁 가서 볼껜, 정진이 형님이 그때, 구두방인가, 뭐 그걸 양화점을 했다고 하대. 그거를 간께 시내가 텅텅 비어 불고, 다 쉬쉬— 하재 인자. 그래서 뭣 할까나이.

"온다."

그라고는 아이 철진이 형님은 형님 집으로 가불고, 그래서 온양이 형님하고 동호 형님하고 둘이 도로 회천으로 인제 와. [청중: 서이, 서이. 영환이라고 있어, 윤영환이. 그래서 서이.] 영환이 형님도 그때 갔대야? 그래 갖고 능주로 와 갖고 한천면에를 가면은 그 동호 형님 사촌 누님이 거기 가가 산다고 하더만. 배가 고픈께 누님 집에 가자께는 오랜만에 왔다고 닭을 잡아서 요렇게 해준디, 지금 생각하믄 그런 쓰잘 데 없는. 골목을 댕기면서 싹— 동네 사람 나오라고 해 갖고, 누님 집 마당으로 모이라고 했단 말일시. 그래 갖고 그냥 인민공화국 선전을 그냥 야무탁지게 해부렀단 말일시, 내가 연설을 해 가지고. 그래 갖고 나중에 인자 경찰이 왔는데 누님하고 매형하고 지서에 가서 낯 딱을 애지간히 두드려 맞았단 것이여.

"그래 갖고 내가 그 누님 집을 생전 못 가본다."고 하더라고. (웃음)

그란게 어떻게 보믄 속아지 없는, 나이 어려서 그렇제. 그 동호 형님이

그 애기를 해. 그라믄 동호 형님이 말하자믄 그 우에 주호 형님이라고 있거든. 나로 치믄 제당숙 고숙이거든, 그가. 그라 그가 좌익운동을 하고 그 고숙이 글자를 잘 쓴단 말일시. 그 우리 집 뒷 골방에다 그걸 숨켜 놓고는 나중에 그거 하고 재선이 형님하고 둘이를 나중에 자수를 시켰거든, 자수를 그렇게. 그란디 그 고숙이 사람이 그렇게 (청중을 보며) 자네도 알거여 그. [청중: 잘 알아 그] 으이, 사람이 좋아. [청중: 저기 그 구시곳서 죽었네, 고찌, 고찌 못 가서.] 경찰들이 후퇴 함스로 그래부렸단 말일시. [청중: 그 구시곳서 그때 아홉 명 죽였는데.] 그란께. 그 고숙이 사람 참 좋은 데, 어떻게 보면 뭐 다 시대를 잘 못 타고 나온 것이여. [청중: 거기 뭐 딸인가 손이 있다고 하대, 딸 있어.] 둘인가 있어. [청중: 응. 여기는 동호하고 연락하고 살아 지금.] 그란디 그 고모가 복순이 여선생하고 동창이여. 거기도 초등학교. [청중: 여자는 죽었제?] 지금 몰라 인제 돌아가셨는지, 죽었단 말은 못 들었어. 제당 고모부 같은께. 아이, 그때 애길 할래믄 한정이 없어.

[조사자: 그럼 그때, 여수 14연대에 들어 가셨다는 분의 그 가족들은 지금 어떻게 살아 계신가요?] 없제. 그런데 그 분은 재주가 있어. 14연대로 와 갖고 도로 또 국방군으로 들어 왔어. 그래 갖고 또 인민군이 내려 온께 또 인민군으로 들어 왔어. (웃음) 인민군이 인자 후퇴를 하니까 또 국방군으로 들어갔어. 그래 갖고 또 현역에서 또 탈퇴를 했어. 그래 갖고 지서 인자, 헌병들이 둘이 잡으러 왔어, 헌병이. 잡으러 딱 온께 잽혀서 지서에 갔단 말이여. 그란께 밤중에 헌병 옷을 탁 입고 인자 또 탈영을, 도주를 해버렸어. 그란께 헌병 깰탱이를 할딱 벗겨 버렸지 인자. 하여튼 달영이도 문제인겨. 세상에 밤중에 지서에 그 방에다 가돠 놨는데, 그 헌병 옷을 입고 밤에 도망을 쳐불 거인가. 그란께 헌병은 군복도 없고 빤스만 입고 있었제. 그래 갖고 나중에 그 사람이 노름에, 화투에 이렇게 여수서 그 화투 치다가 선창머리에서 어떤 놈이 칼로 찔러 버렸다 해 가지고 즈그 애미, 즈그 아버지한테. 거그는 사상도 없고 뭣도 없고 그렇게 지 할 통이여. 그란께 반란군 들어 왔다, 인민군

왔다, 경찰 들어 왔다, 국방부 들어 갔다. (웃음) 그래 달영이 특기는 그 헌병 옷을 입고 도망쳐 분 것이여. [조사자: 이 분의 이름이 달영이세요? 현재 이 분의 가족들이 마을에는 안 계시고?] 거 없제. [조사자: 참 재주가 좋으시네.] 그란께 그때는 그런 지안 통들도 많애. 지안 통이 이만 저만이 아니지. 그란께 말도 못 하제.

[13] 전봇대 망을 서다가 실수한 암호

[한경준: 그라믄 인자 낮에는 요 시간이 되면 인자, 율포에서 보성까지 이렇게 전봇대가 이렇게 있으면 인자, 전봇대 밑에 사람이 둘이 슥 인자 배속이 되야. 그래 갖고 인자 율포에서 인자 연락을 해.] 그라믄

"이우개."

그라믄

"어이-."

그라믄

"우리는 단군의 자손이라고 전달."

그라믄 또

"이우개."

"어이-."

이라믄

"우리는 단군의 자손이라고 전달."

그라고 하니께 쭈- 욱 말이 이렇게 올라가. 또 쪼간에 한 5분이나 있다가 잠을 자면 안된께.

"이우개."

그라고 이자 할 말이 없으면,

"처녀는 총각을 좋아하고, 총각은 처녀를 좋아한다고 전달."

그라믄

"이우개."

"어이-."

그라고 내다 보고

"처녀는 총각을 좋아하고, 처녀는, 총각은 처녀를 좋아한다고 전달."

또 한- 하고 또 그 말이 가.

그란데 우찬 일이 있었냐고 하면, 참 재미진 일이 있어. (동그란 원 모양을 그리며) 우리 초등학교가 요렇게 있었거든. 그라믄 요리 율포 마을로 이렇게 인자 한 500명 쯤 되면 요렇게 빵- 돌려서 인자 학교로 요렇게 한단 말이여. 그라믄 여기서 인자 지서장이나 딱 앉아 갖고 요짝으로 말을 요렇게 하믄 저 말이 나중에 동네를 빵 돌아서 요리 도로 올 것 아니라고? 그란께 인자

"우리는 단군의 자손이라고 전달."

그라고 요리 했어 인자. 그란디 촌 노인들이 단군이 뭐인지, 뭐인지를 몰라. 그란께

"우리는 당골래 자손이라고 전달."

하고 인자, 요 놈이 요리 전달이 어떠이 단군의 자손이 요 사람이 말할 때는 인자 당골래 자손이라고 전달하면서 한- 하고 쳐다보고

"너 뭐라 그랬어?"

"너 뭐라 그랬어?"

"너 뭐라 그랬어?"

해 갖고 그때는 전득선이라고 있다 말이지. 요 사람이 인자 그 말을 했어. 그래 갖고 인자 두드려 맞고이. 단군이 뭔지, 당골이 뭔지도 몰라. (웃음) 아이고, 참 재밌는 일이 쎘어, 그라믄.

[14] 총격 때 생긴 여러 사람들의 일화

[한경준: 밤에만 인자 야경을 그렇게 한께, 젊은 사람들이 배고프다고 인자 동네서 닭을 잡아 갖고 죽을 쒀 갖고 밤이믄 또 인자 그 밤에 야식을 갖다 주러 가.] 그라믄 그 전봇대 슨 사람은 야식을 갖다 준 것이 아니라, 지서에는 저녁마다 갖다 주지. 오늘은 해룡리, 내일은 백교리, 내일은 이렇게 해 갖고 부락으로 돌아가면서 저녁 마다 야식을 이렇게 갖다 주제. 그렇게. 그때는 그것이 일이여. 안 해줄 수가 없제, 지서에서. 그라고 또 인자 한 번은 반란군들이 인자 습격을 왔어. 그라믄 그때 영기 씨라고 이 양반이 면장을 할 판인디, 영래 씨라고 이 양반이 인자 한참 단장을 했단 말이여. 그란께 지서에서 인자 담에서 인자 밤에 총을 팡팡팡팡 하면 (총 쏘는 시늉을 하며) 이렇게 쏫쿤디 말이디 이란께. 이 양반이 순경에 있다가 인자 (머리를 가리키며) 여기로 M1 탄피가 와 갖고 인자 머리를 탁 쎄려 버렸네. (머리를 감싸며) 그란께 박에 지금 머리팍에 총 맞았다고 그냥 (청중 웃음) [청중: 탄피 맞았는데] 그래, 탄피가 와서 때려 버린께는 영래 씨가, 그란께 영래 씨가 나더러 그런 얘기를 혀.

"아이 영기는 세상에 탄피가 대가리를 쎄려 버렸는데, 총 맞았다고."

아이고, 그때 그런 이야기를 들으모, 참 그 웃기는 일이 있었지. 말도 못해.

나는 외례서 질로 보면은 둘이 세아 놓고 그냥, 그래 잘 못하면 그냥 상대방 뺨을 탁 쎄리면

"이래도 정신을 못 차려?"

그라고 인자 상대방 뺨을 탁 쎄린단 말이여. 그러믄 저 쪽에서도

"이래도 정신을 못 차려?"

그라고 뺨을 팍 쎄려. 처음에는 인자 살짝살짝 때리다가 인자 내게 안 친다고 두드리면 인자 내 기운대로 쎄려 불지, 인자. [청중: 서로 인자 뺄이 나

갖고 더 때려 인자. 그 놈의 기합 고약한 기합이여] 그란께 인자 이것이 또래나 되면 할 거인디, 아 이웃 동네 기냥 쉬흔 살 묵은 어른하고 해놓으면 이것이 무엇이 되겄는가? (웃음) 참말로 웃기는 일이 쎘어. 그란데 인자 서바구 인생이라고 있단 말이여. 양 쪽에서 인자 요렇게이 갈라놓고 인자, 가운데서 총을 빵 놓으면

"야-."

하고 가서 상대방하고 이렇게 싸움을 해 인자, 싸움을 하고. 심심하면 기마전을 붙여 가지고 이렇게 하는디 하필 경찰이 총을 팡 쏜 놈이 잘 못 쏴 갖고 아침에 인생이라고 그 사람이 오발탄에 거기서 학교 운동장에 맞아 버렸어. 총에 맞아 갖고 업고 인자 양질영이라고 이 사람이 인자 업고 가다가 율포 병원에 가기 전에 안 죽어 버렸는가. 그란디 동네에서 인자 그 얘기를 해 쌌더라고,

"사람이 죽을란께 묘하다."고.

"왜 그랴?"

그란께.

"아침에 새끼가 밥을 먹으서, 밥상에서 지 밥그릇이 톡톡 튀더만, 밥그릇이 팔 깨져불더라."

이것이여. 그래 죽은 날 아침에. 그런 얘기를 해쌌고이. 그것도 묘하다고 그런 얘기를 해쌌더라고. 그렇게 훈련을 받음스로 오발을 해 갖고 운동장에서도 그렇게 사람이 죽고 그래. 참 별 일이 쎘어. [청중: 아주 그냥 개죽음이제] 개죽음. 그런 것은, 개죽음이제. 그란디 여기 여 짝에 보담더 얘기를 들으면 천포 사람들이 훨- 씬 더 욕을 봤어. [청중: 더 많이 죽었어, 천포가. 더 죽었어요, 천포 저쪽에서]

내가 '율포동 소재지에서는 별 안 죽었을 거이다.' 그래도 이렇게 세어 보니까 열 너인가 나오더라고. 내가 딱 세어 보니까 열 너인가 그렇게. [청중: 여기가 회천면인데, 여기가 회령, 가운데가 율포, 그라고 제일 끝트리가 천

포 그런데. 지금 계신 데가 지금 회령 쪽이라서 이야기를 하고 계신 거에요] 원래는 이조 시대는 요기가 회령이여. 회령인가 하고 천포하고 이렇게 일한 합방 되면서, 한일합방 됨서 이렇게 합해져 갖고 회천이 되았제. 회령면 하고 천포면이 합해져 갖고 그래 갖고 회천이 되았제. [청중: 그 당시는 장흥군 여기가 회령면, 여기가 장흥 소속. 다음에 보성군 천포였었는데, 이제 행정 구역 개편이 되면서 회천면, 회령과 천포를 합쳐서. 이쪽이 회천면의 서부, 아까 율포가 중앙, 천포가 동부] 그때 얘기를 할라믄 한정도 없어. [조사자: 그러게요. 얘기를 참 많이 알고 계시네요] 아이, 눈으로 본 것인디. [조사자: 워낙 입담이 좋으셔서] 아이, 왜 그라냐면, 이분들은 여긴데, 나는 소재지 살았거든. 그란께 그 제대로 많이 봤제.

[15] 인민군 주둔 때 봉강의 영향으로 지주들의 피해가 없었다

[조사자: 율포에서. 그럼 율포에 인민군 주둔 하신 것도 보셨겠네요? 거기 주둔을 했었다면서요?] [한경준: 많이 봤지.] [청중: 그때는 보안사라고 했지.] 인자 지서를 보안사라고도 하고. [청중: 아이, 경찰서에가 보안서고, 지서가 주재소여 주재소. 주재소라고 했제?] [조사자: 일제 때?] [청중: 인민군들이 왔을 때. 그람서 경찰서가 보안서, 여 면이 저 주재소 그래. 인민군들이 통치할 때는.] 그란께 그것이 인자 인민위원회라는 것이 있어. 면은 면대로 있고, 각 리에도 또 인민위원회가 있고. 그라고 인자 그가 인자 뭣이 있냐면은 여성위원회도 있고 인자, 민청, 민청이라는 것이 민청이 있고. 각 뭐 또 부락 별로 그렇게 조직이 되어 있었지. 그래 갖고 인자 밤만 되면 이 놈의 그냥 김일성 장군 부르라고 그러면은 목이 터져라 하면은 저 동네에서 소리가 크면, 우리가 져서는 안 된다고 더 크게 하믄, 목이 털털– 지도록까지 인자 밤에 김일성 장군 노래를 그 놈을 부르고. 지금도 부르라면 다 알겠어. [조사자: 노래를 다 기억하세요?] 다 알제. [조사자: 한 번 불러 봐 주시면 안돼요?] 그 안들어

봤을까, 한 번도? 김일성 장군의 노래. 인민공화국 선포의 노래도 있고, 또 민중의 노래도 있고, 김일성 장군의 노래도 있고. 뭐 여러 개가 있어. [조사자: 워낙 영특하셔서 기억을 다 하시나 봐요?] 이렇게 하지. (노래를 부르며) 장백산 줄기줄기 피 어린 자욱. 그렇게 김일성이 노래를 그렇게. (다시 노래를 부르며) 압록강 굽이굽이 비어 인 자욱. 오늘도 자유조선 꽃다발 위에 영력히 비춰 주는 거룩한 자욱. 아- 아- 그 이름도 그리운 김일성 장군. 아- 아- 그 이름도 빛나는 김일성 장군. [청중: 참말로, 지금도 외우고 있구나.] 그렇게 해. [조사자: 그러게 워낙에. 소리가 좋으세요.] (웃음) 그라고 인자 인민공화국 선포 노래는 다 잊어 버렸는가? [청중: 다 잊어 버렸지.] [조사자: 그건 또 어떻게?] (다시 노래를 부르며) 백두산 천지에서 제주도 끝가지 하고. 이것은 안가? (노래를 부르며) 민중의 붉은 깃발은 전사의 시체를 쌓노라. 하고. 지금 환하고 그걸 다 알겄는데. 나 일제시대 일본노래 군가 다 외우고 있어.

[조사자: 고것도 한 번 해 봐주세요. 그건 또 어떤 노래에요?] 일본노래가 해방 되아 갖고 우리 군대에서 부르던 노래가 거의 일제시대 곡을, [조사자: 그대로 가지고 온 것이에요?] 한 것이여. 그라믄 왜 그랬냐면 창군 당시에 군대 간부급들은 일제시대 일본 전부 군인 장교들이었거든. 정일권 씨 모두, 박정희 씨 싹- 그리 그룹이.

[조사자: 그러면 고 인민군들이 와서 노래 가르치고?] 그것은 인민군이 가르친 것이 아이라, 마을에 민청이란 인자 그렇게 청년들이 가르쳤어. [조사자: 그러면 여성위원회, 이 여성위원회 소속들은 또 뭐해요?] 그런께 여자들은 여자들대로 인자 그렇게 조직이, 조직이 있어 갖고 그렇게 전임은 사상교육이나 이런 것을 하고. 인자 그란께 동네 이 동네 저 동네가 밤이믄 그 노래를 부른께 안 질라고 소락때를 옆에 동네 들으라고 빽- 빽- 지른단께 인자. 나중에는 그란께 목이 쉬고 그래 갖고는 인자 동네들도 '내일 저녁에는 느그 동네하고 우리 동네가 시합을 하자.' 그래 갖고 이렇게 가서 인자 노래 시합을 하고

그래. [조사자: 그러면 여기 인민위원회에서는 이렇게 지주들 집에 가서 이렇게 해코지 하고 그러지는 않았어요?] 우리 면에서는 그것이 없었제, 그런 것은 전혀. 아까 내가 얘기 안 해? 봉강 어르신하고 [조사자: 그러니까는 봉강 선생님하고.] 다 그렇게 해 갖고 절- 대 그런 그시기는 그래서 인명 거세기는 6.25 때 없었다 그랬어. [조사자: 그러니깐요. 마을에 대게 훌륭한 어르신 한 분 계시는 게.] 그렇게 영향 있어, 지역에 영향 있어. [조사자: 큰 전쟁에서 마을 사람들 다 살렸네요.] 서로 그것이 감정적으로 대입 했으면 양쪽이 쏘가 되어 불쟈 인자. 그것이 그란께 덕 있는 훌륭한 선비가 살믄 그 지역이 그렇게 덕을 본 것이여. 윗물로도 아래로도.

[16] 여인과 자다가 인검에 걸려 요강 쓰고 지서까지 간 면서기

[한경준: 재밌는 얘기 할래믄 한경도 없단게.] (모두 웃음) 문재열 씨라고 그 양반이, 이 양반이 밤에 인자 김영애라고 저기 저 나주 다시서 사는 여잔데, 여기 와서 인자 식당에 와서 있었던 가벼? 이 양반이 이제 밤에 그 가이내 데리고 자다가 밤에 인검에 걸려 버렸어, 인자. 그란께 지서에서 인자 그 양반은 그때 면서기도 했거든. 요강을 머리에 다 이라는 것이여. 그라고 가이내들 보러 요를, 이렇게 담요를 가이내로 담요를 머리에 다 이고 (웃음) 재열 씨는 머리에 다가 요강을 지고 지서로다. (웃음) 그거이 그런 시대가 아이모 그리 재밌는 얘기가 없어. [조사자: 그때가 어느 시대라고요?] 아 6.25, 여수반란 이후로.

[17] 얄미운 이웃 혼내주려고 계책을 세웠다가 지서에 불려 다닌 소씨

[조사자: 또 재밌는 이야기 해주세요.] [한경준: 재밌는 것은 도암재 소씨가 안 살았는가?] [청중: 소태인.] 소태인이 아버지가 이름이 그거. 거가 도댕이

정씨들 논을 보고 사음(마름)을 했다고 하더만. 그란게 자네 집 앞에 그 물방에 꺼리, 거그서 쪼금 가서 요 물이 도대리로 (팔을 크게 한 번 저으며) 요리 싹 그 논에서 이렇게 똘채로 해갖고 들어 와. 그란게 하내하내 (머리를 숙이며) 요라고 그 똘채에서 요라고 앉았다가. 밑에서 미운 놈이 물을 대면, 요기서 물을 안 줘. 그라믄 모를 못 심어, 인자. 그란께 정씨들 미와서 똑 죽겄지. 그란께 도대리 마을에서

"저 새끼를 한번 혼을 내놓자."

이것이여.

"그래 어떻게 혼을 내는 거나?"

"저 새끼를 저 꿇고 앉거니 뒤에 가서 마다리 푸대로 그냥 머리에서부터 내 씌워 갖고는, 요놈을 인자 조깐 혼을 내놓자."

딱 오라고 했는디. 너이 가갖고는 마다리 푸대를 매 씌어 갖고는 요 주둥이를 이렇게 뭉컸어. 그래갖고는 요만한 대창으로 인자, 사람 몸은 안 다치게 푹 쭈셔 갖고는 너이 (어깨에 대창을 메는 시늉을 하며) 돼야지 이듯 여까지 이고 왔어. 이 장터까지. 그라고 속에서 사람을 픽픽픽픽 해쌌지.

"이거 풀어주라."고.

그래갖고 네 사람이 경찰서에 불려 댕기느라고, 나중에. (웃음) 그 도감형님 누구누구라고 다 알더라고. 재형이 형님이랑. 아이고, 그래갖고 그 사람들 경찰서에 불려 댕기기로 똥 싸버렸네. 요새 같으면 그런 것이 있을 일인가? 뭐.

[18] 일제 때 병사계 기열 씨의 해방 후 겪은 어려움

[조사자: 또 기억나시는 이야기 없나요?] [한경준: 아 그 기억나는 것은 기열 씨라고 이 양반이 일제시대 연성소를 그 것을 그 양반이 그때 했단 말이여.] 그란디 그 띠기는 인자 일제시대 연성소가 상당히 인자 엄했거든. 해방이 되

니께 모두. 그때 인자 훈련받던 사람이 인자 그 사람 집으로 쫓아갖고 인자 "죽인다."고.

그랬는디, 그 양반 아버지가

"너 잘못 했은께, 무릎팍 꿇고 빌어라."

그래갖고 마당에서 무릎팍 꿇고 빌고. 해방 되아갖고 인자 그런 일도 많애. 우리 동네 영기 씨라고 이 양반은 병사계를 했는디 해방이 된께 와서 이자 장도막을 막 두드려 깨불고 인자. 일본 군대 가갖고 죽은 사람들 어머니가 와갖고 막 그라더라고. 그래가 한 짜리 못하고. 그때는 당할 수밖에 없제.

우리 회천서 일어난 일도 내가 알고 있는 놈만 써놔도 책이 몇 권인데 그러고만. [조사자: 책을 좀 쓰세요.] (일동 웃음) 시간이 없고 나이가 들어 논께. 나가 인자 세 살만 있으면 여든 살이요. (함께 앉아 있던 청중들을 가리키며) 요리, 요리, 저기도 우리가 동갑쟁이여. 저 사람들도 전부 보안서 맛을 본 사람이여. 저 어렸어도. 그라고 그때는 가난하게 사니까 지금 생각하모, 그때 영천지검 거 저기 저 문방세서 고드름 따 먹다가 거기서 서인가 잡혀갖고 자네, 죽은 거 그 기억을 한가? 그때 죽은 사람들이 완도사람이었던가, 모르겄소. 그때 반란군들은. [청중: 여기 사람들 아니었어.] 눈이 많이 왔어, 그때. 눈이 와갖고 인자 저-기 저 이렇게 덮혔단 말이여. 그래갖고 인자 허궁돌이라고 거 물방아실이 있어. 그란께 이 고드름이 요렇게 얼어. 그때 젊은 사람들이 인자 그 고드름 딴다고 갔는디 반란군들이 그 물방아실에 가 서이가 숨어 있었어. 그래갖고 인자 미리서 놀래서, 가만히 있었으면 오히려 살건데, 저 도망을 칠 적에 그런 데다가 고마 총으로 쏘아갖고 거기서 둘이 죽어불고 한 놈은 잽혀 버렸제. 그때 완도 사람인가 그렇게 되았어. [청중: 인자 정체를 밝힐까봐, 주재소 찾아가서 신고할까 봐이.] 그런 일이 많애. 어떻게 표현을 못해, 그때는.

[19] 반란군과 경찰 사이에서 힘들었던 마을사람들

[조사자: 마을에서 산에 올라가신 분들은 많으셨어요?] [청중: 아니, 여기 전투 지역에.] [조사자: (뒤쪽을 가리키며) 여기 있는 산 이름이 뭐에요?] 일림산. [조사자: 여기도 산세가 험해요?] 상당히. [청중: 670 메다. 여기서 장흥 머신고. 재암사.] 여기 지금 일림산에가 봉화대가 있어. 옛날에 직봉이 있고 간봉이 있거든. 직봉은 어떻게 보면은 인자 요새 같으면 고속도로. 간봉은 지방도로 매키로 통신수단으로 그라네. 그란디 여그는 직봉이여. 그란께 여수 망부산에서 팔영산으로 와갖고 팔영산에서 여 이, 여그 일림산으로 와갖고 일림산에서 천방산으로 가거든. 그래갖고 해남으로 돌아서 구금산으로 해서 강화도로 해서, 말하자면 서울 남산, 목면산으로 이 코스는 들어간 코스여. 그란께 여가 말하자믄 그렇게 임진왜란, 그때가 병영으로도 이렇게 통신으로도 중요한 자리여, 여가. 그라믄 저그 강진 병영면이 그때 병사부 사령부가 안 있었오? 그가, 병영. 그란께 병영, 영이거든. [청중: 병영도 많이도 복원을 했더라고. 증축을 많이 하고.] 그란께 저 자식은 '영문도 모르는 놈'이라고. '영문 맛을 모른다.'는 것이 뭐냐 그라믄, '병사부 사령부 맛을 안 봤다.' 그 소리여. '영문을 모르는 놈의 새끼'라 하거든. 우리가 보통 그런 말 안 쓰요? 그래서 그 '영문'이라는 것이 병사부 사령부 맛을 안 본 놈이라 이것이여. '영문을 모른다.'는 소리가 그 소리거든.

[조사자: 그 산에 계시던 분들이 가끔 집으로 내려오기도 하셨죠?] 아 그라제, 그라믄. [조사자: 그런데 원래는 지서에 고발을 해야 되는 건데, 다들 눈 감아 주시고?] 그라고 인자, 그 밤에 인자 그분들도 이렇게 와. 마을을 오르모 마을서 지서로 안 알려주면, 또 동네 사람이 죽어. 그란께 밥을 저녁에 해묵고 이렇게 인자 후퇴를 해. 지서에도 알리라고. 후퇴를 가령, 인자 50명이나 있으면 49명이는 전부 산으로 올라가 불고, 한 둘이는 동네서 남았다가 경찰이 온 성 싶으면 입구로 총을 쐈거든. 아 그라모 '동네 사람들 진짜로 고발 했구

나.' 그라고 알제. 그래서 말하자믄 그렇게 양민들을 보호를 해줘야 자기도 그 뒷날 저녁에도 밥 한 끼라도 더 편하게 얻어먹지. [청중: 아이 다시 한 번 이야기 해봐요. 한 50명이 오면은 한 두 명이 남고 다 후퇴하고.] 그래갖고 인자 마을에서 인자 보고를 하면 지서에서 나올 것 아인가? 그라믄 일부러 총을 그냥 산에서 쏜다니까. 경찰들 보고. 그라믄 '아 동네에서 틀림없이 저, 옳게 이렇게 정보를 제공을 했구나.' 그라고. 다 이렇게 서로 해주제. 그래 안하고 어떻게 할 것이여. 그라고 그때는 뭐이냐면 망원이라는 것이 있어. 그물 망자 망원. 그란께 절-대 동네서도 몰라. 그때는 전화도 없는 세상이여. 그래 인제 동네 밤에, 밤중에 이렇게 반란군 들어와서 밤에 들어오면 그걸 금방 지서에서 알디? 그란께 망원이라고 그 사람이 지서에 직원하고 자기하고 둘이 밖에는 몰라. 절-대 다른 사람은 몰라. 그래갖고 인자 이 사람이 영장이 나와, 인자. 인자 군대 가라고 영장이 나올 것 아니여? 그라믄 일부러 저-기 산중이나 보성 가다가 이제 봇재 같은 데 가다

"똥이 매렵다."고 인자.

그라데도

"오줌이 매렵다."고.

그라고 인자

"내려가 가서 눠라."

하믄 그냥 도지를 해불거든. 그라모 엄포로 (총을 쏘는 시늉을 하며) 그냥 총을 막 쏴고 인자. 그렇게 모르게 봐죠, 말하자믄. 그란께 망원을 하재, 인자. (일동 웃음) 군대를 안 갈라고. 안 그럴라겄어? 그란께 그때도 다- 이것이 이짝이고 저짝이고 그. [청중: 다 있어.] [조사자: 그러니까 이제 마을 사람들은 그 사람이 망원이라는 것을 모르는 거지요?] 모르제. 전혀 모르제. 우리는 보통 밀대라 그라고 인자 그라는디. 몰라 누가 긴지를. [청중: 반란군한테 연락망 밀대가 있고. 경찰한테 연락망 밀대가 있고.] 그라고 인자 양다리를 걸치고 인자. [청중: 양다리 걸친 사람이 있고.] 아 그러제. [청중: 그런 것 때문

에 사람이 더 죽는 것이여. 비밀보장이 안되니께. 우리 마을에서 반란군이 들어와서 밥을 먹고 갔으면 딱 덮어버려야 하는디. 경찰 밀대가 있은께 보고를 해버려. 보고 안했다고 (양 손으로 치고 받는 시늉을 하며) 이카고 이카고 한 것이여. 그래서 사람이 더 피해, 희생을 많이 했던 것이여.] [조사자: 그럼 결국 밥해줬다고 죽은 사람들은 다 망원이 고발을 해서 그렇게 된 거군요?] 그란께 전화가 없는 세상에다가 엊저녁에 누집에야서 반란군들이 밥 먹고 간 줄 다 안다니까. [청중: 그래갖고 양다리 걸친 놈들은 살다가 내중에 결론적으로 죽더라고.] 이제 탄로가 나서

"저 새끼, 못된 놈의 새끼."라고.

그라고. [청중: 요거 '이제 이용가치가 없다.'하고 인자 결국에 여럿을 잡아다가 죽이더라고. 그것이. 다 이용해먹고 이용가치가 없은께 인자 양다리 그 놈은 (손을 오른쪽에서 왼쪽을 옮기며) 요쪽 팀을 요래 한다고 해서 쓸모가 없다고. 결론적으로 죽어, 다. 그렇게 가지가지 했어.] 그란께 그러고 그냥 소 뜯기다가도 애기들 고생해서 적병사 오면 개떡을 인자 해 묵었는디, 어떻게 개떡을 해묵어 쌓고 개떡으로 거 광고개, 말하자믄 그 전봇대 빈 사람들은 개떡도 없는데 잽혀버렸거든. 알아갖고 죽였거든.

"개떡을 뭣하러 했소?"

그란께

"밤에 이러이러 해서 밤에 인자 거그 줄라고 그렇게 했다."

그래갖고 인자 개떡 때문에 잽혀갖고. (웃으며)

"자네 아버지가 개떡 때문에 죽었네."

그렇게. (웃음) 참- 희안한 놈의 일이 쌨어, 그때는. 말도 못해. 그란디 우리가 인자 한, 어렸은께 그래도 참 대 여섯 살만 더 묵었으면 우리는 매카식으로 컸을 거인디. 아 그란한가? (웃음) 우리가 열다섯, 열여섯, 열일곱 그 무렵인께. [청중: 우리는 저 왜정, 반란, 여 6.25 다 체험하고 다 겪었지 않는가? 우리 생전에. 그란께 인자 옛날에 그 없는 시대에 난시를 겪으고 했는디.

얘기를 하믄은 젊은 세대들은 이해를 안한단 말이여. 이해를 할라고 거짓가리만 공부한단 말이여. 다 있는 건데. 사실을 이야기 하믄은 인정을 안해부려. 그야말로 못먹고 살고 조금 못배우고 할 때, 그런 얘기하믄 저그는 "그 시대는 그 시대여." 이렇게 말해. (일동 웃음) 우리가 왜곡해선 안 되거든. 사실 그대로 우리가 집약을 해야 허는디.]

창주 씨가 요새 같으면, 면의 총무계장을 인자 우리 이웃집에서 한 양반인디, 이 양반이 반란군들이 죽인다께 인자 집에를 못 와. 그란디 그란 뒤로도 작은 마누라를 그때 얻었거든. (웃음) 그라고 인자 우리 아버지도 인자 밤이믄 좌익들이 죽인다 그래 싼께, 밥만 묵고 이렇게 패해 댕김시로 작은 어머니를 얻었어. (웃음) 그란께 참 남자들이 어떻게 보면 속 참시로 없어 그냥. 우리 아버지랑 창주 씨를 보면은. (웃음) 뭔 그 정황이 있겄는가? 생각을 해보소.

[장장수: 그때 한번 우리 마을에서 6.25가 인자 후퇴를 하고 지방폭도들이 인자 많이 잔재돼 갖고 남아있는 시대 아닌가?] [조사자: 네.] 근디 우리 마을에가 인자 그 빨치산 입산자들 50명이 인자 두 집에 가 있어, 50명 주둔하고 있어. 밥을 해 먹고 인자. 그 밥을 마을에서 해주는디 거기서는 인자 동지들이 쌀을 걷어다가, 부식 걷어다가 밥 해주고 역할을 한다 그 말이여. 그런디 인자 거그서도 또 인자 그 밀대가 있어, 밀대. 그라 밀대가 인자 보고를 해불면 동네 쇼가 되잖아. 그런께 인자 그것은 그런 경우는 마을에서 인자 그 유지급들이 모아서 회담을 해. 이것은 '만약에 정보가 새어 나가믄 마을이 인자 큰 피해를 보니까, 에- 그대로 접대를 하고 순수하게 내보낸 뒤에 우리가 신고를 하자.' 요렇게 인자 하기로 했는데. 거기 저 빨치산 50명 있는데 거기 인자 심부름 하는 사람이 인자, 연락병 몇 이가 있어. 그런데 그러고 인자 저 웅치 거, 웅치를 나무를 하러 갔다가 말이여. 운치 저그 저 웅치. 여기서 한 8킬로 되잖아? 그래 나무하러 가는디 경찰들 수복을 했단 말이여. 수복을 해갖고 웅치로 돌아서 요래키로 넘어와. 그란디 인자 경찰들이 수복을 하면

서 이 반란군, 인민군 행세를 하고 왔어. 인민군 행세를 하고, 북한말을 쓰고. 그러니까 거기 있는 사람이 정보제공 싹 해버린 거지 인자.

"지금 여기 이 마을에 가면, 누구 집에 가면 몇 십 명이 있고, 누구 집에 가면 몇 십 명이 있고 지금. 오늘 사흘 차 거기서 돼지도 잡아먹고, 밥을 해 먹고 지금 있다."고 말해.

그란께

"총이 몇 정 있느냐?"

"총이 50명이서 한 20정이나 있습니다."

보고를 딱 했어. 거그는 따발총이 몇 정, 장총이 몇 정, 구식이 몇 정, 인자 다 있단 그 말이여. 그란께 인자 딱 인민군이란께 인자

"동무.", "동무."

하고 한께 인자 이적행위를 해불까 하고 딱 열거를 해버렸단 그말이여. 그란께

"하- 동무 같이 거 안내를 하라."고.

그래갖고 저기 웅치서 동암마을 뒷산을 딱 왔어. 와갖고는 저 바로 그 마을로 안들어 가고이, 그때 경찰도 또 지원을 해주더만. 같이 교전되면 피해를 많이 보재. [청중: 쌍방이.] 어. 거 우리 마을 뒤에 때뚱한 산으로 포위를 딱 해갖고 경찰들 한 10여 명 돼야. 10여 명 되고 그 빨치산 한 50명이 된다 그 말이여. 총은 25정이나 있어. 따발총에다 뭐 저. 그란께 인자 거그서 마을에 들어와서 수비하는 게 아니라 때뚱한 데 거기 와서 공포를 몇 발 쏫드만. 경찰들이.

[청중: 일반 경찰이?] 으, 경찰들이. 얼른 도망가라 그것이여. 그라이 거기서 막 집중사격 공격한께 전부 이제 도망을 가제. 그래 마을 앞으로 해갖고 도대 밑으로 싹 피신을 했어. 그래 싹 인자 도망가 시키 놓고, 마을로 내려와서 인자 마을 사람들을 총동원 시키더라고, 이제 경찰들이. 그래갖고 인자 그 저 투항한 사람도 인자 밥해준 집이, 주인을 인자 전부 데려다가 조사를

하고. 경찰서로 싹 보성경찰서로 연행을 했어. 그래 그 전에 문재인이 면장을 했던 성인이, 성씨도 있었어, 상구 집이. 그래갖고 상구 저그 아부지가, 상구 저그 아부지 (오른쪽 어깨 위를 만지며) 여그다가 칼빈총 들이 대고 총을 한 댓발 쏴분께 (웃음) [청중: 놀래 넘겨 가불것네.] 똥을 쏴부렀네, 똥을 쏴부려. 그래갖고 서를 불려가고 그랬어. 그래갖고 인자 큰 피해는 안보고 인자 며칠 만에 풀려 나왔는디. 인자 그 경찰들도 그리 지혜는 차리더라고. 거기서 교전하믄 자기도 피해를 보고, 마을 피해보고. 그런 경우도 많이 있고. 또 잔인하게 그냥 물불 안 가리고 그냥 한 놈들은 또 잔인하게 그냥 문제가 생기고 그래. 다 나쁜 게, 사람이 다 나쁜 게 아니여. 열 명이면은 50대 50이야. 50은 좋은 놈들이고 50은 나쁜 놈이고. 이야꼬 이 세상에 전체가 나쁘블면 학살, 피해가 엄청나게 많지. 그 시대도, 어 거기도 좋은 사람이 있는 거야.

[한경준: 내가 저그 인자 가매를] [청중: 가매서 많이 죽었제.] 그래 인자 한 마을에 경찰을 백 한 삼십 몇 명인가 죽어 부렀다 그라더라고. 세 다락구가 그때 죽어부렀다 그래. 그래서 인자 그 동네를 가서 인자 그 동네를 가서 인자 물어 봤거든. 그란께 그 동네 사람이 다 가르쳐 주더라고. 그란디 그 백삼십 몇 명인가 죽을 적에 단 서이 살았거든. [청중: 백삼십 명이 죽어부려. 경찰이.] 백삼십 명이 그 몰살을 당해부렀어. 그란디 서이 살았다 말일시. 그래갖고 인자 그 세 사람 중에서 율포 이창식이가 하나 살았어. 그래서 내가 창식 씨를 인자

"아주 심심할 때 놀러갑시더. 우더를 가라?"

그랬더니

"봉래 가제를 갑시다."

그래서 인자 서재필 박사 그 기념관 있는 데 그 위여, 그. 거기서 봉래로 넘은 그 계곡. 그래 인자 그 양반을 델꼬 가서 인자 물어 봤어. 현장을 가서 인자, 그때 경험잔께. 나도 일 없는 놈이여. (웃음) 그란께 그 아래, 그 저 아래 그 가게로 들어가면 방죽이 있어. 방죽 옆에가 오른쪽으로 가면 대밭이

있단 말일시.

"이 자리시기."

그라믄서

"여가 유산각이 있었는디, 밑에가 이렇게 흙담으로 이렇게 되어갖고 이렇게 짚뱀이로 이렇게 쟁여져 있었네."

그래. 밑에가 창구매이로 됐는디. 그래

"아침에 거그를 갔는디 여자가 함지를 이렇게 이고 간단 말이시. 함지를. 그란께 여자 함지를 조사를 한께, 거가 인자 뭐 깨, 깻목씨, 그 저 깨소금 같은 거, 뭐 고추가리 같은 거. 그란께 거그 숨어 있는 반란군들 보급을 해주러 이 여자가 가는디 잽혀 버렸어. 그란께 여자가 물은께 졸도를 가르쳐 줘서 거그를 가서 본께 일곱인가 있더란 말일시. 그래갖고 인자 거가 애기들 둘인가 있었는데 그래 애기까지 인자 싹 그냥 담가버렸단 말일시."

그래. 그란께 요짝에서 산 우에서 딱 보고 있었던가 보대? 본부대가. 그래갖고 인제 요놈은 후퇴를 해서 인자 경찰들도 후퇴를 하면 척후병 보내면 띄엄띄엄 그렇게 올 것 아닌가? 그란디 그 막 동네로 넘어오는데, 거그 넘어올라하는디 양쪽에서 이렇게 지져된단 말일시. 그래갖고 고걸 순 계곡에 양쪽에서 이렇게 거그 가봤을라나? 가봤어? 저그 저저 서재필 박사 그 기념관 있어갖고 요쪽으로 넘어 오는 데 거그요.

"그래 어떻게 살았소?"

그란께

"저그 저 논에 둠벙 하나 있는 거 아니요? 쪼깨난 연못이 있어. 거그서 내가 살았단 말일시."

이래서

"어떻게 살았소?"

그런께

"푹 들어 가 갖고 얼굴을 딱 대고 콧구멍만 요렇게 (코를 감싸는 시늉을 하며) 작은 잎사귀로 요래갖고 골무, 컴컴할 때까지 있었단 말일시. 밤중에 인자 나와서 이렇게 나온께, 이놈으 거마리가 을마를 몸뚱이를 뜯어 먹었는 거를 원없이 (웃음). 그래갖고 사펭으로 도질해갖고 이렇게 왔다."

고 하더라고. 그란디 너이 살았는디, 봉래 지서장이 도질해갖고 봉래 지서에 앞에 온께 입초가 암호를 물어본께

"나시."

"나시."

그란께 이자 (총을 쏘는 시늉을 하며) 담궈버렸다 하더라고. 그래갖고 지서장은 봉래 지서 문 앞에서 죽어버렸다고 하더라고. 그래갖고 그랬다고 그 얘기를 해. 콧구멍만 이렇게 대고. 그란께로 뽀시락 하면 우게서 보고 이렇게 (총을 겨누는 시늉을 하며) 쏴분께. 그래갖고 거기서 전멸을 당해버렸단 말일씨. 그래서 보성서는 경찰이…… [청중: 그때가 어느 때입니까? 6.25 직전 입니까?] 6.25 후인가 되지. 후퇴하고. 그란데 인자 영애 씨 말은 또 내가 한번 봉래서 그랬다고 그러고는 그러더라고.

"밤에 한 마을에를 들어갔단 말일시. 마을에를 들어가는디."

"우째서 들어갔었디요?"

그란께,

"그 앗날 우리가 그 동네를 가갖고 밤에 밥을 시기 묵었는데, 한참 밥먹을 때 지서로 딱 고발해갖고 우리가 그 날짜에 간 사람들은 전멸을 당해버렸단 말일시."

그란께 언제든지 다— 그렇게 보안책을 해준다 이것이여. 밥 먹고 나면

"지서에 고발하라."

그래. 바깥 나무때께 남아서 이렇게 총을 쏴부려, 일부러. 그란디 딱 비밀리에 그래갖고는 '요놈 동네 소탕을 시켜분다.'고 인자 그 동네로 들어갔는디, 심계가 부잣집이라 인자 부잣집 마당으로 싹 모이라고 했는디, 한 젊은 여자가

"나는 죄 없어. 나는 죄 없어."

하고 인자 소락떼를 지르는디. 그 여자는 이렇게 어떻게 그러니깐 큰 도가지가 있는데 도가지 뚜껑을 뱃긴께 그 속에서 이쁜 여자가 나오더라고. 그래서 이놈을 마당으로 꺼내 줬는데, 그 여자로 엊그저께 시집을 와갖고 동네를 모른다 이것이여.

"본께는 딱 새댁 태가 나더라."

그래. 그래서 그런 거로 봤다고 그라고. 동네서 그 날 저녁에 동 또리떠는 넘은 다 죽여불고 그랬다고 그런 소릴 했샀더라고. 그란께 그렇게 그때는 험악한 세상이여. 요새 같으면 (인상을 쓰고 팔을 휘저으며) 말도 못해. 우리가 얘기한 것이 거짓말 같죠이? 거짓말 같어.

우리 면에서 또 많이 죽은 곳이 저 갈마실이라고. [조사자: 갈마실?] 갈마실 작전에서 경찰이 제일 많이 죽었어요, 그 날. 경찰하고 인자 반란군들하고 싸움이 붙었제. 뒤에가 오공산이라고 있제. 산이 험해. 그란디 인자 그 갈마실 동네들도 물어 본께는, 그래 그럴 적에 보면은 애맨 사람들이 많애. 그 동네서 그 저 젊은 여자가 하나 죽었는데, 거그서 순 그냥 골목에서 재수 없이 앞에 건너간다고 그냥 쏴 죽여 부린다고 하더라고.

광주서 열차를 타믄 그 이앙 그 다리 건너면 요렇게 맷뚝 쪽으로 질이 빼나 놀기 좋은 곳. 저그서 저, 아 백운서 작전에서, 화순서 무공산 작전에서 하고 오는디 아이 해-필 여자가 뿔딱 건던께 경구심이 나가갖고는

"빌어 물 년이 전투하고 있는데 건넌다."

마딱에다 권총을 쏴서 죽여 불더라고, 그 자리서. 그란께 지금 생각하믄 전쟁이 나갖고 군인들이 이렇게 뿔이 올라갖고 있을 때는 절대 건너가면 안 된다. 사람이 심지가 딱 변해져 불거든. 딱 동료들이 죽고 그라면은 눈이 불개져 갖고. 그런 것도 어떻게 보면 지혜여. 여자들 그런 것도 모르고 인자 지나간께 그냥 내려와서 인자. 아무 것도 안보이제.

[20] 갈마실 전투

[조사자: 선생님 아까 전에 갈마실 전투 좀 말씀 해주세요.]

[청중: 거그 저 갈마실 사는 놈이 그때 저, 갑용이랑 죽어 버렸는갑제. 천포 그 고을에서. 갈마실 사는 놈 아니더만?] 그것은 별개여. 다른 사건이여. 갑용이랑 죽은 것은. [청중: 아 갑용이랑 첩보하고 구순경이랑 저, 갈마실 사는 놈이 그 독 위에 올라가갖고 내려가 다 쏘아 불렀는가 그래갖고.] 아니, 그란께 갑용이가 죽은 것 하고 갈마실 작전하고는 또 틀려. [청중: 아 사건? 아 사건은 틀린가 모르는디, 갈마실 사는 놈이 갑용이랑 쏘았다 그 말이여. 서이가 죽었지, 그때?] 갑용이가 그런 거는 내가 물어 봤어. 청포 사람들한테 물어보고, 갑용이 집 식구들 보고 내가 물어보고 그랬거든. 그때 인자 뭣이었냐 하믄, 양곡 동료를 해. 그란디 그때 연동서 배로 요렇게 인자 싣고 율포 와서 이렇게 인자 내린단 말이여, 양곡을. 나락을. 내리는데 연동서 좌익들이 와갖고 그 놈을 못가게 해, 배를. 그라믄 율표 종수리점 상지라고 있어. 그라믄 그때 청포와서 그 넘을 실고 오면 한 가마니에 얼마슥 돈을 받는단 말이지. 그란디 상지가 그날 해필 군복을 아랫도리를 입고 갔어.

가갖고 그 연동서 잽혀갖고 그냥 배는 불질러 불고 그냥 상지가 잽혀 갖고 행방불명이 되아 버렸제. 그란께 요그서 경찰들이 인자 (총을 겨누고 가는 시늉을 하며) 독려를 나간 것이여. 인자 그 놈을 못하게. 못하게 나갔는디, 그때 허지암이 하고 오근학이 하고 이갑용이 하고 서이가 나간 것이여. 그래갖고 지금 저 학이수 사는 동네서, 그 앞에 똥산이 안 있던가? 그를

"이렇게 총을 메고 가는데 총을 쏴부는디 푹 떨어지더라."

그래, 허과장님이 얘기 하는디. 그 새끼들도 멍청하단 말이지. 아니 그래갖고 가만 있다가 내가 거그 오면 딱 잡아불면 될 거인데. 뭣하러 뭐이리 총을 쏠 거인가. 모르는디, 그 반란군들이 그 건덕에 숨었는지도 모른게. 그래갖고 나와 가 거시기 지금 참샘 있는 데까지 막 도망을 친께 허지암이 이 새

끼는 앞에 도망을 쳤는디. 갑용이는 그 뻴 밭으로 도망을 쳤어. 그래갖고 뻴 밭에 까지 가갖고 갑용이를 잡아갖고 지금 길주 집 안 있는가? 길주 집 앞에 그 다리가 안 있는가? 거그서 그 청포 사람들 한테 얘기를 들은께 이 새끼가 거그서 죽여 버리지, 뭣하러 데리고 왔어? 그라고 요기를 (이마 한 가운데를 가리키며) 쏴불더라 그래. 그래 갑용이가 그 다리에서 죽은 것이여. 그래 내가 홍식이형 밑에 그 저 종식이를 보고 물었어.

"너 삼촌 죽은지를 아냐?"께

"안다." 그래.

"할머니가 그라는디 (이마 한 가운데를 가리키며) 요가 맞았더라고 합디다."

그라더라고. 그란께 그 말은 틀림이 없제. 그라고 갑용이도 상당히 파쇼주의였거든. 얘가 직장에서 악질노조로써는 갑용이, 또 박정숙이라고 있어. 박정수라고. 박정수. 또 정기훈이, 저 정바우. (앞의 청중을 가리키며) 자네 집안 형 편이야. 그란께 자네 집안 누이 그것도 그런 사람이 있어.

[청중: 우리 집안 아닌 것 같은데?] [청중: 정봉용이가 아니고 정지현이라고 있어. 기여. 고가 저 봉기동 정씨들 집안이여.] [청중: 왜 저 정기현이가 약대질 했냐면은, 얼른 말해서 정씨들 집안인데 그 서손인가 되아. 정바우가. 그래갖고 봉기동서 학대를 많이 받았어, 그런디. 어디 시제 같은 데 가믄 저 땅 밑에 저 마당에서 올라 오도 못하고 학대를 굉장히 받았더만. 그래갖고 이 놈이 이변이 일어 나갔고 그 놈이 악질 짓을 했어. 그래 정씨들 더 피해를 더 봐 버렸어. 그 놈한테.] [청중: 아랫마을 집안인가 보구만.] 채수 씨 집안이여. [청중: 누구요?] 채수 씨 집안. [청중: 채수 씨? 그라믄 반대집 집안인네.] [청중: 그란디 결국에 이 놈이 서울서 뚜드려 맞아 죽었어.]

그란디 그것이 그 밑에 길재라고 있어. 길재는 우리 2년 선배거든. 그란디 거그는 또 인민군에 지원해 갖고 가갖고 행방불명이 됐지, 지금까지. 어째 살았는지 죽었는지를 모르제. 그래갖고 율포 동네서는 그 기태, 덕진서 목진이, 거그 또 저 만수동 가면 강대자라고 있어, 거그. 모두 그때 인민군에 가갖고 행방불명 된 사람들이여. 얘기들 다 한경이 없어.

그란께 갈마실 전투는 아까 거그서 그 양곡단에 벌어지고, 갈마실은 보성경찰서, 덕양경찰서, 회천지서 모두 요렇게 해갖고 덕양서 이렇게 했는디. 좌익들이 인자 반란군들이 없어서 이렇게 갈라져 갖고 이렇게 회촌 쪽으로 요렇게 오고, 보성 쪽으로 후퇴를 했다고 하더라고. 그래갖고 그것이 인자 갈마실로 요렇게 가자 그래갖고 이렇게 참샘이 쪽으로 이렇게 내려오다가 그것이 붙었다 하더라고, 거기서. 그란께 저 인자 덕양 쪽에서 있다가 일림산, 아니 일림산이 아니라, 도봉산 그 바우 속에 모두 딱 내려다보고 있던가. 그란께 그때 그랬쌓더란께. 경무주임이

"전진! 전진!" 하고

그냥 막 통촉을 하는데 경무주임 모자가 맞아갖고 활딱 벳겨진께 그냥

"후퇴! 후퇴!"

했다라 하더라고. 그래갖고 그때 경찰들이 여러 명 죽었다고 그래. 그랬는디 저 우게 가면 바위틈이 그렇게 딱 좋은 자리가 있었다 그래. 그란께 거기 숨어서 올라오면 정조준 해갖고 (총을 쏘는 시늉을 하며) 딱 딱 하면 폭 떨어지고 폭 떨어지고 그랬다 하더만. 그랬는디 인자 뿔이 난께 그때 경무주임이 동네 청년들 딱 모이갖고 인자 기관총으로 담궈버리라 한 것이여, 뿔이 난께. 그랬는디 구성철인가 그때 거석이가 반란자가 기관총을 내차버리면서로

"쓰잘때기 없는 소리하지 마라."

인자 말하자믄 '양민들을 죽이라 한다.' 이것이여. 그래갖고 윤영이 말 들은께

"나중에 그 사람 아버지 죽어서 동네서 전체가 조문을 가고 그랬다."

하더랑께. [청중: 못하게 한 사람이 누구에요?] 그란께 그때 경찰서 내가 구성칠이었던가? 하여튼 내가 경무주임인가 해서 그렇게 되았어. [청중: 경찰도 양심적인 사람들 많았네.] 아 저 전라북도 남원인가 구례서는 사백 몇 십

명을 그때 후퇴를 하믄서 풀어 줘갖고 저번에 테레비 본께 비석을 다 세워주고 안 그라 안하던가? 그 사람들이 전체가 나서서. [청중: 그러면 갈마실 전투에서 경찰도 죽었습니까?] 경찰 여러이 죽었제, 고마. 회천서 거기서 제일 많이 죽었지. [청중: 여러이 죽었는데, 갈마이 동네를 아주 싹 불바다를 만들어 불라고 보성경찰서 했어. 싹 포위를 해갖고 싹 쓸어 불라고. 그런디 그 경무주임 그 사람이 단독으로 제지를 해갖고 그 마을 사람들이 모면을 했어. 그란께 지금도 그 동네 사람들이 그분한테 엄청나게 찾아 댕기고 잘해.] 여기 뭐 변기수라고, 기수라고 알제? [청중: 양정원 선생 했더만?] 으응. 여기 지금 삼신이 요짝 꼬랑에 거가 아지트가 있었다 그래. 그래갖고 거그 사람들이 총 맞아갖고 맹감장 밑에가 창자가 이렇게 나왔다 그래. 이렇게. 임준 씨 보고

"아야 나 조까 쏴주라."

그랬다 하더라고. [청중: 오명호?] 아니, 명화 씨 말고. 명화 씨는 내일 내 또 얘기를 할게. 그란께나 참 참말 못하겄는데 여기 저 윤종대 씨. 그때 이렇게 내려 오는디,

"용대야 나 좀 쏴주라, 쏴주라."

그란께

"그래라, 그라믄."

이고 인자 (몸을 돌린 채 총을 쏘는 시늉을 하며) 요라고 그냥 대갈통 확 쏴버렸다고. [청중: 살기는 못 된게 인자.] 도저히 살 사람이 못 된게 고통이나 잃으라 이것이여, 고통이나.

맹화 씨는 어떻게 했냐 하면은 맹화 씨는 20년이거든. 우리 5년 선배 아닌가? [청중: 맹, 맹호. 오명호.] 명화제, 명화. [청중: 명화 씨가 맞습니다. 명호 씨는 그 위에] 명화여. 그래 여가 입산을 했거든. 입산 해갖고 낮에도 여기서 순삼하면 인민공화국 노래를 부르고 그래 인자. 그란께 그냥 문제여, 말하자믄. 그랬는디 그가 자수를 당초에 했제. 해갖고 앞을 이렇게 세우고 댕겨. 경찰들하고 밤이믄. 그란께 노동서 무기를 들고 또 탈출을 안 해부렀는가.

탈출을 해갖고, 명화가 탈출을 해버렸다 이것이여. 그란께 '우드로 탈출을 했을까?' 그라고 인자 지서에서는 볼 것 아닌가? 그란께 '어딘가는 모르게 지가 회룡골 안에 들어 왔을 거이다.' 그라고 여그 도당에 그전에 도청에 있던 정……. 그 양반 처가가. 지금 유석이 형님 그 고몬가 안 살았는가? 여그 도잴이 그. 자네 잘 모르겄는가? 기억 안 난가? 아 유석이 형님. 정……. 거가 이름이 뭔지는 내가 기억이 안 나는데, 그 집으로 왔다는 정보가 있어서 거기를 들어간께나 알아갖고. 그 뒤에 어디를 갔는가는. 그란께 보성경찰서에서 엿장수로 가장을 해갖고 엿을 팔고 매로 요러고 돌아 댕겨. 어디로 갔는 거는 저기 노장골로 왔어. 그라믄 노장골가 집이 시 챈가 네 챈가 있었거든. 그란디 거그를 오는디 여자가 빨래를 요렇게 하다가 눈이 둥글둥글 해갖고는 물이 뚝뚝 떨어지는데 뒤로 이렇게 갖고 가. 그란께 엿장사가 이렇게 들어갔어. 좀 수상한께 그랬제.

"당신 왜 빨래를 갖고 내가 온께 물이 뚝뚝뚝 뒤로 이렇게 도망을 치냐?"

이것이여. 그람시로 여자가 말을 안 한께 (허리춤에서 총을 꺼내는 시늉을 하며) 여기서 인제 총을 이래갖고 배아지 대놓고 총을 이렇게, 여자가 놀래갖고 인자 말을 해분 것이여.

"오늘 저녁에 명화 여그를 올 거이라."고.

그란디 요것이 명화 아지트고 옷이라 이것이여. 그래갖고 인자 명화를 잡을라고 지서에서 '요 때다.' 해갖고 위에서 밥을 먹고는 인자 노장골을 이렇게 삼중으로 싼 것이여. 다 포위를. 그란디 그때 인자 인준 씨가 얘기를 하는디, 인준 씨하고 명화 씨하고 동창이거든.

"나는 제일 그 집이 싸립문 들어가는 데다가 내가 입초를 섰단 말일시. 그래 탁- 그라고 있는디, 열두 시나 되았는데, 명화가 왔단 말일시. 왔는데 딱 한 걸음 왔다가 쉬었다가. 또 한 걸음 왔다가 이렇게 쉬었다가. 그런디 (총을 겨누는 시늉을 하며) 요렇게 쏜다고 요랑께 그때는 대로 이렇게 울타리로 막은께 가쟁이가 안 생겨요? 대가시. 요것이 (총을 드는 시늉을 하며) 이랑께 딱 소리가 났나 보지? 대에 요렇게 요. 그란께 인자 명화가 인자 도망을 쳤는데, '적발견!' 이라고 내가 막 총을 쏜께 와당탕 와당탕 해갖고 명화를 쳐갖고 못잡았다."

이것이여. 그랬는디 그 뒤에 정보가 어디 왔는거는 여그 저 정진 씨 집 뒤에 안 있는가? 저 형님은 아실 거이만. 거기서 비가 오는디, 그 이물 안으로 들어 왔다고. 그래갖고 인자 비가 오는디 이물 안에다 딱 싸고 인자 이렇게 인자, 그때는 이렇게 마이크가 없은께 (두 손을 동그랗게 모아 입을 감싸며) 입으로 대고 이렇게

"명화 나오라!"고.

그란께 그 물레 밑에 거그서 비가 오는데 인자 총을 인자 마당으로 던져갖고 명화가 나왔다 그래. 그래갖고 인제 명화를 잡아갖고 인자 지서로 왔는데. 그때는 지서에 이렇게 인자 입초를 경찰들이 서면 10시까지는 누가 서고, 순번대로 이렇게 돌아가면서 했제. 아이 명화가 이렇게

"담배 좀 줘라."

그래서 담배를 주고나면, 몰라 인자 그것도 인자 애롭제, 다른 사람은. 그란디 언제 했는가 벽 짝에 이렇게 대로 엮어갖고 흙으로 바르고 밖으로 판자를 요렇게, 그때는 이렇게 창고로 그랬거든. 그란데 그 밑에 구멍을 (어깨 넓이 정도로 팔을 벌리며) 요만하게 뚫어 놨더란 말일시. 그래갖고 깜빡 했으면 도망을 쳐버렸을 것이다 이것이여. 그란께 경찰서에서 와갖고 인자 명화보고 인자 자꾸 신문을 한께 봉수동 쪽에서 며칠 날 접선을 하게 되어 있다 이것이여. 그래갖고 경찰서에서 새벽에 싹 밤중에 나와갖고, 지서에서는 인자 '총소리가 난 거이 안 난 거이 이제 보자.' 그라고 있는디, 날이 훤하게 새도록 까지 접선이 없어. 그란께 경무주임이

"너 어찌 접선이 안 되냐?"

이것이여. 그란께 명화 말이

"이 새끼들아, 그라믄 내가 올바로 너거들 한테 정보 제공해줄 줄 알

았디야?"

명화가 그란께는 그냥 거기서

"이 새끼야!"

그라고 인자 거기서 마빡에 다 권총으로 쏴 버렸다고 하더라고. 그래갖고 명화가 죽은 것이여. 인제 대략 말하자믄 명화가 그렇게 해서 죽은 것이여. 원래 여기 지금 명도 집이, 명도 우게가 명화 아닌가? 성인께. 이야기 한경도 없다니까. [청중: 옛날 시절에는 우째 그렇게 경찰들이 사람죽이기를 뭐 풀 잡듯이 그렇게 죽여 버리더만.] (청중 중 정석인을 가리키며) 저기도 욕 본 거이지.

[장장수: 인자 좌익 시에 가족이 경찰도 이제 피해를 봤다 그 말이야. 피해. 또 6.25가 터져 가지고 인민군한테 또 경찰이 피해를 봤어. 가족이 피해를 봤단 말이여.] 그란께 서로 이제 적이 되아 버렸어. 감정싸움. 가령 이 가족이, 동생이 죽었던지, 형이 죽었던지, 아버지가 죽었단 말이여. 요게 감정싸움이여. 그래가지고 요것이 인자 6.25가 온께 인공이 그 보복을 한 것이고, 6.25가 후퇴한께 경찰 수복해갖고 또 고놈을 찾아갖고 보복을 한 것이고. 감정은 거기서 만든 것이여. 그 감정, 감정싸움이여 순전히. 그래서 말이 '무자수가, 무자수가 독사가 된다.' 하는 말이 있거든. 그래 사람이 맨든 거여. 그렇게 실지 인민군들은 수복해갖고 우리도, 나 인민군을 상대해봤지만은 그 사람들은 마음 자체부터 온순하고. [청중: 이북서 넘어온 진짜 인민군들은 참말로 인민군들이 정직하더만.] 지방, 지방 폭도들. 지방 좌익 폭도들이 전부 좌우를 하고 그놈들이 독기고 사람을 죽이고 그랬제. 순수한 북한군인들은 그래 안해. 아이 착했어요. 우리가 다 느끼고 체험을 하고 해봐서 알아. 어, 상대 해봐서 알아.

[한경준: 나는 갈마실 작전에 그때 처음에는 김봉령이라고 화중리 이장을 앞에 앞세우고 이렇게 갔거든.] 그래갖고 전쟁이 붙어갖고 그 양반이 들 가운데 주막집에를 이렇게 올라가버렸거든. 들어갔거든. 그란디 그리 들어가버렸

어. 산에서 보믄 반란군들이 와서 그라는데. 이렇게 인자 그 말하자믄 꼬방이라고 안했소? 그때는 고방이라고. 거기다 요렇게 해갖고 젯상을 우게 다 올려 놨는디, 그 젯상으로 올라갔어. 그란께 이렇게 봐도 안 보이지. 우게는 이렇게 젯상이 넓재. 이 양반이 얼마나 놀래버렸던가 거그서 오줌을 재려갖고 오줌이 줄줄줄 하고 밑에 다 인자 그 꼬방이란 데 이렇게 인자 오줌을 싼께 그 아주머니가 이렇게 인자 (상을 닦는 시늉을 하며) 닦구고 해갖고 반란군들이 내려 와갖고

"여그 금방 사람 들어 왔는데, 없냐?"

그란께

"없다."

그래갖고는 도망을 쳐부렸제. 그래갖고 그 양반이 그때 살았거든 거. 그래갖고 하필 그 여자 그 집안에 조칸가가 지서에 갇혀갖고 있었어. 그래갖고 그날부로 순사들이 내놓고 그랬어. 그란께 그 품앗이, 어떻게 보믄.

※ 두 번째 구연

자 료 명: 20140712한경준(보성)
조 사 일: 2014년 7월 12일
조사시간: 3시간 13분 06초
구 연 자: 한경준(남 · 1937생; 가명)
조 사 자: 김종군, 박현숙, 박혜진, 황승업, 남경우
조사장소: 전라남도 보성군 (바닷가 식당)

[조사과정 및 구연상황]

한경준 제보자가 기억력과 입담이 좋아서 조사자가 제보자에게 요청하여

일 년 만에 추가조사를 진행하였다. 제보자는 일 년 전보다 건강이 많이 나빠져서 수술한 지 얼마 되지 않은 상황이었다. 그럼에도 제보자는 1차조사 만큼이나 열정적으로 구연해 주었다. 2차 구연에서는 일제 때부터 한국전쟁기까지의 전해들은 이야기 구연내용이 더 보강되었다.

[이야기 개요]

일제 말엽에 일본은 회천면 유지들을 불러놓고 그들의 동향을 자주 살폈다. 비행기 공습이 있는 날이면 학교운동장에 파놓은 방공호에 숨었다. 일제는 말년에 학생들에게 전쟁터 무기 제조에 필요한 놋그릇, 탄피 등을 공출하였다. 해방이 되자 마을사람들이 신사에 달려가 방화를 했다. 그리고 친일했던 훈련교관에게 보복을 하였다. 해방 전에는 우익보다 좌익이 더 우세하였다. 한국전쟁 이후에는 마을마다 반란군 침임을 막기 위하여 민간인들을 동원하여 전봇대를 지키며 망원을 서게 하였다. 봉강리에서는 좌우익 인사들이 서로 협의하여 전쟁당시 마을에 인명피해가 없었다. 가난한 시절 세무서와 면사무소가 협잡하는 일이 잦았다. 회천마을은 예로부터 의협심이 강했다.

[키워드] 공습폭격, 방공포, 은신처. 무기 제조, 놋그릇, 탄피, 친일, 보복, 신사방화습격, 해방, 공공기물 절도, 박헌영, 좌익, 우익, 자취생활, 여순사건, 전봇대, 망원, 좌우익 협의, 인명구제, 정해룡

[1] 일제 말엽의 마을 유지들 동향 살피기

[조사자: 정종희 선생도 잘 아시나요?] 종희는 이. [조사자: 정종희 선생 이야기도 좀 해주세요.] 종희 형님이 우리 삼 년 선배여. 그란디 그 형님이 일학년 때부터 육학년 졸업할 때까지 급장을 했어. [조사자: 영리하셨든가보네?] 영리했제. 그라고 그 졸업반에 가 군수도 나오고 민의원도 나오고 다 그랬거든. 종희 형님이 그 반에가. 그란디 형님이 머리가 특출헝께는 그때 우리 면에서

는 서중학교 광주 서중학교를 들어간 사람이 없어. 그란디 그 종희 형님이 광주 서중을 들었제. [청중: 정진래, 삼수를 해도 못 갔다고 광주농고를 갔대?] 으? [청중: 광주 농고를 갔대. 정진래 그때 양반이 내가 머리가 둔했는가 삼수를 해도 서중을 못 갔어, 그 소리를 해요.] 아까운 머리를 이 세상 태어나갖고 한 번 활용도 못해보고 그롷게 가셔부렀네. 나하고도 참 좋게 지냈그든. 그랑께 그때는 세상을 이롷게 불운하게 태어나갖고 자기 역량을 발휘를 못하고 죽어분 사람이 많애. 우리 면에도. 말도 못하게 많았제.

우리가 일제말엽에 초등학교를 다닐 뜩에 일본놈들이 미국놈들이 들어오믄 한국남자들은 붕알을 까분다고. [조사자: 붕알을 까부린다고?] 그른 말을 유포를 시키고 그랬는디. 그란데 인자 그때 일반 유지들을 이롷게 모아놓고 이롷게 인자 일본놈들이 조선사람들 그 동향을 살펴볼라고 벨거를 다 하제. 그란디 선친께서 그런 얘기를 하드라고. 회천면 유지되는 분들이 한 삼사십 명이 모였는디 일본 후쿠오까 대학교에 그 뭐 교순지, 일본 중령이었다고 그래. 나도 이롷게 대학교 교수였는디 전쟁 말엽에 인자 총동원령이 내려서 나도 군인 들어와갖고 이롷게 왔다고. 그라고 조선 사람들이 조까 그 얘기를 들어봐야 쓰겄다고 기탄없이. 그랑께 뭣도 모르고 전부 가니께 한국사람들이 조까 멍했제 이.

그때는 식민지시대로 그랑께 이. 인자 아부지도 그른 얘기를 하시드라고. 내가 증명을 했단 이것이여. 아이 미국 비행이가 요기 이롷게 날라다닌디 일본서는 자꼬 그래도 이긴다 이긴다 한디 이것이 어트게 된 사실이냐고. 그랑께 조선에 내가 한반도를 이롷게 다니면서 여론 수렴을 한게 전부 어려운 질문을 내가 듣는다고. 그람시로 난색을 표하드라고.

그래 그때 그 회의를 끝나고 나서 여그 어르신이 뒤에서 찔벅허드니

"어이 자네 뭐 그리 통 큰 소리를 하는가?"

그라드라고. 그란디 그 해에 해방되기 전 해에 유격을 한 삼십 명을 우리 면내에 유지들을 오라그래갖고 오늘은 일본교장집이 가서 저녁대접을 하고 내

일은 인자 일본 주자서 이룽게 돌려감시로 한 일주일을 잘 먹었다고 하드라고. 그랑께 즈그들 속으로는 일본이 진다라는 것을 알고 후퇴를 할 때 조선사람들이 으트게 나오까 해서 미리서 교대를 헌 거여, 인자 그룽게. 그란디 그 때 우리 조선사람으로는 그 음식을 대접할 때 없는 생전 모르는 양주들이 그룽게 나오고 다 일본놈한테서. [조사자: 양주들이?] 양주가 나오고 고급술이 나오고 그라드라고. 그런 얘기를 모두 하시드라고.

[2] 학교에 방공호 판 뒤 숨는 연습

그라믄 우리가 학교를 다닐 때는 으쨌나. 미국놈들이 비행기가 와가지고 공습을 한다고 학교 지붕을 소나무를 꺾어갖고 전부 그물로 이룽게 해갖고 전 지붕을 군대가믄 막사 있자녀. [조사자 : 위장막] 이 그룽게 하고. 이룽게 종소리도 깡깡 울리믄 안된다고 그래갖고 판대기로 요룽게 (박수를 치며) 들어가고 나가고를 이룽게 해.

그라고 인자 학교를 어뜨게 대니느냐믄 학교운동장 가에가 인자 이룽게 군대 가믄 참호 파대끼 이룽게 호를 한질이나 되게 파갖고 인자 우게를 요런 몽둥이로 해서 이룽게 막은단 말이여. 그라믄 교실때 엉덕은 엉덕대로 굴을 파고 그래갖고 인자 평시에 비행기가 나타나믄 학교 폭격허믄 그리 피란을 한다고 인자. 그 연습을 해 인자.

그라믄 우리는 어링께 인자 우리가 내가 인자 이학년이었거든. 그라믄 오학년 육학년 이룽게 커. 그랑께 일학년 이학년은 저 아래가 들으가고 인자 오학년 육학년은 젤 문 앞에가 항상 요룽게 항상 있단 말이여. 그래노믄 인자 뭔 일이 있냐그라믄 평시에 저 짝에 팔교실에서 요 짝에 변소 오기가 인자 멀어. 그랑께 육학년들 오학년들 지앙스러운 그 선배들이 멀리 그 굴속에 들어가서 그냥 똥을 눠불고 나와. 그라믄 우리는 애링께 인자 그 연습하라믄 젤 후문에 들어가 발을 노믄 똥을 밟아불고 썩은 냄새가 나고 (화자 웃음)

어려서 인자. 그래도 못나오게 그 앞에서는 그 육학년 형님들이 막 그냥 안 들어가 이 새끼야 그라고 인자 할 수없이 그 겨들어가고. 학교를 그랬단 말이여.

[3] 일제시대의 초등학교 입학모습

그래갖고 인자 해방이 될라고 할 무렵에는 그랑께 오끼나와 같은 데다 상륙이 되고 점점 일본 요롷게 됭께 인자 학교를 안 나와. 안 나오고 인자 부락에서 수업을 해. 선생들이 전부 배경이 되까고 인자 선생 한난가 인자 우리 인자 봉강리은 인자 동시동서 한 시간 하다 그다음은 인자 신근리 가서 한시간 허다 그 밑에 인자 모홋가서 한시가 하다 요롷게 돌려감서 요롷게 하고 이래. 수업을 그룽게 헌디 그것이 수업이 될 거여.

그라고 그때는 인자 당까이라고 그러지. 요새같으믄 뭐 학교 자치회만이로 그걸 날마다 학교 갔다오믄 마을회관에서 해. 그때는 회관이라 안하고 동각이라고 그랬단 말이여. 동각이라고. 그라믄 인자 일본말을 안하고 한국말을 하믄 고자질해갖고 일러. 그라믄 인자 나가갖고 아래투리를 걷고 인자 회초리로 매를 맞은단 말이여. 조선말 한다고. 그래도 그 애기 때라 그냥 뭐, 누가 조선말 했다고 그라믄 인자 헐 수없이 나가서 인자 벌을 받고 인자. 그 식민지 지배라 인자 그런단 말이여. 그렁께 그때는 내가 어렸어도 한국말보덩은 일본말을 더 잘했어. 그때는.

그라고 인자 이박을 할 때도 이룽게 쭉 이렇게 선생들이 교실을 인자 두칸을 이룽게 터갖고 여그 선생 옆에 쭉 요롷게 앉아. 그라고 마지막으로 교장이 딱 앉았는디. 인자 한 두 분까지는 부형들이 델꼬 가지. 나머지는 인자 이룽게 쭉 선생별로 한 둘씩 한 둘씩 요롷게 가믄 국민학교 초등학교 들어갈 때도 요새 같으믄 면접시험을 봐. 그래갖고 그것도 배경이 있으야 초등학교를 들어가제. 그 낙제를 해부러. 골라부러. 요새 같으믄 저 집에 봐서 아 즈그 아부지가 친일이다 그라믄 우선으로 이박을 시켜주고 그래, 그때는. 조선 사람들 걸러내고 인자 그런 식이여.

그란디 내가 어려서 학교를 다닐 때 풍금도 있고 이룽게 인자 엠프도 있고 학교가 비품이 많이 있그든. 그란디 여 길상이 동생 어르신 해룡 씨가 그 이름이 다 정해룡이라고 써졌어 인자. 그랑께 일본 놈이 부자로 강께 할 수없이 경찰서 같은 데는 백 원이나 기부를 하믄 학교 같은 데는 한 천원이나 기부를 해. 공부함서 봉강 어르신이 그룽게. 우리가 애기 때 봐도 풍금에가 정해룡이라고 써졌어, 기증이라고. 그랑께 초등학교 같은 데 비품도 그라고 으른들 얘기를 들어보믄 학교질 터도 그렇게 운동장을 그랬다고 그라드라고. 그랑께 일평생 그룽게 좋은 일만 하다가 돌아가신 양반이지.

그래갖고 인자 우리가 학교를 다니믄 그 일제시대라 이 그때는 나도 마을에서 이룽게 그래도 잘산 집이었는디 끄지라고 앙가몰라. 와라지라고. 짚신인디 여그다 고리를 해갖고 요리 끈 잇고 요리 끈 이어가지고 엄지발가락을 끼어요.

[정길상: 짚신, 짚신. 고무신이 없을 때 짚신. 짚으로 이룽게 이룽게 해갖고 만들어갖고. 깔따기신.] 나막신인디 짚이제, 인제 짚으로. 그라고 그거이 학교를 학교를 다니믄 삼 일도 못다녀. [정길상: 볏짚으로.] 볏짚으로. 학교 갔다오믄 요룽게 사랑에서 전부 낼모레 이녁 신을 짚을, 이녁이 인자 신을 만든 것이여 애려서도. 거그다 인자 삼을 너믄 삼이 더 찔제. 삼을 너서 짚으로 하믄 인제 그룽게 해서 짚신을 신고 다니믄 이놈이 장마가 들므는 인자 짚신 밑에가 흙이 기냥 이룽게 엉거, 이룽게. 그람 이놈이 걸음을 걸을라믄 어려서 이것이 그것이 걸어지겄어. 흙이 그냥 그 짚신 밑에가 이룽게 엉거갖고 있는디. 그라믄 학교 가서 벚꽃나무에다 막 뚜드르믄 흙이 떨어져. (화자 웃음) 그때 실상이.

그람 내가 초등학교를 여듧 살에 들어갔단 말이여. 그란디 일곱 살 여섯 살 땐디. [정길상: 형님이요 쪼끔 그 헌디, 정종호 그 재종조할아버지 말씀

들어보믄 정종희 씨가 봉강이 학교를 어떤거부터 세웠소 그라믄 어떤 거 세웠소 그라믄 양정원 세웠다기보다도 제일 먼저 그 저 율포학교지야 그래. 율포학교래.] [조사자: 그러믄, 그 율포에 고등초등학교.] 아니 초등학교. 요새는. 소재지. 초등학교. [정길상: 회촌면 소재지, 그 제일 큰 거.] [조사자: 학교한테도 건립기금을?] [정길상: 건립기금이 아니라 제일 먼저 보성전문학교니까 보성전문학교를 세웠습니까 양정원을 세웠습니까, 어떤 거이 먼저요 그라고 물어보니까, 율포학교지야 그래. 그런 것이 한경준 형님이 말씀하시는, 아까 이것을 보므는 기증 정해룡, 피아노를 보믄 이것도 정해룡. 정해룡이라고 써진 것이 율포학교로 사실상 그 재력을 세웠다는 그 얘기여. 이것은 새로운 이야기여요. 정종호 녹음테이프를 자세히 보믄 양정원을 먼저 새웠습니까. 보성전문합니까, 전문학곱니까 그러믄 아니 율포학교지야 그롷게 나와.] [조사자: 아 학교에다 그롷게 다 희사하시고?] 교육기관에다 그때. [조사자: 교육기관에 특별하게? 저 관공서에 기금부 내놓는 거 보다, 그거는 다 눈치로 해야 되고?] 그란디 인자 여기는 관리만 해도 국가에서 관리를 하니까 우리 조선어나 요런 것은 한국말이나 요런 것은 못해 인자 맨 일본 것만 하지. [정길상: 조선인이 학교는 다니지만은.] 다니지만은. 그렁께 인자 양정원에서는 인자. [정길상: 봉강이 이 학교를 세웠다는 얘기여. 이런 것들이 인자 새로운 이야기지.] 인자 분명허니 얘기를 해주야 써. 그랑께 인자 그때도 우리가 어려서 인자 어르신들이 얘기헌 것을 많이 들어봐서 알지. [조사자: 그렇게 양정원 사업하시고 다 봉강선생께선 하고.] [정길상: 인천 보성전문학교도 하고, 이 학교도 세우고.]

[4] 어린 시절 놀이

[조사자: 그러고 해방, 그래서 해방되는 정국 속에서 분위기를 한번 이야기를 해주세요.] 그래 마을에서 그롷게 인자 내가 어려서 이, 자동차가 이렇게 지나

가믄 그 차를 볼라고 마을서 인자 신작로까지 도로까지 간단 말이여. 그라믄 어렸을 때 대여섯이 몇 시간이고 자동차 올러온 것을 기다리고 있네. 차 가믄. 그믄 자동차가 지나가믄 달려가서 자동차 뒤에를 요롷게 잡고 발만 들르믄 가거든. 그라믄 조수가 내려와서 새내끼로 인자 새끼로 그 애기들 전부 묶어놓고 가고 그래. 지금 생각하믄 그때 그 자동차가 요새 경운기 일단이나 다녔다냐 이자 그른 생각이여. 그것이 여섯 살 일곱 살뜩에, 생각을 해보믄.

그라믄 이차대전이 요롷게 나가지고 인자 연합국 측에서 결국 석유를 그양 이롷게 중단을 시켜붕께 일본차란 것이 전부 목탄으로 다녀. 숯덩이로. 근데 뭔 기운이 있겄어. 자동차가 힘이 없제. 그랑께 인자 숯으로 다니믄 인자 도중에 가다가 인자 물을 그 차에다 이케 부서갖고 그 불넌 데다 물을 확 찌끄믄 확 해갖고는 더 그 화기가 나거든. 그래갖고 인자 숯불이 안되믄 인자 이 풍로로 요놈을 붙여. 숯불이 월월 타야 가스가 나옹께 인자.

그라고 또 카바이트라고 있그등. 그것으로 다닌 것은 인자 그것을 새로 너믄 요런 거, 헌 카바이트를 요롷게 땡겨내. 그라믄 요만씩이 있단 말이여. 그라믄 그놈으로 우리가 어려서 흙속에다가 너놓고는 거그다 물을 부서갖고 구먹을 뚫으믄 가스가 요롷게 나오믄 거그다가 불을 대믄 요롷게 불이 써지고 그래 인자. 그란디 인자 그것이 인자 그 가스보당, 가스를 갖고 가서 뭣을 하냐믄 그때는 인자 학교만 갔다오믄 새를 보거든. 새. 그러믄 요만한 대롱을 요롷게 대를 껴갖고 대에다 이롷께 구멍을 이롷게 뚫어. 그래갖고 그 속에다가 카바이트를 넣고 거기다 물을 부스믄 까스가 요롷게 나온단 말이여. 그라믄 가운데 대목에다 구먹을 뚫어갖고 여기다 인자 불을 딱 피어갖고 거그다가 이롷게 불을 이롷게 대믄 요놈이 확 불이 붙으믄서 "뺑." 해. 그라믄 논에 있는 그양 새가 전부 날라간단 말이여.(화자와 조사자 큰소리로 웃음) 그것이. 그랑께 그 지앙을 볼라고 자동차가 가믄 그 자동차 뒤에 가서 자동차 머금은 그것 돌릴라고. 카바이트라고 알랑가 몰라. **[조사자: 옛날 그 포장마차에 불 켰던 거?]** 카바이트. 그러믄 요거 새총을 하믄 요거 한 두번 하믄 빵 그라믄 요놈이 대롱이 떡떡 벌어지믄 못써. 그랑께 인자 그 대롱을 철사로 우아래를 감아갖고 (화자 웃음) 그 어려서. 지금 요런 얘길 하믄 알아들을랑가 몰라. 우습제. [조사자: 기발하네요.]

그라고 인제 그때는 놀이기구가 없으니까 맨 이롷게 땅에다 그림만 그려갖고 놀이를 해. 그라믄 고무가이생이라고 있고 뭐 벨거이 다 있단 말이여. [조사자: 여기도 가이싱이라고 그랬어요?] 가이생이라고 하지. 엑스맹이로 요롷게 해놓고. 그라믄 인자 마을하고 마을하고 대결을 많이 한단 말이여. 그람 보통 저 마을도 한 삼십 명, 요 짝에도 한 삼십 명 요롷게 대결을 하믄 한 마을께 일 학년짜리도 있고 육학년짜리도 있고 그라제. 그라믄 뒤에서 인자 큰사람들이 잘잘한 일학년 이학년들보고 뽁뽁 앞에 기어서 저 짝, 저 짝 칸으로 들어가라고 그래. 그람 뒤에서 기운으로 밀어갖고 저 짝 터를 들어가서 밀어내믄 이겨분단 말이여. 이놈은 너턱지 요롷게 무릎이, 그때는 무명옷이라 이놈이 날마다 흙이 묻힝게, 여가 다 떨어져갖고 인자. (화자 웃음) 옷이 넉덕지고 뭐이고 요롷게 안 지워 입은 사람이 없어. 요새 옷을 떨어지도 안 해. 그때 옷은 뭐 인저 말엽에 그랬단 말이여.

근게 또 인자 학교를 갔다 오믄 그 어렸을 뜩에 젤 첨에 뭐이냐 허믄 깔망태 짊어지고 인자 소 띧기러 가 이롷게. 그럼 소 띧기고 깔 비고. 그라고 여름이 되믄 인자 모긋불 핀다고 뭐 인자 단 이제 찌직찌직한 잡목을 막 섞어갖고 온단 말이여. 그라믄 그때는 요새맹이로 뭐 모기약이 있으까 뭐 있으까. 그랑께 참말로 그때 으른들은 고생을 했지.

그랑께 속담이 그때는 여름손님 돼서 가믄 구렁이되라고. [조사자: 여름손님?] [정길상: 되면은 구렁이 된단 말이여.] 그랑께 여름손님으로는 남으 집 가지말라 이것이여 말하자믄. 그것이 얼마는 귀찮으믄. 요새는 선풍기도 있고 에어콘도 있응께 시원허니 좋지만은. [정길상: 냉장고도 있고.] (화자 웃음) [정길상: 음식이 막 이렇게 놔두믄 썩어불고 그러제. 손님을 어떻게 반찬을 해줄 거여.] 그때는 그라고 가난하니 살고 없는디, 그때는.

[정길상: 그라고 옛날에는 그 더위에도 예이지키니라고 이라고 옷 전부 입고.] 그라고 요새는 요롷게, 내가 이녁집이서 자기 집이서 누나들 있어도 누나들 여그 종아리를 못 봐, 그때 세상에는. 요새는 남의 집 처녀 처녀들 넙덕지 본 것은 아무것도 아니제. 그때는 그렇게 그라고. 우리 동네 앞에 시집갈 때가 되믄 마을 밖에 못나와. 어른들이 못나가게 해부러. 처녀가 되믄. [정길상: 어디 동네 앞에 나가냐고.] 그런디 요새는 참말로 좋은 세상이제. 여자들은 해방이 되갖고 헌법 평등조항에다가 떡시리를 해놓고 거그다 절을 몇 십자루를 해야제. (화자와 조사자 웃음) 지금 젤 참말로 저 우리가 볼 때는 여성들이 제일 좋은 세상이여. 내가 지금도 생각을 해보믄 이.

그래도 그 어렸을 때 엿장수를 앙가몰라. [조사자: 네. 엿 파는 사람이 엿장수지요?] 여그 뒤에다가 짊어지고 요롷게 짱그랑짱그랑 쳐. 그것이 엿장수 소리가 나믄 어째 그롷게 반가웅가 몰라. 그때는 돈이 있어도 어디 가서 사 묵을라도 과자도 없고 뭐 없는 세상이라. 그란게 인자 엿장수 가믄 그놈 엿이 먹고자파서 돈은 없은게 인자 몰래 인자 그놈 어트게 해서 저 엿을 돌라 묵으까 요런 생각만 헌 것이여 인자. 그래갖고는 한 놈이 엿을 인자 갖고 도망을 치믄 그리 쫓아가믄 옆에서 우하니 달라들어갖고 인자 막 엿을 갖고 가다 인자 학교 가서 일러갖고 직원실에 불려가서 하루종일 벌을 스고 그때는. (화자 웃음)

지금 생각하믄 참 그것뿐이 아니여. 그래도 이 맨 다니믄 이롷게 인자 여러 사람이 모여갖고는 먹는 것 지앙분 거. 밤에는 요 고구마에다 그 사랑방에서 쪄묵기도 하고. 농지 감이 널믄 감 따먹으러 이롷게 가믄.

[5] 일본이 무기 제조를 위해 물자 공출

그란디 일제말년에 그롷게 학교를 다녀 우리가 인자. 학교를 다니고 그란디 아 마을에서 이롷게 인자 공부를 하고 그란디 어이 팽란이 되얏다고 그래. 그래서 어려서 팽란이 뭐인고 그랑께 팽할 팽 자 난리 란 자, 난리가 평정이 되어부렀다 그것이여. 그랑께 말하자믄 이차대전이 지금 끝나부렀다 그 소린디 그때 어른들이 평란이 되어부렀다고 그렁께 애려서 평란이 뭣을 보고 평란이라고 한다냐. 평란이란 말을 모릉께 인자. 맨 일본말을 한디 조선말로 막 그냥 팽란이 되부렀다 그러고 좋아하드라고.

그라믄 인자 그때 또 뭐 있냐고 하믄 요 놋그릇을 전부 공출을 해가. 놋그릇 아까. 그람 일본이 자원이 없응께 ,그놈 탄피할라고 총알을. 탄피, 총알 만들라고. 그란게 인자 몰래 인자 가정에서는 인자 큰 이룽게 요만씀한 이룽게 동이를 묻어. 동이를 묻고는 인자 거그다 놋그릇을 넣고 우게, 동 우게 이룽게 뚜껑을 묻어. 그래갖고 한 질씩이나 파고는 인자 여그다가. 다른 것은 비 안 들어가게. 그때는 비닐이도 없은게 그룽게 해갖고 묻어놓고. 해방 된 뒤에 우리집이도 본게 대밭에서 그걸 캐내드라고 아부지가.

그랑께 그때는 또 뭐이냐믄 주로 젤 많이 그룽게 간 것이 요강. 여자들 요강이 제일 그것이 많이 가고. 요강 아까. 참 그라고 이른 가정에서 숟가락이 요룽게 있는디 이룽게 된 숟가락이 별반 없어. 그라믄 거의 이 정도는 닳아져. 물자가 없은게 숟가락을 요새 요롷게 닳아질 때까지 숟가락으로 밥을 먹는 집이 있겄어. 거짓말 같지 이. [조사자: 옛날에 놋숟가락?] 그 닳아져갖고 그라믄 그놈을 갖고 인자 밥을 치믄 엄마들이 그러믄 요롷게 누른밥을 이룽게 솥에서 긁으믄 또 그것이 어트게 그것이 잘 긁어진다고. 그랑께 얼마나 가난하게 살았단 것을 알 수가 있제. 거짓말 같제 이. 그것이 이 솔직히. 그라믄 인제 참 지금 생각하믄 그때 말은 못해.

또 일제말엽에 인자 그 송탄유, 송탄유. 기름을 인저 이놈을 공출을 해. [조사자: 어디요? 솔나무 이파리에서?] 솔나무에서 솔나무에서 이룽게 가지가 나믄 여가 노라니 비어부믄 송진 잘 나오는 데 있거든. 그랑께 인자 그놈을 비어다가 이룽게 은박지 속에다가 놓고 밑에서 불을 때믄 거그서 인제 기름이 나와. 그라믄 인제 한 되 두 되씩 공출을 해. 그라믄 인자 그놈을 또 내고 그란단 말이여.

[6] 해방이 되자 친일 훈련교관에게 보복

그라믄 마을로 인자 이 석유가 나오네. 석유가 나오므는 한말이나 나오면 한 오십호나 요롷게 마을이 삼십호 이롷게 되믄. 그놈을 분배를 해. 석유를. 그러믄 한집이 한 홉이나 요곳으로 두개 정도씩이나 갈거다고. 그람 그거 갖고 초꽂이 기름할라고. [조사자: 등잔 키라고?] 등잔. 등잔 켜라고. [조사자: 그거는 누가 줘요?] [정길상: 나라에서 주는 거지.] 일본서 나와. [조사자: 아 그걸 배급을 해줬어요?] 배급을 해. 그란디 나중에 인자 말엽이 되어갖고 일본이 인자 전장에 인자 지게 이롷게 해주고 석유가 없응께 나중에는 그것도 안나와부렀어 인자. [정길상: 거기서 그, 석유가 나왔다 하는 것은 남양군들을 인도네시아 거기를 점령했다, 그러니까는 봐라 석유까지 왔다, 거기서 석유가 들어왔다.] [조사자: 아, 과시할라고?] [정길상: 그러니까는 이것은 완전히 일본이 세계를 거다 제패해부렀다. 그래서 일본이 그 망한다 그런 것은 상상도 할 수 없게끔. 기름을 준다허는 것은 오늘날에 조중동이 그 허는 식인 것이여.]

그때는 인자 요새맹이로 라디오가 있으까 뭐 전화가 있으까 전현 모르고 그랑께 그런게비다 요롷게 인식을 하지 그것이. 그란 데다가 해방 전에는 거짓말 안하고 한동네서 글자 안 사람이 출입한 사람이 몇이제. 구십오륙프로는 그걸 몰라. 그란 양반들이 뭣을 알겄어. 그저 배고픙께 밥 먹을 생각밖에 안하지. 뭘 전쟁이 어트게 간지 언젠지 그런 거에 관련이 없다니까. 그란디 인자 젊은이들은 그렇게 잡어강께 군대 가믄 할 수 없지 또 인자. 그런 얘긴데.

내가 인자 우리 집안에 고모가 있어. 그란디 그 고모가 열여섯 살인디 나이로 봐서는 열다섯 살 오개월인가 사개월인가 돼 인자. 그때 시집을 갔어. 그라믄 그 시집을 간 것이 으째서 갔냐믄 요새 위안부, 위안부 결혼을 해부믄 안 잡아가그던. 처녀만 잡어가제. 그랑께 일찍 시집을 보내분 것이여 안 보낼라고 부모들은. 그것도 낮에 결혼식 허믄 안 돼. 그랑께 해 넘어갈 때 캄캄한

때에 인제 이롷게 몰래 결혼을 시켜불고 그래. [조사자: 왜 낮에 하면 안돼요?] 일본놈들이 알믄 이자 그랄까봐 인제. [조사자: 일부러 안 보낼라고 결혼시킨다고 생각하니까?] 그랑께 안 보낼라고 일찍 그렇게 딸들을 여운다니까. [정길상: 쫓아와서 결혼식 못하게 해.] 그랑께 저 새끼들 안했다고 헌 것을 보믄 인자 칵 죽여불고자파 아주. 그것이.

이자 그런 것이고 인자 나중에는 인자 해방될 무렵에는 연송소라고 헌 것이 있어. 그래갖고 남자들은 인자 학교 인자 운동장 가에다 이렇게 큰 요만한 나무를 인자 두 개쓱 요정도나 되게 세와. 그래갖고 요곳이 한 일메타 오십이나 세와갖고 여그다 짚을 요롷게 기냥 요론 디다 감어갖고 그냥 가갖고 요새 같으믄 거그다 그냥 칼로 맨 찔르는 연습. 요것을 날마다 시키제. [조사자: 일제 때요?] 일제 때. 일제 때 그랬다니까. [정길상: 총검술, 총검술이고만 지금으로 말하자믄.] 총검술이지 요새같으믄. [조사자: 학교에서?] 학교에서. 이자 학생들이 아니라 그 지방 청년들을 이롷게 불러갖고 날마다 연습을 해.

그랑께 해방이 되야갖고 그때 그 청년들이 거그서 교관을 한 사람도 조선 사람이여. 그랑께 너한테 우리가 이롷게 일제시대에 이롷게 훈련받으믄서 이롷게 마이 뚜드러 맞고 병신이 되았다고 죽인다고 모다 달라들제. [조사자: 교관한테?] 으. 교관집이. 그라믄 그 양반이 지금 돌아가셨지만은 마당에서 즈그 아부지가 아 이놈아 무릎 꿇고 땅에서 지금 빌으라 이것이여. 그랑께 인자 쌔려 죽인다고 인자 막 청년들이 올라강께 살려주라고 할 수없이 빌어갖고 그것을, 율포사람이여. 그때 여그서. [정길상: 여기 사람이여?] 그전에 자네 장인이라고 아까? 장인이. [정길상: 장인 씨?] 장인이 장인이. [정길상: 그거 몰라요] 그라믄 수인이는 앙가? 약방하든 성철 씨 약방하든. [정길상: 몰라요.] 그 월중이라고 그 양반도.

그란디 우리 마을에 영기 씨라고 그 양반은 병사합의를 봤어. 그랑께 그 양반이 영장 내고 인자 이것이 인자 군으로 이롷게 올리믄 그것이 누구누구 나올거 아니라고. [조사자: 왜정 말기에?] 으. 그래갖고 인자 해방이 되야갖고 인자 아 일본에 군대 가갖고 죽어불고 그란 사람 델꼬 와갖고 장고방을 그것을 그냥 몽딩이로 다 뚜드러 깨부네 인자. 아 글안하겄어 인자. 아들이 인자 가갖고 그 실태여. 요새 같으믄, 그래갖고 그 양반 도지를 쳐불고 그냥. 그러드니 그 집이 인자 그냥 가재도구를 다 뚜드러 깨불고 그래도 말을 못해 무성께 그때는. 그람 그때는 말하자믄 좌익도 없고 우익도 없는 것이 해방 막 돼갖고 일이라 그룷게.

[7] 해방되던 날 일본 신사 습격

그란디 해방 그 될뜩에 어찬일이 있었냐믄 나는 인자 팽란이 되야다고 그래서 팽란이 뭐인고 그랬는디 팔월 십오일날 오후가 됐는디 꽝과리 치고 그냥 징징징징 갱지갱지허고 인자 소란하고 그런디 우리 마을에서 인자 율포로 갔어. 율포로 갔구만. 몰라 한 젊은이들이 한 백 명 내진 백 오십 명이 될 것이여. 그라고 그 뒤로는 그냥 막 사람들이 줄줄이 따라와 그랑께 인자 해방이 되든 해에. [정길상: 팔월 십오일 그날] 바로 그날 그냥. 그랑께 다른 집이 선 없어도 이 사람 집이는 일제말엽에 좋든 학고짱 라디오가 있었어. 학고짱 라디오가. 그랑께 멀리 그것이 다 들으러 지금 일본이 어트게 된단 것을 다 알고 있었제.

그랑께 미리서 딱 준비해서 일본 인제 낼모레 넘어진다 넘어진다 이래서 이라고 있는디 해방될 거이다 미리 딱 대기하고 있다가 해방되든 날 그 밑에 보믄 신근리 봉수동 마을 요른 데 대가 많이 있거든. 그랑께 대를 비어갖고 죽창을 맨들아갖고 인저 일본 요 율포가 소재징께 일본놈 말하자믄 신사당 지서를 습격을 헌것이여. 팔월 십오일날 오후여. 그 우리는 좋다고 뒤에 졸레졸레 좇아 댕기지 어른들. (화자 웃음)

그란디 내가 처음으로 그때 태극기를 본 것이여 인자. 여그다가 탁 이룷게 하찌마키라고 그래 옛날에 그것을. 그래갖고 요기다 요룷게 태극기를 딱 그려놨드라고. 요새는 지금 축구시합하믄 볼테기에다 요롷게 그리드만. 요롷게 전부 딱 둥쳤어. 그래갖고 사열로 이렇게 해갖고는 탁 대창을 요롷게 들고 그냥 그 청년들 뒤에는 매구를 주라고 중께 그양 젊은이들이 옹께 벨라고 그 때 봉께 무섭드라고 청년들인디. 그라믄 그것이 소위 봉수동 이 사람 집을 중심으로 해서 그것이 생긴 것이여 인자. 그래갖고 율포 집은 우게 가믄 천주교 그 공소 성당이 거가 있어. 거가 일본 말하자믄 신사당이 거가 있거든. 그란디 거기를 습격해가지고 불을 그날 질러부렀어.

그라고 그 그 밑에 오믄 면사무소 장정옥 씨 집이라구 그 집이가 일본 그 주자소, 인자 지서가 거가 있었단 말이여. 그래갖고 인자 거그를 인자 그때 어른들 얘기를 들어보믄 이사람 작은아부지였든가 그런 얘기를 했싸. 일본 지서장이 요새같으믄 당신 여기 온지 메칠 전에 비밀리 온지를 다 안다 그것이여. 정보가 왔는디. 그랐어도 내가 당신을 잡으러 안 갔다. [정길상: 정해진을 얘기를 헌거여] 이북으로 간 그 해진 씨. 그래갖고 인자 거그서 인자 절대 일본사람한테는 손을 안댔지. 지역에서는 점잔허니 대해줬어 그것은. 죽인다든지 이런 것은 없었어.

그랬는디 우리 집안에 오생일 씨라고 이 양반이 있는디 이양반이 한국서 배를 수십 년을 탔어. 그랑께 일본놈 배를 탕께 일본말을 다 알고 인자 회화도 어느 정도 하고 그란디 그 양반 배에다가 이렇게 일본놈 짐을 실고 이롷게 일본으로 들어간 것이여. 들어갈 때 이 그랑께 그때 정황을 그 아제가 얘기를 허드라고. 물이 들어서 인자 배가 이롷게 뜬디 그 오다 동생이 구리포발라이라드라고. 율포만세라고 이롷게 배에서 떠나감시로 그랑께 형님이 아 이 새끼야 그것이 뭐이 좋아서 율포만세를 부르냐고. 그란디 여그 고흥을 넘어서 여수 쪽을 간디 즈그들끼리 속닥거리는 것이 저 새끼 대마도 쪽이나 일본 가차이 가믄 물에다 빠차 죽여불고 우리만 가부믄 쓰겄냐고 그라드라 이것이여. 그랑께 자기도 이롷게 생각을 해봤어. 그래서 요롷게 여수에서 부산을 가기 전에 식수 물통을 여롷게 뽕을 빼부렀다고 그러드라고. 요롷게 물통이 있으믄 여가 이제 꼭지가 있거든. 그라믄 요놈이 물이 새믄 [조사자: 물이 없어져] 물이 없어져 이. 그랑께 할 수 없이 육지를 다야 물을 널 것 아닌가. 그 아제가 그 소리를 해 직접 들었어. 내가 그 소리 듣고 나는 가만 생각항께 이것을 으트게 해야 내가 살겄다가 이제 이. 일본놈은 요런디 자기는 조선사람은 서인가 밖이 안되고 그란디. 그래서 그 꾀를 냈다고 해. 그래갖고는 가다가 남핸가 어디서 삼천포선가 안되겄다고 물이 없은게 육지를 대야 안쓰겄냐고. 그래갖고 육지를 대갖고는 조 새끼들이 요란다고 그래갖고 인자 일본놈들이 거그서 잽혀부렀지 꺼꿀로 인자. (화자 웃음) 그래갖고 인자 부산으로 그놈들을 후송되야서 가불고 자기는 배끌고 여기 올라오고 그룹게해서 살었어. 그랑께 벨일이 쌨어 이 세상살이가. 그라고 일본놈들 뭐 조선놈 거 가믄 아무도 없는디 대처 가다가 물에다 빠쳐불믄 글로 끝이지 뭐, 벨 수 있어 그것이. 대마도 건너가다가. 그라고 즈그두 해변에서 상께 다 알지.

[8] 해방되자 공공기물을 가져간 사람들

그란디 또 재미있는 것이 내가 인자 어른들이 그른 애길 해. 일본놈들 그룹게 놔두고 가부니까 그 일본놈 산 앞이 집이가 이케 그물을 이룹게 했단 말이야 그물을. 그물을 팔아. 바다에 고기 잡는. 다 놔부리고 가제. 그란게 조선사람들이 인자 그놈을 서로 가질라고 허지 인자. 해변가에 상께 인자 그때는 그물이 참 귀하고 그랑께. 그랑께 그놈을 이가 갈려 내가 하냐 인자. (화자 웃음) 복잡해, 이것이 서로 인자.

우리 초등학교를 그룹게 습격을 해부렀는디 학교서 송아지를 키왔단 말이여. 송아지를 키우고 학교서 또 누에도 키고 닭도 키고 그때는 그래. 그라고 학교가 인자 목총이 많이 있어. 이런 구식 목총이 한 이백 점 있어. 나무로 되야갖고. 그것이 똑 총만이로 생겼어.

학교가 그룹게, 아이 그래서 그 인자 신사당을 이룹게 습격을 해부리믄 저 국민학교를 초등학교를 갔는디 교탁에 올라가서 일장연설을 해. 그랑께 인자 그 뭔 말인지도 모르고 어른들 연설한 것만 요로코 인자 듣고 있제. 그래 나중에 물어봤어. 그것이 해진 씨냐고. 그라고 물어봉께 해동이 형님 아니시 그것이 해두 형님이시. [정길상: 해두. 광주학생.] [조사자: 광주학생운동 하셨던?]

그랑께 인자 그 학생운동하든 그 해두 씨가 일제시대 부맨장을 했어. 여그서. [조사자: 회촌 부면장?] 이. 회촌 부맨장을 하고 영채 씨라고 그분이 면장을 했단 말이여. 그란디 해두 씨하고 같이 학생운동을 하던 그 영관 씨라고 양반이 있어. 그 양반 손자가 지금, 그 양반이 우체국을 설립을 해가지고 율포지국 사설우체국을 허그든. 그래 영관 씨 집을 내가 놀러가갖고 그때 그 부산 고법에 가서 광주학생사건 때으 재판기록을 이 양반이 카피를 해갖고 자기 집이다 놔뒀드라고. 그래

"아제 이것 좀 내가 집이 가서 보고 좀 드리께요."

그라고 거기에 쭉 보성서 봉께 여섯인가 일곱인가 이롷게 그때 학생사건에 가담한 사람이 있어. 그래 인자 다른 사람 관심이 없고 해두 씨하고 영관 씨하고만 내 맨리 어른들잉께 내가 이롷게 봐봤어. 그란디 해두 씨는 삼 년 이 개월인가 형량이 되고 영관 씨는 육개월 밖에 안 돼. 내가 그랬어. 나중에 어른들 보고 이. 아 해두 씨는 이렇게 형량이 많으고 영관 씨는 이랍디다 그랑께. 해두는 본래 이번 가라고 하믄 뭐 안한다 말이시. (청중 웃음) [조사자: 그럼 찬수할아버지 장손?] 일번이라야 하제 이번은 안한 사람이시. 그래서 아하 형량으로 봐서 그롷게 차이가 낭께, 내 속으로.

그란디 이양반이 인자 말하자믄 내가 생각할 때는 좀 이율배반적인 행동을 한 것이여. 왜 그라냐믄 일제말년에 이렇게 부맨장을 한 양반이 공출이 나오믄 공료를 가. 대창을 들꼬 모도 쑤셔불고 그러거든. [조사자: 뭐 찾아낼라고?] 으. 찾아낼라고. 그라믄 인자 우리 마을에서는 밤에 뭘 이롷게 짊가마니다가 나락을 담아갖고 산속으로 한 이키로나 일키로 돼. 산속에다 인자 이놈을 갖

다가 인자 굴이 있단 말이야 마을 뒤에가. 거그다 아래다 요로코 인자 화로를 놔두고 그기다 숯불을 피고 인자 입초를 서 인자 거그서 전부. 그것을. 그라믄 을마나 곤란해서 먹는 것을 그라고 대닐 것이여. 글안해. 그란디 그때 어른들 말로 해두가 그 공출을 걷으러 댕님시로 넘으 집 방을 그냥 신을 신고 그냥 퍽퍽 돌아댕기고 그랬단 말이시. 그래 어른들이. 그랑께 성격이 경장히 과격한 사람이래. 말하자믄. 그란 사람이 말하자믄 광주학생운동하고 그란 사람이 그런 것으로 봐서는 이 양반이 경장히 과격한 그른 성격이다. 그래서 내가 이율배반이다 그런 것이여. 항일운동을 하고 그란 사람이 그것이.

그랑께 참 그것이 그때 세상살이란 것이. 율포가 여기 있는디 아까 그 다비치 콘도 건물 안있소. 거가 부맨장 집이가 있었거든. 그란디 고 밤에 불을 질러부러 지서에서 못나와. 해방 돼갖고 정국이 시끄러울 때. [조사자: 관사 개념이었어요? 사택. 사택 개념으로 거기가 부면장 집이었어요?] 아니 개인집이여. [조사자: 그럼 해두 씨가 거기 와 사셨어요?] 아니 해두 씨는 봉수동 살었는디 인제 해두 씨 다음에 다음사람 임용호 씨라고 그분이 부맨장을 할 때 그랬는디.

그래서 인제 해방되든 그날을 인자 이, 우리가 인자 내가 딱 생각을 해본 것이여. 그 으른들 뒤에 따라댕김시로 그것을 했는디 젤 욕심이 난 것이 애기 때 뭐이냐믄 창고에 놔둔 그 목총이 욕심이 나. 그래서 우리 어린이들 다섯이 그 목총을 이룹게 짊어지고 마을로 온 것이여. [조사자: 총싸움 해볼라고요?] 애기 때는 그거이 벨라든가 신기하고 그러제. 요만허니 총이 그랑께 어트게 보믄 우리 키하고 총하고 비슷해 인자. 아 그라고 거글 온디 그 도로가 있단 말이여. 그 신작로 거글 온디 황기민이, 기민이 알지? [정길상: 알지. 교장.] 그 황재용 선생 자전거 타고 오믄 너 이 새끼들 거그 안섰소. 그 인자 어른이라 무섭지 인자. 그란디 차마.

[조사자: 목총을 다섯이서 하나씩 짊어졌어?] 짊어지고 오다가 황재용 씨한테 걸렸당게. [조사자: 교장 선생님한테?] 아니. 그 양반은 재용 씨는 율포 청

년이여. 그때 그 양반이 일본유학을 갔다 온 양반이여. 그 양반이. 그랑께 해방이 됭께 인자 일본 교장 간 거 어디로 안봤냐고. 긍께 금방 할딱 벗고 요리 메고 배에다 감아갖고 도망을 치드라고 산 우그로. 그렁께 우리보고 당황하드라고.

그란디 인자 해방이 됭께 인자 솥이랑 삽 요런 것을 여그 율포사람 우암사람 우리 동네 사람 그양 전부다 돌아가부렀네 인자. 학교 것을. 그래갖고 학교 그 송아지라고 송아지가 있는디 그것도 돌라서는 몰래 잡아먹어불고 토끼고 닭이고. (화자 웃음) [조사자: 학교에 있든 거?] 학교에 있는 거. 우리는 인자 애기라 그른디 으른들은 우선 송아지 또 욕심이 나제.

그래갖고 인자 메칠 사흘이나 지낭께 인자 지방에서 유지들이 나서갖고 학교 재물을 그란 것이 아니라고 전부 인자 삽이고 괭이고 솥이고 인자 도로 인자 마을에서 인자.(화자 웃음) [조사자: 다시 갖고 와라?] 다시 갖고 오라 해갖고 동네 앞에다 놔두고 자네는 뭣뭐 갖고 갔는가 갖고 오소, 자네는 뭣뭐 갖고 갔는가 갖고 오소 그래갖고 인자 그놈을 모아가고 다시 또 학교로 인자 비품으로 갖고 가고 그랬지 인자.

[9] 해방되던 날 태극기 들고 신사 방화

[정길상: 근디요 그 과정에서 그 역사가 좀 왜곡이랄까 참말을 좀 이야기 해줄께요. 근데 그 학산 윤윤기 선생님이 그 자식들이 책을 내갖고 그 책속에 봐보믄 팔월 십오일날 학산 윤윤기가 선두에 서가지고 율포 신사당을 정씨들을 이끌고 가서 불질렀다 그라고 책을 그롷게 내놨거든요. 그런 것에 대해서 한번 이야기 해보시오.] 애려서나서 학산 윤윤기가 뭐인 줄은 몰르제. 그것들 자기가 정씨들 청년들을 동원한당가.

그라믄 인저 그때 내가 어른들 보고 다 물어봤어. 그랑께 청년들 요롷게 태극기 둘른 사람들은 인자 율포 가자 글래서 오다가 인자 논에 있는 사람

밭에 있는 사람, 자네 뭣하고 있어 해방된디 같이 가자 그래갖고 그 사람들 휘 열로 인제 이롷게 막 헌 것이여. 그랑께 앞에 온 사람은 머리에다 이롷게 태극기를 요롷게 딱 두르고 온디 뒤에 온 사람들은 핫바지에다 막 그대로 갔지. 이까이까 하고 오지. 그란디 이자 [조사자: 그 사람들은 봉수원에서 다 준비하고 나온 거고?] 그란데 그 다음에 온 사람들은 옴서 막 마을마다 이롷게 따라서 그란디 인자 그랑께 젊은이들이 팽란되얐당게 인자 논에서 일하다 온 사람, 밭에서 일하다 온 사람, 어이 이리와 자네도 같이 가제 그라고 막 뒤따라서 와갖고 우리는 그때 졸레졸레 따라 대녔제 인자.

[정길상: 윤윤기를 봤냐고. 그 군중 속에서?] 인자 그것은 모르것어. 애기때라서. 어른들 일이라. 그래 내가 얘기를 안하든가. 앞에 태극기를 요롷게, 요롷게 흔들고 와. 그란데 대가 요만허드라고. 요만헌데 한 두발이나 두발 가웃이나 된디 여그다 댓잎을 안칠했어. 대 잎사귀를 요롷게 살렸어. 그란디 여가 이롷게 처음으로 내가 태극기를 본 것이여. 맨 이 사람이 까불고 이롷게 앞에서 오고 인자 그 뒤에서 인자 젊은이들은 태극기를 들고 죽창을 이라고 오고 인자 깽깽이를 치고 이라고 온디. 그래 나중에 어른들 보고 물어봤어. 물어봉께 그 때 그 사람이 누구냐고 항께 이 사람 집이 종이라고 그러드라고. (청중 웃음) [조사자: 한 씬으로 와 닿잖아, 그 상황이.]

[10] 광주에 숨어 지내던 박헌영

그랑께 이 그뜩에 해방이 돼서 실상은 이롷게 인자 신분제도가 읎어지고 이란다고 해서 봉강어르신은 참 집이서 그 노복들한테 좋게 해줬어. 그랑께 우리가 으디를 가서 으트게 벌어 묵고 살 거이냐고. 안 갈라고 그래. [조사자: 안 갈라고 한 사람도 있었어. 해방해중께. 문서를 태와주고 해도.] 안가. 그렇게 해도 우리가 으트게 놔두고 가겄냐고. 그랑께 으트게 인간적으로 해방돼갖고 부자들이 그리 노예들한테 뚜드러 맞아갖고 죽은 사람들이 많거든.

그라믄 육이오라고 한 것이 단순히 남북전쟁이 아니라 그때만 하드라도 반촌, 여그는 양반들이 산 동네, 여그는 민촌 일반이 산 동네, 저그는 상촌 그래갖고 백정들이 산 동네. 이룽게 부락이 다 틀리그든 그때는. 그라고 인자 민촌에 산 상놈만 산 데는 다 그동네 살믄 말도 그 그냥 어이를 해. 말하자믄 이십 살 묵은 사람이 육십 살 묵은 사람한테두 왔는가 그라고 그라믄 그대로 예예 그라제. 그것이 실지는 어떻게 보믄 이조란 것이 아주 몹쓸 놈으 사회여. 사람이 으트게 같은 사람으로 태어나갖고 쩌리 저 집으로 팔려가고 그라믄 그것이 쓰겄어 그거이. 그랑께 멫 십 년 멫 백 년을 그룽게 종살이를 하고 이른 사람들이 이룽게 해방이 되갖고 이른 계급제도가 없어진당께 을마나 좋겄어. 막 생명을 태와놓고 허제.

그란데 이자 실상은 해방되기 전에 지하운동 사회주의가 훨씬 더 했거든. 박헌영이 같은 사람도 광주로 숨어들어왔거든. 광주 백운동이라고 한 데 있어. 백운동 백돌공장에서 직공으로 일을 했거든 그 사람이. 백동으로. 첨에 어디냐믄 일신방직이라고 광주가믄 방직회사 거그 와서 지게를 짊어지고 똥통 짊어지고 똥을 펐어. [조사자: 누가 박헌영이?] 박헌영이. [조사자: 남로당 박헌영이?] 박헌영이가 지하로 숨었는디.

그란디 그때 어른들 얘기를 들어보믄 여자들 둘이가 있는디 꼭 밤이믄 여자들 둘이가 으디로 갔다오고 그랬다고. 그란디 임동 가믄 그전에 대창산업이라고 거가 있는디. 해방되기전이 그랬다고 허드라고. 그 주인 아주머니보고 이 어트게 양복 한 벌 으트게 으디서 해 입을 수 없냐고 그랑께는 아 일해묵는 사람이 작업복 깨끗허니 빨어 입으믄 됐지 뭔 양복을 원하냐고 그랑께 암말도 안헌디.

그란게 그 산데미로 쟁여논 백돌이 있는디

"이것이 멫장이나 되까?"

그러믄 가령

"십오만 삼천장이요."

그래 이자 박헌영이가. 그라믄 주인은 인자 지깟든것이 암것도 모른 것이 뭣을 안다고. 낯에 딱 시어보믄 딱 맞어. 글아께 머릴르 기가 맥히게 영리했는디 인자 그룧게 노동자로 있은게 모르지 인자.

그래갖고 해방이 되야갖고 광주서 유지들이 요새 뭐 광주극장인가 거그서 인자 조선 그 인자 독립운동촉진회를 맨든다고 인자 막 그냥 광주 일등 유지들이 모여서 그라는데 박헌영이는 젤 뒤에 쪼그리고 앉아서 그것을 보고 있었다고 그라드라고 얘기 들어봉께. 그란데 그 뒷날 대창산업 거그 앞에서 서울로 인잔 간다고 언능 서두르므 감추 하나씩 들어쓸라고. 그랑께 인저 거기를 조흥은행 직원이 와갖고 이룧게 해서 이룧게 누구 한나 델꼬 갔으믄 쓰겄소 그릉께 조흥은행 직원도 남로당 세포였던 모양이여. 그랑께 박헌영이를 인자 제일 츄럭 뒤에다가 인자 실고 인자 앞에는 전부 광주 유지들인게 거그를 혼자 쪼그리고 앙거서 인자 털털하니 작업복에다 그라고 갔다고 그래.

그래갖고 인자 해가 저물어서 인자 장성서 자고 인자 그 뒷날 아침에 전주를 갔는디 나 어디 좀 갔다 올란다고 그라고 갔다가 온디 그때 딱 신사옷을 입고 와. [**조사자: 양복을**] 으 양복을. 입고 온디 감옥수 둘이가 따라와 죄수복을 입고. 그란디 거기에 온 사람 한나가 뭐이냐믄 김삼룡이야. 김삼룡이를 모르까. 남로당 조직체, 육이오 사변 나갖고 이북서 조만식선생하고 김삼룡이하고 이룧게 바꾸자고 했거든. 그랑께 김삼룡이는 월북을 못해부렀거든, 그뜩에. 그랑께 박헌영이 말하자믄 남로당 아주 직속 제 이인자제. 그랑께 전주교도소에서 그렇게 있다가 수감이 되갖고 나오고 한사람은 뭐이냐믄 모스코바에서 공산주의 운동을 하다가 그 사람도 형을 그렇게 몇 십 년 받아갖고 나와갖고 서이 그렇게, 박헌영이하고 그 여자들 둘이하고 다섯이 요룧게 올라왔지. 그란디 나중에 그 여자 중 한나가 이순금이고 한나가 뭐이드라고. 그란디 그때 이화여대 다니는 에리트들 여학생이여. 그란데 몰라 통. 그룧게 지하로 숨어들어부렀으니까.

그래갖고 서울 남대문을 갔는디 해가 이룧게 저문디 거그서 내래. 내림시로 실어다줘서 참 감사하다고 그라고 인사를 하는디 인저 그 무리 오니께 박헌영이 온다 허고 다 이룧게 몰랐을 것 아니오. 광주서 간 사람들이 으쩌까, 저가 박헌영이었구나 그룧게 놀랬다고 하드라고. 박헌영이가. 그랑께 박헌영이가 광주서 그룧게 숨어있었어. 백돌공장에가 그룧게. 그란디 쥐도 새도 몰라. 생전 몰랐다고 그래. 그란디 그 그때 어른들 얘기가 그래. 뭣할 때믄 박헌영이가 후더허니 이룧게 수심에 잠긴 것 만이로 사람이 사색에 잠긴 것만이로 자기 머리 속으로는 다른 것을 생각을 할 것 아니냐고 그랬다고 하드라고.

[11] 해방 전에 좌익세력이 우세

그랬는디 인자 이 여그 지방에서는 보므는 해방되야갖고 우리가 교육을 받을 뜩에 노동자여 농민들아 하고 이룧게 말하자믄 좌익계통 노래가 학교에서도 공공연하게 갈쳤거든. 지금도 그것을 외우고 있어. 어려서. 그랑께 어뜩게 되므는 좌익세력이 훨씬 거시기 했지. 시골에서 나쁘게 말하믄 아홉이는 좌익이믄 한나는 우익이나 될랑가 그랬어. 왜 그라냐그믄 그 가난하게 살 때 땅 주고 계급제도 없어지고 이, 논 주고 밭 준다고 항께 누가 안 좋아라 할 사람이 누가 있겄어 그때. 전부 그래서 한 것이여. 그라믄 그 이념을 알어서 한 것이 아니여. 그때 사람들은.

그라고 우리 면에서도 어트게 보믄 지금 내가 생각을 해보믄 훨씬 더 열열했어. 그것이 이. 왜 그것을 아냐고 하믄 삼일운동 기념식을 할 때 이짝에서는 율포에서 이룧게 율포 학교서 기념식을 한다, 그란디 회룡쪽에서 그 좌익계통에서는 영천 가믄 그 방죽이 있어. 방죽 거가 일제시대에 거기를 막다가 말어부렀거든. 그렁께 인자 방죽 터라놔서 장물도 없고 이제 모래통이고 그렁께 거그 모여서 그 행사를 하고 그랬지. 그랑께 요새 말로 하믄. [정길상: 회룡은 인제 우리쪽 사람들.] 그랑께 좌익우익이 그렇게 째깐한 면에서 따로 했다니까. [조사자: 삼일운동도, 기념식을?] 기념식을. 요른 면에서도 그랬는디 서울 같은 데선 어트게 됐겄어. 좌익우익이 갈라지고.

그란디 내가 지금 애려서 생각헐 때는 그랑께 이 정부가 들어스고 그랑께 사십오 년도에 해방이 돼갖고 사십팔 년도에 지금 정부가 수립이 됐거든. 그것이 칠월 십칠인가 돼갖고 팔월 십오일날 인자 정부 선포를 한 거이거든 그게. 그람 그 안에는 어트게 되믄 미군정청이여. 그랑께 우리 그 교과서에가 요새 같으믄 문교부하고 요롷게 나올 거인디 책 밑에가 미군정청 요롷게 나와 다 그때. 그롷게 교과서에가 미군정청이라고 요롷게 돼있단 말이여.

[12] 학창시절 친구들과의 자취생활

그랑께 그때는 인자 이 학교도 또 책이 읎어. 읎응께 학교서 선생님이 한분이 서울까지 열차를 타고 가. 그라믄 뿌린트로 이롷게 등재를 해갖고 그거이 국어책 산수책 요롷게 와. 그러믄 인자 이 요새같으믄 좋은 노트 좋은 연필이 많은디 그때는 없어. 그라믄 지금 요정도나 되지. 요 백노지라고 있어. 요놈을 요리 접고 요리 접고 하믄 요만한 노트로 요롷게 될라믄 한 십육절이나 십팔절지가 돼. 그라믄 집이서 송곳으로 구멍을 뚫어갖고 인자 실을 요롷게 해갖고 그것이 공책이여.

연필이 이놈 것이 글이 안써지네. 춤을 묻혀갖고 이롷게 이롷게 해갖고 인제 해. 지우개가 이롷게 있어야 쓸 것인데 없어갖고 고무신바닥을 이롷게 이롷게 가위로 비어. 고무신 바닥. 그래갖고 그놈을 그 뭐이냐믄 이렇게 촛불을 안 껴 불, 그 속에가 석유가 들었거든. 그러믄 거그다 그놈을 너. 너갖고 인자 한 보름이나 요롷게 노믄 고무가 퉁퉁 불어. 불어. 그래갖고 인자 그롷게 하믄 연필이 잘 메꿔져. (청중 웃음) 거짓말같제 이. 그랑께 아이 요런 것이 그때 춤을 묻혀갖고 요 짓거리를 한디 지금 생각하믄 그래도 공부를 그롷게 열성으로 했단 말이여. 어트게 보믄 향학열은 요새 사람들은 더 있는 폭이여.

우리가 보성중학교를 다닌디 여그서 통학을 이롷게 했다니까. 그라믄 생각을 해봐 중학교 다니믄 열여섯 살이나 열다섯 살 아녀. 그란디 삼십리 길을 이룧게 밤낮으로 왔다갔다하믄 요새사람들 그거이 되겄어 택도 없제. 그랑께 새벽에 달이 껌껌하니 이룧게 오믄 인제 엄마가 인자 부엌에 나가. 그래갖고 저녁에 인자 미리서 이룧게 밥을 해갖고 따땃하니 해놓거든.

그래갖고 인자 그놈을 먹고 인자 새벽에 저 밑에서 이 부락 사람들 다닌 사람이 인자 올러옴서 인자 소리를 불러 나오라고 그냥. 이름을 빽빽 불른단 말이여. 그라믄 가. 그람 또 우게 동네 가믄 이름 부르믄 인자 저그 봇재 가믄 한 십 명, 한 이십 명쓱 이룧게 집단으로 오고가고 그래. [청중: 그러믄 저 봉서리 형님들은 중학교를 어디 대니셨습니까?] 여그는 뚝 떨어징께 그때 그른 세상은 모르지. [조사자: 거긴 어디로 다니셨어요?] [정길상: 보성중학교.]

그란디 인자 우리가 학교를 다닐 때는 그라다가 인자 보성중학교 옆에 마을 옆에다가 방을 얻어갖고 또 자취를 하고 그래. 자취를 이룧게 한단 말이여. 공불 한다고 밤에 한디 먹을 것이 없은게 인자 서이 자취를 하믄 한 사람이 오늘, 인자 갑이 오늘 을이 내일 병이 이자 모레. 요롷게 각그다이로 돌려감서 일주일이믄. 그라믄 낼 아침에 밥 할 것을 미리서 쌀을 일어서 딱 놔뒀어, 물을 부서서. 그라믄 아침에 불만 때믄 됭께. 그럼 저놈으 새끼가 자믄 인자 묵을 것이 없어. 그럼 거그 가서 인자 팅팅 불은 쌀은 복조리로 갖다가 인자 그놈을 이룧게 씹어 묵고 인제 이러고 공부헌다고. 아침에 냅둬불제 그러믄 인자 그놈은 물만 있는디 거그를 이룧게 불을 때믄 인제 밥이 안된다고 인자. (청중 웃음) 전일에 생쌀을 다 묵어부렀는디. 그라믄 참 생각하믄 그때는 돈이나 있어야 으디 가서 사 묵지. 사 묵자니 사 묵을 데도 없고 돈도 없고. 그 웃기는 일이여 지금 생각하믄.

그담 또 뭔일이 있냐믄 아 이놈의 짐치 단재기를 짊어지고 보성을 갈래믄 여기는 책보를 이룧게 짊어지잖어 그라믄 귀찮으믄 누가 용감헌가 본다고 이, 길바닥에 가서 그 단재기를 팍 쌔려부네 그냥 땅에다가. 와싹 깨지믄 김치가 그냥 팍 나가제. 그람 너가 내가 나가 너한테 지냐고 나도 더 용감하다 이것이여. 그라믄 또 팍 깨불고 나믄 서이 자취하는 놈이 인자 짐치 단지는 다 깨불고는 그 일주일동안을 쌩밥만 먹고. (화자와 청중 웃음) 워메 워메. 지금 같으믄 참 웃기는 일이여. 그랑께 을마나 또 학교를 다님서 소가지가 없었등가 몰라. [조사자: 사춘기는 다 그렇게 넘기나봐요?] 요새 애기들은 그른 재미있는 애기가 없어. 얘기가. 그때는 지금 생각하믄 참.

[13] 여순사건을 처음 일으킨 사람

그래 인자 해방이, 그랑께 된 뒤로제 인자. 그란데 인자 우리가 사십팔 년도에 정부가 들어서갖고 사십팔 년도 그해에 아마 여순반란사건이 났든가. [조사자: 시월 달에 나고 이제 그때 상황 한번 말씀해보세요. 정상적으로 학교가 돌아갔어요?] 학교는 다녔제. 그란데 천포쪽에 우리 학교 다닌 그 친구들이 안와부러. [조사자: 어디 저쪽 순천쪽?] 아니 여그 인제 그때 내가 초등학교 다닐 땐디. 그뜩에 오학년인가. [정길상: 회천면이란 게요 회천면이 회령 율포 천포, 세개를 합해서 회천면이라고 해요. 여기 방금 형님이 말씀하신 천포지역에 산 사람이 안와부렀다 ,이거지.] 그란게 인자 지형이, 우리 면내 지형이 요롷게 기다라니 생겨갖고 동부지역 중앙지역 서부지역 이라그든. 그란데 인자 으트게 생겼냐믄.

[조사자: 그럼 우리 선생님 보성중학교 입학하기 전에, 여그 초등학교 국민학교 댕길 때 여순사건 났어요? 그래서 보성으로 밀고 왔을 거 아닙니까?] 왔제 보성까지. 그랑께 여수가 거의 제주도 사삼사건일 것이여. [조사자: 네 사십팔년 사월 삼일] 그거이 원래 김달삼이가 주동이 됐거든. 그런데 김달삼이는 이북 가갖고 첫 내각을 조직을 헐 때 거기 일원으로 들어간 사람이여. 그란디 그 제주 사건을 일본놈들이 군사기지를 맨들아갖고 무기 같은 거 뭣을 다 놔둬 불고 그대로 들어갔거든. 그랑께 선동을 하믄서 뭣이 뭔지도 모르고 양민들을 그냥 선동을 항께 그냥 거개가 따라간 것이여 말하자믄. 열명이믄 한나나

되믄 아홉명은 뭐이 뭔지도 모르고 가담이 된 것이여. 그랑께 그것을 진압을 하라고 여수 십사연대를 거그 진압을 하라고 보낸 것인디 거그서 신월리서 여수 신월리서 반란을 일으켜분 거이거든.

원래 그 반란을 일으킨 사람은 지창수라고 한 사람이 반란을 일으킨 것이여. 그란디 인자 이 나중에 그 남로당 계통에서 장교급은 중앙에서 관리를 하고 사병에 좌익분자들을 도땅에서 관리를 해. [조사자: 어디서?] 도땅. [조사자: 도당] 도당에서. 그란디 사병이 장교가 누가 좌익인지를 몰라. 말하자믄. 또 장교가 사병이 누가 좌익인지 모르고 서로 몰라 이롷게. 그란디 지창수가 사병들 좌익운동한 사람들 모아놓고 거그서 반란을 일으킨 거이거든. 그래갖고 장교들 싹 죽여부렀어. 그란디 그때 장교들이 거의 좌익을 한 사람들이여. 그랑께 자기편을 다 죽여분 것이여. 그래갖고 한 사람이 산 것이여. 장교 한 사람은 살았고 그놈을 묶어갖고 인자 나 아이라고 이자 해도 묶어갖고 어디까지 왔냐믄 순천역에까지 온 것이여. 그란디 그때 묶여서 온 사람이 김지해여. 김지해.

그란디 그 순천역에서 나타난 사람이 누가 나타났냐므는 이현상이가 거그 나타났어. 이현상이 알지요? [조사자: 남부군 총사령관 했든 사람?] 남부군 총사령관. 그랑께 자기가 관리하든 사람을 다 죽여부렀어, 지창수가. 그랑께 인자 한나 살았어.

"너 어째서 이 사람들 다 죽여붔냐?"

그랑께 모릉께 다 죽여

부렀제. 여기서 지금 말하자믄 자기가 관리하는 소위 말하자믄 총책이여 김지해를. 그래서 순천에서 포로맹이로 잽혀와갖고 거기서부터 총책을 짊어진 것이 김지해가 짊어진 것이여. 그래서 김지해가 반란을 일으켰다 하지만은 원 반란은 지창수가 일으킨 것이여.

지창수가 광주 부잣집 아들이여. 그래갖고 돈 쓰고 그놈은 풀려 또 나왔단 말이여. 그 부대가 전부 지리산으로 들어갈 때 지창수는 풀려나왔어 또. 그랑께 세종대왕이나 요새같으믄 율곡선생이 들어가믄 해결이 안 된 것이 없어. (청중 웃음) 그렁께 좋은 할아부지들이제. 그래갖고 인제 그때는 사진에가 세종대왕이 아니고 누가 실렸든가 몰라. [정길상: 이승만.] 이승만이 실렸든가 어쨌든가 지금.

그래갖고 인자 그 인자 복잡한 지리산 문제가 나온 것이지. 휴전회담이 되야갖고도 이남에서도 지리산에 있는 그 공비들을 우리가 북송을 시켜줄거잉께 느그들이 받어라. 이 짝에서 그랑께 우리는 그런 사람이 없다 이것이여. 이남에서 반란 일으키고. 그랑께 저 짝에서 안받어. 그랑께 지리산에 있는 그 빨치산들은 이북에서도 배척을 받고 이남에서도 배척을 받은 사람들이여 말하자믄. 그룧게 안되얐어.

[14] 마을마다 전봇대 지키며 망원 서다

그래갖고 인자 그때 얘기도 할라믄 그라믄 인자 우리 면에서는 전봇대를 요롷게 세웠단 말이여. 그 나무 전봇대여. 그라믄 단선이여 요롷게. 단선. 한 선은 땅에다 지하로 묻으믄 전기가 이롷게 통한다고. 그라고 밤이믄 인자 반란군 들어와서 여 전봇대를 톱으로 비어부네 이거. 자빠라지믄 안되제 이. 그랑께 마을 집집마다 자네자네는 요 전봇대, 자네자네는 요 전봇대 하고 정해놔. 그러믄 요 전봇대를 못 비게 못이고 뭐이고 쇠를 갖다 막 뚜드러 박아갖고는 이놈으 전봇대가 험해서 못 봐 인자. [조사자: 그걸 지하로 밑으로 들어가는 전선을 보호할라고?] 아니. 전봇대 자체를. [정길상: 전봇대를 넘어져불믄 통신선이 끊어져부니까, 그러믄 정보망이 거시기.] 떨어져불제. 그때는 유일하니 전화밖이 없는디. [조사자: 고걸 마을사람한테다 하나하나 책임을 지야?] 어 책을 져갖고 이녘 집이 전봇대가 있당게 그랑께 그 밤에 와서 비믄 톱질을 못하게 그롷게 전봇대에다 나무로 됭께 못을 막 박어갖고 막 쟁기 뿌셔넣고 막 그양 뚜드러 박고는. 지금 생각하믄 그놈 사진 한난 찍어놨으믄 참 좋을 거인다. [정길상: 산사람들은 전봇대를 비어불믄 넘어갖고 통신을 끊어불라고 하고 경찰은 그놈을 이슬라고 하고 그 얘기라니까.]

그란디 이자 우리 후배 요기 요 우리 요기 요짝에 가믄 용설리라고 있어. 그 용설리 가믄 군위원도 나오고 그란 그 선용기라고 나하고 참 좋게 지낸 후배가 있단 말이여. 그란디 그 선용기 그 한 동네 사람이 그때 너이를 지금 농협자리서 이롷게 총살을 하는 걸 내가 봤단 말이여. [조사자: 누구를? 반란군이라고?] 밤에 전봇대로 와서 비어분 사람들. 그래 인자 이 그때 어른들 말로 개떡 때문에 잽혀부렀다 그러드라고. 개떡이 뭐이냐고 하믄 이롷게 솥에다가 이롷게 밥을 하믄 그 우게다 호박엉굴을 이롷게 얹고는 밀가루를 요롷게 발라서 거그서 부서갖고 솥뚜껑을 딱 닫어노믄 그것이 떡이 잘 익으요. 영 맛있어 그것이. 그것 때문에 잽혀부렀다고 하드라고. 그랑께 인자 마을사람들 인자 뚜드러지낑게 인자 여자가 인자 저녁에 너 뭣했어 그랑께 인자 개떡 볶았다고 그랑께 개떡을 뭣할라고 볶았어 그랑께 인자 그 사람들 줄라고 볶았다고 고거이 탄로가 나부렀거든. 그래갖고 인자 너이 죽였는디 나는 고기서 한 이백메타나 우게서 인자 소를 띧겼어 인자. 그래갖고 총살헌 것을 봤지.

그래는디 그뜩에 인자 밤에믄 인자 전봇대를 인자 지키라고 우리 면이 십이개 면, 십이개 리여. 그럼 한 사개 리 청년들 오라고 해. 삼교대나 이롷게 한 되겄다고 그러믄. 보통 마을을 인자 전부 이롷게 전봇대 지키라고 낮에믄 학교 가서 죽창 연습을 하고 인자. 그라믄 촌양반들이 그때 인자 좌향좌 그라믄 좌향좌가 뭐인지를 몰라 그 말 자체를. 그라믄 그것을 못한다고 이롷게 그냥 대창으로 막 그냥 뚜드러 지끼네. 아 촌양반들이. 그람 내가 볼 때는 그때 경찰들이 훨씬 이 일반인들한테는 더 독하게 했어. 많이 뚜드렀어. 그래갖고 잘 못하믄 그 으른들을 할딱 뱃겨갖고 운동장을 돌리네. 그라믄 우리는 인자 좋다고 웃지. 그 누구 아부지라고 인자. 애기 때여. 그래는데.

[정길상: 전봇대 전쟁이라. 순경은 전봇대를 살려서 통신선을 만들고 산손

님들은 통신선을 짤라부러야 인제 연락을 못하거든. 그랑께 그 전쟁이여. 그래갖고 인자 만약에 전신주가 통신이 두절됐어. 어서 두절됐냐 그라믄 어느 전신주가 넘어져부렀다 그라믄 그날 전신주 그 당번이 누구냐. 해갖고 그 당번을 경찰이 조져.] 죽어, 죽어. [정길상: 반 죽여. 일부러 짤랐지 이놈아 허고.] 그러믄 이자 경찰들이 뭐이냐믄 그물 망 자, 망원이라고 있어. 그러믄 마을마다 망원이란 것이 있어. 망원이란 것은 비밀정보를 알리는 사람이여. 밀대. 그랑께 저 에이라는 경찰허고 그 사람하고 단 둘이만 알제 비라고 허는 경찰은 이 사람이 망원인지 뭐인지를 몰라. 전혀 모르제.

경찰이 얼마나 무섭냐고 하믄 무조건 그때는 그양 뚜들고 사람을 뭐 개 패듯 잡고. 저 새끼 죽여부러 그러믄 죽여분 세상잉께. 그란디 그래도 주목을 제일 안 받은 사람들이 있어. 노름쟁이들은 주목을 안 받어. [조사자: 노름쟁이들?] 노름쟁이들을. 그러믄 우리 면에서 재밌는 일이 많이 있어. 회룡 가믄 장터에 저 큰 나무 한나 비어분 데 있어. 철사로 이롷게 철망으로 해놓고. 옛날에는 그 참 유서가 깊은 나무. [정길상: 큰사장나무가, 당목이.] [조사자: 당목이 있었다고?] [정길상: 쓰러져부렀어.]

거그 가믄 항상 윷판을 벌여놓고 놀고 그러거든. 그랑께 경찰들이 보기가 싫응께 나 그 양반들 이름도 다 알제. 그 덕석하고 윷하고 갖고오라 그래갖고 율포 그 지서에서 덕석을 요롷게 인자 몰아갖고 그 윷논 사람들 짊어지고 앞에서 윷하고 종재기 들고는 노름했습니다. 그라믄 뒤에서 인자 노름했습니다 그라고 갔어. (화자 웃음) 생각해봐 어른들이 그라고 율포를 저 짝에서 요 짝으로 왔다갔다. (화자 웃음) 웃기는 일이제. 좋은 세상 돼갖고 저 아재가 그때 저라고 대녔다 얼굴을 보믄 웃음이 나와서 또.

또 문재행 씨라고 그 양반이 보성여관 집에서 해필 가이내하고 자다가 걸렸는디 재행 씨하고 요강을 지고 지서를 오라고. 그 요강을 이고 (화자 웃음) [조사자: 여관방에서 아가씨하고 자다가?] 그랑께는 그 가이내보고는 인자 비개하고 요롷게 짊어지고는 오라고 그 양반, 그 양반 맨에 다녔거든. 그란디 자기 집에 안가고 그날 저녁에 그 지앙부리다가 엥겨갖고는 요강을 짊어지고 요라고 동네 앞을 요라고 가갖고 지서에까지 갔당게. (화자 웃음) 나중에 그 양반 보믄 그 생각을 허믄 항상 웃음이 나 죽겄드란게. (화자 웃음)

그란디 그때 경찰이란 것이 그룹게 무서와. 요새 같으믄 뭐이 그거를 해당이 되겄어. 그래갖고는 학교운동장 양쪽에다가 요롷게 딱 놔두고 인자 그날 저녁에 전봇대를 지킬 사람이 인제 오백 명이여. 그라믄 이백오십명이 요리 서, 이백 오십 명이 요리 서. 그래갖고 자기 번호를 불러갖고 가운데서 인자 총을 딱 노믄 인자 야 하고 가갖고 자기 번호를 찾어갖고 인자 이룹게 막 권투를 해 인자. 밤에 인자 반란군을 만내믄 밤손님을 만나믄 그룹게 뚜드리라 이것이여. [조사자: 아 연습을, 훈련을 그렇게?] 요새 같으믄 육박전을 그룹게 하라 이것이여. 그란디 아이 한동네 사람인디 저그는 쉬은 살 먹고 나는 스무 살 밖이 안된디 아이 쉬은 살 먹은 으른을 으트게 때릴 것이여, 한동네 사는 디. 그랑께 인자 이룹게 멀리 때린 것만이로 시늉을 하다 인자 맥이 안스믄 인자 경찰이 와갖고 이 새끼야 이룹게 뚜드려 이 새끼야. (화자와 청중 웃음) 그룹게 혀. 대가 와삭와삭허니 대창이 그냥 떨어질 때까지. [조사자: 뚜드러 패?] 으. 나 애길 할라믄 저녁내 해도 못해. 거짓말 같죠 이.

[15] 좌우익 인사의 이념갈등으로 인한 보복전 금지 협의

[조사자: 한국전쟁도 그렇고 특히나 호남지역에 보면은 반촌 민촌 간에 갈등도 그렇고 반가 동네분들은 저 집이 힘들게 살면서도 유학하고 아들들 그렇게 공부시키고 하믄 시기가 나서 해가지고 전쟁 시기에 고롷게 하는 부분들이 있는데 그게 마을에서 보면 북에서 내려오는 전쟁은 지나가는 전쟁이고 마을에서 그렇게 서로 간에 업어서 이렇게 한 부분들이 있는데 그런 부분에 대해서 쪼끔 어쩔 수 없이 화해하는 이야기라든지 기구하게 어쩔 수 없이 이렇게 된 그런 이야기들을 한번.] 우리나라 서 제일 그것이 갈등이 많은 데가 영광 가믄 염산면인가거가

한 면에서 한 오천 명이 죽었어. 사천칠백 얼마가. [조사자: 동네사람들끼리?] 서로 한 면에서 서로 보복전으로. 아마 기록에도 나올 거이여. 거그 산 사람들이 그러드라니까. 행정을 거그를 가믄 마을에서 누구하고 누구하고 집안끼리 적수가 됐는지를 먼저 알아야한다 그것이여. 지금도 저변에는 그것이 깔려갖고 선이 이롷게 있다 이것이여. 저 새끼 아부지 때문에 울아부지가 죽었다 인자 그런 것이 자손치고는 그것이 암암리에 있제. 없을 리가 없제. 그래 행정이 그거이 제일 어렵다고 그러드라고. 지금두 있다구 그러드라고 그 선이. 오래 됐어도. 그란디 서로 인자 인간적으로. 영광군 여기 전라남도. [정길상: 전라남도 영광군 염산, 염산면] 염산 가 그롷게 되야. 내가 알고 있는디. 거가 전국에서 면단위로 그롷게 제일 많이 죽었어. 실상은 육이오 전쟁 때 젊은들이 전쟁헌 사람이 많이 죽은 것이 아니라 후방에서 그롷게 많이 죽은 것이여 양민들끼리 서로.

[조사자: 우리 여 보성 회천이나 이쪽은 그런 거 없습니까?] 이롷게 보복전은 없었지. [조사자: 여긴 다 좌측이라서?] 아니 그것이 그런 것을 알아야 돼. 나로 치믄 재종조부님 있는디 그 양반이 극우를 했거든. 그람 여그 길상이 어르신네 해룡 씨 그 아재하고 동갑이여. 동갑이여. 좋게 지냈어. 그랑께 비밀리에 회합을 해갖고 사람은 절대 죽어서는 안 될 거 아니냐. 그렁께 이 짝에 애기들이 잽혀오믄 자네가 구명을 허고 저 짝에 애기들이 잽혀오믄 내가 구명을 허세 해갖고 그 으른들끼리 비밀리에 약조를 맺은 것이여. 그래갖고 육이오사변 나도 사람이 가장 안 죽었어. [조사자: 아 그렇게 내부에서 해서?] 면내에서. 그런 것도 알고 보믄 얼마나 좋은 것이여. 사상은 사상이래도 사람은 살리자고 우리가. [조사자: 봉강 어르신하고 누구라고요 요쪽은?] 재종, 재종조부님. [조사자: 존함이 어떻게 돼 그 양반 존함이?] 거가 인자 국녕 씨라고 오국녕 씨라고 있어.

그랑께 그때 얘기를 들어보면은 국녕 씨하고 이복룡 씨라고 있어. 그 양반은 동생이 인자 도청 인자 내무과장을 하고 인자 그 우게 또 형님은 경찰국 그때 총경까지도 이롷게 해갖고 제주도 인자 부청장까지 하고 그랬단 말이여. 그란디다가 거가 육형제여. 그랑께 그 집도 극우를 했지 인자. 거그도 같이 동갑이여. 그라고 누가 있었냐믄 황성수 씨라고 알랑가 몰라. 국회 부의장을 했어 황성수가. 자유당 때. 그란데 황성수 작은 아부지가 황도익 씨라고 있어. 그 양반도 여그서 면장을 했어.

그란데 그뜩에 황도익 씨는 피해불고 없고 국녕 씨도 패해불고 없고 아이저 복룡 씨라고 피해불고 없는데 유일하니 국녕 씨는 우리 집이가 피해있었어. 밤에 몰래 자꼬 인자 여그 봉강 어르신한테서 인자 연락이 와. 그래갖고 비밀리에 넘으 집 율포 안방에서 회담을 한 것이여 말하자믄. 그랑께 그때 저 짝에선 내가 그 조부님한테 들은 것은 누구누구 그때 왔습디요 그랑께 인자 여그 회룡의 어르신들하고 봉석 씨라고 말하자믄 그때 인공 때 부안 서장을 했거든. 그 양반하고 내가 얘기를 하는데 그때 생각하믄 국상이 난 거 같어. 철원 씨라고 했디야 군왕리 종, [정길상: 종해 씨.] 종해, 김종해라는 분. 그롷게 해갖고 진주해갖고 회천에 사람 안상했다 이. 그른 것은 참 좋은 것이라고 선비들이 잘 생각한 것이여. 그런게 그 나중에 진주해갖고도 그롷게 친하게 지냈다고. 그롷게 서로 보복전을 했으믄 그롷게 될 거인가. [조사자: 그럼요, 쑥대밭이 되재.] 쑥대밭이 되야불제. [조사자: 동네가 쑥대밭이 돼.] 쑥대밭이 되야불제.

그란디 불을 지르기는 이집이 지금 그 앞에 행 작은 문간채가 있고 그랬그든. 그때 멫 집이나 질렀든가 몰라. [조사자: 사십구 년 겨울쯤] [정길상: 우리 삼이당 질러불고. 저기 해진 그분. 그 우리 위에 사랑채 그 안에 문간채. 그 다음에 정해두 씨 집 질러불고.] [조사자: 사십팔 년 밀고 내려와서 저.] [정길상: 사십팔 년. 육이오 전에.] [조사자: 여순반란사건?] 그 무렵이여. [정길상: 그 다음에 정해천 씨 집 불질렀고. 현오선 다 불질러부러.] 그랬지 인자. [정길상: 현오선은 다 불지러 부러.] [조사자: 그 집은 다 사상이 그렇다? 그 토벌대가 안가고?] 경찰이 그랬어. [조사자: 경찰들이?] [정길상: 현오선 집들은 다 불

질러부러.] [조사자: 그래도 서로 마을에 있는 사람들끼리는 저 집이 어떻게 했다고 해가지고 서로 피해를 안 맨들고.]

[16] 좌익은 경찰행세하고 경찰은 좌익 행세

[조사자: 입산했던 사람들이 마을에 내려오면 어떻게 하셨어요?] 그랑께 인자 그거이 참 곤란한 것이 그때 출입을 헌 사람이라고 헌 것은 좌익도 우익도 가담을 안 할라고 애를 쓰거든. 그란디 인자 밤이믄 좌익운동 한 사람들이 와서 찔벅거려쌌고 낮에믄 또 경찰들이 와서 찔벅거려쌌고. 그랑께 오후 땅거미 들라고 할 때 저녁밥을 일찌거니 먹어. 그럼 검은 두루매기 입고 오늘은 이집이 가서 잠을 자까 내일은 저집이서 잠을 자까 이롷게 말하자믄 돌려감시로 피란을 다님시로 자. [조사자: 집을 비와버리는거네, 그냥?] 그롷지 글안으믄 엥기믄 죽으니까. 또 인자 어트게 보믄 그때는 관제공산당이라 그래갖고 인자 집안에 인자 친적이 사회주의운동을 허믄 좌익운동을 하믄 인자 지서에서 데려다 언제 왔어 안 왔어 허고 인자 몽둥이로 뚜들고 인자 그라다가 결국 뭐이냐믄 그것이 관제공산당이 된 것이여 말하자믄.

그러니 되고 인자 우리 마을에서 한 사람이 죽었거든. 그라믄 이월 하드렛날 저녁에 죽었어. 그란디 한 삼십 년이 지나니까 그때 경찰하고 가까왔든 그 유지가 뭐야 자네 동네 백건우 씨가 반란군들이 와서 죽여부렀제 이. 아이 글안했소. 그라믄 내가 그날 저녁에 생생허니 이롷게 인자 그때는 불을 못 쒀. 그랑께 인자 꺼먼 보재기로 인자 창문을 요롷게 인자 못질을 해갖고는 밖에서 불이 뵈는가 안뵈는가 이롷게 보고는 그양 공부를 하고 그라그든.

그란디 열시 경에나 지금 율포중학교 있는 디 총이 빵빵빵 총소리가 나드라고. 그랑께 인자 불을 다 끄고 요라고 있제. 인제 형님 작은형님 나 서이 이라고 있는디 아부지가 큰방에서 오드라고. 그라고 우리 있는 데서는 건너 뒷문을 열믄 그냥 뒤 울타리 넘어서 산으로 가기가 좋아. 그랑께 어트게 될지 모르니까 밤이믄 반란군들이 들쑥날쑥 다니고 그란게. 그 인자 그라고 있는디 으쓰 있다가 또 한방, 우리 마을 앞에서 이롷게 빵 소리가 나.

그라고 그 총소리가 난 뒤로 한 삼십분이나 된게로 마을 저짝 골목에서 산 양반이 배창옥 씨라고 그 양반이 울타리 밑에 와갖고

"동생 있는가, 동생 있는가?"

그랑께 아부지가 몰래 문을 열어 형님 어짠 일이냐고 그라니까 그 울타리를 이롷게 와갖고 방에서 인제 얘길 해. 아이 아까 총소리 나기 전에 형님을 잡어가부렀다고 한단 말이시. 그래 그렁께 둘이 걱정을 하드라고. 그래서 인제 아침이 되얐는데 인제 우리가 나가봤어. 마을 들어간 데 거가 독 있는디 요만한 칼빈껍닥이 하나 있드라고 탄피가. 그런데 동네서 인자 그 양반 집안에 장자 노인이 그냥 아침에 사람을 죽여부렀다고 동네가 으글으글하니 인자 소란때기를 질르네 인자. 요래서 인자 현장에서 다 본 거이제.

그래서 그때 우리가 생각헐 때는 말하자믄 산에 사람들이 좌익하는 사람들이 밤에 와서 죽여부렀다 이롷게 생각을 했는디 멫십 년이 지난 다음에 나한테 얘기해준 사람이

"그것은 좌익이 죽인 것이 아니라 경찰이 죽여부렀어."

그러드라고. 왜 그렇다고, 좌익이 그때 와서 죽였는디. 그때는 산에 사는 좌익은 경찰 옷을 입고 와갖고 경찰행세를 하고 양민을 죽여불기도 하고 또 경찰은 좌익행세를 하고 밤에 와서 죽여불고 가불고 그래. 왜그라냐믄 율포 같은 데도 지서에서 한 오십 명 막 인제 이롷게 있거든. 그란디 저 자식이 분명하니 우리한테 협조를 하기는 한디 양다리를 걸고 좌익한테루 연락을 제공을 해주고 그란다 이것이여. 그랑께 자네 낼모레 발령나서 강가. 여기서 같으믄 인자 광주 어디 화순이나 요런 경찰서로 강께 오늘 저녁에 저놈 처지해불고 가부소 그라고 발령나서 가불고 그라믄 밤에 동네주민들 알기는 반란군들이 죽이고 간 줄 알지 몰라. 그랑께 양민들이 죽으믄 저 사람이 참말로 좌익한테 죽었는가 정말로 경찰한테 죽었는가 이른 미스테리가 많애. 왜 그

랴냐그믄 만내갖고 자네 메친
“날 저녁에 돈 오백만원만 해갖고 오소 이.”
그라믄 이제 죄 있는 사람은 빚을 내든지 소를 팔든지 해갖고 갖다 준디 뭣헌 사람들은
“짓같은 새끼들이 뭐이라고 나보고 돈을 오백만 원을 줘.”
그라고 인제 술 한 잔씩 먹으믄 이라그든. 그럼 당장에 그냥 들어가불제. 아까 내가 말해듯기 망원이란 것이 있다고 안 해. 마을마다 다. 정보원이. 몰라.
그라고 여기서 지금 그때 전화기도 없고 무전기도 없는 사회지만은 십 리 밖에 저녁에 산에서 와갖고 밥 해주라고 해서 밥해갖고 오믄 그날 저녁에 지서에서 알아부러. 그 사람들 밤에 와서 연락을 다 취한게. 그랑께 이롷게 친구들도 저 자식이 경찰 편이다냐 저자식이 좌익 편이다냐 이것을 몰라. 그래갖고 우리 밥에 그냥 보리밥 쌀밥 섞어지듯기 이랑께 그랑께 사람이 얼마나 애가 타겄어. 글안해 사회실정이 그롷게 막 이롷게 섞어져붕께는. 그랑께 한집안에서도 사촌 간에도 친자식도 형님은 좌익으루 가구 동생은 우익으루 가구 그란다니까. 한식구도 그라고 한동네서도 그라고.
그것이 우리 한국사람 특징이란 것이 씨족관념이 안 강하요. 그랑께 씨족관념이 강하고 그랑께 그래도 씨족이나 친족 내에서는 글안하거든. 우리 집이서도 이 우리 집도 성종 씨라고 그 말하자믄 조부님하고는 말하자믄 사촌간이여. 그 당고숙이 좌익으로 해갖고 입산을 했어. 그때 그 소재지로 우리 집 뒷골목에다 숨켜 놓고 있었다니까. 모르제. 어찰 것이여 이녁 집 사운디. 죽일 것이여 살릴 것이여 어찰 것이여. 그른 경우가 아주 어츠게 말을 못해 이것이. 그라고 저 집이도 반란군을 숨겨놨다냐 이집이도. 진주를 해갖고 경찰이 저녁에 아부지한테 왔드라고.
그란디 그때 그 경찰이름이 임준희라고 이 사람이 율포 경찰인디. 그란디 사람이 용하긴 한디 키타도 이 우리 애려서 보믄 잘 치고 그래. 그랑께 지서

내에서도 지서장파가 있고 말하자믄 차석파가 있고 이라그든. 이룧게 파가 있어. 그랑께 인민군이 이룧게 내려온다고 항께 지서에서 무조건 맨서기들이 오라고해갖고 싹 가돠버렸다니까. 한청직원이고 뭐이고. 그래갖고 오늘부로 해서 너 가서 돈 오백만원을 해갖고 와야 너 느그집 식구를 놔두제. 안 갖고 오믄 죽인다 그것이여. [조사자: 면서기들을 모아놓고?] 맨직원들을 모아놓고 맨직원들 보고 돈을 갖고 오라 이것이여. 그랑께 인자 빚을 내서라도 갖다주제 그때는 후퇴감시로 쏴불믄 다 죽어붕께는 인자. 그랑께 경찰들이 요리 돈을 요롷게 주고 요롷게 주고 해갖고 인자 그라고 섬으로 도망을 친 것이여.

그란디 임준희라고 그 경찰이 그래. 그랑께 그때 지서장편이 아니었던 모양이여. 지서에가 그때 라디오가 있었는디 배 돛대다가 이룧게 철사를 양짝으로 하믄 배에서도 뉴스를 듣는다 이것이여. 그래서 인자 그 라디오를 이렇게 해놓고 그담에 자기가 인자 탈라고 한 판인디 지서장이 그 닻줄을 그 낫으로 짤라불드라네. 그렁께 자기는 선창에서 못 타부렀제. 떨어져부렀제. 그 사람이 얼마나 욕을 봤겄어 여그서 피해 있을랑께. 그랑께 같은 동료라도 그때 세상에는 그룧게 험하게. [조사자: 자기 라인이 딱 있어서?] 이룧게 이른 같은 한 밥을 묵어도 그룧게 다 이몽동상이 되붕께 딴 생각 갖고 있고 벨 사람이 다 있그든. 그래서 세상이 이룧게 난세가 되믄 무섭단 것이여.

그라믄 인자 그래갖고 인자 왜 그 사람이 왔냐구 하믄 그 양반이 후퇴를 할 때 경찰복을 우리 집이다 벗어놓고 갔어. 그래갖고 집이서 그놈을 경찰복을 숨켜놓고 인공 뜩에 놔뒀거든. 그랑께 인자 진주애서 인자 감사하다고 인자 밤에 왔는디 그 얘기를 한 것을 내가 들어봤어 그 경찰한테. 그랑께 같은 경찰도 그른 경우가 많애. 그라고 인자 아까도 얘길 했지만 그 영감이 그룧게 죽었는디 나중에 그 학조라고 경찰한 사람보고

"형님 이때 이래서 우리 동네 그 양반이 죽은 것이 밤에 반란군들이 와서 죽여부렀소 경찰이 와서 죽여부렀소?"

하고 내가 인자 물어봤어. 그랑께 나 이래이래서 영모 씨가 그룧게 얘기했

드란 말이여. 그 경찰이 그냥 반란군 행세를 하고 죽여부렀다고.

"그래도 그 말이 또 맞다고 봐야제."

부정을 안해 그 경찰한 것이. 그 다음에 같이 지서에 있던 사람보고 또 물어봤어.

"그 말이 더 맞네."

"왜 맞어라?"

내가 인제 그랬어. 그랑께 그때는 밤에믄 이롷게 가갖고 저 사람이 입산은 안하고 좌익운동은 안하지만 양다리를 걸치고 옆자리에 정보를 쩌리 전한 놈이 많이 있단 말이시. 그랑께 그런 놈은 발령나서 다른 데로 가불믄 그날 저녁에 가서 없애불고 가부소 이. 그라고 반란군 행세가 해갖고 죽여불고 가믄 쥐도 새도 모른다 이것이여. 일반인들이 알기는 반란군들이 와서 좌익들이 와서 죽여분지 다 그렇게 안다고. 우리가 생각을 해봐도 그라제. 아이 그른 생각이 안 들어가. 아이 좌익한 사람이 경찰맹이로 지서에서 같이 또 근무를 헌 사건도 있어. 우리가 볼 때는 웃기지 이 말하자믄. 그랑께 이것이 험한 세상이란 것이 그래서 어려와. 또 인자 이 애길 할라믄 벨 얘기가 다 있어.

[조사자: 여기 보성에 경찰 중에 정경모 정순모 경찰 형제가 있었어요? 그분들이 마을에서 좀 힘들게 했던 경찰이었던 것 같은데] 마을사람들한테는 그롷게 안했는디 순사들한테 아무렇게 손구락질 당하고. 그때 경찰들이라고 하믄. [조사자: 저희가 김옥남 어르신 얘기를 들어도 그때 그분들한테 당했던 게 있고. 정석인, 그날 왜 경로당에서 만났던.] [정길상: 석인이.] [조사자: 예. 그 어른도 보면 그분들 얘기를 하시더라구요.]

지금 보성 쩌그 가믄 녹차박물관이라고 있어요. 녹차박물관에 거 가믄 그때 집에 세챈가 산골에가 있었단 말이여.

그래갖고 봉천 집이 논 서너마지가 거가 있고 그래. 읎는 사람들 할 수 없은게 산중에 들으가서 그걸 벌어먹고 그란디 밤중 되믄 산손님들이 와갖고 밥해주라그믄 안해줄 수가 없제 이. 경찰들이 나중에 가갖고 그양 그 잘잘한

너댓 살 먹은 애기들까지 싹 총살을 시켜부렀네.

[정길상: 그 서너가구 있었는데 경찰들이 죽여부렀다 그 얘기여 산손님들 밥해줬다고. 그라고 아까 그 사람들 회천면 사람들 인명피해 없게끔 했따고 또 해. 그런 이야기 해주시오.] 거그는 육이오 때 경찰 후퇴함시로 죽여부렀는데 으트게 그. [정길상: 그랑께 인자 내 말씀은 안 계실 때 신사당 불질른다고 그 사람들이 그렇게 한단다 나한테 물어봐. 그렇게 책을 냈다고 나한테 말도 안 되는 소리를 한다고 그러지.] 내가 여기서 삼시로 으른들을 접촉을 그룹게 했어도 거그서 뭣 했다는 소리는 들어본 역사가 없다니까. 거짓말을 해도 정도가 있시 거짓말을 해야제. 그라고 천포를 가니까 비석을 한 삼 십, 사십 년이나 열 줄을 앞당겨갖고. [정길상: 그 이야기 들어보세오. 천포에 가므는 그 자식들이 비석을 사십년이나 만든 것으로 비석을 만들어갖고 서울사람들 구경시키고 그래.]

[17] 운 좋게 산 사람, 어이없게 죽음 당한 사람

여기 율포가 박명회라고 우리 이 년 선배여. 그란디 애기 때 입단을 해부렀단 말이요. 입산을 했는데 벌교하고 문덕하고 그 사이라고 그래. [조사자: 벌교하고 문덕 사이에?] 으. 얘기 들어봉께 산을 그냥 이 잡듯이 수백 명들 돌쳐서 이룹게 와. 자기는 내가 할 수 없은게 바우 밑에가 요로고 쪼그리고 앉아부렀단 말이시. 그래갖고 정 잽히믄 수류탄 내가 탁 터서 자폭해분다 이라고 있는디. 칠팔 명이 끌꼬 인솔하고 온 그 경찰이 딱 앞에 와갖고는 도저히 눈이 마주 볼 수가 없다 이것이여. 그랑께 인자 잽히믄 죽지 이자. 그랑께 그룹게 현명한 사람도 있대. 왜 그러냐 그랑께로

"어이 여기는 없네, 가세."

그라고 뒤돌아서서 자기가 델꼬 온 사람을 싹 델꼬 내려가불드라 그것이여. [조사자: 경찰이?] 경찰이. [조사자: 한동네 살아서?] 아니 딴 동넨디 그룹

게. 그라믄 어이 여그 반란군 잡었네 해노믄 자기도 죽고 나도 죽고 그란다 그것이여. 내가 수류탄을 요라고 있는디 같이 죽어불제. 그랑께는 없다고 다른 사람은 우이서 그냥 델꼬 내려가부리드란 말이여. 그랑께 결국 저 살고 나 살고. 그런 꼴도 당했네 이. 그랑께 생사의 길이란 것이 그때 그룹게 현명허니 생각헌 사람들도 있어. [조사자: 전란시기에 살아는 나야되고 그게 참 현명한 거죠.]

나중에 인자 좋은 세상이 되갖고 사적으로 얘기를 허는데 그른 얘길 허드라고. 참 별일이 다 쌨어. 그 으트게 살았습니요 그랑께 문덕선가 이룹게 보리밭이 있는디 엉덕이 이룹게 있는디 거가 바우가 쪼깐한 것이 있단 말이시. 그 바우 옆에다 구멍을 이룹게 뚫어갖고 거기서 서이 이룹게 굴을 맨들어갖고 있는디 아침에 해가 뜬지도 모르고 서이 도실도실허니 얘기를 했는디 주인이 보리밭에 온다고 오니까 어디서 사람 소리는 나는디 사람은 안보여. 이룹게 돌아다 봉께 엉덕 밑에 그만 사람이 있는디. 사람소리는 난디 사람은 안보인게. 그래서 인자 주인이 이상하다 그라고 지서에다가 갖다 얘기해부렀는디 지서에서 온 줄도 모르고 그때까지 굴속에서 그라고 얘기만 하고 있었단 말이시. 그란데 느닷없이 그양 안 나와, 막 총 총소리가 났어. 나중에 알았등가 막 호에다 총을 쏭게 그냥 문이 때짱으로 있는디 때로 이룹게 막어놨는디 툭 터져붔당게. 나는 그래서 무조건 그냥 배를 땅에다 딱 깔고 엎뎌부렀드니 그래갖고 나 혼자 살았단 말이시. 헐 수 없이 그냥 손들고 나왔지. 그래갖고 내가 살았다고 그런 얘기를 하드라고. 참 벨일이 쌨어.

여기 여그 여 뒤에서는 곽씨라고 이 길상이 동생 여 밑에 사람, 우리 거가 오 년 선배여. 거 좌익을 해갖고 올라갔단 말이여. 그라믄 저 짝에 조야광이라고 거가 동창이여. 그란데 맨에서 그때 급살을 해. 그랑께 길 우게서 요룽게 딱 산에서 있는데 봉께 동창이 그리 강께 인자

"야광아, 야광아."

하고 불렀어 인자. 반갑다고 인자. 그란디 이 사람이 가서 딱 얘기를 해부

렀네. 그래갖고 잽혀죽었어 인자. 아이 웃기는 일이 쨌어.

아까 얘길 했지만은 이롷게 학교 운동장에다가 요롷게 인자 이백오십 명 이백오십 명 요롷게 요롷게 자기 번호를 가서 막 권투를 하고 쌈을 한단 말이여. 그라믄 가운데서 총을 딱 노믄 야 하고 가서 그롷게 해 인자. 그란디 요 총을 잘못 쏴가고 여기에 섰는 사람이 학교운동장에서 총 맞아부렀네 인자. 그라믄 인자 그 죽은 사람이 인생이여 이름이. 인생이. 그란디 이상한 것이 이 그라믄 그때 그 양반이 학교운동장에서 총 맞아갖고 율포 병원에 간다고 갔는디 양주형 씨라고 그 양반이 등거리다 업고 이롷게 갔는디 피가 줄줄 흐르고 인자 요로고 언능 병원에 간다고 간디 자기 등거리에서 죽어부렀다고 하드라고. 아 이상허니 아침에 밥을 먹은디 밥그륵이 톡 떨어져갖고 방바닥에서 팍 깨져붐시로 밥이 어크러져부리드라 이것이여. 그랑께 형님 이

"이 자슥아 밥을 어트게 헌디 밥그륵을 그롷게 깨갖고 밥을 엎어부냐?"

그란디 그날 그 학교 운동장에서 죽어부러. 그른 것도 좀 이상하드라고. 마을 일인게 마을에서 얘기해쌍게 모도 알제 이. 그 참 희한한 일이 그롷게 쨌어 보믄 이상허니. 육이오 때 얘길 헐라믄.

그란디 인자 아까 복룡 씨라고 얘기했는데 내가 인자 그 얘길 한번 하드라고.

"아재 내가 은제 얘기 한번 듣고 싶소 세세하니. 그때 겪었던 얘기를 좀 해주시오."

그랑께

"오냐 은제 차분하니 오니라 내가 다 얘기 해 주마."

그 양반이 그라드라고.

"내가 좌익들한테 잽혀갖고 고롷게 우익 이복룡이 잡었다고 춤을 추고 막 그란 놈도 있고. 옹께는 오바도 가져가갖고 나중에 봉께 어뜬 놈이 입고 댕기고. 담배 핀 요롷게 빠이쁘, 빠이쁘를 그놈 돌라갔드만 어뜬 놈이 그놈을 요놈을 갖고 댕기고. 그걸 내가 그건 내 것이여 허믄 평생을 그놈이 내 앞을

못 다닐 거 아닌가. 그랑께 인자 말을 안 해부네."

안한다고 그람서 그른 일도 많애. 그랑께 이자 그 없는 집 사람들이니까 조끔 부자로 산 사람들 가믄 그때 놋그릇 뭐 좋은 그릇 많여. 전부 갖고가부러. 동네서 있는디

"어이 그건 내 것이여, 어찌 자네가."

그 소린 못한다니까. 어트게 해 못하제 사람이. 벨 일이 다 쨌어. 세상에 난세를 안 겪어보믄 몰라 그것이. 또 인자 그롷게 선한 사람도 있는디 그 안에 고자질해갖고.

지금 생각하믄 여그 사람들은 주로 젊은이들은 밤만 되믄 저 바다에 가서 자고 새벽에 멀리 들어오고 이. [조사자: 그게 피난이네?] 피난. [청중: 저도 고향이 백운산 밑에, 거가 우리 웃댄데 어머니하고 사촌 간 사촌오빠가 밤 되믄 저그 사람들 전부가 산에가 잠을 자고 와요. 긍께 하튼 반란군도 피하고 혐의를 벗을라고. 산에서 자고 새벽에 이불 싸 짊어지고 집에 들어오다가 총 맞았어. 저쪽 건너편에서 보고는. 근게 살라고 밤새도록 추운데 가서 자고 들어오는디 그 인자 그 난세는 정말.]

그랑께 사람은 자식을 잡어놓고 죽이믄 총살을 시켜부믄 더 나서. 부모를 그 의자에다가 딱 앉혀놓고는 그 몇이 달라들어서 몽둥이로 뚜드러지믄 부모를 어츠게 헐것이여 그것이. 기가 맥히제. 우리 동네 부맨장한 사람이 그 얘기 하드라고. 내가 오늘 죽을지 내일 죽을지 모른디 뭘 못할 일 있겄냐. 느그들 속이나 알어라 그라고 자기 아들 뚜드러 맞은 것을 그 얘길 해서 눈을 감고 있었다고. [조사자: 자기 아들 맞아죽어?] 그랑께 자식을 앞에서 그롷게 그라고 그것이 부모치고 기가 맥히제 그것이. 어디 그 형언을 못하제. [조사자: 왜 죽였어요?] 아니 이자 가담을 했다고 이자. 그런 일이 많애.

[18] 봉강 정해룡의 인품

실상은 여그 길상이 어르신 그 해룡 씨도 참 덕이 있는 양반이라. 참말로 덕 하나로 산 양반이여. 그롷게 훌륭한 일을 많이 해놔서 사람들이 평생을 이롷게 누가 입에서 욕 나온 소리를 들어본 사람이 없어. 퇴계 같은 사람이란 게. 퇴계나 정몽주 같은 사람이여. 앉었으믄 자연적으로 저절로 고개가 숙이게 되는 사람, 인격이 그롷게 잘났다고. 요사람들 아부지한테 비하믄 택도 없어.

그랑께 인자 클 때부터서 여운형 씨나 모도 서상일 씨나 근 사람들하고 같이 하고 쭉 그랬그든. 그때 재정부장으을 했는디 그때는 한국으 경제상태가 말도 아니여. 그란 시대에 중앙당 재정부장을 했으믄 살림이 얼마나 들어가 부렀겄어 말하자믄. 그래도 생전 어디다가 돈 망했네 어쩌네 그런 소리를 집안에서도 없어. 복 받을 집안이제. [조사자: 중앙에서 정치하는 것들이 시골 와 가지고 나쁘게 얘기하믄 홀가?] 내가 볼뜩에는. [조사자: 정치하는 사람들이 이것저것 지금 조달할라고?] [정길상: 그니까 저 보성이나 회천서 당시 인자 나중에 재정부장했다 하는 것을 발표되니까 알지 내가 돈 싸갖고 가서 재정부장하고 있다 뭐 그런 것을 본인 자신이 이야기를 안해부니까 회천사람은 재정부장한지를 몰라불제. 나중에사 이자 아 그 집 재산이 그롷게 저롷게 해서 없어졌구나 하고 나중에 알지. 당시 아버님이 내가 뭐 재정부장하고 중앙위원하고 그런 이야기를 입 밖에 내보들 안 해부니까.]

보성서 인자 혼자 걸어와. 내가 그건 아부지한테, 우리 아부지한테 들은 것이여. 그란디 아부지가 친항께 그랬든가 어쨌든가 혼자 이롷게 걸어온디 여자가 울고 보성을 넘어가. 그랑께 인자 해룡 씨가 인자 으째서 그라고 가냐고. 그랑께 먹을 것이 없은게 인자 집안에서 오지게 한난 남은 것이 족보가 있었든 모냥이여. 족보. 그라믄 그때 세상이 만해도 족보를 요롷게 노예나 이롷게 사그든 몰래. 그래갖고 거그다 자기 것을 말하자믄 가계를 변조해서 양반이라고 할라고. 긍께 그것을 팔러간다 이것이여. 그랑께 인제 기가 맥히제 이. 그때는 족보란 것을 아주 신주 위하듯기 위하듯 했어. 그랑께 이 양반이 뽀깻에 있는 돈을 그 아주머니를 전부를, 저녁이나 끓여 먹으라고. 긍께 아니지 생전 모르는 사람이 그란 사람이 어디가 있겄어. 그러니 나중에 딱 국회의원 나와갖고 이릏게 사진을 봉께 그 양반이라. 사진을 봉께는 그래갖고 그 마을에서는 그 여자가 경장히 운동을 저런 양반이라고. 그른 것도 을마나 덕이 있는 일이여 그것이. 어려운 것이여 사람이 하기가.

우리가 애려서 절을 해도 이릏게 다 항시 모자를 벗고 이릏게 절을 하제. 뭐 애기들잉께 후뱅께 그냥 뭐 한 그른 법이 없어. 비가 그렇게 떨어져도 볕난 델 걸어간 걸음 그대로 걸어가. (화자 웃음) 그랑께 그때도 우리 젊은이들 밤낮 저 양반 그릏게 소나기가 쏟아져도 그 비를 다 맞어도 다른 사람 같으믄 언능 달려갈 거인디 없어 그런 것이. 아주 전형적인 이조시대 소위 말하자믄 선비, 양반형이라니까. 그랑께 중앙에서 그릏게 훌륭한 양반들하고 다 그릏게 친분을 맺고 그라고 살았지. 요샌 그른 사람이 없어. 요새 정치가들 보믄 그른 양반들허고 비교해보믄 사람이 아니드라고. 내가 봤을 때는 이 송진우 씨나 여그 호남에서는 그른 사람들하고 요리 거스기 그 서민호 씨라고 서민호 씨 아까. [조사자: 네. 활동만 알죠. 뭐.] 여그 여 보성사람이그든. 그릏게 기가 맥혀 모두다. 좋게 지내고 그랬어 거그도.

[조사자: 보성이라는 지역이 그렇게 옛날 명문가들에서 사회주의사상을 가지고, 그거 신념을 안굽히고 이렇게 살아온 집안들이 많네요. 여그 회천도 그렇고 오늘 갔던 데도 그렇고?]

오늘 어딜 갔을까? [정길상: 겸백에 정씨들.] [조사자: 하동 정씨들. 그게 광주학생운동에 가담을 하고 그랬던 내력 때문에 사상이 좀 그렇게 건실하게 이런 부분이 있었을까요?] 아니 그랑께 그전 교육감 헌 그 용백 씨라고 안용백 씨라고 전남 교육감헌 양반, 그 양반이 인제 친일로 몰려갖고 비석도 전부 파헤쳐불고 그랬다드라고. 그 양반한테 내가 그때 들은 얘기여. 이재학이도 그리고 경성제대 동창이라 하드라고. 그란디 그때 조선사람으로는 군수가 여덟 사람이 나왔어. 이대우 뭐 이재학이 자기 길중 씨. 내가 해진이가 일본유학을 갈 때 내가 신원보증을 섰어야 그라드라고. [정길상: 주가 섰대요?] 작은아부지가. [정길상: 아 용백 씨가 신용보증 섰구나.] 그란디 해진이 대학교 다니면서도 맨 사회주의 책만 봤어야 그라드라고. 그랑께 그때부터서 사회주의 공부를 많이 했는갑소 그 얘기 함시로. 그라고 그랬다고 그른 얘길 하드라고. 그때는 경성제대 하나뿐이니까 그냥 사람도 얼마 안많고 그랑께 다 다닌 것이여 서울대를 그냥. 그땐 그라고 그때는 대학만 나오믄 다 일본놈한테 쪼끔만 아부해부믄 아무리 못해도 군수는 한 세상잉께. 그른 얘길 해쌌고 그라드라가고.

그란디 봉강 어르신은 평생을 지조를 딱 안 굽히고 한번은 그라드라고. 그때 나왔을 때 장면이하고 그룷게 독대를 했다고. 아버지하고 맬막에서 그른 얘길 하드라고. 내가 장면이가 나보고 민주당으로 나오라고 한단 말이시. 그른 얘길 하드라고 그래도 안굽히고 그냥 그 길로만 온 것이여. 요새 같으믄 이인제같은 사람은 일 년을 삼당을 거쳐 댕기드만. (청중 웃음) 평생 맘 한번 묵으믄 다 그릉게 평생을 누구한테 져도 그걸 평생을 안잊고 기억을 한 양반이여. 그랑께 사람이 존경을 받제. 오늘날 그룷게 됐어도.

[조사자: 역사가 그렇게 흐를라고 그 뇌졸증으로 가셨을까요? 봉강 선생이 더 좀 살아계셨으면 또 다른 판도였을 수도 있는 상황인데.] 실상 그른 양반들이 정치를 해야 돼. 요새 정치인들 애옥질이 나올라 해서 솔직히 그라믄 안되지 사람이. 정치한 사람들 지조헌 것이 생명인디. [청중: 우리 조선역사를 갖고 얘기를 하면 남명 조식선생이 지조를 가지고 한 것처럼 우리 봉강 선생을 얘길 들으면 조선시대에 아주 꼿꼿한 선비의 지조하고.] 아이 정몽주나 퇴계 같은 양반이라니까. 그룷게만 알믄 돼. 아주 일평생을 딱 한맘 먹고 딱 그룷게 한 양반이여. 누구한테 요만한 것만 은혜를 졌어도 그 양반은 기억하고

있다가 다 후히 대접하고 그래. 그란디 요새맹이로 없어. 옛날에 선비를 찾을라믄 나 우리 전라도에서도 그른 양반 없을 거이다 그릏게 봐. 그전에 송진우 같은 사람들 그 양반들이 그랬든가 모르겄어. 그양반들 신문사 모도 주필을 하고 글안했는가 이.

그라믄 일제말엽에도 일본이 그냥 저리 싱가폴을 점령하고 인도네시아 자바를 묵고 어짜고. 학교 가믄 이자 선생들이 그른 이야기 한다. 봉강 어르신이 그라드라니까.

"어째 일본이 이긴다 하디야? 학교 강께."

그라믄 자기도 아는데 국제정세가 이릏게 흘러간디 일본이 망한 것이 말하자믄 언제냐 언젠가는 망한다. 멫 년이냐 저 멫 년이냐 그것만 재고 앙겄는 양반이여. 내가 볼 때는 우리 면 같은 데서는 그른 양반이 나오기는 멫 세기 만에 한나나 나올랑가.

[19] 가난한 시절 세무서와 면사무소간의 협잡

나하고 쩌기 저 회동 가므는 장경호 씨라고 있어. 경호 씨 동생이 인자 입산을 해갖고 그릏게 좌익으로 대녔단 말이여. 나보고 앙거서 얘기를 한디

"어야 내가 참말로 동생이 입산을 한 통에 이 세상 태어나갖고 그른 고문은 처음 당해봤네."

"왜 그래요?"

그러니께

"나를 꺼꿀로 요롷게 달아갖고 주전자에다 고칫가루를 너갖고 코에다 부순단 말이시."

[조사자: 그거 왜놈들한테 다 배운 거까?] 그랑께 일본놈한테 배운 것을 그대로 조선 사람들한테 풀어분 거이여. 나쁘게 말하믄 실상은 이박사가 큰 실책이 뭐이냐믄 반역자 처단을 지대로 못한 것이 그것이 실책이여.

그란디 육이오사변에 두 가지를 잘한 것은 있어 이승만이 정부가. 뭐이냐 믄 조봉암 씨를 초대 농림부장관으로 임명을 했거든. 조봉암 씨가 강화도 사람이나 될 거여. 그란디 이 양반이 농림부장관으로 있으면서 토지개혁을 한 것이여. 그것이 육이오사변 전에 한 것이여. 그라믄 이북은 무상 순 무상분밴디 우리나라에서는 유상몰수 유상분배를 했거든.

그란디 유상분배를 했어도 그때는 이놈으 돈이 가치가 없은게 일 년에 백원짜리가 멫 년에 이백원짜리가 되어분다니까. 가치가. 그란게 시골에서 돈으로 현금을 이자를 주믄 원금이 이롷게 이자허고 계산해서 졸아들어. 그랑께 장리라고 헌 것이 있어. 장리. 길 장자 이 이자여. 그랑께 요새 같으믄 샛거리라고 하제. 그라믄 이자 봄에 인자 쌀 한가마니를 가져가믄 가을에 이자 한가마니 반으로 갚어. 그라믄 현금 딜인 놈허믄 그랑께 장리여. 그래갖고 그때는 뭣한 사람들이 그양 논 스무 마지기 열 마지기 있으믄 싹 폴아갖고 쌀로 요롷게 장리를 놔분 사람이 많이 있어. 그거이 훨씬 이익이이니까. 그른 식으로 해갖고 한 사람들이 많이 있지.

그라고 인제 이 뭐이냐고 하믄 이 세무서하고 맨사무소하고 이롷게 협작이 많어. 요새같으믄. 그랑께 우리 면내 금년에 천석이 세금이 수둑세는 된다 그르믄 천 석이 이롷게 나온단 말이여. 그러믄 태풍이 불었어. 그라믄 가갖고 이자 태풍 감면을 이백 석을 이롷게 받어 인자. 그라믄 여그서는 그대로 그냥 천 석을 받은 것이여. 그라믄 면사무소에서는 이백 석이 남어 인자. 그라믄 인자 어쯘 경우가 있냐, 육이오 당시에 경찰들 봉급이 쌀 한 말이었어. 그때 경찰헌 사람이 그라드라고. 그라믄 어트게 묵고 살 거인가. 그래갖고 봉급을 올려주라고 서장실을 들어갔단 말이시 그랑께 서장이 못 올린다고 그래서 할 수 없이 백에다가 내가 엠알 자갈빡을 쏴부렀드니 그랑께 닷되가 올라가드란 말이여. (화자와 청중 웃음) 너 잘했다고 박수를 받고 그랬다고 친구들한테.

그라믄 지금 생각허믄 이 어디 쌀 한 말 가웃을 갖고 말가웃을 갖고 생계를 유지를 해. 그랑께 그때는 관공서나 뭣을 허믄 도둑질을 안 해묵을 수가 없어. 국가에서 돈은 없제 나올 데가 없제. 그렁께 그룹게 인자 이룹게 고지서 가 나오믄 이룹게 요새루 컴퓨터로 쫙 나온디 그때는 면에 가믄 이룹게 가리 바우로 쭉쭉 문댄 거 앙가 몰라. 먹판으로 하고. [조사자: 등사?] 등사. 그러믄 요놈을 까끌까끌해갖고 그놈은 전부 이룹게 해갖고 하거든. [조사자: 철심으로 긁어서?] 으. 철심으로 긁어갖고. 그라믄 이자 이장하고 맨서기하고 거그서 인자 고막가시가 있어 인자. 거그서도 그른 짓거리를 또 이장하고. 그랑께 인자 이장이 저 집이는 농사 열 마지기 허고 나도 열 마지긴디 저 집은 닷 섬밖에 안나오는디 나는 어째 열섬이 여섯 섬이 나왔으까. 인자 이상허제. 그라믄 그것이 이장하고 면서기하고 장난을 해분 것이여 그룹게. 그렁께 가난하게 사니까 그른 협작이 많애 말도 못해.

아 우리 외삼춘 한분이 노인양반이 문상국 씨라고 그 양반이 군위원에 그때 나왔는디 왔드라고. 그 상묵이를 찾아 왔드라고. 아이 당신이 노동면 산디 어특해서 상묵이를 알아서 상묵이를 해주라고 인자 그랑께는. 그랬다냐. 집이 하도 그때 먹을 것이 없어서 나락가마니를 서너 개를 죄다 심겨갖고 굴뚝 옆에다가 요놈을 쟁여놓고는 거그를 짚더미를 요롷게 덮었는디 군청에서 인자 저 대창을 갖고 오길래 이, 그 요롷게 동네를 상묵이 그 양반이 돌아갔다 이것이여. 거 봤을 거이다 이것이여. 짚으로 해놨응께 가마이가 다 있은게. 대창으로 찌서부믄 나락 나오지 다 이거. 그 양반 혼자 들오고 다른 사람은 지금 대문에 들어올라고 헌디

"아이고 이집이 아무것도 없네 볼 것도 없네, 가세,"

그라고 델꼬 나가불드라 이것이여. 그래서 저 사람이 어디 사람이까. 하고 나중에 물어서 물어봉께 회천사람이라고 한디 아 얘기를 들응께 거가 군위원이 나왔다는디 그런 사람을 안찍어줘야 쓰겄냐 그래.

그라고 또 인자 그때 세상에는 딸을 여울라믄 보통 인자 그래도 밥을 잇어분 집으로 이룹게 여와야 쓸 것 아니여. 그랑께 이룹게 딸을 딱 여울라믄 금년에 내가 농사를 열 마지기나 지믄 짚을 이룹게 작두로 썰어. 그래갖고 그짓

말 저 볏통을 만들어 두대통을. (청중 웃음) 그래갖고 이자 선을 보러 와. 막 그집이 강께 큰 나락 두대통이 있드라고. 그룽게 다 그짓말을 했어.

[20] 예로부터 의협심이 강했던 회천마을

[조사자: 아까 그 동생분 때문에 고문당하신 분 얘기 하시다 말았는데.] 그 양반이 그 얘기를 내가 동생 때문에 그룽게 이룽게 고칫가루 고문을 당했다고. 그라믄 이자 그 집이도 경찰들이 와갖고 백짝이고 뭐이고 전부 뚜드러 깨부렀어 인자. 그라고 그랬는디 그 옆에가 종현이라고 산디 종현이 어무니가 인자 그집 이 가서 메누리들하고 여그는 내 딸이요 여그는 내 조카메누리요 하고 감싸갖고 그룽게 인제 지내고 이. 그른 겪었던 그른 고초를 다 얘기를 하드라고. 그란디 그때는 고생을 안한 사람이 없다니까. 말을 못해.

그랑께 결국은 할 수 없은게 군대를 가고. 군대를 가도 편지가 이룽게 안 와. 편지가 와도 다 검열을 하그든. 그랑께 어디가 있는지도 몰라. 그랑께 인제 편지 앞에다가 양양한 앞길을 바라보면서 이룽게 내가 일한다고 아 그러면 강원도 양양 가 있구나. (청중 웃음) 부모들이 이룽게 센스가 빠른 사람들은 다 알지. 그렁께는 문장 앞에나 뒤에따가 이른 말을 너. 그라믄 이라구나 그라고. 벨 수단을 다 부려 그것이. 그때는. 어찰 것인가 그것이. [정길상: 군대에서 자기 소재지를 이야기해주면 군법에 걸리니까.] 지금도 그랑가. [정길상: 아이 우리 있을 때도 그랬어요.] 다 그렇지. 아이 군대로 가믄 인자 우리가 상당히.

여그서 논산을 가믄 군인들이 탁 올라와갖고 등거리를 밟고 대니고 차고 댕기고 그래. 그래갖고 일부러 그거 밥을 나놔주믄 바께스 같은 거는 가주가부러. 이 새끼들이 바께스를 가주가부렀다고 없어져부렀다고. 그래갖고 그 바께스 값을 문다고 인자 논산 갈 사람한테 뒤에서부터 돈을 걷어 온당께 인자. (청중 웃음)

우리 형님이 군대를 갔는디 보성 지금 정상현 씨라고 그 양반이 보성 군청에 기획실장도 하고, 거그도 공부를 많이 해놔서 이빨이 씨고 그래. 그란데 광주 송정리를 가갖고 목포애기들한테 인자 뚜드러 맞어부렀든 모양이여. 보성애기들이. 그랑께 형님을 보고 아야 우리 보성애기들이 이룧게 뚜드러 맞아부렀단 말이다. 니가 가야 해결나지 안된다고. 그랑께 형님이 딱 갔던 모양이여. 그랑께 그때는 화물칸에다 이룧게 타고 대니고 그라그든. 그래갖고 의자에다가 초를 이룧게 해갖고 초를 댓 개씩 세워놔 이룧게. 그랑께 형님이 인자 촛불을 딱 들고

"요새끼냐?"

그릉게 아니다.

"요새끼냐?"

"이 요새끼다."

그릉게 형님이 기냥 이 촛불을 콧구녁 입에다 그냥 메쑤셔붕께 그냥 겁이 나고 뜨겁지. 그래서 인자 상현이가 얘길 하드라고. 그랑께로 그래갖고 느닷없이는 불벼락을 콧구멍에다 맞아붕께는 이자. (화자와 청중 웃음) 이른 초가 녹아갖고 여가 어트게 되겠어 인자. 그래갖고 인자 맷박을 쳐붕께는 상현이는 그새 바께스를 갖고 와서 뒤에서부터 돈을 걷어붔다고. 어메 어메 나 상현이 저놈으 새끼. (화자 웃음) 그때 우리가 군대를 갈 때 그런 얘기였당게. 참말로 말을 못해. 요새는 군대 참말로 신사제. [조사자: 속언에 여수 가서 돈 자랑 말고 순천 가서 인물 자랑 말고 벌교보성 가서 주먹 자랑 말라고 했드만. 보성 회천이.] (화자와 청중 웃음)

그것은 알아야제. 나는 항상 그른 얘길 했어. 이순신 장군이 유명한 성웅이 됐지만은 물론 그 양반은 훌륭한 인격이나 지도력이 물론 그른 인자 대첩을 해서 이. 이십일전 이십이승인가 그 양반이 했을 것이여. 그러는디 그 양반 밑에서 막료나 쫄병은 전부 해안청년이거든. 요새같으믄 충청도 사람도 해군을 가고 어디 경상도 상주사람도 가고 그라지만은 그때는 그룧게 못해. 바닷

가 사람이 일생 해병이 되제. 그랑께 여그 청녀들이 그 양반을 그룧게 인물을 만들어분 것이여. 그라믄.

그때도 이 사람 집안에서 정명렬 씨 마씨 집안에서 마하주, 문씨 집안에 저 문영개 모도 이른 지방에 훌륭한 어르신들이 나와갖고 의병모집한 데 활동을 하고 다 그란 것이여. 그랑께는 우리가 그런 것은 알아야 돼. 그때부터서 여가 으트게 보믄 그룧게 의협심이 그룧게 강하고 그런 지역이다. 그랑께 해방이 돼갖고 첫날에 습격을 해부렀제. 으딘가는 피가 이룧게 내려오거든 그것이.

그란디 나중에 인자 내가 여가 교실이여. 요룧게 교실인디 서장 뭐 군수가 와서 인자 교실 연단에서 이룧게 연설을 하고 그러는디. 서장이 그뜩에 내가 국민학교 오륙학년 땐가 돼. 그랑께 다 알어묵지 말을. 내가 서장을 여그를 부임을 했는디 대한민국에서 제 일번으로 지서하고 신사당을 습격을 해분 데가 여그 회천이라고. 그라드라고. 그란디 그때 경무주임이 요 문창 옆에가 있어. 그라믄 여그 용수라고 당장은 아부지가 두루매기를 입고 잠이 이룧게 꺼벅꺼벅 요룧게 들었는데 해필 창밖으로 이 양반이 담밸 피고는 그 경무과장이 이룧게 담뱃재를 때려분 것이 용수아부지 요리 불똥이 들어가갖고는 이 양반이 졸다가, 그란디 그 양반도 별명이 내족질이여. 그룧게 욕이, 어메 뭐 돼지새끼. (청중 웃음) 그래 내가 옆에서 봤그든. 생전에 그것을 안 잊어부네. 그때 어찌 웃었든지.

그란디 그때 그 서장이 그 얘기를 해 그때도. 제일 먼저 이룧게 지서를 습격을 해부렀다고. 그란디 요새 뭐 면지나 군지나 뭐 저런 도지를 만들믄 뭐 우리 면에서 그랬다고. 다 그거 그짓말이여. [조사자: 그게 다 맞아야지 정황이 집안하고. 그러고 주도하는 세력이 있어야 되는데.] 그러제. 그래갖고 그때도 여그서 봉수동서 요룧게 그 지서를 습격해불고는 그때 이자 일본 관동군이 대대병력이나 이룧게 보성읍에 와서 있었을 것이여. 해방은 오늘, 오늘 되얐어도 무장해제가 안됐거든. 무장해제가 안됐는데 인자 아이 즈그들 같으믄 우리 한국 같으믄 사당을 습격을 해부렀는디 가만 놔두겄어 일본놈이. [정길상: 그 다음날 십육일 날 이야기여, 인자.] 그렇지 십육일 날. 봉수동을 왔지 인제. 완전무장을 하고 일본군인들이 왔제. 동네사람들이 전부 산으로 도망치고 난리가 나부렀제. [정길상: 우리 동네가 다 정씨가 다. 우리동네를 그라고 들어온 것이여.] 거가 주모자 동네라고 그래갖고 글안해도 경찰에서는 딱 정해지지. 그라믄 아주 딱 그렇게 알고 있는 판이거든.

이념 갈등으로 혈육을 잃다

윤 점 순

"저 넘 집 지서주고 돈 받으러 오믄 아부지 드린 거 뺏이 없는디. 그릏게 데리다 죽여부러"

자 료 명: 20130522윤점순(보성)
조 사 일: 2014년 05월 22일
조사시간: 1시간 42분
구 연 자: 윤점순(여·1933년생)
조 사 자: 박현숙, 조홍윤, 황승업
조사장소: 전라남도 보성군 회천면 봉강리 (제보자의 집)

[조사과정 및 구연상황]

제보자 친척의 소개로 조사팀원들이 구연자의 집을 방문하였다. 다른 조사 일정이 늦어져 저녁 9시가 다 되어서야 인터뷰를 시작하였다. 제보자의 둘째 아들이 함께 자리하였다. 제보자가 약한 치매 증세로 예전만큼 기억을 잘 하지는 못한다고 하였다. 제보자가 평소에 자녀들에게 자신의 살아온 이야기를 자주 들려주었던 터라 제보자가 잘 기억하지 못하는 부분에 대해서는 청중으로 함께 한 둘째 아들이 설명을 덧붙여 주었다.

[구연자 정보]

윤점순 제보자는 1933년에 강진 수동마을에서 태어났다. 4학년 때 모친이 세상을 떠나 부친과 오빠들과 함께 생활하였다. 광주에서 학교를 다니고 있던 오빠의 도움으로 구연자도 광주 수피아학교를 다니게 되었다. 오빠가 학생운동으로 퇴학처분을 받게 되어 제보자도 학업을 중단하였다. 제보자는 보도연맹 사건으로 목수로 일하던 큰오빠와 농사만 짓고 살던 부친이 모두 목숨을 잃었다. 제보자는 18살에 한국전쟁이 터져 인민군이 마을에 주둔했을 때, 여맹활동을 잠시 하기도 하였다. 올케의 중매로 일림산에서 토벌대가 쏜 총에 두 눈 실명한 빨치산 정종희와 결혼을 하였다. 슬하에 2남 3녀를 두었다.

[이야기 개요]

제보자는 광주에서 학교 다니는 오빠가 여자도 공부를 해야 한다고 하여 광주 수피아학교를 다녔다. 그런데 학생운동을 하던 오빠가 징계를 받고난 뒤, 학업을 정리하고 보성으로 돌아갔다. 보도연맹사건으로 농사만 짓던 아버지가 끌려가서 총살을 당했다. 이어서 목수로 성실히 살았던 큰오도 끌려가서 죽임을 당했다. 그리고 좌익활동을 하던 오빠는 한국전쟁 때 고향으로 왔으나 이내 전세가 역전되자 후퇴하던 중 사망했다. 오빠의 좌익활동 경력으로 올케는 2년 동안 감옥살이를 하였다. 그래서 제보자가 어린 조카들을 데리고 생계를 유지했다. 제보자는 인공시절 여맹위원으로 활동하기도 하였다. 제보자는 올케의 중매로 맹인에게 시집을 갔다. 맹인 남편을 도우며 집안 생계를 책임지고 살았다. 제보자는 자녀들을 공부시키기 위해 광주로 살림을 내어 보성과 광주 두 집 살림을 했다. 자녀들이 성장하고 80년대에 남편이 통일운동을 하다가 옥살이를 하였다. 제보자는 서울로 올라가 민가협 활동을 하면서 남편 구명운동을 하였다.

[주제어] 보도연맹, 좌익 가족, 총살, 인민군, 여맹, 실명, 빨치산, 양심수 석방

[1] 오빠가 소리소문 없이 죽은 이야기

그래서 사학년 때 엄마가 돌아가시고 졸업하고 인자 광주에서 피아학교를 오빠가 이자 여자도 배와야 쓴다고 오빠들이 그래서 수피아학교 갔어 또. 가서 한 반년, 그랑께 일학기 다녔어, 일학기. 일학기 다니고는 인자 아부지가 와갖고 가자고 하고 오빠는 나만 데려다가 공부하라고 놔두고 지금까지 안와부렀어. [청자: 그 오빠가 근현이야.] [조사자: 아 바로 위에 오빠?] 근현, 거기 가서 안오시니까. 예현이여. [청자: 예현, 예현 오빠가.] 세째, 세째. [청자: 예현오빠가 광주서 학교 다니실 때 학생운동 하던 양반이고.] 거그서 인자 아부지가 델러 와서 같이 내려오고 근현이 오빠는 어디로 가부렀어, 또. [조사자: 어디로 가셨는지는 모르시고?] 지금까지 안와. 강진 땅에서 죽었대요.

그랑께 가서 집이가 있는데, 그해 여름이지 그랑께 인자. 그랑께 인자 인공때지. 그란데 왔어, 오빠가 집이를.

"어마 오빠, 오빠. 어서 왔어, 어서 왔어, 어서 왔어?"

그랑께는 서울서 옴시로

"으쯔게 왔냐?"

그랑께는

"막 그 신체를 벅구 왔다."고 허드라고.

"거그서 거까지 걸어왔다, 걸어왔다."고 허드라고.

"시체를 넘고 벅고 막 그릏게 왔다."고 그라드라고.

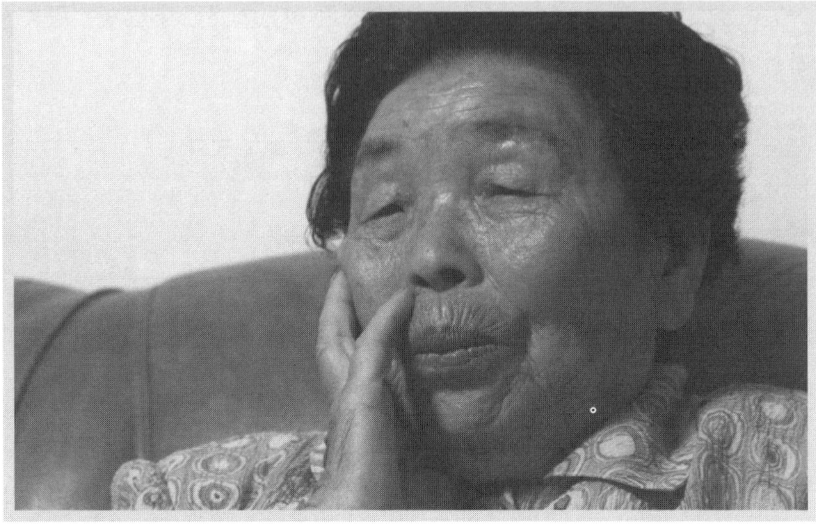

그래갖고

"나 강진읍에 있을 거니께는 시간나믄 놀러오니라."

그라고 갔그든. 그랬는디 강께는 어디로 가고 없어. 다른 데 가고. 거그서 어디서 저녁에 그 강진에서 장흥 가다가 죽었대요. 나중에 들은 얘기야. [조사자: 나중에 들은 얘기로?] 그때는 죽은 것이믄 나만 그러잖애. 난리라 가보도 못해. 무사서.

그래서 그라고 그때 뭔 일이 났냐 그라믄. 아부지 큰오빠. 아부지가 그냥 근현이 오빠 오기 전에지 그랑께. 큰오빠는 직업이 목수 일을 했어요. 그랑께 돈만 벌어서 집이 갖다 주믄, 이자 나는 아부지가 농사지어서 먹고살고. 인자 그때는 나도 귀하고 그랬는디. 그라고 살다가 아부지가 인자 그때 그전에 돌아가셨지. 아부지가 은제 돌아가셨냐 그라믄. 우리 아부지 내가 다섯 째 딸이나 된디, 그란디 농사지어서 우리 식구들 먹고 살고 그랬는디 무단히, 그랑께 그때 우리집만 그랬잖아. 동네가 아주 쓸어. 무조건 데려간 거여.

무조건 데려가믄, 나중에 들어보믄 그 선창에서 배 타고 마량 앞에다 막

뉘어 땡겨부렀어. 마량 앞에다가. [청자: 육이오 발발 전에 예비검속.] 으, 발발하기 직전에. [조사자: 같이 앉으셔서 얘기해주세요.] 발발하기 직전이여 그랑께. 그랑께 인자 큰오빠가 말하자믄 어즈께나 데려갔다 그러믄 소문이 나드만. 마량앞, 마량 쪽에다가 포구로 해서 그 사람들을 싣고 가서 배에다, 배로 싣고 가서 포구로 해서. 그 인자 물이 등께, 물이 등께는 막 그 송장이 막 엎어져 들어오드래요, 마량으로. 그란다고 해서 인자 올케가 애가 나고 오빠가 갔응께. 갔는디 없드래. 안 들와. 나가부러갖고. 물이 빠징께 나갖고 다시는 안들어옹께 없고. 인자 그냥 왔드라고.

[2] 오빠의 좌익활동 경력으로 아버지와 올케가 고초당한 이야기

그라고는 아부지는, 우리 아부지 농사백이 몰른디 데려가고. 그래서 아부지는 어디로 갔냐 그러믄 강진서 장흥으로 넘어가는 어디 문재라고 하드만. 거그다가 또 그래서 찾아왔어. 긴가 아닌가? 찾아왔어. [조사자: 농사만 짓던 아버지를 경찰이 데리고 간 이유는 뭐예요?] 느그들 자식들은 다 좌익 했응께 죽어라 그러제. [조사자: 자식들이 좌익활동 했기 때문에?] 응. 그랑께는 우리 식구만 그러잖아. 인자 거그 관련된 사람들, 관련 안 된 사람들도 젊은 사람들은 막 데려가드만. 우리동네 사람들 다 데려갔어.

[조사자: 그럼 할머니네 가족들, 그담에 큰집 누가 그렇게 좌익활동을 쭉 하셨어요?] 우리 수동이 윤가가 한 백여 호 살아. 타성 한나도 없어. [조사자: 집성촌이에요?] 윤가만 살아. 해남 윤가. [조사자: 해남 윤씨?] 으. 그란디 말하다가 다 잊어부러 이렇게. [조사자: 천천히 해주세요] [청자: 수동마을에 우리 해진형님처럼 그 역할 했던 양반이 가현, 순달. 순달.] 그 집이서 애초에 뿌리가 일어났어. 가현씨가 말하자믄 순달이보담도 가현씨가 선구자여. [조사자: 그러면 가현씨가 큰집에, 그러니까 할머니하곤 어떤 관계예요?] 팔촌이라 그런가? 그때 우리아부지가 가르쳐줬는데. [조사자: 팔촌?] 팔촌. 그랑게 집안이

여, 집안. 그란데 살기는 이 동네 저 동네 꽤나 보고 살었어. 그란디 가현씨가 이거, 이것을 했어. 그라고 조카 순달이 순영이 순홍이 다 했지.

그라고 우리 오빠들은 이자 아까 그 나 데려다주고 간 오빠는 그 으디로 가서 안와불고. 근현이 오빠 으디로 가서 안와불고. 그라고는 인자 나는 요리 시집을 왔지. 뭐 그러잖애. 인자 그라고 올케하고 애기들하고 산디 나하고 우리 남동생 한나 있었어요. 그라고 또 조카들, 조카들 서이까 너이까 데꼬 산디. 올케를 데려가부러 또. 올케를 지서에서 또 데려가부러. 그랑께 나는 인자 애기들 여섯을 델꼬 내가 살림을 한 이 년? 이 년 반인가? [조사자: 그럼 올케가 이 년 반 동안 집에를 못 돌아오셨어요?] 으. 그 받어갖고. 이 년 반 받어갖고, 고리. [조사자: 아 형을 받으셨어?] 으. 전주로. 전주에서 살었다고 하든가. 전주에서 살었대. 그래갖고 인제 그동안은 내가 살림을 했제. 내가 애기들 조카들 사남매하고 우리 남매하고.

[조사자: 그러면 그 올케분도 좌익활동을 하셨어요?] 안했어. [조사자: 안했는데 무작정 데려가서 형을 집행했어요?] 안했는데 그랬지. 애기들하고 벌어먹고 산디. 논밭 보기도 성가신디 어츠케. 그라고 운명이여. 데려강께 따라간 거지 뭐. 끌려간 거지 뭐. [조사자: 그래가지구 끌려가서 어땠다는 얘기 올케한테 직접 못 들으셨어요?] 안 해, 그런 말은. [조사자: 아예 말을 일절 안 해?] 나도 물어보도 안 허고. 왔응께 사는 거지 인자. 그라고 살다가 올케가 나 여우고 마을에서 또 많이많이 칭찬 많이 들었대요.

[청자: 그니까 그 대목에서 그 외숙모, 원현, 여기 인제 올케거든요. 저는 외숙모. 그분이 이 년간 사시고 그런 과정에서 우리어머니가 이쪽으로 시집을 오시게 된 거예요. 그 말씀하시는 거야. 그것부터 얘기하시면.] 그랑께 어츠게 그 형님이 나를 요리 여우게 됐냐 그라믄, 거그 가서 살 때 광주아주머니를 만났어. [청자: 우리 집안에 광주아주머니라고 있어요.] 나하고는 종동서간인데. [청자: 해평의 어머니여. 해두의 작은 어머니죠. 해두의 작은 어머니.] 거그서 내 이야기를 들어봤대요. 그랑께 인자

"애기들 어츠게 놨냐"고.

그랬나부제.

우리 광주형님이 그랑께는 옆에 사람들이 우리 올케는 혼자 가잖애, 그 마을에서. 서이 갔는가, 서이, 서이 갔어. [조사자: 그럼 그 광주아주머니도 똑같이 남편이 좌익활동 해서 올케처럼 똑같이 끌려오신 거예요?] 여그서, 여가 시댁이거든. 여가 시댁인디 뭔 자기 일로 왔어. 이제 영감님 돌아가시고 안 계신디. [청자: 광주아주머니는 우리 집안의 아주머니예요. 정해룡의 작은 어머닌데.] [청자: 정해평으 어머니고 정해두 작은어머니고. 정해룡, 해룡으 당숙모고. 그분은 이 우리 면에서 여맹위원장을 하셨어요. 그런 또.] [조사자: 활동 경력 때문에?] [청자: 으으. 하셔가지고 가셨고. 우리 외숙모님은 또 그쪽에 외가 쪽에 뭐 그런거 때문에 감옥에서 두 분이서 감옥생활 하시면서 만나셔가지고 이제 이쪽.] [조사자: 중매를 스셨어?] 그렁께는 그렇게 말이 되야갖고 선을 보러왔대요. 그래갖고 봤어. 봐서 살았어 오남매 낳고.

[3] 올케의 중매로 봉사남편에게 시집간 이야기

[조사자: 그럼 너무 편하게 사신 거 같잖아요. 얼마나 고생하고 사셨는지도 말씀해주세요.] 나 같이 걸음 잘 걷는 사람, 걸음 하나 잘 껄어. 여그서 저기 꼭대기 소를 가지러 가믄 뛰어가고 나는 그냥. 그란디 나도 살고낭께 이케 잊어분디 요사람 잊어불 수밖에. 나보고 은제 그롷게 걸었냐 그러믄 은제 그롷게 일했냐 그래. 참- 그래 그냥 그랬어 그라고.

[청자: 시집오실 때 아까 그 외숙모님이 어머님 이쪽에 여우, 여우실 때 선을 대서 외숙모님이 욕을 집안에서 그 수동 외가에서 많이 먹었다 그랬잖아요.] 그라고 인자 장개온 이야기부터 해야쓰겄구만. 장개왔는디 장날이여. 대덕 장날인디, 거그는 대덕장날 걸어서 넘어와서 장 받아 묵었거든 우리가. 그란디 세상에 장날 장에를 대덕서 내려갖고 거그를 걸어서 온다고 내 귀로

누가 말을 해주드라고. 신랑이 요롷게 이롷게 사람을 잡고 오드란다.

"그래도 가것이냐?"

그 말이여 인자. 그것부터가.

"그래도 시집을 가것이냐?"

사촌언니가 그라드라고. 그랑께 인자 신랑이 왔다고 뭐 남현씨 작은 방에 가 있어 거서. 그래서

"니가 승락을 했다고 항께 왔단다. 우짤래 너?"

그라드라요. 그래서 인자 오라고 해서, 또 할아부지, 할아부지들 모여 신랑이 거가 있고. 할아부들 모여 앉었는데 인자 오라고 해서 갔어. 강께는

"니가 갈란다 해서 왔다는디, 그것이 참말이냐?"

그라드라고. 그서

"나 그롷게 한눈은 본다고 해서 그랬지. 둘다 다 안본지는 몰랐어요."

그랬는디 그라고 돌아와부렀는데.

저녁에 종가지가 따러갔거든 거. 종가지가 따러왔거든 장개올 때. 저녁에 그냥 막 종구씨가 오셔. 와갖고는 그 여까지 거그까지, 그 차려서 온 그 손해배상을 내라고 허는 거야. [청자: 뭣을?] 손해배상을. [조사자: 손배해상.] 여그서 거까지 장개왔다고 손해배상을. 그랑께 우리 올케는. [청자: 시집 안 갈라므는 경비랑 뭐 다 내노란 것 아니여. 시집을 안 온다 그라믄.] 이. 그랑께 인자 우리 올케는

"나 죽은 거 볼라냐?"고.

막 깐딱하믄 앞가슴을 치고 달라 들어 나한테 그냥. 그전에도. 화 이라고

"나 죽은 거 볼라냐?"고.

[조사자: 왜요? 가기 싫으셨어요? 시집을 가기 싫으셨어요?] 당신은 눈도 못본 사람한테 얼른 가겄소? 그랑께로 동네가 발칵했지.

[조사자: 그러면 그때 올케가 소개할 때는 올케도 모르셨나요? 아셨어요?] 그 대목이 한대목이 있어. 그래서 인자 그때 우리 올케는 인자 으디를 갔냐 그라

믄 영산포. 그때 두째오빠가 잘 살았어, 오빠들이 다. 밖에 나가서 상업한 사람 상업하고. 그 오빠는 상업을 해서 잘 살았는디 세상에 결혼 때 안와본 거 있지. 아 진짜 나, 그래서 속은

'내가 오기로도 산다'

그라고 살았당께.

(청자에게 물음) 으디까지 했어? [청자: 그러니까 인제 아버지가 외숙모님하고 우리 광주아주머님하고 거기서 만나서 선 얘기가 나와서 아버지는 그리고 장가를 가신 거 아녜요? 근데 인제 그 당시에는 아버지가 산에서 부상을 당하셔가지고 두 눈을 실명한 상태였어요. 두 눈 다. 근데 인제 그쪽에다가 한눈만 실명했다고.] [청자: 거짓말을 한 거여.] [청자: 거짓말 아닌 거짓말을 하셨던 것 같애. 왜냐믄 집안에 이런 참 영리한, 젊은 총생이 비상한 머리 사람이 눈을 다쳐서 인제 결혼할 적령이 됐는데 못가고 안타까우니까 광주할머니가 쪼끔 거기다 거짓말을 보태서 외숙모한테 얘기를 하신 거 같아. 근데 그쪽 외가에서는 한눈은, 그니까 어머니도 한눈은 보고 계신 걸로 아셨던 거야. 근데 와서 막상 와서, 오는 과정부터 막상 보니까 두 눈 다 못 보셔. 그러고 인제 그런데다가 종구아저씨란 분은 아버지하고 초등학교 동기동창이시고 나이도 한살 많지만 우리 또 집안의 아저씨니까. 그때 장가가믄 그 뭐라고 그러죠? 그 뭐 간다 그러지?] [조사자: 신행] [청자: 그 옆에 따라간 사람.] 우행. [청자: 우행. 우행해서 몇 사람이 갔을 거 아니예요? 근데 그 사람이 나중에 전대교수까지 하신 양반인데, 그 집 딸이 좋아요. 사람 재밌게 하고 노래도 잘하고.] 재주꾼이야. [청자: 재주꾼이야. 그러니까 아마 저쪽에다가 공갈협박 아닌 공갈협박을 하신거야. 손해배상하라고. 공갈협박 아닌 공갈협박을.] [청자: 시집 안 올라믄 손해배상 다 내놔라.] [청자: 그 말씀이야. 그서 인자 그 외가에서 아까 할아버지들 모여서 뭔 얘기 보여주신 것이 듣기보다 다르다. 그니까 니가 본인이결정해라 그렇게 해서 어머니가.] [청자: 알고봉께 봉사드라. 확실히 니가 이야기 해라.] [청자: 그래서 어머니, 아까 거기서

외숙모님이 자기 책임이잖아요? 자기가 중매했는데 안 갈라면 나 죽는 거 볼 거냐 인제 그런 말씀이고. 그래서 인제 어머니가 최종적으로 결정하시면서 하신 말씀이 있어요. 뭐라고 그러셨다고? 나 한 사람 여기서 없어진 뽁 잡으라고.]

"나 한사람 없는 복 잡으시오"

집안어르신 보고 그랬어 인자.

"내가 가께요"

저녁에. 저녁밥 먹은 뒤에 인자.

"내가 가께요. 나 한나 없는 폭 잡어보시오"

그라고

"가께요"

그랬어. 그래갖고 잠만 자고 왔어요.

[청자: 또 어머니는 여기 처음 와보시니까 까마득하니 뭐 걸어서 뭐 차 타고, 트럭타고.] [조사자: 어떻게 오셨어요?] 시상에 차가 여까지 오잖여. 밤에 여그다 내려부렀나봐. 올 때는 막 종구씨가 뒤에서 막 발으 통통 구름씨로 봉시동아 봐라 봐라 그라, 그라드라고 종구씨가. 인자 데꼬 옹게 좋아서 자기 속으로는 인자 그랑께는 나는 거가 동넨 줄 알았지. 그랬는디 캄캄한디 요리요 꼬부랑 꼬부랑 올라오네. [청자: 산속으로?] 쩌그 보믄 아주 꺼먼 산뱀이 없고. 뭔 동네가 이런 동네가 있는고. 나는 그 설리재서 컸그든, 수동. 아휴 그래갖고 옹께는 그 불이 뻰하니 여가 쒀졌는디 아 저 독닥, 독닥이 을마난슨지 뭔 독이 이롷게 많이 독이로 이롷게 담을 싸놨으까. 그것이 질 첨에 눈이 슬드라고. 우리 동네는 독이 읎어 그랑께 울타리로 그냥 대로 막어서 살지. 그래갖고 살기 시작했어 인자.

[4] 시집와서 논밭 팔아 먹고 산 이야기

[조사자: 결혼해서 오셔서 사실 때는 두 분만 사셨어요?] 왔다 두 분만 사는 그것도 더 신간은 편하지. [조사자: 복이지요?] 시어머니. [조사자: 시어머니 계시고?] 그때 옹께 뭐시기드만. 환갑. [조사자: 아 시어머니가?] 응. 그해에 환갑 드셨어. [조사자: 그럼 세분이 사셨어요?] 세, 첨에 서이 살았제. [조사자: 셋이?] 으. 서이 살고. 아니 머심 데렸구나 깔땅살이. 머심 하나, 머심 하나 델꼬 농사지었는디 인자 거그서 사는 것이 들어가요 거그서 사는 것이.

머슴 하나 델꼬 농사지었는디 농사 지어봉께 남은 것이 없다 그거여, 자기 계산에 영감님이. 그라고 논을 딱 닷마지기를, 재 날제 닷마지기 있었어, 나 옹게. 재날제 닷마지기 집 앞에 서마지기 있는디 또 하나 한 다랭이 말가우재 팔아서 빚 갚었다고. 한 다랭이드 있드만 여가. 질 밑에 다랭이 한 다랭이.

그래서 농사 인제 농사징께는, 머슴 델꼬 징께 빚진다고 바로 앞에 논을 닷마지기를 딱 팔아서 쌀, 쌀가마니를 싣고 갔어. 누가 가지? 그때 뭐시기 거 광주댁 아들. [청자: 광주댁 아들. 해국. 해국.] 해국씨가 팔아주라, 팔아주라고 한다고 해국씨한테 인자 돈을 받아 묵기로 거기를 줬을 걸, 쌀을. 그래 갖고 한번인가 해서 조까 묵어봤다. 쌀, 논 닷마지기를 그래서 없애부렀어.

그라고 인자 그라고 상께 또 또 빚이 지지 암만해도 인자. 그랑께는 건덕지 밭 열마지기 또 팔았어. 팔아서 인자 살다가 또 빚져. 요기 요 집 앞에 논 팔 때는 누나가 결혼을 할라고, (청자에게 물음) 그때 아부지 집에 계셨어? [청자: 아니죠. 그때 아버지 팔십 년대에, 아버지 안 계실 때지.] 안계셨어. 그랑께 시집을 갈, 갈란다고 한디

"사람이 나타났응게 가그라 그라믄. 그란데 돈 있냐?"

"돈이 없다."

고 한디. 돈, 동생들 다 들어간 데 써불고. 그래서 내가 말가우재 저놈 팔았어. 팔아갖고 누나 여웠다. 그라고는 지금까지 인자.

[5] 여맹위원 활동하다가 경찰에 잡혀갔다 온 이야기

[조사자: 그럼 할머니 인공은 몇 살 때 인공이었어요?] 육이오? [조사자: 예.] 그랑께. [조사자: 시집오기 전이예요?] 전이제. [조사자: 그럼 오빠들이 총살당하고 이러는 걸 제율......] [청자: 제율씨가 아버지.] [조사자: 아버님. 아버님의 잡혀가셔서?] [청자: 할아버지, 외할아버지 잡혀가신 거 그거 소상히 해보세요. 밥상머리에 앉아계시는데.] 잡혀가서 그냥 그 뒷날 강진이로 장흥이로 넘어가는 어디 재에다가 죽여부렀대. 그랑께 다섯, 그때 또 다섯인가. [조사자: 얘기만 들으셨어? 돌아가셨단 얘기를?] 으. 가서 우리 숙모가 가서 모셔왔어요. [조사자: 모셔왔어요?] 예.

그라고 이자 육이오를 우리가 이제 그 당시 인제 육이오 그 생활을 하제. 한디 또 세째오빠가 이자 집이 모도 돌아가셨다고 항께 문안왔제. 그랬는데 또 그때 인제 오빠가, 그 오빠가 산이로 가부렀어 인자. 그랑께 이 얘기를, 인자 우리가 육이오 동란을 만나갖고 지금 그 생활을 하고 있제. 그 생활을 그 생활을 하고 있는디, 말이 이룽게 맥혀. 그랑께는 누구하고 이야기를 질게 못하겄어.

[청자: 어머니가 어머니 표현대로 인공 때 어머니가 그 면 인민위원회에서 어머니 그 열 몇 살 먹었을 때 심부름했던 그 말씀을 해보세요. 노래, 밤에 모여서 노래 부르던 그 노래도 하시고.] 육이오 동란이 왔제. 와서 나는 그 여맹회 다녔어요. 오라고 해서. [청자: 그니까 저 양반이 그냥 시집 그냥 오신게 아녜요. 당신 그 집안에서 그렇게 사상이 저거 허니까 오신거여. 여맹 거기서.] 마푸치마입고 인자 아부지 돌아가셨응게. 아부지, 큰오빠, 세째오빠, 네째오빠 그룽게 돌아가셨네. 그랑게 인자 마푸치마 입고 여맹에 나댕김시로, 마푸치마 입고 저런 산골마을에 그런 덴가 나가서 연설인가, 강연인가 뜨적뜨적하는 말로 그라고 했어요. 으, 그라고 내가 내가 했어. 여맹위원, 여맹위원장은 안했어도 밑에 간부로 있어서 했어. [청자: 그때 뭐 밤에 모여서

오락회 하면서 불렀던 노래 있잖아. 김일성장군가 뭐 그런가 하셨다면서?] 그런 것은 했제. [청자: 기억나시는 대로 불러보세요.] (노래) 김일성 장군– 있잖아. 그런 것은 소용없어. 그라고 인자.

[조사자: 할머니는 여맹활동 하신 고런 것 때문에 고초를 겪진 않으셨어요?] 아 인자 갔어요. 지서에. [조사자: 지서에 잡혀가셨어?] 으, 지서에 잡혀갔는디. 그때는 그랑께 나같이 그런 사람들이 다 입산해부리고 없지. [조사자: 다 산에 가고?] 이자 여가 있으믄 죽응께 다 갔잖아요. 근디 나는 산에를 안 갔어. 산에를 안 갔는디, 잡혀갔어. 잡혀갔는디 이틀저녁 사흘저녁. 사흘저녁 잤는디 나가라고 하드라고. 아니 그러잖애. 앙거서 생각항께 거그, 거그 방, 구리가 아니고 인자 그때는 막 시설이 부족항께. 그 부근에 넘으 작은방도 막 얻어서 쓰고 그랬어, 경찰에서. 나는 거그서 그런 방에다가 나를 재우드라고. 그서 그런 방에다가 구리가 아니고.

그래도 재우고는 그랬는디. 내가 아무리 생각해도 앙거서 생각항께, 내가 거그 여맹에 댕긴 죄뱈에 없제 다른 것은 죄가 없다. 내가 떳떳하니 내가 밝히고 살아야 쓰겄다 그러고는 도망가부렀어 또. [조사자: 그 작은 방에서?] 내가 밤에. [조사자: 어디로 도망가셨어요?] 거그 담 넘어서 인자 저리 밤에 저쪽 마을로 갔는디. 인자 마을로 강께 개가 지서갖고 어트게 난리든고 아주. 그래갖고 잽혀부렀어 인자. 그 뒷날 새벽에. 새벽에 [조사자: 어디 숨어 계셨어요? 도망가셔서?] 쪼그만한 마을에, 인자 우리동네에서 쪼끔 떨어진 마을이 있었는디 거 가서 개가 개가 지스니까는 거 아짐 나와서 나를 보고는

"너를 너를 어짜꺼나, 어짜꺼나."

그라고는 들어가불대. 자기들로서는 뭔 알아도 신고도 못하고 그랑께 인제 놔두고 들어가부러서. 나는 그 대섶에 가, 대섶에 가, 꼬랑에 가 거가 앙겄는디, 인자 날이 새서 잡으러 왔어. 이장이 질 앞에 오드만. 이장이.

"저거 저 아무것두 모른 것이 뭣하러 그라고 도망가냐?"

그라고 뭐이라고 하드라고. 그 들으라고 경찰들 들으라고. 그래갖고 잽혔

어. 잽혔어 또.

잽혀서 왔는디 이틀밤 장께 그냥 나가라 그래서 나는 어디로 보낼 거이다 했제. 강진이로는, 거그서는 오디로 보내믄 강진으로 보내제. 군소재징께 강진읍에. 나가라케요, 이틀 밤 잤는디. 도망갔다와서 이틀 밤 잤는디. 그래서 인자 나왔어. 그 뒤로는 한 번도 안델꼬 가. [조사자: 그러면 곱게 데려가요? 도망갔는데? 때리거나 그러지 않았어요?] 한, 그 저그, 그 밑에 마을 아저씨한테. [청자: 백사마을?] 이. 백사마을. 그 황씨한테 작대기로 여그 한번 맞았어. 그라고는 안 때렸어.

그랑께 내가 인자 육이오 때 그라고 댕겨도 내가 여그서도 저런 사람들 보믄 나보고 성질이 사납고 급하고, 싸납고 싸납다고 그랄 거인디 내가 사실은 그런 데 나서믄, 그렁께 그 주구한테 악다구 굴구 그라들 안 해요. [청자: 모질게 안했다구?] 으? [청자: 모질게 안했어?] 모질게 안했어. 그랑게 아 그것이다 싶으드만. 모질게 안 해. 그랑게 같이 간 사람들이 다른 사람들은 막 할머니를 빰을 때리고 그라데. 난 그것이 싫드라고. 다 똑같은 사람이고, 똑같이 생활했는데 뭐 우리가 뭐이라고 그 할머니 빰을 칭께는. 우리 친구가 가서 그냥 으뜬 할머니 빰을 그냥 팍 때링께는 나는 그것이 싫어. 나한테 그런 것이었어. 나를 거그서 해준 것을. 그라고 이장이 말을 첨부터 그롷게 부드럽게 하드만.

"저것 아무것도 모른 것이 뭣하러 도망갔냐?"

식으로. [조사자: 편을 들어주셨구나?] 으. 그 말이야. 그 말 한마디가 으디라고. [조사자: 그럼요.] 그서 그 뒤로는 한마을에 살지. 우리는 경찰이 한마을에 살어. 그랑께는 시암에서 보리쌀 닦을 때도 거 할머니들하고 같이 씻어 먹고, 한동네라 지서가 거그 바로 마을 끄터리가 있어. 그랑께 그래갖고 한번도 안 맞었어. 그때 그라고는. 그때 그라고는 맞들 안했어.

[조사자: 오빠들도 같이 월북하고 이러면서 오빠들 어디 있는지 대라고 할머니 괴롭힌 적은 없었어요?] 그런 사람들이 대라고 어츠게 해 사람을. 저리 갔단

말이여. 내가. 그랑께 그때는 질 죄가 큰 것이 뭣이냐 그러믄 산으로 간 거. 그때는 산이로만 안갔으믄 그런 죄를 없을 것이여.

그랑께 내가, 그랑께 나하고 같이 그거 연맹에 나다닌 친구 순덕이라고. 그 이남아줌있지? 이남아줌 여동생. 같이 나하고 근무했는디, 잡어다가 즈그 아부지 잡어다가 가둬놓고 순덕이 데려다가

"너를 살려주랴, 아부지를 살려주랴?"

"아부지를 살려야 된다. 나를 살릴 수 없다."

하드라. 나하고 동갑인디. 이남아줌 동생. 딸만 둘이었어, 이남아줌. 거그 시집왔거든. 나는 인자 그 뒤로는 안 잡어가.

[조사자: 여맹활동은 어떻게 하게 되셨어요?] 우리 동네가 소재지라 인자 그런 기관이 우리 동네 그, 여그 같으믄 저그...... (청자에게 물음) 저 뭐여, 지서논 거? [청자: 마을회관?] 회관. 회관같이로 거그서 그런 일을 잘 봐, 인자 뭐시기하게. 그서 그 회관에 댕겼어. 지서에를 안 댕기고. 여맹에 댕길 때도. 그래가고 순덕이하고 같이. 큰애기는 둘이 여맹위원장은 저그 저 아줌마고 그랬는디. 그룷게 해서.

(청자에게 물음) 그라고 뭔 얘기하까 또? [청자: 그때 불렀던 노래 좀 해보세요.] 그때 불렀던 노래가 뭐 끄터리에 그거뺂이 없지. [조사자: 그때 노래를 가르치고 하셨지요?] 으. 끄터리만 알지 김일성장군뺂이 모르겄어. [조사자: 그때 사람들 앞에서 연설도 하고 그러셨다면서요?] 예. 잘잘한 동네 댕김시로. [조사자: 그때 뭐라고 하셨는지 좀 해봐주세요.] 그런 것은 인제 기억이. [조사자: 기억이 안 나고?] 으. [청자: 인민공화국 선전했겠지 뭐. 그런 내용으로 하셨겠지.]

[6] 자식들 데리고 광주로 나오게 된 이야기

[조사자: 그럼 여기 시집을 오셔서 영감님이 옥살이도 하시고 하셨잖아요. 그

얘기도 좀 해주세요.] 그것은 이자 다 살고 아주 편안하게 살고 있는데, 뭔 난리가 나갖고. 나는 모른 일이제. 나는 모른 일잉게. 가서 칠년이나 또. 아휴~ [조사자: 옥바라지는 어떻게 하셨어요?] 예? [조사자: 옥바라지는 어떻게 하셨냐고?] 그도 더 저것들 오남매 나서 벌어먹고 산 것보담도 그런 일은 소홀항께 괜찮아. 질로 질로 저 애들 오남매 키울 때여. 학교도 보내야쓰고, 묵고 살아야 쓰고. 오매 그란다고 허믄 성질이 더 나부러.

[조사자: 그래서 혼자서 어떻게 오남매를 먹여 살리고 공부시키고 하셨어요?] 그랑께 아무리 생각해도 내가 여가 있으믄 저것들을 키워서 넘의 집 보내는 거백이 없어. 여그는. 남으집살이. 그래서 내가 생각도 못하고

"당신이 이랄 적에 내말 안 들으고 안 해주믄 나 안 될 거니께 알아서해."

그라고

"돈 오만, 방 한나만 광주다 얻어 주믄 내가 나가서 새끼들 학교 보낼란다."고.

내가 그랬어. 그랑게 을마나 똥줄이 탔제이. 어서 돈을 주라고 헐거여이. 그래갖고 그리 했어. 큰아들이, 우리큰아들이 광주를 델꼬 나갔지. 그랬는디 돈 없다고 어서 얻어오라고 하믄 얻어오고. 지금도 저것보덤 성질이 좋아요. 저것은 후덕후덕해도 우리 큰애는 공부도 잘 했어. 지금 저렇게 서울에서 교직, 교장하고 있고.

[청자: 그러니까 광주로 나가신 과정에서 아까 그 오만 원 말씀하셨잖아요. 근데 인제 아버지가 여기선 거의 논농사 밭농사를 할아버지한테 물려받은 재산이 있어서요. 아까 다 팔아서 했다는 것은 시골에서 농사를 지어봐야 품, 아버지가 직접 노동을 못하시니까 품삯주고 뭣 주면은 남는 게 없어요. 애들 교육비도 안 나올 거 같아. 그니까 그 재산을 처분해서 아까 해국씨라는 분이 누구냐믄 광주아주머니의 아들이에요. 광주아주머니는 누구냐, 우리 아버지한테 어머니 같은 존재예요. 사상적으로나 또 그 광주할머니가 항렬은 아버지가 한 항렬인데, 저저 같은 동생 대예요. 근데 그 광주아주머니가 들어와서

아버지 결혼시켰잖아요. 그니까 그러고 그 광주아주머니 아들 되시는 해평, 그 형님이 또 산에서 아버지랑 같이 움직이시다가 돌아가셨고. 그러니까 어찌 보면 시동생인데 아들 같고 그러니까 이제 우리 아버지는 형수지만 어머니 같은 존재였어요. 그러니까 그 양반의 아들인 정해국씨가 무슨 사업을 하신다고 하니 그 자금을 아버지가 대신 거예요. 말하자믄 투자지요. 일종의 투자를 해서 거기서 나온 이익금 가지고 자녀들, 자식들 교육비는 나오겠다 싶어서 그나마 있는 재산을 한꺼번에 처분해서 그 밑으로 자금을 투자했는데. 아까 어머니 말씀대로 한번인가 이익금 받고 그 사업이 안되셔서 완전히 생활이 그냥 이쪽에 전답도 다 없어진 상태, 돈도 없는 상태에서 곤란을 겪은 거예요.

그래서 인제 오남매가 이렇게 자라는 과정에서 어머니가 오만 원, 방 얻는다고. 아버지 거기서 어디서 나오겠어요 시골에서. 여기가 그 한마지기가 딴 디 가므는 이백 평인데 여기는 기본적으로 지금도 삼백 평이야 삼백 평. 한마지기가. 아까 다섯 마지기를 한꺼번에 천오백 평을 그 좋은 쪽에 논을 다 판 것이여. 그 돈을 해국씨한테 준 것은 광주아주머니 아들이었고 어머니 같은 존재였고 하니까 글로 들여 밀었는데 실패를 보신 거지요. 그래서 어머니가 자식들이 크니까 교육을 시켜야겠는데 광주로 나가시겠다. 여기서는 자식 나서 한양 보내고 뭐 말 나서 제주 보낸다는 식으로 여기는 광주로 나가야 공부를 할 수 있는 그 당시는 분위기가 그랬어요. 그래서 광주로 나가는 그 기반이 되는, 아이들 전셋방이라도 하나 얻을라믄 오만원이 필요한데 요구를 하니까 아버지가 말을 할 길이 없으니까 고민 고민하시다가 친구분들한테, 친구분들한테 그런 사정을 얘길 해서 부탁을 했어요. 그런데 그 친구분들이 누구냐 하믄 아까 그 종구씨라는 또 기타 다른 친구들. 그때 이제 초등학교도 같이 다니시고 광주서 중학교도 같이 다니시면서 절친했던 그런 친구분들 중에 육인 멤버가 있어요. 그 멤버들이 그래서 계속 지금 모임도 하고. 그 모임이 단순히 뭐 이렇게 친목도모회 모임이 아니라 그 모임에 한분이, 그 목포에 산다는 그분도 그분 모임 중에 한분도 지금으로 얘기하면 거기서 한 달에 한 번씩 모임을 하면서 살아가는 얘기도 하고 그런 것도 인제 서로 개인사도 터놓고 숨김없이 친구들허고 상의를 하고 친구들 동의를 얻었대요. 중요한 자기 개인적인 것도 결정헐라고 그러믄.

그러고서 인제 말하자믄 스터디도 하는 거야. 공부를 학습을, 말하자믄 그런 공부들을 하고 서로. 그담에 저 자기 비판도 하고. 내가 이만큼 이렇게 했는데 앞으로 어떻게 해야되겠다는 자기비판 하는 것을. 그런 식으로 상당히 의미 있는 모임을. 그니까 동지이자 친구였어. 친구이자 동지였었어요. 그분들이 그 당시에 뭐 삼십대 몇 됐는데 뭔 돈이 있겠어. 다 월급쟁이하고 뭐 학교선생하고 월급쟁이 하고. 근데 일인당 만원씩 다섯 분이 만원씩을 내주셔가지고 아버지한테 주신 거예요. 아버지는 어머니한테 그 오만 원을 어머니한테 건네서 어머니가 인제 자식 셋을 데리고 저 저로서 위에 누나 둘하고 형을 데리고 광주로 나가시고 여기서는 아버지하고 할머니하고 저하고. 여동은 그 뒤에 한참 뒤에 낳고. 셋이 살고 세분은 광주에서 사시고. 그래서 인제 광주 가서 그 뭔 장사?] 첨에 그 나이롱 바구니 장사. [청자: 그때 그 한참 나이롱 바구니가 나올 때여. 그거 말씀하시믄 돼. 그렇게 해서 또 거그서 생활을 허시고.]

처음에는 잘 팔리드만. [조사자: 나이롱바구니가요?] [청자: 플라스틱바구니.] [조사자: 그니까 플라스틱 바구니 말하는 거예요?] [청자: 으으. 그런 게 처음 나올 때여.] 그러드니 무거분 것이 아니라 인저 늘 안사제. 그랑께 못하겄드라고. 그래갖고 인자 옷 장사를 했어. 뭔 돈 장사밑천도 없이 그냥 흐지부지허니 그라다가 그래도 우리 큰아들이 엄마 생활비 주게 번께. 달달이 삼십만 원씩 딱딱 주요. 딱딱 제날짜에. 그래서 사요. [조사자: 그렇게 마음 고생하셔도 자식분들 잘 키우셔갖고.] 딸들 또 세이 여윘는디 다 잘 살고. 인저 저 애도 잘 살아요. 인저 많이 점잖애졌어. (좌중 웃음) [조사자: 말썽 좀 많이 피우셨나봐요?] 아 말하자믄 오죽했어. (웃음)

[7] 오빠가 지하활동 하다가 고금도로 끌려가서 죽은 이야기

[조사자: 어머니한테 들으셨던 어머니 친정 쪽 큰집이랑 어머니집 쪽이랑 해서 비극적인 사건들. 어머니가 따로따로 얘기하셨는데 들으신 대로 얘기를.] [청자: 어머니가 지금 얘기를 저기서 듣고 싶어 하는 얘기를 생략하셨는데.] 으으. 니가 물어봐. [청자: 그 저기 저 예현 그 세째오빠. 외숙. 그분하고 우선 또 광주에서 수피아여중 다니실 때 그 생활을 할 때 오늘은 가믄 막 윤예현 정학, 뭐 했던 그 말씀을 해주세요.]

그 예현 외숙하고 살아보도 안앴어. 나 델러. 그 전에도 그런 일을 하다 잽혀가갖고. [청자: 그런 일이 뭐냐고?] 삼 년을 징역을 받어갖고 그놈을 채우고 나와. 막 나와갖고 나를 델러 왔어, 시골로. 여자도 보내야 졸업을. 그랑께 그 졸업장을 메모지를 못, 마지막 못했당께, 그날 참석을. 그거 광주 가니라고, 시험 보러 가니라고. [청자: 초등학교 졸업장?] 으. 초등학교 졸업식 할 때 참석을 못했어 내가. 오빠 따러서 가니라고. 오빠가 델러 와서. 긍께 그때도 아부지는

"뭔 가스나를 보내냐?"고.

그 오빠가 얘기해서

"지금 여자들도 배와야 쓴다."

고. 그 외숙이 델러 왔어. 그래서 가서 살다가 금방 한 사나흘밤 자고는 가부러. 으디 간다고. 갔다가 한 달 만에 딱 왔다가 석 달 만에 또 온다등가. 그라고 가부러. 그때 가서 못보고 죽었제. 못보고 죽었어.

[청자: 그 오빠를 기다리면서 뭔 하교 뭐 어디 학교를 두 번이나 옮겼다면서?] 근현이, 근현이 외숙이 근현이 오빠가 그랬지 그것은. 첨에 동중학교 들어서 다니다가 자꾸 잡어가싸니께는 학교서 퇴학맞았제. 그래갖고 인자 사범학교를 들어가서 댕기다가 또 잡어가쌍께 또 어드로. 서울 가부렀어. 서울 간다고 갔어. 나는 집으로. 그랬는디 어머나 나 집에 와서 있응께는 그 이듬

해 여름인가 봄인가 외숙이 왔당게. 근현이 외숙이. 서울, 서울 갔는디. 그서 내가 막

"오빠 오빠 언제, 어츠게 왔어? 어츠게 왔어?"

그랑께는 그 송장들을 막 북고, 하이튼 서울서 거까지 걸어왔대요, 우리 수동까지. 그래서 보고 그때 보고 마지막. 그때 보고 마지막.

[청자: 그니까 그 외숙이 이제 광주서 학교를 다니실 때 육이오전이잖아요?] 그 오빠가 공부를 잘 했어. 잘했어. 국민학교서 전국, 전국 반장해갖고 그때는 일제시대드라. 벗개나무, 나무칼 그놈 다 내뺏기고 행, 저기. [청자: 신사당?] 지하로. [청자: 신사당에 가서 절하고 뭐?] 신사당에 가서 또 그거 하고 뭐 군인에 간다고. 춰 죽겄는디 아주 산속에가 있어 신사당이. 신사당이 산속에가 있응게 그늘이 져불그든. 그랑께 눈이나 오고 그라믄 발이 시러 죽겄어. 그래서 그라고 댕기다가.

[청자: 그니까 근현 이제 오빠 되신 분은 육이오 전부터 지하활동 하셨어요. 그러다가 인제 그것이 적발되고 정학당하고 퇴학당해서 학교를 옮기고 그러믄서 인제 전쟁 발발되믄서 인제 서울 쪽으로 가셨든가 봐요. 그래가지고 끝나고 전쟁 중에 구이팔 수복이후에 말하자믄 고향으로 오셨단 얘기고. 수동에서 이분들이 수동에서 그 학살당한, 그니까 그 수동이란 데가 강진군 대북면이잖아요. 그럼 대북면.]

가현씨 땜에, 가현씨 땜에 그 수동사람들이 전부 그 질로 돌아섰제. 말하자믄 좌익이여 좌익으로. 가현씨 아까 그. 그 사람이 주범이여. 그래갖고 하이튼 우리집만 해서도 멫이 돼. 아까 아부지, 큰오빠, 세째오빠, 네째오빠. 우리집만 해서 너이, 사부자. 아니 아부지까지 합치믄 다섯이까? 큰오빠, 세째오빠, 네째오빠, 아부지. 아부지 합치면 너인가부다.

[청자: 여기가 대북면이요, 마량포구란 데가 있어요. 강진면 대북면에 마량포구. 마량포구는 지금도 상당히 큰 포구예요. 거기가 어디냐믄 거기서 완도로 가요 완도로. 완도로 가는 뱃길이 있어요.] 거기서는 배타고 사방 데로

가. [청자: 그러믄 아까 경로당에서 말씀하신 고금도. 고금도죠 건너편이?] 이. 바로 그 건너편이 고금도드라고. [청자: 그러니까 자 그럼 어머니 그 말씀하시면 돼. 그 인민군이 진주하면서 경찰이 그렇게 고금도로 몰려갔다면서, 몰려갔다면서요?]

으. 긍께 아까 그걸 얘기를 잘 못했다. 외숙모가 인자 외숙 그라고 데려가서 가서 송장이 거그로 떠들어온다고 해서 갔어 마량으로 인자. 넘으 말만 듣고 인자 갔는디. 가서 안와, 올케가 안왔는디 거그서 나강께는 막 거그 나가믄 챗길이 보이잖아. 하— 차가 아주 군대 그 군인들이 말하자믄 군인 실은 차가 아주 가고 또 가고 가고 또 가고.

'오메 오메 어쨌으까?'

나는 이자 오빠는 다 개리고 인자 외숙모 인자

'올케도 못 오믄 나는 어츠게 사까?'

그라고 있는디 왔드랑게 올케가. [조사자: 그러면 경찰이 물러나면서, 국군이 물러나면서 나오신 거예요?] 물러나면서. 그랑께 그때 고금도로 막.

[조사자: 아까 그 고금도로 가셔서 했다고 하는?] [청자: 그렇죠. 그게 정석인 선생이 아까 그 양반이 고금도에, 말하자믄 군인들 경찰들 인제 그 부족하다 이렇게 말씀하셨잖아요. 그때가 뭐냐믄, 그때가 인제 그 정석인 선생 아까 내가 얘기 들어보니까 아마 구이팔 수복 직후에 얘기고 이제 어머니는 뭐냐 그러믄 육이오가 발발되고 이제 남쪽까지 한 달 정도밖에 안 걸렸잖아요? 여까지 진주한 지가. 그렇죠. 육이오 유월 이십오일 날 나고 칠월 달에 벌써 인민군이 접수했었잖요, 여까지. 그때 얘기, 상황이야. 그니까 고금도로 경찰 병력들이 마량포구에서 배타고 건너가는. 그 길목이 수동이예요. 어머니가 동백나무숲에서 내려다보믄, 그 외가에서 내려다보믄, 외가 집 앞에서 내려다보면 그 신작로가 보여요. 그 길로 이룽게 군인과 경찰 태운 트럭들이 몰려갔다. 그니까 이제 그 마량포구가 또 무슨 데냐믄 그 아까 예비검속, 관련자들은 수장, 수장해서 그 떠내려 온 모습들 떠내려 온 그 모습들, 어머니

뭐 생생하게 알고계시드만.] 뭐? [청자: 그 사람 묶어가지고 수장시켜서 그 밀물썰물 때, 밀물이믄 뭐 시체가 떠내려오고 하이튼.] 그랑께 아까 그 마량 앞바다에 송장이 막 떠들어 오드래요. 그 외숙 실고 간 배가 으디로 갔는고 그랬드니 밀물이 들어옹께는 거그서 바로 바로 배로 갔다드만. 바로, 대북면 말하자믄 선창. 선창가에서 바로 마량으로 갔대요 큰오빠는.

그라고 외할아부지는 강진이로 데려다가 으디 산에다 죽였으까. 강진서 장흥 가는 질목에다 죽였다고 허드라고. 그서 찾아 왔는디 아녀. 내 보기에는 아부지가 저런 옷을 안 입었는데 그때 그냥 그런 것 저런 것 못 가려 인자. 작은어머니가 그걸 찾으러 갔는디 거서 암말도 안 했는디 아부지가 아닌 거 같애 옷이. 아부지는. [조사자: 아부지를 보고 왔는데 아닌 것 같은 거예요?] 옷이. 당목 외당목 가는 적삼을 입었는디 아니드라고. 그서 암말도 안했어. 작은어머니 거까지 가서 개렸는디 또 아니라고 하믄 성가시럽고. 죽은 송장인디. 너무나 아주 무섭고 벌벌 떨리고상께 서런 지도 모르고. 근현이 외숙이 거그 강진서 장흥가다 죽었다고 해서 찾으러 갈 생각을 못해 내가. 그라고 인제 그때믄 처녀 몸이라 여그서나 으디 함부로 못, 무서서 못 댕겨.

[청자: 경찰들이 막, 외할아부지도 안계시고 오빠들도 없고 하니까 처녀몸, 경찰들이 성가시게는 안하든가요?] 저녁에믄 경찰들이 오잖애 인자 거그서. 뭔 비서도 있고 다 허잖아? 그런 것들이 다 와서 결혼하자고 그라믄 내가

"지금 결혼할 형편이냐?"고.

"그런 소리 할라믄 그만 가라."고.

그란데 한번은 경찰이, 그것도 진짜 경찰 아니여. 백사, 백사새끼여. 와갖고 근현이 오빠 얘기를 하라고 하드라고. 근현이 오빠가 으디가 내가 오빠가 으디가 있어서 얘기를, 어디로 간지도 모르는 사람을 내가 으트게 안다냐고. 그라고는 이자 저리 어디로 가자고 항께 세상에 그때 일을 생각하믄. 가자고 헝께 나는 따라 가제, 따라 가야제 그라믄. 그양 외숙모가 따라 오드란 말이 다 내 뒤에. 아 그라드니 쪼까 저만치 갔는디 뒤돌아보니께 읎어 외숙모가.

아 그때 그롷게 서운하드만 이.

'엄마 같으믄 저라고 갈란디야.'

막 그 생각하니까 내가. 엄마 같으믄 저라고.

'아 엄마가 아니라 간다.'

그라고 가불고는 인자 둘이 가서 그 나락 논둑에, 우리 논둑에 팽상 우리가 그 도랑에 부렀으니께 이야기하고. 저 백사새끼여 근현이 오빠 잘 알잖아.

근현이 오빠 공부를 잘했어. 거그서 일제 때 곡괭이 들고 구령붙이고 그랬어, 전교생 앞에서. 그랑께는 내가 학교에 들어강께 아주 잉꽁갱내짱, 잉꽁갱 윤근현이 여동생이라 그 말이여. 막 오글오글 모여갖고 막 공부를 잘 해농께. 그랑께는 여그서는 여그 머리가 좋다고 해서 모두. 근디 나는 생각헐 때

'당신들만 좋은 것이 아니요?'

나 항상 그라고 살았어.

'당신들만 좋은 것이 아니요?'

[청자: 그래서 맨날 싸워. 정씨 머리가 좋다 이런 식으로 해서.] (웃음) 우리 오빠들도 다 공부를 잘 했어. [청자: 경성제대 갔잖아요?] 누구? [청자: 경성제대도 그렇고 광주농고도 그렇고 광주서중도 그렇고.] 서중. 우리 근현이 오빠 갈, 갔지. 동중 갔응께, 서중. [청자: 동중은 갔지만 서중은 없제. 여그는 서중이 보성에 아주 줄줄줄줄 광주서. 광주농고도 많고 광주고보도 많고 경성제대도 많고.]

[8] 정해열: 육이오 때 실명한 아버지 이야기

어머니께서 연세가 드셔가지고 다 못하셔. 저희들은 외가도 그렇고 어머니도 그러니까 어머니 집안도 그렇고 하니까 그런 애기를 아무 스스럼없이 듣고. [조사자: 그런 얘기 좀 해주세요. 어머니가 빠뜨린 얘기 중에.] 어머니가 저기한 애기들은 많이 못하셔. 저는 또 제가 직접 본 애기가 아니라서. [조사자:

들은 얘기도 중요하거든요. 어머니한테 들은 얘기를. 왜냐면 어머니가 다 기억을 못하시니까. 그니까 자제분이 같이 계시면 좋은 것들이 자매가 같이 이야기하기도 하고 그러거든요. 왜냐면 내가 기억을 못하면 나도 경험한 것들이 있고 들은 게 있고 그러니까 난 이렇게 들었다고 얘기를 해주시면 그게 다 어머니 이야기가 되는 거니까요.]

[윤점순: 그란디 저그 아부지 만나갖고 산 이야기는 다 안 했구만. 아이고 못 살어 못 살어 답답해서. 하— 그냥 생각하믄 그냥 답답해서 못 산디, 그래도 그래도 살어야 돼. 그래도 살어야 돼. 내가 택헌 길잉게. 그래도 살어야 돼. 안 죽을라믄 살어야제. 못 죽응께 산다 그라고 산 것이라고 살었는디 요새는 없응게는 심심해죽겄어. 혼자 있응께. 막 저런디 뭣 없으믄 물어보고 부서졌으믄 물어보고 다 고쳐. 손수 고칠만한 것은 다 고쳐. 본 사람같이도 다 해 인자. 그랑께 영리했대요. 공부를 잘했대요.] [조사자: 정씨가 머리가 좋은 게 맞나본데요?] [윤점순: 반장. 항상 반장허고.] [청자: 정씨는 광주일고, 광주고보, 광주농고. 경성제대 다니고 학교도 안다녔다니까 여기는.]

아버지가 서중을 나왔어요. 서중. 서중을 나오셨는데 졸업을 못하셨어. [조사자: 왜요?] 육이오 발발하고 인제 집안이 어수선하고 그러니까. [조사자: 그럼 그때 아버지 육이오 이야기는 들으신 게 있으세요?] 많지요. [윤점순: 육이오 때? 육이오 때는 아부지가 여그 몰르제.] 어머니 쪽은? [윤점순: 아니 여그 아부지 쪽은 더 모르제. 나는 지금까지 살았으니까 알지만. 육이오 쪽은 어츠게 아버지가 없는데 어츠게 알어?] [조사자: 들으셨대요.]

아버지가, 아버지가 오십년 유월이십오일이지요? 전쟁 발발헌 지. 물론 그 이전부터 국지전이 있었지만. 그래가지고 미군이 진주한 게 구월이십팔일, 구이팔수복이라 그러죠? 서울서 수복헌 게 구이팔수복. 교과서에서 다 갈치는. 긍게 한 삼 개월간 인민공화국 치하에 있었으니까 아버지가 그 당시 삼십삼 년생이니까 열한 여서일곱 살 잡술 때요. 물론 인제 그전부터 우리 큰댁이, 그니까 해진형님이 그분이 서울에서 활동하실 때 서울도 가셔서 그 밑에서 심부름도 하시고. 그래서 아까 그 김선호 선생님도 아버지도 두 분이서 만나신 것을 보고. 그담에 해진 그 형님이 효창운동장인가 거기서 이케 뭐 서울시, 그 당시 서울시당 홍보 뭐 맡고 있던 연설, 대중연설 하신 것도 이케 보시고 그렇게 사시던. 열여섯 살 열일곱 살, 육이오 전부터 서울 출근하시면서 그런 그 높은, 저기하신 분들 많은 영향을 받았어요.

그래가지고 육이오가 나니까 여기서 면에서 그 뭔 역할을 하셨어. 뭐죠? 직책이라 하는 거 나 정확하게 모르겠어. 면당에서 무슨 뭘 맡으셨죠? 아버지가 면당에서. 직책이랄 것도 없지만 나이가 있으니까. 어린나이에. [청자: 그랑게 그때 그 저 동생 할아부지 종자 호자가 어 교육계장, 그담 학산 윤윤기가 교육부장, 학산 윤윤기가 문화부장, 봉강이 인민위원장. 그 보믄 나와. 그랑게 거기는 뭐 하야간 그 밑에서 교육 뭐뭐.]

그서 그런 활동을 하시다가 구이팔 수복이 돼서 미군이 인천상륙작전해가지고 구이팔 수복이 되고 다시 국군이 다시 여길 점령하면서 인민군은 후퇴를 한 거 아닙니까? 그런 과정에서 인제 지리산으로 들어가고, 인제 인민군 본대에서 낙오병들이라든지 이쪽 지역출신들이라든지 해서 빨치산이 된 거 아니에요? 그럼 아버지는 어디로 가셨냐 그러면 이 뒤가 일림산이에요. 그럼 이 일림산이 아까 천포에 그 무슨 산이라고 그랬어요? 저 그 오봉산. 그담에 장흥에 그 사자산, 천관산 웅치에 제암산으로 해서 이 정상으로 올라가믄 능선이 다 통해서 그래서 글로 가다보면 여그서 어찌 보면은 날씨 좋으믄 무등산도 보여요. 그니까 그 산맥이 흘러요. 이쪽으로 연결돼요. 그니까 상당히 보기에는 육백육십칠 메타밖에 안되지만 그 뒤로는 상당히 하거든요. 그래서 정확하게 오십 년 구 월달에 서울수복이 된 이후에 일림산으로 입산하신 거예요. 그래서 꼬박 일 년 사계절을 오십일 년 구 월달 부상당하실 때까지 여기 일림산 오봉산 화순에 뭐 어디 모후산? 거까지 계속 빨치산 활동하신 거예요. 딱 일 년을. 그니까 오십 년 구 월달에 입산하셔서 오십일 년 구 월달에 눈 다치시면서 자수 아닌 자수를 하셔서 인제 오셨는데. 딱 일 년을 빨치산 활동을 하신 거예요.

[조사자: 실명하게 된 그, 사고가 있어나요?] 교전. [조사자: 교전 중에?] 그니까 그걸 못 보셨구나. 그 교전, 이제 교전 중에 뭐가 이렇게 눈앞에 따끔하드래요. 따끔해서 보니까 이쪽에서 이렇게 피가 흐르고 했는데 사람이 피를 보면요 목이, 입이 마른 모양이드만요. 근데 그 당시에 인제 물을 마시고 싶을 거 아녜요? 쓰러져서 물을 달라고 아우성을 치니까 그 동료들이, 동지들이 물을 갑자기 이렇게 물은 수은하고 이케 몸에 들어가믄 바로 안 맞으면 바로 뭐가 뭐가 증세가 있죠. 그니까 물을 먹이믄 안된대요. 그래서 아버지가 그 동기들이 그 지혜로움을 빌어서 물은 안줘서 참게 만들어서 목숨은 살린 거여. 그서 인제 그 거그서 교전 중에 총알이, 총알이 이렇게 왼쪽에서 오른쪽으로 이렇게 해가지고 이쪽에 이쪽은 완전히 저길 하시고 이쪽은 신경까지 건드려서 여기까지 두 눈을 거기서 잃으신 거예요. [조사자: 동시에?] [윤점순: 이번에 돌아가신 것도 그것이었다고 하대.]

[조사자: 그러면 실명하셔갖구 바로 내려오셔서 자수를 하셨어요?] 예. 그니까, 아 그때는 그니까 뒷산에서 그러셨는데 그 뭐 어트게. 생명은 살아야지. [조사자: 활동은 못하시니까.] 으. 활동은 못하시니까. 집에다가 이제 동기들이 말하자믄 떠떠 떠 엎고 와서 몰래 뒷마루에서 느러놓고 가셨어 모두. 그니까 여기서 집안에 인제 아버지야 거기서는 이제 목숨을 포기하신 거죠. 내가 이 몸으로 자수를, 자수를 해도 해도 말하자믄 당신이 지은 죄가 있는데. 그 당시 소위, 말하믄 대한민국 입장에서 보믄 지은 죄가 있는데 살려줄 것이냐? 그것도 일 년간이나. 또 그 당시에 활동하셨고 빨치산 활동하셔서

'맨날 교전하고 있는데 나를 살려놀 것이냐, 자수한들.' 또

'그놈들이 나를 살려준다 한들 이런 놈으로 한평생 이런 불구가 되가지고 어떻게 살겠느냐?'

그 두 생각 때문에 말하자믄 생을 포기하신 거예요.

그래가지고 그때는 이 집이 아니었어요. 이 집은 십몇 년 전에 다시 손질한 거고, 옛날 인제 초가집. 옛날 집. 뒤 툇마루가 있어요. 앞에 마루가 있고 뒤, 방 뒤쪽으로 뒷마루가 있는데. 거기 뻘떡 드러 누셔서 이래도 죽고 저래도 죽고 하는 목숨이니까 그 원이나 없이 노래가 부르시자 그러고. 아버지가 원래 또 노래를 잘 하셔요. 노래도 잘 하시고 뭐. [윤점순: 말도 잘하고.] 말도 말씀도 잘 하시고 이 뭐 하다못해 그 못 보신 눈으로 기타도 치시고 피아노도 치시고 할 정도로 잘 하셔요. 근데 그 툇마루에 앉어, 누워서 그냥 뭐 그냥 인공 무슨 군가면 군가, 장군이믄 무슨 장군. 다 불러 제꼈대요. 그니까 원 없이 한번 불러나보고 죽자. (웃음)

그니까 동네에서는 인제는 막 그 오십일 년도 구 월달이면은 한참 휴전선에서는 인제 서로 땅따먹기 하면서 서로 더 위로 밀고올라갈라 그러고 밑으루 내려올라 그러고 그런 과정이고, 여기는 뭐 무법천지 아니에요? 경찰 군인들이 막 그냥 내 맘에 안 들믄 쏴죽이고 뭐 어르신들 말씀 들으믄 그런 시대니까. [윤점순: 그때는 쏴부리믄 그만이여.] 그니까 얼마나 이 동네 주변어르신들이 무서웠겠어요? 그러니까 인제

“정이야 정이야, 그러지 말고 죽으나 사나 가서 자수하고 한번 부딪혀나 보자”

해가지고 여기 면, 아까 이 면 지서에 가서 신고를 했대요. 그래가지고 인제 두 눈이 뭐 다쳤으니까 뭐 치료도 안했으니까 퉁퉁 붰을 거 아니에요? 앞도 못 보시지 이룽게 부워 올라가지고 땡땡하니 뭐 곪아, 곪고 그랬겠지요. 통증을, 염증 치료를 안 하니까. 그니까 붕대로 칭칭 동여 메고 리어커에, 시골 리어카 알죠 옛날? 리아까라는 거 일본말로 리아까. 그 리어커에 뻘떡 드러눠가지고. 거까지 들쳐메고 갈 거여 업고 갈 거여 여까지 십리 길인데. 그니까 그 리어커에 시체, 시체 실은 것처럼 실어서 지서로 가서 인제 그 자

수를 했어. 그 사람도 또 봐서도 이런 사람 데려다가 뭐 취조를 할 거여, 정상적인 취조가 될 거여요? 뭐 뭐 신병처리를 어떻게 할 거여요? 눕혀놓고 밥 먹여주고 할라믄 자기들 성가시니까 이제 소위 말하믄 약식으로 거그서 인제 뭐 약식기소식으로 해서. [청자: 훈방.] 훈방조치를 해서.

그래서 인제 그 길로 광주 병원에를 가셔서 치료를 하시고 그랬어요. 그래서 그런 과정에 아까 그 광주아주머니랑, 그 광주로 가서 치료를 하시고 그런 과정에서 광주아주머니라는 그 분이 큰 역할을 하셨어요. 그분이 인제 그 당시 인제 아까 말해서 여맹위원장도 하시고. 그래서 인제 그래서 광주에 가셔서 치료를 하신데 뭐 안 될 거 아닙니까? 시기도 놓쳤고. 그 당시에 뭐 그렇게 의료기술이란 것이 못하니까. 겨우 염증정도만 이케 가라앉히고 오셔서 이제 집에 오셨는데.

소위 말하자믄 나로서는 할머니, 할머니는 인제 무학이시잖아요 그 당시에. 그니까 우리 할머니 입장에서는, 이제 할머니가 사실은 할아버지으 후처셔요. 후처셔요. 그래서 할머니가 저 큰할머니, 저로서는 큰할머니 밑에 이제 몇 남매시지, 그 큰아버지하고 고모가 두 분 계시고 우리 할머니부터 또 이남일녀가 있었어요. 근데 저희 큰아버지가 종 자 팔 자예요. 그담에 그 고모가 국남. 아까 그 만나서.

종팔 그 큰아버지도 결혼도 안하고 돌아가셨어요. 근데 그 분도 광주 농, 광주농중 있죠? 그 당시 농고. 광주농업중학교 거기를 다니셨어요. 그니까 광주 유학 가셔서. 근데 이제 육이오 때 그분도 인제 저쪽 활동하시다가 그분도 돌아가셨고. 국남 아까 그 고모가 그분도 또 그룹게 해서 돌아가셨고. 아버지는 또 산에 가서 말하자믄, 병신돼서, 아들 하나 살아있는 거 병신돼서 돌아왔고.

[조사자: 그러면 국남 고모님은 마지막 빨치산 활동하시다가 거기서 돌아가신 거예요?] 하시다가 거기서. 그니까 정확하게 어디서 돌아가신단 것은 설로만

들은 거지. [조사자: 그니까 최종까지도 산에 계신 거죠?] 으으. 그니까 아까 그 석인 그 아저씨가 말했단 것은 처음 듣는 얘기요. 그니까 산에서 돌아가셨단 거만 들었는데 그게 아마 제 생각에는 화순 모후산 그쪽 같애요. 큰아버지도 그쪽에서 활동하셨고 큰어머니, 아니 고모도 그쪽에서 활동하셨단 얘기 들었었거든요. 그니까 그 모후산 근처가 아닌가 싶어. 화순 모후산. 그 시기에 그쪽으로 많이 집결을 했었어요. 뭐 말하자믄 광주 뭐 시당이나 전남도당들이 그쪽에서 활동을 했다는 거 책자 보므 나오잖아요. 그 시기 같애.

그 인제 할머니 입장에서는 큰아들 그래서 죽었지. 장가도 안가고. 딸, 똑똑한 딸 또 그렇게 해서 죽었지. 시집도 안가고. 그니까 아들 하나 남은 거너라도 살아야 되니까 부상당해서 병신돼가지고. 그니까 할머니가 우리 할머니로서는 참 기가 막힐 노릇 아닙니까? 그니까 하— 여기서 사실 수가 없어 아버지도 그렇고 할머니도 그렇고 여기서 사실 수가 없어. 또 우리 집안이 전체적으로 그때 인제 그 집안 그 청장년들이 또 그렇게 희생을 당했잖아요. 또 해평, 아까 그 광주아주머니 아들도, 또 우리 시골 외숙도 희생을 당하셨으니까. 그니까 참 몸서리 쳐지는 거요. 이 지역이. 그 어르신들 입장에서는. 그니까 여기를 그 광주아주머니가 집이 여기 땅도 있었고 재산도 있었고 집도 여기 큰 집이 있었는데 다 처분하고 안양면, 안양면 청....... [청자: 청송.] 청송이단 마을이 있어요. 장흥군 안양면 청송마을. 글로 가서 사셨어. 그 해평이라는 아들을 잃고 홧병, 여기 동네서 못 사시고.

그니까 거기 사시는 그 와중에 아버지가 인제 부상을 당하셔서 아버지도 집에서 인제 있을 수가 없어. 글고 삶이 막막하지. 그니까 그러셨다 그러드라고 아버지가. 이제 목숨을 부지할라므는 거렁뱅이. 거지, 거지 저기를 해야지 어서 동냥이나 하고 살아야지 어서 살 거여요 뭘 살 거여요. 그렇게 해서 뭐 참 좌절하고 계시는데 광주아주머니 그 청송 집으로 아버지가 뭐랄까 피양이나 가셨달까? 치료로 하실 겸해서 요양도 하실 겸해서 글로 가셨어요.

거기서 또 상당히 계셨어. 그니까 아까 아까 말한 대로 광주아주머니는 어머니 같은 존재였어요. 그렇게 해서 또 아버지가 또 차근차근 어둠에 적응을 하시고 그러셔서 인제 어머니하고 결혼을. 오십육 년돈가 오십오 년돈가 하신 거예요. 아까 광주아주머니하고 큰외숙모하고 인제 내가 듣기로는 뭐 장흥 어디 교도소에서 만나셨다고 하드라고. 구치소에서 감옥 살다가

"어서 왔소? 어서 왔소?"

하고. 광주아주머니하고 우리 큰외숙모하고. 장흥교도소, 구치소라 그러든가 내가 듣기로는. [조사자: 동기?] 네, 방 동기. (웃음) 그래가지고 결혼을 하셨고.

그니까 아버지가 그런 생각하셨어요. 그러니까 근데 인제 아버지는 사십오 년도 해방하고 미군정 대한민국 그 사십팔 년도 수립한 과정에서 아까 말한 해진 그 형님이 서울에서 활동하실 때, 그분 서울에 계실 때 그분 그 집에 가서 같이 기숙도 하고 심부름도 하시고 그랬대요. 심부름도 하시고 그래서 백범이 사십구 년돈가 암살당했죠? 백범 장례식도 보시고 그러셨다고. 긍게 시골양반이 상당히 말하자믄 출세하신거야. 그 열 몇 살 먹은 어린 양반이 백범 장례식도 그렇게. 그것이 말하자믄 해진 그 형님이 서울에서 활동하시면서 그 밑에서, 물론 이제 항렬로는 아저씨고 조카사이지만 연세가 한 이십 몇 살 되셨으니까. 그러고 그 양반은 해진형님은 사회적으로 거물급이지. 그분 밑에서 심부름도 많이 댕기고 그래서 김선호 부장도 보고 그 사모님도 먼발치서 보고.

[9] 정해열: 아버지 옥바라지로 고생한 어머니

[조사자: 아버님이 전쟁 때 경험하신 거는 그렇고, 어머니가 이야기 조각조각 하셨는데 그거를 좀 비극적인 가족사를 들으셨던 대로 조그만 정리를 해봐주세요.]

그니까 그 아까 그 근현 예현, 이 외숙들은 학생의 신분으로서 광주 쪽에서 학교를 다니셨고. 외할아버지지하고 여그 원현 큰외숙은 이제 시골에서 농사를 지었어요. 그니까 아까 큰, 저 외할아버지하고 큰외숙이 돌아가신 것은 말하자믄 예비검속. 육이오 전에 예비검속 때 돌아가셨는데 어머니 말씀에 의하면 외할아버지가 아침식사를 하고 계셨는데 파출소에서 사람이 와서 지서에서 사람이 와가지고

“좀 같이 가십시다.”

하고 끌려가셔서 그랬는데. 그 외할아버지는 산속에서 당하셨고.

그 실질적으로 그 수동마을이 바닷가거든요, 바로. 바로 바닷가예요. 신작로만 건너면 바로 바닷간데. 거기에서 그 수장 당했던, 아까 뭐 그 경로당에서 철사줄로. 거기는 이릏게 사람을 묶고 발목에다가 돌 달아가지고 바로 그냥 배에 실어서 수장을 시키는 거예요, 산 사람을. 뭐 군인 경찰 입장에서는 수류탄도 쏘는 것도 수고스럽고, 수류탄도 아깝고 하니까 그냥 수장시켜요. 그래서 아까 바닷가니까 밀물이 들어오면 막 시체들이 떠밀려 오고. 으 와서 이제 떠밀려 왔다 그러믄 동네사람 나가서 혹시 내 남편 내 오빠 내 동생 아닌가 하고 이제 찾으러가고 했는데 결국 큰외숙은 못 찾았다 하잖아요? 갔는데 큰외숙모님이 가셨는데 못 찾았다고 하드라고. 그런 비극을 어머니는 집안에서 당하신 거죠.

[조사자: 부모님 이야기 듣는 것만으로도 힘드셨겠어요?] 그렇죠. (웃음) 지금은 그런 얘기. [청자: 친정이나 시댁이나 태어나셔서 여쪽 가족이도 다 죽어불고 요리 와서도 다 죽어불고 파란만장한. 빨치산 봉사 만나가지고 하이간 감옥에 들어가불고 뭐 그래갖고 자식들 키우고. 또 뭐 남편은 그 와중에 또 북하고 선이 다가지고 그렇드만은 암 것도 모르고 그러고 있다가 또 그냥 거기 집이고 뭐이고.]

오십육 년돈가에 결혼을 하셨잖아요. 아버지가 다시 들어가신 게 팔십 년도예요. 그니까 결혼하시고 한 이십 몇 년 간은 참 어머니 입장에서는 생업, 생존. 생존을 위해서 자식들 양육하고 교육하는 거기에 어머니는 몸 바치신

거고. 인제 어머니 몰래 또 아버지가 말하자믄 좋게 말하면 (웃음) 통일운동이고, 어머니 표현으로 하면은 변통, 변통을 나 몰래 변통을 또 치신 거예요. 그니까 오십육 년도부터 이십여 년 간을 사시다가 팔십 년도에 그때 갑자기 인제 정보부에서 들이닥쳐가지고 이 양반 아버지하고 해서 끌려가신 거예요 남산, 광주 안기부로. 그래서 남산까지 가신 거지요. 그서 칠년 사셨지요 아버지는 팔년 팔 개월 사시고.

근데 그때 또 어머니가 고생 많이 하셨지. 우리는 서울로 가서 살 때고. 어머니는 어머니가 생활하셔서 우리 학교 다니고. 큰누나도 이제 취직해서 다니고 형도 인제 졸업하고. 인제 우리는 그 덕분에 살았고 저 같은 경우는.

그때는 양심수 그러면 저도, 그 어머니가 민가협에 많이 나가셨어요. 민가협에 또. 그래서 그 민가협이 양심수 석방운동도 하고. 그때 가면은 양심수라 하면 우리가 말 그대로 자기 양심에 따라서 정치나 사상을 하고 싶어 하는 양반들 아니었어요. 근데 거기 가보면 초기에는 팔십 년대 전두환 정권 땐데, 그 얼마나 공포스럽고 서슬 퍼럴 때 아니에요? 그니까 거기 가보면 이런 세 부류가 있어요. 학생, 학생운동 하다가 들어간 어머니들이 또 많고, 그담에 노동운동이나 또 뭐 그런 쪽에서 활동하시다가 오신 분들, 그담에 인제 소위 말하믄 조작 간첩들. 공안, 우리 같으믄 공안사범이잖아요. 공안사범인데 공안사범 중에서도 사실 그 죄, 전두환이가 자기들 정권 뭐 할라고 얼마나 그 조작을 많이 했습니까? 고문조작해가지고, 그런 사건들이 계속 뒤집어지잖아요 지금. 아까 그 말씀이에요. 그런 사람들은 다 그걸, 나 죄 없다고 신청해가지고 국가에서 보상도 받고 한데. 그니까 안하셨다고.

"왜 안 했냐?" 그러믄

"아— 우리는 있어 행위가." (웃음)

[조사자: 조작이라고 할 수 없다?] 조작이라고 할 수 없다 이거죠. 그니까 거기 가보믄 조작 공안사범도 조작하는 사건들도 많고 우리 같은 사건은. 그니까 공안사범 중에서도 우리는 진짜 뭐가 있었던 거지. 그니까 거기서도 인제

젤 앞장 선 어머니들은 학생운동한 사람들. 그 말 내세우기 젤 좋잖아요? 그 분들이 젤 앞장서고 이런 어머니들은 뒤에서 인자. 그때까지 해도 참 그런 얘기를 재야단체나 종교단체나 이런 데 가서나 하지 어디 가서 하겠어요? 못 한 시대니까. 거기에 또 많이 참여를 하시고.

[10] 정해열: 남편 석방을 위해 민가협 활동을 열심히 한 어머니

그래서 팔십 그 한겨레가 팔십팔 년 오 월달에 창간이 됐죠? 한겨레가. 창간신문, 창간호에. [조사자: 발기인이세요?] 아니, 저는 학생 때 그 돈 오만 원 내고 십만 원 내서 그. [조사자: 그때 당시에는 굉장히 큰돈인데요?] 근데 어머니가 창간호에 인제 저기 조카 딸래미, 다희라고. 그 다희가 다섯 살 먹었을 때여. 어머니가 형은 학교에 나가니까 어머니가 그 조카들 데리고 뭐 종로나 어디 가서 농성해. 그놈 손주 안고. 그놈이 뭘 알아? 할머니들이 뭐 '석방하라! 석방하라!' 하니까 같이 맨날 뭐. [조사자: 그게 사진에 나왔어요?] 그 사진이 창간, 한겨레 창간에 찍혔어. 할머니하고 손주하고.

[조사자: 지금 몇 살이예요? 그때 그 다희가.] [윤점순: 우리 다희가, 지금 스물여덟인가? '석방하라! 석방하라!' 항상 그래 지가 집이서. (웃음)] [조사자: 지금 그 사진을 가지고 계세요?] 으, 그렇게 또 서울에 오셔서는 그렇게 아버지 뒷바라지를. 또 서울 교도, 서울 구치소에 계실 때는 서울 구치소. 그 이후에는 광주교도소에 계실 때 인제 계속.

[조사자: 참 강인하세요. 어머니가 그래서 잘 살아오셨나봐요, 그 험한 세상을.] [윤점순: 지금 딱 생각하믄 내가 질 편하고 내가 웃음이 나올 때가 언제였냐 그라믄 다희 키울 때, 다희 키울 때 젤. 그 우리 솔녀 키울 때. 항상 웃었어. 다희 키울 때 젤 좋았다. 한 다섯 시나 되믄

"할머니, 할머니–"

"왜?"

"왜 엄마 안와?"

"내가 아냐? 느그 엄마 안온 것을. 엄마 보고 물어봐라"

아주 피곤해 죽겄응게 인자 그래 말투가. 그래도 그것들 키울 때 질 좋았어. 나는 이롷게 가다가도 어디 애기만 보믄 웃음이 나와 이뻐서. 그랑께 내가 오남매 나서 잘 키웠지.] [조사자: 오남매에 손주까지.] [윤점순: 저 애가 공부를 안해갖고 내 속을 을마나 태웠어.] [조사자: 아 공부 안해서 속 썩였어요?] [윤점순: 이자는 뭐 공부고 뭐이고 인자는.]

그니까 그런 그 아까 그 이제 시집오시기 전에 경찰이 그냥 풀어줬다고 그랬잖아요. 지금 그 가만히 생각해보면 그니까 어머니로서는 아버지, 외할아버지 돌아가셨죠. 집 살림하셨던 기둥 외할아버지 돌아가셨지. 큰외숙. 큰외숙, 큰오빠 돌아가셨지. [윤점순: 그랑께 갑갑헌 것이 우리 큰오빠가 아무것도 몰라. 저 넘 집 지서주고 돈 받으러 오믄 아부지 드린 거 뱎이 없는디. 그롷게 데리다 죽여부러. 그것이 질로 억울해 죽겄어.]

그니까 그런데다가 큰외숙모님도 인제 아까 뭔 사건 해가지고 붙들려 가시고. 그니까 사실 집에서 그 어머니로서는 조카들 네 명인가 있는데 그걸 어트게 할 것이여. 그니까 어머니를 가둬두면 그놈들이 봤을 때도 인륜적으로라도 그것이 허용이 안 돼. 그래서 아마 어머니도 아마 그런 그 바람에 무사히 나오셨던 거 같애, 지금 생각해보면. [윤점순: 뭣땀시?] 조카들 살림하고 뒷바라지 해야되니까. 어른이 없으니까. [조사자: 돌볼 어른이 없어서.] [윤점순: 그때는 있었어. 나 잽혀가고 그랄 때.] 외숙모님이? [윤점순: 그때는 있어.] [조사자: 나오셨어요?]

근데 외숙모님이 저기 가셨어? 육이오 전에 가셨어? 육이오 후에 가셨잖아요. [윤점순: 육이오 때. 육이오 지나서. 지나구 어트게 그 사람들이 군인이 들왔을 때.]

[11] 정해열: 아버지에게 들은 인민군 이야기

언제까지도 그 노래 그대로 하시고. 그 밤이면 이룧게 인제 여름 같은 때는 모여서 오락회도 하고 그러셨대. 그때 거기서 오락회서 했던 노래들을 언제까지도 하시드라고. 근데 지금은 전혀 못 허셔. [윤점순: 저녁에믄 인민군들하고 놀아. 인민군들 노래도 잘 부르고 그룧게 재밌게 놀아.] 뭐 하고 노셨어요? [윤점순: 노래 부르제 뭣하고 놀아. 긍께 그것도 우리는 소재지라 마을이 소재지라 거그서 같이 있응게 그라지. 그래 안하믄 안 돼제. 소재지고 우리는 같이 나가서 놀고.]

[조사자: 수동마을이 장흥이죠?] [윤점순: 강진. 강진 저 후면이여. 저그 거그 강진읍에서 차 타고 들어가믄 첫동네가 대구면.] 강진군 대구면 수동리. [조사자: 인민군 중에 마음에 드는 총각 없으셨어요?] [윤점순: 뭐라고?] 인민군 중에서 마음에 드는 총각 없었냐고. 인민군 모습이 어뜋던가요? [윤점순: 인민군 모습이 천상 대한민국 군인하고 똑같지. 뭐이 틀리다냐. 저녁이믄 노래대회하고 영 좋아. 그란디 이자 세상 사람들은 인민군이 겁나 무섭게 생기고 막 그란 줄 알제. 을마나 따뜻하니 말도 별라 얌전하니 조용조용.]

제가 아버지한테 들은 얘긴데 아까 경로당에서도 누구 어르신이 그런 얘기 하시드구만. 제가 인민군에 대해서 두 가지를 제가 아버지한테 들었어요. 한 가지는 아까 정석인 어르신이 전쟁을 허면,

"자 우리가 돌격 앞으로!"

를 한단 말이에요, 돌격 앞으로. 근데 우리는 지금도 그렇게 안 해. 저도 군대를 갔다 왔지만. 지휘관이 뒤에 서서 중대장 소대장 대대장이 말로만

"돌격 앞으로!"

무서워서 안가면 뒤에서 지휘관 총에 맞을까봐서 할 수없이 무서워서 간다이 말이여. 근데 아버지는 예전에 그런 말씀 하셨어요. 나 군대 갈 때 그 인민군에 대해서 말씀하셨는데 그 두 가지 중에 한 가지가 그거여. 지휘관이

먼저 앞장서. 아까도 중대장이 먼저 앞장서고 소대장이 뒤에 스고 병사들이 뒤에 슨다. 지휘관이 앞장서서

"나를 따르라!" 허고

"돌격 앞으로!"

한대. 그러면 그것이 안 따를 수가 없다는 거죠. 그것이 그런 전쟁에서 전쟁을 했으니 싸움이 되겠느냐 이거예요. 그만큼 어떤 국가에 대한 충성심, 국가에 대한 충성심이 다르다는 거죠. 그니까 지휘관이 앞장서서

"나를 따르라!"

그러고.

[윤점순: 대한민국 군인이 막 마량으로 갈 때는 인민군들이 그 고금도 가 있었다고 하드만. 그래갖고 인자 여그 대한민국 군인이 가갖고 막 서로 싸와. 그란디 들어갈 때가 배가 잔쯕 고픙게는 거그 마량 부근에 와서는 넘으 집에 들어가서 그냥 보리쌀이믄 보리쌀 끓여논 보리쌀, 밥이고 밥 다 훔쳐 묵고 배가 고픙께. 그라고 군인들은 마량 가 있고 인민군들은 고금도에 가 있고. 그래갖고 시간 정해갖고 한 거같이로 막 나와갖고 서로 주고받고 싸웠다고 하드라고.]

그르고 그 인제 남자들은 알아요. 군대서 예비사격술, 피알아이라고 있어요. 그 사격술. 남자들이요 군대 가믄 진짜 힘든게 사격술이요. 그서 그 영어로 피알아인데, 이 우리가 피가 저 피가 맺히고 알이 백이고 이가 갈리는 연습훈련이 피알아이였어. 예비사격술이요. 그니까 사격을 하기 위한 그 자세를 잡는 그 훈련인데 아까 얘기 하잖아요. 인민군이, 그 아버지가 인민군이 내려와서 하는 거 보고, 아버지는 인제 대한민국 군인들 보고, 일본군인들 보고 했는데 긍께 '엎드려 쏴', '서서 쏴' 이른 게 있거든요, 피알아이 사격술 연습하는 거. 근데 '엎드려 쏴' 하믄 이 자세는 뭐 팔을 어트게 하고 어깨를 어트게 하고 다리를 어트게 벌리고 이게 있어요. 근데 인민군들이 와서 훈련하는데 그 '엎드려 쏴' 하는 자세에서 그 지휘관이 이케 다리를 손으로 해서

"자 이룷게 하시는 거요, 이룷게 하는 거요."

하고 손으로 한다는 거야, 이룷게. 대한민국 군인은요 발로, 발로 툭 차믄서

"야– 이 자식아, 이렇게 하면 안 돼."

그니까 아까 인민군들이 그 아까 그 어르신도 그랬듯이 참 인격적으로 배운 양반들이 그렇게 하는 거야. 그니까 그 의용군들 훈련시키고 하는 모습에서, 그니까 발로 툭툭 차면서 대한민국 군인들은

"이 자식아, 이것밖에 못해?"

이룷게 하는 거하고, 발로 툭 차고 그래요. 보통 우리 때도 그랬으니까 그 때는 오죽 했겠어. 근데 인민군들은 그 손으로 이케 다리를 자세를 잡아주고 이룷게 하는 거라고 이룷게 하는 거라고. 발로 차고 욕하고 그러는 것이 없드라는 거요. [조사자: 그 나쁜 전통은 다 일본군에서?] 그렇죠. 일본 전통에서 온 거. 저는 아까 그 아버지한테 들은 내용하고 그 어르신한테 들은 얘기가 공통점이 있드라고.

[12] 작은집 서방님이 죽고 그 처가 친정으로 도망가서 숨어산 이야기

[청자: 그 가현씨, 순달씨 그 부자간 그 숙질간 그런 말씀을 해보세요. 아시는 대로.] 그랑께 인자 특별히 내일 아닌데, 특별이 내일도 다 잊어분 사람인디. [청자: 우리나라 현대사에서 박헌영이, 윤순달이, 윤가현이를 모른 현대사학자들이 없어. 유명한 일이기 때문에. 그서 윤순달이, 가현이에 대해서 얘기 좀 해보라고요.] 아니 그랑께 내가 모르지. 그런 일을 해서 일어난 지만 알지. 윤가현씨는 그 정현씨 집서 살었지 인자. 말하자믄 큰집서 살았응게. 그라고는 이자 두째는 남현씨 거그 가현집 집 밑에 바로. 삼현씨는 저 아래 지서집, 지서에서 몇 발 안 넘으믄 그 삼현씨 집이여. 그랑게 거그는 아주 경찰들이 생전 거그 와서 놀고 그랬어. 경찰들 중에 나 아는 오빠가 있었어.

[청자: 그런데 인자 윤가현씨가 돌아가고, 돌아가시고 그 가족들이 거기서 못살잖아요. 그니까 우리집에, 우리집에 그 안채 화장실 있잖아요? 그쪽에 화장실 방이 있어. 우리집 방, 화장실 안채 화장실 방에서 거그서 살았어, 피신해서. 무려 한 십여 년 이상을 피신해서 살았어. 윤가현씨 가족이 거그 와서.]

[조사자: 어머님이랑 관련이 있어서 이쪽으로 피신을 하신 거예요?] [청자: 아니. 윤가현씨 처가, 처가가 으디냐고 하므는 윤가현씨 이 처하고 본가하고 육촌간이여.] 여기여 여. 이 마을. 우리 집안, 우리 작은집. [조사자: 원래 그렇게 인연이 많은 집이네요?] [청자: 으. 윤가현씨 처하고 본가하고 육촌간이여. 윤가현씨 처갓집이여, 이 옆에가. 우리 동네가 그룧게 해서 모도 결혼이 이루어진 거야.]

그래갖고 인자 그 끈으로 나도 왔어. 그렁게는 그 본가 거그 새집이 누나. [청자: 그 택호가 본가댁이라고 그래.] 여기에서 봉강댁이었어. 나 그 냥반 시집온 거 다 우리집이서 보믄 또 뱅하니 그 골목에 들어간 것이 보이거든. 그란디 그 형님 시집올 때 그 각시가 이쁘기는 겁나게 이쁘더만은 거시기 잊어부렀당게. 돌아가셨어 인자. 한 많은 세상.

[청자: 그 냥반이 자기 남편 윤가현씨가 죽고나니까는 거그서 무서와서 못살고 친정에로 피신 와서 우리집이 그 화장실 안채 그 쪼끄만헌 방에서 살었는데, 여그서, 여그는 대문이나 잠가노믄 하인들이 들어오들 못하게 하거든. 외부사람들 들어오도 못하고 경찰도 들어가도 못허고. 뭐 아안에서 들와라 어쯔라 하믄 사람이 통과가 되고 그란디 안에를 바깥에서 안에를 들어가도 못해. 그룧게 세가. 그르니까 보호가 된 거이지. 숨어 살아도.]

한국의 모스크바 강진 수동마을의 비극

윤 순 걸

"그때 보도연맹 안들믄 뭐 공산당으로 몬다 그렇께 너나할 것 없이 보도연맹 다 들었어"

자 료 명: 20140327윤순걸(강진)
조 사 일: 2014년 03월 27일
조사시간: 41분 04초
구 연 자: 윤순걸(남 · 1933년생)
조 사 자: 김종군, 박현숙, 황승업, 남경우
조사장소: 전라남도 강진군 수동마을 (제보자의 집)

[조사과정 및 구연상황]

보성 정길상씨의 소개로 윤순걸 제보자를 만났다. 제보자는 해남윤씨 집성촌 강진 수동마을에서 일어난 학살을 목격하고 기억하는 몇 안 되는 인물이다. 제보자는 조사자들이 인터뷰 장비를 가지고 방문하자 처음에는 구연을 꺼리기도 하였다. 그러나 나중에는 강진일보사에서 윤순달 재조명에 관해 실은 연재 글을 가져와 보여주면서 적극성을 보였다. 매우 비극적인 역사적 사건의 구연이 이어져서 구연현장의 분위기가 침울하였다. 조사자들은 구연을 마치고 제보자의 안내를 받고 마을 사람들의 학살현장을 다녀오기도 하였다.

[구연자 정보]

윤순걸 제보자는 1933년 강진 수동마을에서 태어나서 현재까지 살고 있다. 숙부 윤가현, 사촌형님 윤순달의 공산당 활동으로 인하여 고초를 많이 겪은 탓에 조심스러워 하며 말을 많이 아꼈다.

[이야기 개요]

제보자의 숙부 윤가현과 사촌형님 윤순달이 공산당에 가입하였다. 윤순달은 중앙에서 사회주의 운동을 맹렬히 펼쳤고, 윤가현은 강진에서 교양사업을 하였다. 이들로 인하여 수동마을은 공산당 마을로 찍혀서 보도연맹사건으로 마을의 많은 남성들이 갑자기 끌려가 죽임을 당했다. 윤순달이 월북한 이후 제보자에 대한 국가정보원의 감시가 더욱 심해졌다. 아무것도 모르는 마을 사람들은 살기 위하여 보도연맹에 가입했다가 오히려 죽임을 당했다. 집단으로 총살을 당하거나 배에 실어 바닷물에 수장을 시켰다. 전후 수동마을의 해남윤씨 가족들은 연좌제로 어려움을 겪었다. 연좌제로 인하여 종손은 법대를 포기해야 했다. 일제강점기 때부터 강진 수동마을에는 야학이 활발하게 운영되었는데, 대부분의 마을사람들이 야학에서 공부를 하였다. 그 영향으로 자연스럽게 마을에 사회주의 분위기가 형성되었다.

[주제어] 윤순달, 윤가현, 강진, 수동마을, 공산당, 보도연맹, 감시, 연좌제, 수장, 총살, 야학, 사회주의 사상

[1] 윤가현과 윤순달의 공산당 가입

우리는 그분들 공산당한 바람에 완전히 우리는 망해부렀지. 망해부리고 육이오 때 나는 학교도 못가부리고. 국민학교 어뜩해 겨우 졸업하고 이라고 사는데. [조사자: 그럼 막내 작은아버지 가연어르신이 거기에 적극적으로 가담을 하셨었고?] 적극적으로 하고 여그 오도 안허고 왜정 때는 형무소에 있다가 해방되야서 형무소에서 나와갖고 여기 잠깐 다녀가셨어. 고향에 오셔갖고. 그래갖고 말을 해. 그때 인자 만나서 광희가 그때 해방된 뒤로 인자 그 만나갖고 생긴 거야.

그전에 딸 하나, 결혼해갖고 딸 하나 나놓고는 이거 아니라고 공산당 아니라고 통 고향이고 뭐이고 마느래고 소용없었어. 마느래는 여그서 사시고 자기는 자기 멋대로 돌아다니시고. 그라고 육이오 나갖고 인자 서울로 원래 인자 큰집이 서울로 이사 감시로, 순달씨 집이 서울로 이사감시로 우리 작은어머니도 고리 따라가셨는디 서울로. 육이오가 나니까 요리 피난 내려와부렀제. 여가 고향에 오잖아? 고향에 오므는 인자 공산당 했다고 또 뭔일 생길까 무성게 친정으로 가셔갖고 거그서 인자 애기들 델꼬 사시고. 우리는 우리도 인자 육이오 그때 당시는 피난 갔다가 와서 도로 와서 살았지 뭐. 별다른 애기 헐거이 없어갖고.

[조사자: 육이오 나기 전에 예비검속 단계에서 사람을 많이 상하고 했다는데 그때 상황이 기억나십니까?] 그 우리는 인제 말로 허믄 전해들은 소리지. [조사자: 어르신 연세가 어떻게 되십니까?] 이제 야든 둘인데. [조사자: 삼일 년생이신가부네요? 삼삼 년생?] 삼삼 년생. 그란디 그에 그전에 어뜩해 사셨든가 그런 건 잘 모르구. 이제 우리 작은 아부지 이 양반이 여그서 인자, 우리 어려서부터 인자 작은 어머니 혼자 사시니까 농사도 모르고 뭣을 하신지도 모르고 혼자 딸 하나 데리고 여그서 사셨어. 긍게 바로 우리 집하고 한 집이라놔서 지금이 이룧게 땀 쳐놓고 뭣허고 하지만 옛날에는 울타리 막아졌어요. 그라니

울타리 터놔두고 이 큰집 작은집잉게 왔다갔다 이라고. 우리집이서 사시다가 그 집이 인자 가시고 싶으믄 가고 가기 싫으믄 말고 그란 식으로 인자 작은어머니가 사요. 우리는 인자 어려서 그런 일인게 뭣인지 모르고 살았지요 뭐. [청중: 작은 어머니가 우리 당고모.]

뭣인지를 모르고 우리는 산거이고. 근디 인자 나중에 인자 그 인자 들은 소린디 우리 작은아버지가 결혼을 시켜갖고 큰집이가 좀 괜찮응게 논밭을 집도 인자 사고 해서 띠어주니까 금광한다고 그라고. 논짝 한꺼번에 싹 팔아갖고 그양 나가셔붓다 이거여. 그래갖고 이양반이 계속 나다니신 거야. 집이를 안 들어오시는 거야. 고향에를 안오시고.

그라고 우리 순달이 형님은 인자 학교 다닌다고 그라고 인자. 학교 어디까지 마쳤는지 난 똑똑이도 모른디. [조사자: 어디 유학을 하셨습니까 일본? 일본유학을 했었어요?] 일본유학 안 했다요. [조사자: 그럼 광주나 이쪽에서?] 광주, 광주고등학교. 인자 그때로 치믄 뭐 고등, 고등. [청자: 광주고보?] 고본가 뭐인가 뭐 일고라고 하고. [청자: 광주고보.] 지금 일고. 그래갖고 순달이 형님은 그랑께 그때 학생운동사건인가 뭐인가 거기에도 가담했단 말도 있고. 그란데 우리는 확실히 모르니까 들어, 듣는 소리. 그라다가 인자 형무소에 들어가셨다고 하고 뭣하고. 우리는 인자 그런 식으로만 듣고 살았지요. 뭐 몰라요.

[2] 보도연맹사건으로 죽임을 당한 마을 사람들 (1)

[조사자: 이 마을에 육이오전쟁 날 어간에 마을사람들이 많이 상했죠?] 많이 죽었지. [조사자: 그때 그 명분이 사회주의?] 우리도 여가 있으믄 죽을까 무성게 딴 디로 도망가고 그랬지. [조사자: 어르신은 피난을 하셨어요?] 으. [조사자: 그게 전쟁 나기 전 상황이예요?] 육이오 난지도 모르고 있다가 갑자기 인자 순경들 후퇴항께 뭔 일로 저리 한고. 그라고 있다가 봉께 인자 육이오 난다고

항께 우리마을, 인자 딴 부락 사람들은 아무 일 없으니까 피란가고 뭣허고 할 일이 없고. 인자 우리 마을만 공산당으로 지목된 거이라놔서 우리마을 사람들은 있다가 순경들한테 걸리믄 죽을까 무섭다고 다들 집 다 비놓고 다 도망가부렀어. 육이오가 막 나갔고는. 너나할 것 없이 만약을 모르니까 그라고 다 도망갔어. 아무 상관없는 사람들이. 나도 그때 인제 어린, 열여덟 살밖이 안 됐는디 그래도 인자 크고 항께 여가 있을 수 없다고 해갖고 저기 장흥으로 피란가갖고 장흥서 몇달 살다왔구만. (웃음)

[조사자: 그 당시에 집안에서 총살당하거나 이렇게 상한 분이 계세요?] 우리 우리 여 바로 인자 작은 큰아부지지. 두째, 두째여. 우리 여 가에 작은 아부지가 세째고 우리가 네째고 인자 그그 가운데 그 형님 한분이 계셨는디 그 형님이 육이오 때, 바로 막 그냥 육이오 났다는데 우리 여그서 같이 잤는디 몰랐어. 나 여그 그 형님이랑 같이 잤는디 아침에 인나봉께 없드라고. 저녁에 잡아가부렀어. 그래갖고 영 가부렀지. [조사자: 경찰에서 잡아다가?] 예. 육이오 나니까 그냥 와서 잡어가부렀는디 나를 같이 자믄서도 인자 어링께 놔두

고 강께 나는 모르고 아침에 일어나봉께 없어. 그래갖고 아주 가부렀지.

그때 보도연맹이라고 보도연맹 안들믄 뭐 공산당으로 몬다 그렁께 너나할 것 없이 보도연맹 다 들었어. 그 사람들 다 잡아갔지. 그래갖고 그중에서 쪼꼼 중한사람은 경찰서로 막 끄서가부리고 쪼꼼 인자 덜한 사람들은, 옛날에 면사무소에가 창고가 있었는디 그 창고에다 전부 때려다 잡아놨어. 그래갖고 그중에서 인자 뭣이 불거지믄 또 잡어가고. 글안한 사람은 내주고. 그런 식으로 해갖고 보도연맹 가입한 사람은 많이 죽어부렀어. [조사자: 그믄 집단으로 총살을 했어요?] 모르지 뭐 총살을 했는지. 하이튼 물에, 후퇴험시로 배에 실고 나가갖고 물에다 빠쳐 죽여분 놈도 있고 총살한 놈도 있고. 뭐 으트게 된 건지 똑똑이 몰라. 나가서 소식없으믄 인제 죽었구나 그런거지.

[조사자: 이 마을은 그렇게 마을분들이 근 칠팔십 명 상한 거예요?] 그릏게 인자 많이 당해부리니까 사람들이 맥이 없지 뭐. 어디가 우리마을사람 지금도 그때 얘기 허믄 얘기도 하기도 싫지만은 맥들이 다 없지. 어디 가서 큰소리도 못치고. 인자 모도 그래도 학교 나오고 인자 쪼끔씩 살어난 셈이여. 대학교 나오고 모다. 그전에는 아 딴부락에는 대학생도 있고 그러지만은 우리 마을은 대학생이 어디가 있어? [청자: 씨가 다 불타부렀는디.] 모도 형편없이 모도 곤란허게 살어갖고. 똑똑한 사람들 거 인자, 한참은 인자 젊은 사람들이 없으니까 우리 우로 몇 사람 없었어요. 그라고 우리가 청년인 셈이었지. 동네가. 그랑게 애기들이 젊은 인자 아주 어린애들이 한참 없고 어짜다 저집 가믄 하나 있고 요집 가믄 하나 있고 그런식으로 살다가 거의 죽어불고 없으니까. 너머 그때로 봐서는 너머 비참했지요.

한집이서 뭐 서이너이 다섯이까지 죽은 사람도 있어. 아부지 아들 모도 해갖고 한꺼번에 그냥. 그란디 실질적으로 그 사람들이 뭣을 했는지 우리는 모르지. 진짜로 공산당을 하고 뭐 나쁜 짓을 했는지 좋은 짓을 했는지 그거 몰라요. 아이 저 삼부자이 사부자이 죽은 사람들은 보믄 아 아부지같은 사람 늙은이들이 뭣을, 뭣을 언제 뭣을 했는지 모르고. 그 늙은이들 갖다가. 아들,

아부지 뭐 할 것 없이 몇 형제 갖다가 한꺼번에 그냥. 그건 그건 너머, 너머들 한 짓이여. 재판도 뭣도 없고 무조건 끌코 가서.

그랑께 그때 말이 그랬어. 쪼끔 뭐 비우상하고 그러믄 어크러분다고. 너이 자식 어크러분다고 그랬어. [조사자: 어크러부린다고?] 죽여분단 소리가 어크러분다. 그 말이 그렇게 나왔다고. [조사자: 동네사람들끼리도, 마을사람들간에도 갈등이 있을 때도?] 아이 어떤 사람 인자 싸우거나 그러믄 인자 어크러분다 그라고. 그라고 인자 어크러불고 양맹이주 한장이믄 충분해. [조사자: 양맹주 한장이믄 충분해?] 에, 양맹이 한장으로 공산당으로 보고해부리믄 끝난다 이거여. 그때 말이 한참 그랬어 그. 그렇게 험한놈으 세상이여. [조사자: 한마을에서 참 무서운 일이네요. 쪼끔만 척을 지믄 그냥.]

[청자: 우리집하고 우리동네하고 여그 동네하고, 아마 보성은 우리 동네, 강진은 이 동네.] 그런 동네가 여그만 있나. 우리만 그란 줄 알았드니 나중에 알아봉게 여러 군데 있고. 강진서도 그 강진신문에 보믄 저 도암같은 데도 그릏게 당한 데 있고. [조사자: 도암?] 도암. 도암면. 그란디 그래도 우리 마을같이 그릏게 많이 당하들 않았드만. 하나둘, 하나둘씩 죽은 것은 보통이고.

우리 형님 찾으러 죽여분 뒤로 육이오 그 인민군들 내려와갖고 이자 그 사람들 죽은 디 인자 안다고 해서 찾으러 한번 가봤는디, 거가 어디냐 그러므는 강진서 그 사람들 젤 첨에 갖다 죽인 데다 영암지구 풀칫재. [조사자: 영암?] 영암 풀칫재. [조사자: 풀칫재?] 풀칫재 거그 지금 인자 터널 났잖아요. 바로 터널 난 디 거가, 저짝에 영암 쪽에. 거가 거 여그 사람들 갖다가 다 죽여분 디여. [조사자: 집단으로 다 모아가지고?]

그때 그랑게 후퇴하기 전 후퇴할람서 거그 갖다가 죽여불고 자기들 후퇴하고 그란 거여. 거그서 형님 찾으러 간다고 이자 모도 우리마을 사람들 여럿이 모도 찾으러 간디, 같이 나도 따라 가봤지. 전부 이릏게 유선줄로, 전기줄로 딱 연결, 엮어갖고 그대로 그양 갖다가, 구댕이를 팠는가 안팠는가 모른디 해갖고는 우그로 흙 덮어놨대. 언능 보기에는 몰라. [조사자: 아 흙은 덮어져있고?] 흙을 파서 이롷게 우그로 덮어놨드라고. 그란디 흙을 우그로만 슬쩍 덮어놔농께 쪼끔만 이라고 건들믄 이자 사람은 인자 다 상해갖고 있지. 죽어분 사람은. 그라니까 쪼끔만 이롷게 자치믄 뼈가 나와부러. 그랑께 인자 거그서 인자 이녁 가족 찾은다고 거그를 다 자치고 다닌단 말이여. 그라고도 해봤어 거그서. 지금도 그랑께 거기 지나므는 여그가 바로 우리 형님이 있던, 있었던 곳이구나.

[조사자: 그래서 유골 수습하셨어요?] 그래갖고 찾았지 찾아, 거그서. [조사자: 형님 유골을?] 예. 찾아왔제. 그라고 거기도 없는 사람들은 인자 이 밑에 인자 성전 우이사 골짝 거그는 안가봤는디. 형님 찾아봉께 거그는 안가봤는디 우리마을 사람들은 또 거그도 가드라고. 그라고는 나머지는 인자 이 바다로. 거그 인자 바다에 가서 찾, 바다에서 죽어분 사람 밀려불고 어디 시체있다 그라믄 찾아가서 바다에 가서 찾아온 사람도 있고 그래. [조사자: 아 확인하고요?] 에. 못 찾은 사람도 있고.

[3] 윤순달의 월북으로 전쟁 후에도 감시를 당하다

[조사자: 그럼 인제 사촌 장형님, 사촌형님이 광주고보 댕길 때 공부를 좀 했으니까 사회주의사상이 조금 있을 수 있고?] 육이오 때는, 육이오 때는 그 양반이 전기회사에 다녔다고 그래 전기. [조사자: 전기회사?] 학교졸업하고 전기회사 다녔다고. 그라고 그라고는 인자 그 형님은 그라고는 통 못 봐. 우리 작은아부지고 그 형님이고 해방직후로 쪼까 얼굴 쪼까 보고는 그 뒤로는 못 봐부렀으니까. 얼굴도 잘 모르는데.

[조사자: 어르신은 집안에서 피난하셔서 돌아와서 이렇게 하고 그런데, 그러면 그 이후에 전쟁 끝나고 살아가시면서 내내 그런 공산당집안이니 이렇게 해서 고초를 당하셨어요?] 정보부에서 인자 내가 제일 나이 많고 인자 그라니까 여하간 육이오 후로부터서 내가 사십 넘도록까지 경찰들이, 경찰들이 오다가 아니믄

정보부에서 온다 했다가 요시찰이나 하러. 뜬금없이 찾아와서 뭐 이것저것 물어. 나보다도 잘 암서로 와서 다 물어. (좌중 웃음) 어디 간첩사건 났다네 그럼 단박에 찾아오고. 뭐 소식없냐고. 사십이 넘도록까지 나 그라고 살았어. [청자: 우리집도, 우리도 그라고 지냈어요.] 작은어머니 거그 계실 때 거그 갔지. [청자: 우리집 오셨지요.] 예. 하룻저녁 자고 왔어. [청자: 우리집 뒤안에, 뒷방에 숨어서 살았어. 윤가연씨 찾아가면 죽일까봐 뒷방에 숨어서 살았어, 한 십 년간을.]

그라니 그랑께 인자 하다 그러고 찾아댕깅께 우리 마을에서도 그룷게 뭐 형사고 뭐이고 찾아댕긴 사람은 나백에 별반 딴 사람들은 없어. 이북으로 올라간 사람들이 벨로 없으니까. 여그서 공산당이 어트게 물들어서 했든가 몰라도 흐지부지 모도 그라고 보도연맹 가입된 사람들 그런 식으로 해갖고 모두 죽었지만은 이북으로 실지로 간 사람들은 우리 작은아부지하고 형님하고 둘백이 없어. 그랑께 나는 늘 찾아댕김서 그룷게 했지만은 딴사람들은 그런 일은 없고.

그리하다, 그러고 댕기다가 나중에 인자 보니까 이 와서 안 물으믄 돌아셔분 거여. 우리 작은아부지가 그랑께 지리산 공비 토벌할 때 지리산서 뭐 완전히 뭐 다 저 토벌됐다고 어짜고 그라고. 그 뒤로는 우리 작은아부지를 안 물어. [조사자: 아 윤가현씨에 대해서는 묻지 않고?] 형님은, 형님은 계속 물어보고 댕긴디 작은아부지는 와도 안 묻드란 말이여. 아 이 냥반이 이룷게 죽었는가부다 그랬지. 우리 짐작으로. 누가 갈쳐준 것도 아니고 죽었네 살았네 누가 전해주도 안헝께.

[4] 보도연맹에 가입한 이유로 죽임 당한 사람들 (2)

[조사자: 이 마을이 해남 윤씨들 집성촌이죠?] 그렇지. 해남 윤씨 집성촌이지. [조사자: 옛날부터 문벌이 있고 양반가 동네겠네요?] 그러제. 양반노릇하다

공산당 되야갖고. [조사자: 몇몇 배우신 분들이 이를게 해서 보도연맹에 다 가입을 하고?] 보도연맹은 좌우간 해당될, 연영이 해당될만한 사람은 공산당이 어떻게 생긴 지도 모르고 암 것도 모르는 사람도 가입하라고 무조건 하고 다. 그 보도연맹 가입 안하믄 공산당이다. 그라고 때려놓께 가입 안할 수 없이, 다 인자 할 수 없이, 할 수 없이가 아니라 모르고 무조건 보도연맹 가입한 거야. 그래 그래갖고 인자 거그서 인자 조사하다가 인자 뭐이 잘못된 거 나오믄 죽은 거이고. 글 안하고 쪼금 제대로 된 것 같으믄 살아나온 거이고 그런 식으로 살았어. 보도연맹이 거의 그때 당시 보도연맹 만들 때 어트게 해서 만들었는고 몰라도 그 아주 저 사람 잡기 위해서 딱 만들어 논 거여. 첨에는 인자 보도연맹 가입 안하믄 공산당이다 그라고 인자 몰아갖고 나중에는 보도연맹 가입한 놈들 다 때려 잡어. (웃음)

[청자: 우리 동네로 시집온 우리 종조할머니 윤점순이 있어. 점순이, 점순이 알죠?] 으. 거그도 우리 집안이여. [조사자: 그쪽 집안도 그렇게 남자형제들이 전부다 그렇게?] 거가 점순이 그 아짐 즈그 아부지, 즈 큰오빠. 또 그담에 두째. 두째는 여그서 안죽고 광주서 광주 가 있다가 죽었구만. 두째, 두째 죽었지 세째, 세째는 살고 또 네째 네째 죽었지. 다섯째 근언이 다섯째 죽었지. 다섯이 그 집 식구가 육이오 때 다섯이 다 죽고.

[조사자: 보도연맹에 가입했다고?] 두째오빠, 두째오빠가 한분은 보도연맹 그 아니고 광주서 살았는디 그 광주서 어트게 되갖고 죽어불고. 거그도 그랑께 그길로 가다가 잘못 되갖고 죽어불고. 그라고 나머지 여그 있는 양반들은 그 뭐 부자간에 뭐 뭣을 어트게 그랬는가 몰라. 그란디 그 식구대로 다 한꺼번에 다 잡아다가 죽여. 그 뭔 죄가 어트게 되서 그란지 모르고.

[청자: 이 동네가 종갓집이 덕상이 집이지요?] 아이 그건 우리집 종갓집이지. [청자: 아 여그 종갓집이지요?] 우리집 우리집 사종가여. 작은집 종가고. [조사자: 사문중이고 도문중은 따로 있습니까?] 우리마을 인자 종손은 또 따로 있고. [청자: 그 집안도 피해를 입었습니까?] 아래 종손은 여가 안 있고 옛날

에 충청도로 이사가불고. 인자 그 다음 종손 뭐 별로 별로 없어. [청자: 덕상이 집이, 덕상이 종손 집에서 피해가 제일 많이 봤지요?] 그라지 인제. 우리 집안이 젤 피해가 젤 많았지. [청자: 그라지요. 핵심이 여기여.]

[5] 연좌제로 법대를 포기한 종손

[조사자: 어르신은 자제분을 몇 분 두셨습니까?] 오남매. 아들 둘이여. [조사자: 아들 둘에 따님 셋해서. 그믄 이제 공부시키고 할 때 다들 혐의를 받고 있어서 자유롭지 못했겠네요?] 우리애기들은 그렇게 뭐 괜찮았고. 덕상이 할 때까지만 해도, 덕상이가 이제 법대를 갈란다고 처음에. [청자: 순달씨 아들.] 그란디 인자 그때만 해도 인자 내가, 내가 젤 어른잉께 인자 법대를 갈란다고 그란디. 공부를 잘한다 말이야. 여기 여 이낮 국민학교 때는 장학금이니 뭐이니 그란 거 없지만은 중학교를 광주로 갔는디. 여그서 국민학교는 여그서 마치고. 광주로 갔는디 거기서부텀 장학금을 중학교부터서는 장학금을 받아서 고등학교까지 계속 장학금을 받었어. 그래가지고 법대를 갈라고 서울대 법대를

갈란다고 그래. 그래,

"가지마라. 너 법대 가봤자 써 주지고 안할 것이고 사법고시 본다고 해봤자 인정도 안 해줄 거이고 가지 마라."

가믄 어쨌다냐 그래. 내가 그때만 하더라고 험한 세상이여.

내가 뭔소리 들었냐믄 도암사람이 그 공산당 한 사람 즈그 아부지가 그 육이오 때 죽고 그런 가정이란디 거가 사법고시를 봤는디 통지서꺼지, 합격통지도 안 해줘불고 인정도 안 해줘불고 하도 뭣항께 그 사람이 지가 공부했던 책이고 뭐이고

"내가 뭐 미쳤다고 공부하고 뭣했다냐. 전부 끄집어내서 불타부리고 앞으로 아무것도 안할란다."고.

그랬다고 한다고.

"그런 소문도 듣고 인자 한 판인디 이라고 법대를 갈란다고? 가지마라."

라 그랑께

"그람 차라리 대학교 안갈란다."고.

"그건 너 알아서 하고 갈라믄 딴 과로 가든지 하제 법대는 가지마라."

그래. 그래갖고 법대를 못갔어. 그래 대학 안갈란다고 하고 있드니.

그때 조대가 이자 후기여. 전기 후기로 해갖고 저 전남대는 이자 먼저 하고, 일기로 하고 인자 이 사립대들은 후기. 그라니 그도 안 갈란다고 하드니 할 수 없는가 이자 조대를 후기로 가갖고 뭐여 그 전기, 전기. 전기학관가 뭐인가 그걸로 갔어. 그래갖고 대학 마쳤지. 글 안했으믄 안갈라고 했지.

[조사자: 장손분은 왕래를 하십니까 이 마을에?] 누가? [조사자: 덕상씨라고 하시는 분은 왕래를 하고 명절 때랑도 오고 성묘도 오고 해요 다?] 벌초하러고 왔지, 여그. 선산이 여러 벌 있응게 벌초하러도 와야 하고. 그전에는 인자 우리가 하다가 이제 나도 늙고 그렁게 느그들이 다님서 해라. 벌초하러도 오고 또 시제 모시믄 시제 때도 오고. 나 없으믄 이제 다 없어져불지. 안와도 되겄어 이자? 오라고 해야지.

[6] 일제강점기 때부터 야학을 통해 사회주의 분위기 형성

[조사자: 몇몇 어르신들이 그렇게 집안분위기 자체가 사회주의운동을 할 수 있는 분위가 맨들어졌었나보네요. 그 당시 왜정 때 공부를 좀 하시면서 그러니까 온마을이 다들 보도연맹에도 가입을 할 상황이고?] 거의 거의 왜 그랬냐 그라믄 왜정 때서부터 우리마을이 인자 한글도 모르고항께 야학. 시작은 여그 이자 우리마을사람들이 야학을 해갖고 한글 가르친다고. 우리마을사람들이 나이 웬만히 자신 양반들은 한글 모른 사람들이 없어. 다 알고 일이삼사 같은 거 그른 거 인자 웬만한 거 다 알 수 있는 정도.

그랑게 야학을 처음부터 시작해갖고, 그랑께 이 이 야학에서 거그서 모도 그 사상을 주입을 시킨 셈이 돼갖고 있제. 왜정 때부터서 그랑께 우리마을 사람들이 야학한 사람들은 잽혀가고 경찰서에 잽혀가고 모도 그랬다 그거여. 거기서부터서 물이 들었어 마을 전체가. (웃음) 야학도 못하게 하니까 인자 오늘은 요집이서 하믄 내일은 저집이서 하고 인자. 인자 바꽈가믄서 야학도 못하게항께 인자. 그라고 인자 경찰서에 끌고댕기고 그라고 했다야.

그거이 신문이 있었으믄 좋을 거인디. 작년 여름에 그 멫월달이까? 여름에 나왔었는디. [조사자: 강진신문에서 수동마을 피해상황을 보도를 했어요?] 아이 수동마을이 아니고 이냥반들 꺼. 가연씨 꺼하고 순달씨 꺼. [조사자: 아~ 두 분들에 대해서?] 이 강진인물 평한단 인자 그런, 강진신문에서 하면서 거그서 인자 물어봐갖고 인자 왔드라고. 신문 한부를 나 갖다줬는디 어디로 가불고 없네.

[조사자: 어르신 선친께서는 막내동생, 윤가연씨가 작은아버지가 어떤 활동을 하고 댕기는가 이런 거를.......] 모르지 우리는 전혀 모르지. [조사자: 아 집안에서는 모르고?] 모르고. 그랑께 여그서 큰집이서 결혼시켜갖고 저금낸다고, 옛날에는 저금낸다고 그러지. 그 집사고 논밭 띠어서 딱 주니까 논 한꺼번에 팔아갖고 금광한다고 나가셔붔다 그 말이여. 그 말백이 못 들어봤지 우리는.

[청자: 그 저 우리 당고모 이야기가 언제는 밤에 들왔드래. 그래갖고 하 기

분이 좋다 좋다 하드래. 아이 당신이 뭔 기분이 좋냐고 그렁께는 아 나 어디 논 있는 놈 그놈 옴막 팔아가지고 당에 바쳐부렀소. 오늘 참 기분이 좋다고 그러드래. 그래갖고 살림을 다 당에다 바쳐부렀다고. 그 이야기를 인자 금광.] 여기 우리한테 인자 말하기는 금광하러, 금광. 금광하러 간다고 인자 그랬다고 한다고. [청자: 논 팔아갖고 어디 당에다 바쳤단 말은 못할 거 아니에요?]

[청자: 그란데 여기 덕상씨 그 집터가 참 좋더라고. 좋지요 이, 동백나무 있고.] 그 집 지금 인자 어디냐그믄 가심시로 딴 양반이 망해불고 그래갖고 그 집을 판 통에. [청자: 문중에서 제각으로 샀다매요?] 우리 집안에서. [청자: 으, 집안에서.] [조사자: 사문중에서?] 큰집이 없을 수 없응게 사서 제각 만들자 그래갖고. 그 집 그대로 가만 놔두고 제각, 제각으로 제사 모실 때만 쓰고 있는 거여. [조사자: 방금 그분은 따로 있나보네요?] 조기 가.

그란디 그 집도 이 인저 묘하게 그 집 산사람도 어쨔 잘 살들 못허고 원래 잘 살든 양반이데 그 아저씨 된 양반 돌아가시고 뭣하고 항게 그 아들들이 다 망해먹고 그 집을 판다고 해서 딴 사람들은 집이 크고 그랑께는 언능 못 사. 그때만 하드라도. 가격도 가격이고. 그 그래갖고 그 내가 인자 산다고 그래갖고, 그것도 또 농협에서 또 잽혀 먹었어 그걸. 그전에. [조사자: 그래서 어르신이 힘을 쓰셔서 몰락한 집안을 일으키고 하셨네요?] 일으킨 것도 없고 농사 그전에 있는 논잉께 농사나 지어갖고 새끼들이나 가르친다 그 식으로. 뭐 나쁜 짓 안하고 노름안하고 그라고 상께 이라고 산 것이지 뭐.

좌익활동 가족으로 인해 고초를 겪다

정 장 옥

"아이고 모두 고초는 많이 받았제. 인자 우리 아버지, 우리 어머니도 고초 받고"

자 료 명: 20140712정장옥(보성)
조 사 일: 2014년 07월 12일
조사시간: 96분
구 연 자: 정장옥(여 · 1921년생)
조 사 자: 김종군, 박현숙, 박혜진, 황승업
조사장소: 전남 보성군 보성읍 봉산리 (제보자의 집)

[조사과정 및 구연상황]

보성 정길상씨의 소개로 정장옥 제보자를 자택에서 만났다. 제보자는 집에서 딸 내외와 함께 조사자를 기다리고 있었다. 구연도중 구연자가 연로하여 빠트리는 내용이 있으면 딸이 중간에 개입하여 제보자에게 들었던 이야기를 들려주기도 하고, 모친에게 질문을 하기도 하면서 유능한 청중의 역할을 해 주었다.

[구연자 정보]

장정옥은 1921년 보성 겸백에서 태어났다. 어릴 때부터 공부를 하고 싶은 열망이 컸으나 조모의 반대로 공부를 많이 하지 못한 것을 한스러워 한다. 제보자는 부친의 반대에도 불구하고 청송심씨 집안으로 시집을 갔다. 철도국 직원이었던 남편은 인공 때 국장까지 올랐다가 전세가 역전되어 철도국을 그만두고 사업에 투자한다. 그러다 사업에 실패하고 빚만 지자 제보자가 몇 년간 농사를 지어 빚을 다 갚았다. 제보자는 고령임에도 매우 정정하였고, 조용한 말투로 힘든 기색없이 구술을 하였다.

[이야기개요]

장정옥 제보자는 학업에 대한 열망이 매우 컸다. 그러나 조모의 반대로 인한 학업 중단의 한이 크다. 집안에 좌익 활동을 했던 가족들로 인해 남은 가족들이 고초를 겪었다. 특히 외사촌의 좌익 활동으로 외숙모가 숨어 지냈다. 그런데 외숙모가 사촌동생을 찾아다니던 경찰에게 발각되어 총에 맞아 사망한다. 월북했던 제보자의 남동생은 한국전쟁 때 인민군으로 돌아왔다. 입산하여 빨치산 활동을 하던 사촌동생이 일행과 함께 제보자를 찾아왔다. 제보자는 혼자 왔으면 몰라도 다른 일행과 함께 숨겨줄 수는 없다면서 단호히 거절하기도 하였다. 인민군이 밀려가고 국군이 마을에 들어와 마을 사람들을 굴에 모아놓았다. 그곳에서 마을 사람들이 여럿 죽었다. 그런데 당시 만삭이었던 제보자가 모이라는 소리에 나가려고 할 때 갑자기 앞으로 넘어져 정신을 잃었다. 이후 군에서 여러 차례 제보자를 데리러 왔으나 제보자가 혼수상태라 나가지 못했다. 제보자는 그 당시 뱃속의 태아 덕분에 살아남았다고 생각한다.

[주제어] 좌익활동, 월북, 보복, 사살, 지하시루, 폭행, 학업 열망, 야학, 결혼, 빚, 청산, 봉강

[1] 조모의 반대로 중단된 학업에 대한 열망

[조사자: 이제 할머니 친정이야기부터 할머니 기억대로 편하게 이야기 해주시면 이야기를 듣고, 실제로 여순사건 이후의 상황이랑 봉강리 정 씨 집안과의 관계나 이런 것도 이야기 해주세요.]

거가 우리 고모님, 인자 막둥이 고모님이 봉래 심 씨 거든요. 근디 막둥이 고모님이 오셔가지고 난 첫 딸이어요. [청중: 우리 어머니가.] 그래갖고 인자 정, 해자, 룡자. 바다 해(海)자에 용 룡(龍)자지? 그리 인자 출가를 했었어. 그래서서 인자 내외종간이지. 우리는 외갓집이고 그기는 인자 고모님 자녀간이라, 내외종간이라. 친남매 아니요? 그래요. 사촌. 거기서 난 우리 막둥이 조카[청중: 그란께 친정이 겸백인데, 그 안겸이라는 동네요.] 도안. [청중: 겸백이면 보성군 겸백면.] 길 도(道)자 편안 안(安)자. 친정에서 태어날 때는 천석꾼 부자집 딸이요, 내가. 그래갖고 그 우리 집에 딸린 옛날 뭐도 하인들 없소? 여섯 집이나 되야. 그런께 친정 빵– 둘러서 인자 여섯 집 식솔들이 다 우리 식구나 다름없지요. 그러고 인자 우리 아버지 삼형제 분은 우리 증조할아버지께서 거시기 해갖고 두드려 맞아갖고 그래서 돌아 가셨어, 할아버지가. 증조할아아버지가 세를 이루셨고, 할아버지는 동학 때 재정되고 그런 일하고. 그래 일본 놈들이 그냥 달아 매놓고 두드려 싸서 그 병으로 돌아 가셨다 아입니까. 그래갖고 인자 옛날이야기를, 추억을 더듬을려면은 감회가 깊습니다. 그래서 우리 어머니가 단명하시다고 3년 간 타향으로를 묵어야 명을 이숭다는 옛말을 듣고 인자 우리 아버지가 우리 어머니를 데리고 인자, 내 밑으로 정영래라고 있어요. 학래, 학래가 있고 그러는데. 인자 데리고 영래는 할머니한테 맽겨 놓고, 저하고 바로 인자 학래란 사람이 둘쨉디, 데리고 인자 능주 오류천으로 이사를 갔어. 능주 오류천으로 이사를 갔는디, 거가 민 씨들이 많이 살아요. 그래갖고 거 가서 너나 나나 없이 우리 아버지를 하대를 해. [조사자: 객지에서 왔다고?] 예에 왔다고. 그런데 거기다가 인자 논도 사고, 산도 사고, 집도 사고, 얼마 안 있지만은 밭도 사고. 우리 아버지가 그 때 거기 식으로는 다 출입이 있으니까, 알아주니까, 그래 3년 딱 살다가 허는 디. 우찌 그리 학래란 동생을 업고 나가면 그 민 씨 애기들이 나한테다가 오줌을 싸사. 그 밑에서 가서 노느면 때죽나무 우게서. 그래서 인자 그가 인자 국민학교가 있응께 한 오백 미터는 될 것이요. 애기를 업고 그 인자 국민학교로 가서 운동장에서 내 있다가 해가 넘어가야 와. 거기 애기들이 오줌을 싸고 두드려 싼게. 우리 동생을 때려요 막. 그래서. 그래갖고 우리 아버지 보고

"어머니, 아버지 나 언제 학교 보내 줄 고? 나 학교 가고 싶어."

그랬어. 그랬더니

"고향에 가야 너 학교 보내지. 고향에 안가면 못 보낸다."

그래. 내가 보통 3년 나던 해에 고향으로 왔어요. 그때가 인자 몇 살이냐면 지가 인자 여덟 살이여. "아버지 인자 학교 보내 주시오." 그러믄 인자, 우리 어머니가 요 택촌 안 씨거든요, 죽산 안 씨. 우리 어머니가 우리 할머니가 엄하셔. 하도 엄해갖고 이 양반은 그 가족이 다 양반이지만은 딸을 학교 보내면 배린다고 학교를 못 가게 해요, 저를. [조사자: 할머니가?] 예예. 그래도 저는 학교를 갈라고 마음먹고는 그래 이바굴 했는디. 우리 아버지가 인자 그때는 자체회장을 학교서, 지금은 뭐라고 그라요? 학부모에서 제일로 인자. [조사자: 육성회장 이런거?] 예예, 맞어 맞어. 그것을 하고 있은께, 광주도 갔다 어디도 갔다 서울도 갔다 이러신께는 그래 할머니만 아니 아버지만 안계시면 저를 학교를 못 가게 해요. [조사자: 할머니가?] 예. 그때 이자 여학생이, 국민학생이 다섯이여, 다섯 명인디. 지금은 이름도 많이 잊어 버렸우마는, 인자 학교를 간께는 면장 딸하고 저하고, 또 몇 명 되아요. 근디 어찌나 내가 가고잡바서, 부끄러운 말이지만은 할머니가 못가게 책보랑 다 뺏어 버려. 그래서 그렇게 못가게 하면은

"화장실에 간다."

해갖고

"작은 어머니 나 책보 던져줘요."

그때는 보라고 했어요. 보를 두르고 핀을 찌르고 그러고 학교를 갔어. 치매랑 다 뱃겨 부닝까. 속에 내복만 입혀 놓고. 그래서 인자 아버지만 어디 가시면 그냥 죽겄어, 학교를 못가게 헌께. 그래갖고 인자 우리 아버지가 갔다 오시더만, 선생님이 인자 말을 했어.

"장옥이가 학교를 못가게 한께, 책보도 없이 보를 두르고 학교를 왔더라."고.

그란께는 인자 우리 할머니한테 가서 아버지가 그냥 할머니 보고

"지가 배우고 싶어 저러코로 하는디 왜 그러시냐."고.

이런 말을 한 뒤로는 아무 말도 안했어 무사히 다녔어. 다녔는디 인자 나는 중학교가 가고 잡은데, 절대 못간다 그래. 딸자식 가르쳐 놨자 거시기 하고 저 밖에 나가면 부모들이 뭣 할지 알라고. 편지를 선생님이 써줘서 갖다주면, 생전 아버지가 참말로 회초리로 한 번도 안 때렸는데, 세 번 갖고 온께는, 아버지가 한 번 반대하믄 선생님이 줘도 안 받아 갖고 와야해. 이것을 달랑달랑 받아갖고 온다고

"니가 아버지 말을 거역허냐?"고.

그러시대요. 그래 일단 회초리를 해오라고 그래. 설마 때릴라든 싶어서 회초리를 해갖고 온께 옛날에 목침이 있어요, 베개. 목침 우게 올라서라고 장딴지를 걷으라대요. 걷었더니 어때 야물게 때려부니 대번 피가 터져 부려.

"이래도 니가 학교 갈라고 마음 먹냐?"고.

그러믄 내 담임 선생님이 광주가 처가여요, 처가인디. 그 담임 선생님이

"아버지가 안 보내 주면, 내가 너를 가르치려 하니까."

저거 처가가 바로 그 중학교 앞에 있응께

"정 아버지가 그러신다면 내가 너를 가르치마."

그러대요. 그라고 인자 저 봉내, 당촌이라고 거가 광주 이 씨들이 많이 사는데. 거그 인자 당고모가 부자로 잘 산께 서울서 인자, 거그는 서울로 떠갖

고 당고모 딸이 배재학교요, 그때? 거그를, 배재학당이라고 했어요. 거그를 보내줄 것인께 "우리가 다 니 밥도 먹이고 너를 보내 줄것인께 가자." 그더요. 몰래 도망가자고. 그런디 아버지가

"니 한 번 내 살 방 나가기만 하면 의절을 할지 알아라."

진짜 그래 무서워서 못 갔어. 그러고 우리 할머니가 딸 셋, 아들 셋 그러코로 낳는데, 가운데 작은 아버지는 오른쪽에, 끝에 작은 아버지는 왼쪽에 그러고 있어갖고 한 울 안에서 삼형제가 살았어요. 밥도 따로 안 해먹고 그냥 한데서. 그래서 우리 할머니랑 작은 아버지랑, 작은 어머니 식구들. 우리 또 작은 어머니들이 난 종재들. 다 모두 함께 농사도 지어서 다 따로 해주고. 참 한 울 안에서 그러고 화목하게 살았어. 근디, 우리 동생이, 내 바로 밑에 동생은 국민학교 3학년 때 죽고. [조사자: 그분이 정?] 정영래여, 거그는. 3학년 때 죽고. 공부도 잘하고 운동도 잘하고. 참말로 그래요. 그런디 죽고 그 밑에 동생부터선 인자 광주로, 서석국민학교로. [조사자: 거기가 정학래고, 바로 이제 밑에 동생이 또 이제?] 예, 그 인자 그 밑에 동생은 정웅래인디, 거그도 광주. 전부 인자 머슴애들은 국민학교 때부터 광주서 보냈어. 학동 양림교 곁에다 우리 산에서 나무 비다가 집 지어갖고. 짓고는 거그서 인자 학교를 다 보냈는디. 우리 고모가 벌교 한 씨들 집안으로, 청주 한 씨들 집안으로 결혼을 해갖고 남매 놔놓고 돌아가셨거든요.

우리 고숙이 정읍서 살았어, 전라북도. 그래갖고 돌아가셨는디 그 인자 할머니가 또 애기를 데리고 나가갖고 머슴애가 죽어버렸어. [조사자: 그러니까 고종사촌이?] 예예. 그래갖고 딸을 하나를 델꼬 시댁에 와서 젊은, 스물 일곱에 혼자 되었은께. 누가 보쌈해간다고, 아버지가 가서 우리 고모를 딸하고 몸만 데리고 와버렸어. 그리고 인자 재산은 전부 거그 양자로 줘 버리고. 한 씨, 금동서 살아요. 그래갖고 왔는데 그러믄 이제 한 학년이여. 인물이고 뭐시고 참, 다 좋지요. 근디 공부가 아무 것도 아니여. 이 장에 있는 글자를 요 장에서 몰라. 오른쪽에 있는 글씨를 왼쪽에서 몰라. [조사자: 그러니까 고종사촌

여동생이?] 예. 그러니께는 같은 학년인디, 워낙 공부를 못허니까 그놈은 이제 학교는 못 보낸디, 저만 보내면 되겄소? 그러고 밭을 매나 무엇을 하나 고모딸은 안 시게. 그러믄 지가

"아버지, 왜 그라시오? 나만 시키요?"

그러믄

"너는 아버지가 있지만은 니 동생은 아버지 없는 동생 시켜불면 쓰겄냐?"

그렇고 말씀 하셨고. 인자 같이 큰께 예단 같은 거, 그때 결혼 준비하믄 우리 고모는 욕심이 많아갖고 칠첩반상기 뭐다 하믄 전부 저울로 달아갖고 근수 더 있고 그런 놈은 자기 딸. 근수 작은 놈은 내 꺼. 인자 옷도 웃저고리고 뭐고 요로코롬 맞쳐. 가만히 보면 맞차갖고는 한 치라도 많이 있는 놈은 저거 딸, 적은 놈은 내 꺼. 뭐 반지 그렁이고 뭐이고 그래. 한 번은 제가 그랬어요.

"할머니, 나도 하나 좋은 놈, 내 마음에 드는 놈 데려 올 거."

그런디 반상기를 반디그릇을 줘 그렇게. 그때는 물을 들여서 꽃반지 그릇을 둘을 해왔는데, 하나를 내가 그때 인자 고모는 고모 밭에 가서 밭 매느라고 없었어. 한 번은 내가

"요놈 더 이쁜 놈 그래라, 니가 그래라. 갖다 숨겨 버려라."

할머니가 그래. 그래서 인자 갖다 인자 숨긴 게 어디 있을 거여. 벽장 안에다 넣어 났지. 고모님이 오더만

"왜 반지그릇이 하나 뿐이 없냐?"고.

그런께 우리 할머니가 하나는 갖다 놔뒀단다. 집안에서는 봄 춘(春)자, 맞길 임(任)자로 춘임이라고 했어요. 그라고 인자 학교 갈 때 호적에는 장옥이라고. 갖다가

"그놈 갖다 놔뒀다, 내가 갖다 놔두라고 했다."

그란께 막 보자 그럽디다. 갖다 뵈이기가 싫어. 인자 고모가 가서 벽장을 열고 갖고 오더만은 아 그냥 점심 때가 되었는디 밥상을 채려 놓고 우리 아버

지랑 삼형제 분이 사랑채에서 안채로 인자 점심 잡수러 들어오는디, 아 반지그릇을 내 던져 던져 부리여. 던자 분께 아버지가 웃어 삼시로 갖고 들어오시더마,

"뭔 반지그릇이 굼부러 오요?"

그란께 우리 할머니가

"니 누나 욕심 많은 쟁이가 더 이쁜놈 차지 하겠다고 그랬단다."

하니까 웃어삼시로 저를 부릅디다. 그래서

"워매, 또 뺏겼다."

하고 갔어요.

"아버지, 왜 그리시오?"

그러니까

"그리 앉아라."

아버지 곁에 가 앉았지.

"아버지가 더 좋냐, 반지그릇이 더 좋냐?"

"아부지가 더 좋지요."

그런께

"그래, 니 말이 맞다. 너는 아버지가 있어, 반지그릇보다 더 좋은 거. 그러니까 니 동생은 아버지가 없어. 그란께 모든 것을 양보를 동생한테 해야지. 좋은 아버지 갖고 있는 사람이 욕심을 채우면 쓰느냐."

뭐이나 지고 살았어 참마로. 요로콤 살고 보니께 옳은 말씀을 다 하셨고 그러대요.

[2] 동생의 부정 입학

그런디 우리 동생이 학교 학래 학교 댕길 때, 머슴애들은 전부 거그서 보냈어도 우리 여동생들이 너이요. 나까지 다섯. 그런디 남동생도 다섯, 여동생

도 나까지 다섯. 10남매 낳어, 우리 아버지가. 그래갖고 아들들은 다 머리가 괜찮아갖고 우리 셋째 동생이 [조사자: 학래? 웅래?] 웅래 밑에 넷 째지. 아들로는. 넷 째 동생이 서중, 서중학교 시험봐서 합격하고 사범학교 시험봐서 합격 했어요. 두 군데 합격을 했는데 끝에 작은 아버지 아들이 동갑이여, 동갑인디. 그 동생은 다 떨어져 부렸어. 이름이 송래여, 정송래. 송 송(松)자, 올 래(來)자. 은자 떨어져 부린께 인자 걱정이 되지요. 우리 강래는 두 군데서 다 합격증이 왔는데. [조사자: 남동생으로 넷 째 동생이 정강래 인데, 사범학교 하고 다 붙었는데?] 사범학교도 붙으로 서중학교로 붙으로. 그러자 인자 서중학교가 불이 나부렸어. 그래서 입학한 사람들 사진이랑 다 타져져 버렸지. 타져분께는 우리 아버지께서

"강래야, 잘 되었다. 너는 사범학교로 가고 니 동생, 사촌동생은 서중학교로 보내자."

그래서 사촌동생이 이제 서중학교로 나갔단 말이여. 나왔는디 나란히 가믄

"강래야, 강래야."

두 강래가 나란히 간게. [조사자: 요즘으로 치면 부정입학을 한 거네요. 똑같은 이름으로 사진이 불 타서 없으니까?] 이이, 사진이 없은께. 그래갖고 그 동생은 서중학교 나와갖고 전대 의대 합격을 했어. 합격을 했는디 2학년 때 송장을 파다가 실험을 한다데. 그래갖고 그 놈에 놀라갖고 학교를 안 댕겨부려. 안댕겨 불고. 어쩌까 서울로 가서 뭔 학교를 댕겼는가, 중앙청에가 있었어, 그 동생은.

우리 동생은 서중학교 나온, 댕길 때 6.25가 터졌어. [조사자: 저기 사범학교 다닐 때요?] 어, 사범학교 다닐 때 6.25가 터졌을 거에요. 그래갖고는 못 댕기고 산으로 어드로 그냥 피해 댕기고 어쩌고 그랬재.

[3] 아들 좌익 활동으로 인해 총살당한 외숙모

그 밑에 또 동래라고 있는디, 막둥이. 남동생이 있는데 그 그는 공군사관학교시험 봐서 모자까즈 다 거시기 했는데 형이 그렇다고 해서 거그루 못 댕겨뿔고, 고대 시험 봐서 들어가갖고 고대 다녀갖고 유공에 있다가, 지금 정년하고.

[조사자: 그러면 학래 동생 분은 무슨 다른 일을 안 하고?] 안 하고, 인자 농고를 갔어. 농고 갈 때 일본 놈들하고 싸움을 해갖고는, 일본 학생들하고. [조사자: 광주농고에 가서요? 광주학생운동 할 때 그때인가요?] 그라제, 그래갖고는 이제 졸업하더만은 통 취직할거 생각도 안허고 어쩌고 하더만은 그냥 이북을 들어가부렀어. [조사자: 이북으로?] 응. 그래서 (한숨을 쉬며) 인자 그런 것을 거 경찰서 알고 쑥대밭을 맨들지. [조사자: 친정을?] 응. 아이고, 우리 어머니 아버지는. 작은 아버지, 아버지 삼형제거든. 우리 어머니. 외가 외숙모가 총살당했잖아요, 머리 관통을 해서. [조사자: 외숙모만?] 인자 그 아들이 또 그, 거시기를 했어. 이봉제라고. 그 아들이 또 그 사상으로 해서 댕기다가 즈그 어머니가 숨어갖고 있는디, 우리 친정. 인자 옛날에는 밀주를 해 무은께. 마루 밑에다가 구뎅이를 파고 거기다 밀주를 했어, 우리 할머니가 술을 좋아한께. 했는디, 누가 거, 거시기를 해갖고 거기서 끄집어 내서 그냥 총살당해뿠어. [제보자 딸: 아들하고 같이 죽었소? 그라믄 그때?] 아들은 그 뒤에 잽혀갖고 죽었제.

[조사자: 그 어머니가 뭘 어쨌다고 어머니를 죽여요?] 어머니는. 밤낮 인자 아들 찾아내라 그랑께는 밤낮 피해댕기제, 그 가족이 전부 피해. [조사자: 그게 그러면 해방되고 난 뒤의 이야기에요?] 그랑께 해방되기 전에 죽었제. [조사자: 일제 때?] 아니여. 해방, 그 해방 말고, 6.25. 6.25 때 죽었어, 그때. [제보자 딸: 빨치산이었소? 아들이 빨치산?] 빨치산. [조사자: 저기 외숙모가?] 외숙모 큰아들. 둘째는 철도국에 다녔어. 쪼깐해서 국민학교도 못 나오고. 우리집

양반이 말해갖고, 어쩌꼬롬 해갖고는 저 거시기, 기관사부터 시작해서. 그 자녀 간들은 모두 의학박사고, 며느리고 의학박사고. 이름을 잊어 부렸다.

[4] 지하실을 지하시루로 잘못 알아들어 폭행 당한 외할머니

[조사자: 그러면 어르신, 남동생분, 정학래 동생이 광주농고를 다니면서 광주학생운동 났을 때 그때 하면서 사회주의사상을 조금 가지고, 가지고 하면서 해방되면서.] 해방되면서 없어져 부렸어. [조사자: 6.25 전에 북으로 갔을 거라는 거예요?] 그러제. 6.25때 내려 왔제. 남부군 사령관으로. 그래서 그때는 모두 좋다고 했샀더만, 그 뒤에 1년도 못되어서 죽어버렸어. [조사자: 그러면 6.25 기간 동안에 고향에 왔었어요?] 하아, 왔제. [조사자: 그래서 누님 찾아보고 했던가요?] 하아아, 나도 찾아보고.

"누님, 내년에 나 결혼할 것인게 결혼 누님이 시켜줘이."

그랬어. 그랬는데 죽어버렸어.

[조사자: 이제 그러고는 밀려 올라가니깐 지리산으로 갔던 갑네요?] 지리산으로 해서 가갖고 가내사건이 있제. 문덕 가내, 이 씨들 사는 데. 아니, 거기 안씨들이 살제. 거그서 저 큰 거시기로 해갖고 있다가, 거가 모두 뭉쳐갖고 있다가, 거기 습격당해갖고 총살 당해 부렀어. 거기서. 피해서 내려오다가. [조사자: 거기가 어디라고요?] 문덕, 가내라 그래, 가내. 그래 나는 인자 죽은지도 모르는디. 우리 거스기가, 여그 시댁이. 일로치믄 아까 기상 씨, 길상 씨. 이 외갓집으로 해서 외삼촌 한 분이 아들을 낳는데, 그 아들이 참 좋아. 그런데 학도병으로 갔제. 가갖고 와서. 근데 내가 청소를 하고 있응께.

"형수 씨, 형수 씨."

그러는께

"왜 그러냐?"

근께는

"아깝게 동생이 죽었소."

그래.

[조사자: 학래 동생이? 그 소리를 그 때 해줘요?] 예. 그래서 그냥 깜짝 놀랬지. 저 문덕면에서 아지트 거시기 해갖고 죽었다꼬.

[조사자: 그러면 인제 지금 어르신 친정쪽은 그 상황으로 그냥 몰락을 해버렸습니까?] 그러제, 몰락 되야 버렸제. 뭐시나 몰락이 되었제. 뭐 동생도 공군사관학교 모자까지 맞차갖고는 형이 그랬다고 해서 거그 못댕기고, 고대 시험 봐서 들어 가갖고, 1년 꿇어갖고 또 시험 봐서 합격 해갖고.

[제보자 딸: 옛날에는 천석꾼 부자였는데, 6.25 때 살아나왔을 때는 항상 돈을 싸 짊어지고 갔기 때문에 엄청. 외할머니한테 내가 6.25 이야기 해주라고 한께

"아야, 나는 뚜드려 맞은 기억밖에 없다."

그람시로 제일로 기억나는 것이 경찰이

"지하실이 있냐?"

근디, 외할머니가 듣기로는
'지하시루가 있냐?'고.
옛날에는 지하로 시루를 만들었잖아요.
그랑께나
"우리집 지하시루 있다."고.
근께, 외할머니는 '지하시루'로 듣고, 그 사람은 '지하실'이 있냐고 물어봤는데. 그랑께는
"어디가 있냐?"
그래서 외할머니 말씀이
"깨져 버렸는데요?"
지하시루가 있었는데 깨져부렸다 그랬더니,
"아따, 이런 독한 년이라 그런 아들을 낳았다."고.
그래갖고 엄청 두드려 맞았대요. 두드려 맞고 인자 죽게, 죽음으로 끌려가고 있는디
"마지막 소원이 뭐냐?"고.
물어 보더래요. 그래서 외할머니 남동생이 경찰이여. 그러니까는
"그 동생 얼굴이나 한번 보고 죽었으면 소원이 없긋다."고.
그란디. 인자 그 친정동생 때메 외할머니가 살아난 거야. 경찰이어서. 그랬다고 외할머니가. 6.25 이야기 하면, 6.25는 자기가 뚜드려 맞은 거 뿐이 기억이 없다고 그렇게 이야기 했어.]

[6] 청송 심씨 집안과 결혼하게 된 내력

[조사자: 할머니 그러면 여기 청송 심씨 집안으로 시집을 왔는데, 이 청송 심씨 집안도 재력이 그만큼 됐었어요?] 나는 뭐시냐 하믄. 요집 양반 늦게 학문을 배우는 게 있다, 학문. 학문을 배워갖고 인자 학교를, 나이가 들어간께 학교

간 것이 괜찮으긋다 해갖고, 나이가 많아서 들 수가 없응께, 인자 우리 시어머니로 해서 이종사촌이 등량서 학교를 선생을 했던 게비야. 그래서 나이가 많은께 그리 가갖고 6학년에 편입을 했는 기야. 해갖고는 아니, 5학년에, 아니, 4학년이라고 그러던고. 편입을 해갖고 거그서 1년을 댕기고, 5학년 때 요리 국민학교로 왔답디다. 와서 인자 졸업을 허고 난께, 또 학문을 배울 한께 안 배우고 그냥 서울로 째버렸어. 그래갖고는 그때 인자 결혼 할러고 말을 헐 때, 인자 시아버지가 구르마로 나무장사 해갖고 묵고 살았나 보입디다. 그랬는디 서울로 가갖고는 식당에, 큰 식당에 가서 불 때주고 고학을 했어. 그래갖고 인제, 지금 말하자면 철도학교 그 거신거더만? 그래서 거그를 나와갖고, 수석으로 나와갖고 철도국을 댕긴단 말을 듣고는 같은 자리에서 모두 혼사라 났어도 지가 원했어요. 학번이 있었어. 재산이란 것은 있다고 없고 그란께. '내가 가서 잘하믄 될 거'허고.

그래서 이리 결혼을 해갖고 와서 본께, 인자 외아들 7남매를 낳어, 시어머니가. 그래갖고 아들은 셋, 딸 넷 나갖고 우리집 양반 하나 살았어. 막둥이하고 둘 살았던고, 나 시집 온께. 그래갖고는 그냥 아들이라 "오냐, 오냐." 했제.

그렇고로만 키웠어, 아들을. 그랬는디 인자, 철도국을 취직을 해갖고 있은께 군수가 부러울 것이여? 그런디, 그래갖고 인자, 요리 원해서 온께, 우리 작은 아버지들이 절대 반대하고. [조사자: 이제 집안이 기운다고?] 예예예, 거시기 구루마쟁이에다가 그때 인자 친정은 세금을 보성군내에서 1등으로 냈어, 세금을 많이 냈어. 그러믄 각 기관에서 우리 아버지 모르는 사람이 없제. 그런께 우리 아버지가

"다 반대하는디, 너는 어째서 꼭 그리로만 원하냐? 후회 없냐?"

그래서

"후회 안 할란다."

그랬어. 우리 아버지가 아파버렸어 인자. 결혼날짜 받아놓고. 홧병이 낳

제 말하자믄. 그래갖고 인자 결혼은 했지요. 와서 해갖고 온께 장리쌀이 뭐인지도 모르고 살았는디. 나가 인자 국민학교 졸업해갖고는 아버지 보고,

"아버지, 아버지. 나 어버지 한티 청이 있다."고 그런께

"뭔 청이 있냐?"

그래. 이 동네 하동 정 씨들이 전부 자자일촌 한 60호 살어. 근디

"전부 핵교를 안댕겨 논께 아버지가 선생님한테 이르면, 내가 야학을 가르칠라요. 다믄 2시간 씩만 아짐들을 가르 칠라."

그래서 우리 아버지가

"그래라. 좋은 생각이다."

[7] 결혼하여 2년 간 야학에서 학생을 가르치다

그래서 하룻 밤에 2시간 씩을 전부 가르쳤오. 우리 아짐들, 동생들, 그래인자 학교 안 다닌 사람들만. 그라고 인자 시집을 왔는디 인주 씨가 여그 길상씨 외삼촌이 군청에 댕겼어. 댕겨갖고는

"제수 씨, 이제 모두 무식헌 사람이 많은께, 밤이믄 한시간 씩만 시간을 내서 가르치믄 어쩌겄소?"

그래.

"그러자."고.

"그랍시다."

그랬더니, 우리 시어머니가 일 놔두고 그런 데 나간다고 어찌 꾸지름을 하셔. 그래도

"어머니, 아무 것도 하지마쇼이. 내가 갖다 와서 다 허 거인께."

그래서 내가 2년을 여기 와서도 밤 선생을 했어, 여기서. 그란께 내가 이제 가르친 사람은 다 죽어버리고 없제 인제. 나이도 마이 묵었자너. 그란디 여그 온꺼는 장리쌀을 먹는다고 해. 그라고 인자 그때 없이 산 께는. 친정에는 그

냥 봄이고 은제고 쌀을 찧어다고 곳간에다가 이렇고롬 벌려 났더만. 근디 아짐들한티 내가 곳간 들어가갖고 치매 벌리라고 해서 전부 모두 두 되씩 쌀을 퍼줘, 몰래. 그런께 시집올 때 그러대요.

"너는 잘 살 거이다. 생전 돈도 모르고. 세상에 니가 그러고 후덕을 베풀고 그래서 잘 살 거이다. 뭐 갖다 줄 것이 없냐?"

그러고는 꾸리, 실꾸리가 큰 방울을 하나여. 그 놈이 선물이 들어 왔어. 그래가 대처 인제 온께는 장리쌀을 먹는다 그래. [조사자: 시갓집이?] 이이. 옴께는 두지가 있습디다. 그랬는디 인자 본께 노무, 너므 논을 줘어 뜯은 시아버지가. 그래갖고 두지를 만들어 놓고. 장리쌀은 생각도 안했는디. 아 그냥, 우째 그냥 설 새기 전에 다 없어져부러.

"어머님, 우드로 다갔어요?"

그란께는

"논 임자 줘 버렸지. 어짜."

그래요, 그라고는 인자 했는디. 아 인자 쌀이 모자라서, 일꾼은 하나 있더만. 인자 시아버지가 돌아가시고 없고, 우리집 양반은 철도국에 다니고 그란께. 그래 인자 봄이 된께 쌀을 갖다가 시어머니가 내와. 그래서 '그런게비다.' 그라고는 여그 인자 내가 시어머니보고 그랬어.

"철도국 월급이 25일 날, 매월 25일 날 나온다요."

그란께, 돈만 없다 그러면 제가 줬지요. 시집와서. [조사자: 친정에서 좀 받아 나오셨어요?] 아니여. 갖고 온 것도 없지만은. 어쨌든 요 시집올 때 인자, 학교 댕길 때부터 저축을 해갖고 국민학교 저금할 줄을 알았어. 그래갖고는 돈 좀 갖고 왔는데, 우째 그냥 시어머니가 돈만 없다 그러면은 줘뿔고 줘뿔고 그랬는디. 인자 내 주머니가 거진 빈 것 같아서 시어머니 보고

"어머니, 저그 철도국 월급이 25일 날이라요, 어머니. 용돈이라도 도라 해서 쓰시오."

그랬더니,

"요망스러운 년이 남편 거슥 한 것을 손댈라고 그런다."고.

"나는 오늘 날까지 아들한테 돈 안 벌려 봤다."고.

으째 꾸지렁을 해.

'아이고, 안 되겠다.'싶어서 그냥 그런대로 죽고살고 질쌈하고. 인자 독서를 좋아한께 시내서들도 오믄 나한테 책을 사다줘. 빨래 함스로 뭣을 함스로도 좌우간 책을 읽고. 자방치마, 자방치마 또 새 것 아니고 헌 걸 사갖고 바느질하고 어쩌고어쩌고 해서 이롷고롬. (한숨 쉬며) 하아. 장리쌀 먹고 그놈 주고 그래 인자 3년차 되았는디, 아무래도 안 되겄어.

[8] 한 번도 손에 쥐어 본 적 없는 남편의 월급

그래서 내 인자 시어머니보고 그랬제.

"친정에서 내 시아버지 복을 입고 왔는데, 옛날에는 아무개 시집 왔으면 옷이 몇 쪽, 우투리가 몇 쪽, 아랫터리가 몇 쪽 그라고 이자 소문이 안나요?"

근디 가위로 벨라 그러길래, 나는 유행따라서 옷 해 입으거니께 전부 베로 가지고 왔어요. 명주베, 저 삼저, 미영 베, 전부 베로 갖고 왔어. [조사자: 시집을 오실 때?] 예. 그래갖고는 요 거시기 봄 입을 때 옷만 이것저것 몇 벌씩만 하고, 전부 베로 갖고 왔제, 손 안댔어요. 그래서 그 놈은 인자 내가 그랬어, 시어머니 보고

"어머니, 농 속에 놔두면 뭣하요? 부모님이 줬어도 저 놈 팔아갖고 나도 장리를 해볼라요."

너므 집에서 가져 온 장리를 해보제. 거시기 한다고. 그래갖고는 인제 한께는

"부모가 해준 것을 얻따 폴라고 그러냐?"고.

그래.

"나가 우짜콤 폴던지 폴아갖고 할라요."

그래갖고 헌께 쌀 다섯 가마닙디다. 그때 쌀. 그때는 백 오십근씩 해서 쌀 한 가마니거든요. 그러믄 논을 사도 쌀이 있어야 사제, 현미 보리로는 못 사. 그때는. 그래갖고 인자 쌀 한 가마니에 저 이자가 일루 치믄 열닷 되. 오십 되에 열닷 되, 이자가. 그랑께 그 돈이면 괜찮아요. 그래 이제 죽고살고 해갖고 그놈을 어디 계 한다면 계 쫓아다니면서 계 해넣었제. 그냥 열심히 뛰었어요. 내 나이 또래로 또 계를 조직해갖고 쌀계를 해갖고 이제 계원들이 묵더라도. 그래갖고 논도 사고. 그래저래 했는디 인자 6.25 때 우리집 양반이 장사를 헌다고, 그리고 호잔 해논께 술 좋아허제, 술 좋아하제, 누구 주기 좋아허제. 그래갖고 월급이라고는 나는 받어본 적이 없어.

[9] 철도국장을 해도 쌀장사를 해도 집에 돈을 가져오지 않는 남편

6.25 때 인자 저 거시기, 우리집 양반은 집으로 왔어. 딴 사람들은 전부 저 거시기로. [조사자: 다른 데로 피난을.] 이이. 그러고 여순반란사건 때는 순천서 당해갖고 3일 만에 왔습디다. 그라고 했는디, 집으로 와갖고 인자 6.25 때 동생이 내려와갖고. 내려와서 매형을 데려다가 철도국에 국장으로 앉혔어. 앉혔는디 인자, 월매 안하고 또 6.25가 후퇴를 해불께는 글로 인자 끝나고. 그래갖고 친정은 아주 아무것도 아니고. '종자가 살라더냐?', 하동 정 씨. '우리 집안에 씨가 있을라더냐?'헐 정도로 당해버렸어.

[조사자: 6.25 때 북에서 내려온 동생이 남편을 철도국 국장으로 해주신거죠?] 그래 이이이. 그래갖고 국원들이 많이 모아들 것 아니요? 그랬는디

"다 좋다."고.

그냥 전부 받아 들였어. 그란께 인자 후퇴를 해분께 우리 집 양반은 집으로 와부렀제. 왔는디 철도국, 인자 부산서 모두 피난 갔던 사람들이 와갖고는 '심상수가 그렇고 되았네.' 그런디 누가 하나 해치들 않하고 전부 다 국원들이 좋게 해논께는 국원들이 와서 모셔갔어, 우리 집 양반은. [제보자 딸: 아버

지 감옥에 가셨다매?] 며칠간 있었다가 그냥 나왔지. [조사자: 언제 감옥에 가세요? 그때 이제 국장한 다음에 후퇴하고 우리 군인들 다시 들어 왔을 때?] 이이, 그랬어. [제보자 딸: 나오셨는디, 철도국에서 오라 그랬는데 아버지가 인자 안댕긴다고, 직장 안한다 그래가지고 아버지가 인자 쌀장사를 하셨대요.] 쌀장사 몇 년 했어. [조사자: 감옥 가셔서 고초는 안당하셨어요?] 고초 안 당한 사람이 있을 거요만은, 워낙 자기가 잘해논께는 누가 다 좋게 말하는데 때리겠소? [조사자: 나오신 뒤에 쌀장사를 하셔서 잘 되셨어요?] 아이고. 쌀장사 해갖고 빚은 빚은 다 짊어져갖고 인자. 그 놈도. 우리 작은아버지하고 같이 하는디 작은 아버지가 그래.

"아이고 심실아, 나 심서방하고 같이 못 하겠다. 아니 경찰이 말하믄 그냥 돈 한 닢도 안 받고 그냥 구루마 갖고 오면 쌀 다섯 가마니고 여섯 가마니고 실어 보내부고, 돈은 한 닢도 안 갖다 주고."

[10] 남편이 진 빚을 몇 년간 꼬박 갚다

우쩌코 쌀장사 허겄냐, 쌀이 널부러져 버렸는디. 그래서 인자 우리집 양반도 못 그르라고 했는디. 우리 싯째 아들이 시살 먹었어. 나보고 가서 받으랍디다. 받으라고 그래서. 인자 친정이 거 가 있고 한께, 그래서 갔어요. 갔더니 그 월매나 잘해놓고 잘해먹고 삶시로도. 그래도 경찰집에 간께는 밥이라도 주대요.

인자 저그 북점이라고 그가 또 정미소가 큰 데 있어. 근디 아 그 정미소에다가 돈은 있는 대로 갖다 박아 놓고는 쌀을, 나락을 갖다 장흥서 실어다가 준께는 그 사람도 인자 이용을 했제, 우리 집 양반을. 그래 한 닢도 안 줘, 거그는 간께 입 구자로 전부 기와집입디다. 그래서 거그를 저그 애기 때 쪼까난 것을 델고 인자 세 살 먹은 놈은, 머슴애를 데리고 갔더니. 거그 간께는 당근을 캐서 갖고 온께 우리 셋째 아들이

"엄마, 저 당근하나 묵을 거"

그래 그 집 할머니가 당근을 물에다 헤쳐저 주더만. 그러고 밥도 안 줘. 밥도, 즈그만 묵고. 그라고는 즈그는 모기장 치고 잔디. 저거 모그장 밖에서 마루에서 저 것하고 머슴아 하고 서인데 모구가 뜯겨서 잠도 못 자겄어. 그래 그 이튿날 그냥 와부렀어요. 그랬는디, 그냥 그 뒤에는 못 받았던고. 그래 몰살 당해버렸답디다, 뭣이 그랬는고. [조사자: 그럼 거기 투자하셨던 돈은?] 돈 한 닢도 못 받은 거. 그래갖고 우리 집 양반 빚이 많은께 일곱 사람이 왔습디다. 빚을 받으러. 우리 집에 한 식구가. 일곱 사람이 와서 막 안 내놓는다고 뭐이라 그래. "해 마다 내가 농사를 지어서 갚을게요." 그때는 논 한 7~8마지기 내 것으로 소유를 했어. 그런께

"해마다 농해서 갚을게요."

아 인자, 우리 식구는 죽 쒀서 주고, 그 사람들은 밥해서 반찬, 김치라도 해서 도시락 싸 주고. 일주일을 있습디다. 우리 집에서, 일곱이 와갖고. 또 저그 식구만 여섯인데 하나 또 딸 친구까지 데리고 와. 그러더만은

"잘해서 갚으시오."

그러고

"잘해서 갚을게요. 걱정 마시오. 내가 해마다 농해서 갚을게."

그래갖고 다 갚았어요, 이자 한 푼도 안 떼고. 그랬더니 엿을 해서 우리 집에를 갖고와서

"죄송하게 되었다."고

"넘의 말만 듣고 그랬더니. 어머니가 이러고 착한 줄을 몰랐다."고.

그러고 내가 베를 짜믄, 받으러 오면 그냥 그 자리에서 주고, 그 자리에서 주고. 그냥 나락도 훑으면 또 그 자리에서 얼마든지 가져가라고 그러고. 보리도 치믄 그 자리에서 주고. 시어머니가

"아이 너는 식구 묵을 것도 없이 왜 그러냐?"

"어머니, 없으면 또 빚내다 먹고, 내년에 농사 지어서 또 갚으고 그러제.

아 넘의 것을 그르믄 우리가 안갚으면 쓰겄소?"

그래서 1원도 참마로 안까고 다 갚았어. 그랬더니 다 치하헙디다. 우리 집 양반 소장 부인이 한 번 와서 보더만 뭐라 허고는

"아이, 돈을 이러고 많이 가지고 가고, 이자고 본전이고 안 주요?"

그때는 조역으로 있었어 우리집 양반이. 그래서

"걱정 마시오. 내가 다 해서 갚을게."

그래갖고 거그 돈 다 갚으고. 넘의 돈이라고는 얼마나 애써서 번 거를 다 해서 참말로 이자고 머이고 한 푼도 감해도란 소리도 안하고 다 갚으고. 그때는 우리 새끼들이 어린께. 인자 크믄 돈 들어갈 저그가 있지만은 내가 절약허고. 그래갖고 인자 애기들 학교를 보냈지요.

[11] 손주 장수를 위해 하루에 열다섯 번 며느리 목욕 시킨 시어머니

[조사자: 어르신이 여기 시집 올 때, 남편 분하고 막내만 생존해 있다고.]

예예, 그 이듬해에 인자 애기가 죽어 버렸어, 풍이 나갖고. 그란께

"못 들어 올 사람이 들어와서 죽었다."고.

"못 들어 올 사람이 들어와서 천 냥짜리가 나가 버렸다."

그러네. 시어머니가 또 미신을 얼마나 좋아해 아주. 그냥 막 그 시아버지 앞에서 목욕을 열다섯 번을 했어. 오줌만 누고와도

"목욕 하고 오너라."

그러고. 화장실에만 가도 그라고. 그라서 나는 내가 새끼 난 다음 생전 점도 안 하고. 친정에서 점 볼 지도 몰라. 미신이라고는 모르고 살았는데. 그래갖고는 인자 큰 놈을 놓았어요. 낳는디 시어마이는 또 모시를 좋아해. 돌아댕기기를. 소도 뜯기고 그런께. 머슴애를 업고 미응밭을 메는데, 애기가 잠만 잡디다. 잠을 자서 미응 밭에다가 볕 비친 것을 모르고 포대기를 깔고 거기다가 안 재웠소? 재우고는 인자 집으로 들어갔는디 애기가 그냥 풍이 나부러.

머슴애가. 긍께 시어머니는 거시기로 가고, 나는 병원으로 갔지. 그래갖고 그 놈 살고 왔어. [조사자: 시어머니는 점 보러 가고?] 점으로 봐갖고 온께, 병원에서 데리고 온께 쌀을 담가 놓고 나보고 찧으랍디다. 떡 허라고. [조사자: 아, 굿 할려고?] 이이. 그래서

"헐라면 인자 어머니나 하시오. 나는 인자 절대 안하요."

그러코로 해서 몇 번, 모욕 열다섯 번을 해서 했어도 죽어버렸는데 뭐. 소용없어. 그러고는 내가 참마로 거 병원에 댕김서 살렸고. 그라고 우짠지 애기들이 머리가 괜찮했는가 어쨌는가 키운대로 공부를 허고. (딸을 가리키며) 저 놈이 순천 여중, 여고 나왔네. 저거 여덟 살부터 저 손님이 오시면 손님대접 다하고 밥해서 채려주고. (일동 웃음) 그래, 아들 우그로 셋을 낳은께 안 쫓겨 났제, 딸을 셋을 낳으믄 쫓겨 놔버려, 나는. 근디 인자 저 놈을 낳는께 우리 큰 아들이

"워메, 인자 불 안 때도 살겄다."고.

홀딱홀딱 좋아서. 그래서 그랬는디, 저 놈이 순천 여중, 여고 나옴서로

"어머니 나 돈 벌까?"

그래. 은행에서 사방 데서 오라 그런대. 내가 그랬어요. 딸, 아들을 불러 놓고.

"딸은 대학교 못 붙으믄 삼년 소두방 운영소 허다가 시집 보낼 것이고, 아들은 삼년 이발소 가서 시다 하다가 삼년 넘으믄 이발소 하나씩 차려 주마."

그럼코롬 약속을 했어요. 머리에다가 지식을 여놓으면은 도둑놈도 못 가져 가지만은, 돈은 도덕 놈도 가져간다. 그래서 참 아홉을 문턱을 보냈는디. 근디 인자 여섯이 장학생이 되대요. 저것도 순 장학생으로 나왔어요, 대학교서. 큰 아들도 전대에서 순 장학생으로 나오고. 우리 셋째 딸도 전대에서 순 장학생으로 나오고.

[12] 봉강 집안에 얽힌 일화

[조사자: 시집 와서 살고 계실 때, 동생 때문에 경찰들이 와서 괴롭히고 하셨어요?] 친정일땜시로 동생들 온께는 아무래도 성가시게 왔다갔다 해샀제. 그래도 나 불러가든 안해. 내가 워낙 저 이장이고 반장이고. 관공서에서 누가 오믄 밥 좀 해도라 그러면 생전 사양 안하고 내가 다 대접했거든. 여기 인자 담임경찰도 내가 대접 다 하고 헌께 오라가란 말 안 해. 안하고, 살았어.

[조사자: 또 하나 여쭙고 싶은 게 봉강, 그 해천 봉강 쪽. 방금 왔던 정길상 씨 모친이 시고모의 큰 딸?] 예 시고모의 큰 딸. [조사자: 그 이야기를 조금 해주세요. 그러니깐 그 집안하고는 왕래가 있었습니까, 학래 동생하고는?] 그 동생하고는 없는디, 동생이 사령관으로, 남부 사령관으로 내려올 때 거그서 거시기 해갖고 지가 들어가서 나왔단 말을 허대요. [조사자: 아, 정해진 씨가 이야기를 해서 내가 북에 올라 갔었고?] 아니, 북에 올라 갔다는 말은 안하고. 그것이 그러해서 그러코롬 내가 알고 있어요.

[조사자: 그럼 정해룡 씨의 부인이 시고모의 큰 딸이라면서요?] 예, 예. [조사자: 그 끝이 안 좋고 정신이 조금 그러고 했잖아요?] 인자 나 막 와서는 정신 암실랑토 안했어. [조사자: 처음 봤을 때에는?] 예, 이. 암실랑토 안했는디 내가 생각하기에 아마 인자, 그 시동생이 그 서울대 안 다녔오? 그래갖고 인자 결혼식 할 때 내가 또 참석을 했제. 근께 인자 거그는 신여성이고, 내 혼자 내 머리로 생각할 때, 누구 말도 들은 것도 아니고. 모두 저 거시기 미신으로는 '묘를 잘 못 써서 그런다.' 요롷게 미신이 나왔어. [조사자: 정신없고 이랬던 게?] 으응. 정신 없을 때. 그러지만은 아무래도 무언 충격을 받은 거 같어. 그래갖고 정신이 좀 이상한 거 같아요. [조사자: 자기 동서는 신여성이 들어오고 이러고.] 이이, 동서가 신여성이제. [제보자 딸: 그 당시에, 그러니까 70년도 넘었잖아요? 그때. 지금 우리가 막 고무장갑 끼고 뭐 김치도 담고 뭐 하잖아요? 근데 인자, 그때 그 여자가 고무장갑을 끼고 일을 했다 이거여. 그래가

지고는 사람들이

"어떻게 고무장갑을 끼고 김치를 담아야? 사람이 먹는 것을."

그러니깐 엄청 우리보다는. 우리는 한 70년대에도 고무장갑 안 끼었잖아요? 밭 멜 때도 면장갑 안 끼고. 추우면은 인자 장갑이고 끼고 말지. 근디 그 당시에 그렇게 고무장갑을 끼고 일을 했대요.] [조사자: 아 서울서 온 그 부인이......] 그란께 그 부인이 평양여자여. 평양여자고. 그때 그식으로 하믄 여대생이제, 여대생. 서울대학고 인자 나오고 길상 씨 작은 아버지는. 그래서 '그런식으로 갔는가?' 이러고 나는 생각을 혀.

[조사자: 그러면 시부모님께서 딸 때문에 고생을 많이 하셨던가요?] 아이고, 고생 많이 했죠. 오믄 우리 집에서 많이 있었고, 그 고모, 그 양반이. [조사자: 그 쪽도 집안이 대단했다면서요. 그 시고모가 시집 간 시가도.] 시가가 겁나 부자였어. 그 진사 집안이라고 부자였는디. 우째 자녀 간들이 요러고 안 풀리고. 인자 옛날에는 그냥 주먹깨나 쓰고 그러고 안 살았소? 여기 읍이 가주븐께. [조사자: 거기 박 씨들이? 오산리 박 씨들이?] 아니. [제보자 딸: 오서. 거기 큰 아들은 유도를 했어요.] [조사자: 누가요? 그러니까 정해룡 씨 큰 처남이요?] [제보자 딸: 큰 처남은 와세다 대학을 나와 가지고 요 시청을 다녔대요.] 군청에 다녀, 군청에. [제보자 딸: 어머니 생각으로는 군청에 다녔대요.

"인자 대게 되로 베어갖고 말로 풀어먹는디, 거그는 말로 베어갖고 되로 풀어먹는다."

그렇게 이야기를 하시고. 그러니까 외삼촌 애들이, 제일로 큰 아들이 일본에서 유도를 했어요. 그래가지고 그때 같이 학교댕긴 사람하고 인제 제가 교직에 있을 때 물어 봤어, 오빠에 대해서. 오빠가 오빠는 생전 연습을 안 한대요. 근디 시합만 있다 그러면 나와서 한 삼일을 뛴대요. 근디 항상 등수 안에 든대요. 삼등 안에 들어갖고, 금시고 그 선생님이 하는 말이 자기도 유도를 했는데 자기는 죽고살고 해도 등수 안에 못 든디. 그 오빠는 생전 나오도 안 한 대요. 연습할 때 얼굴도 안 비친대요. 근디 시합만 있다 그러면 나와서 항상 등수 안에 들어 가지고. 그 오빠가 아마도 연습을 자기들처럼 했으면 일인자 됐을 거라고 그런 얘기를 하더라고요. 뼈대가 엄청 좋아, 그 분들이.]

[조사자: 그러면 이화여전 나온 정해진 씨 부인이 보성에 처음 시집 왔을 때 아주 동네가 떠들썩 했겠어요?] 아 물론이지요. 그때 그 평양을, 평양을 갔다는 말은 들었어, 평양을 갔단 말은. [조사자: 제가 듣기로는 정해진 씨 부인이 동서가 정신을 놓고 하니깐 자기 친구를 봉강 선생에게 소개를 해서 거기서 살림을 좀 했다고 하던데.] 네, 근데 그 여자가 애기 와서 낳답디다. [조사자: 아들 하나에 딸 셋을 낳았대요.] 국회의원 한 번 나온, 정해룡 씨가 나왔잖아요. 나와갖고 인자 또 박용정 씨라고 남외간 이제 인제, 외갓집으로 해서. 근디 그 양반도 나오그 그랬는디, 정해룡 씨가 당선이 되았어. 그래서 국회의원 당선되았다 그랬는디, 우짜고 그냥 빨갱이라 우짜고 몰아갖고는 그냥 못 해부렀지. 그때 그 부인이 와서 치다꺼리 했어. 그 때는 오만 그, 후보한 사람들은 그 집에 와서 아침부터 안 묵었소? 후보댕긴 사람은 술이고 뭣이고 있는 대로. 그때 와서 고생 했는디. 이쁘게 생겼어, 그 여자도. 근디 어디 여잔지는 몰라.

[조사자: 거기가 평양댁이래요, 평양 아지매라고 다들 그 동네 사람들은, 정 씨들은 그렇게 부르더라고요. 그 위에 작은 며느리는 평안북도 강계댁이고.] 맞아 맞아. 그 여자도 이쁘지만은 그 내중에 온 여자도 이뻐. 우리 근디, 길상 씨 어머님도 미인이야. 키도 크고 참 미인으로 잘 생겼어, 그랬는디. 해룡 씨도 잘 생기고. 그러니깐 인물 집안이여.

[조사자: 정해룡 선생 동네 분들이 정해룡 선생이 인품이 좋다고 이야기를 많이 하시던데, 혹시 거기에 얽힌 이야기 들어 보신 것 있으세요?] 그때는 내가 인자 결혼을 해갖고 인자 온 새댁이나 다름없는데. 내가 그 마을 가본 적도 없고. 근디 이번에 처음으로 갔는디 입소문보다도 인심가고 후덕하고. 다 평이 좋지요.

[13] 월북한 동생으로 인해 겪은 고초

[조사자: 할머니 동생분이 광주학생운동 있고 난 뒤 집안이 쑥대밭이 되고 했잖아요. 그때 혹시 다른 식구들 중에 고초 받은 분들은 안계세요?] 아이고 모두 고초는 많이 받았제. 인자 우리 작은아버지 삼형제, 아버지 다 고초 받고, 우리 아버지, 우리 어머니도 고초 받고, 우리 동생. [제보자 딸: 외삼촌들이 그 때 열일곱 열여덟 뭐 열아홉 그랬나봐요. 그래가지고는 뭣도 모르고는 외삼촌을 따라 다녔는가 봐요. 전투같은 것도 몸에 익히지 않고 막 그래가지고는. 전쟁 같은 거는, 폭격이 온다 그러면은 지금 이야기하실 때 막 웃으시면서 하는 말이 어디 짚 틈에 같은 데다가 머리만 쳐 박고 있더래요, 요런 데는 다 나와 있어도 우선 머리만 쳐 박고 있었다고 그런 이야기를 하시더라고. 외삼촌들이 다 그쪽으로 쏠린 거에요 인제. 그래가지고는 공직에 있들 안했던 것 같애, 외삼촌들이 못 있었던 것 같애. 근데 인제 막둥이 아니, 셋째 강매란 요쪽이 돌아가신께는 넷짼가? 그쪽 외삼촌이 면장을 했거든요. 인제는 농협조합장도 하고 면장도 했는데. 다른 사람들이 뭐라고 그러면은

"세상 좋아졌다. 빨갱이가 저렇게 면장을 하고 앉았다."고

막 그렇게 이야기를 했던 것 같애요. 그러고 인제, 그 외삼촌들은 어떻게어떻게 해가지고 그 때 다 휩쓸렸다 그래요. 그래가지고는 어머니한테 6.25가 나가지고 인제 막 외삼촌은 거기에서 죽고. 근데 이게 갈림길이었나 봐요.]

[14] 빨치산 활동 사촌이 숨겨 달라는 것을 거절한 일

[제보자 딸: 하나 또 살은 외삼촌이 있어요. 여든 일곱이나 됐을까요? 지금 살아계시는데. 그 외삼촌이 와서 이야기를 하면.] [조사자: 정웅래 씨가 살아계세요?] [제보자 딸: 거기도 살아 있고, 정진래 씨한테 가면 정진래 씨는 그 때 전투상황을 엄청 잘 알고 있더라고요.] [조사자: 정진래는 누구인가요?] 사촌, 여기 막둥이 큰 아들. [제보자 딸: 그 외삼촌이 이야기를 하는데, 그 때

그쪽에서 소개가 되면서 요쪽으로 그 외삼촌은 거기 지리를 잘 알아. 왜 아냐면은 자기 외갓집이 그 쪽이니깐은. 문덕 그 쪽인께. 그쪽 지리를 잘 아니까는 인자 그 외삼촌은 도망을 와가지고 어머니한테 하룻밤만 자게 해달라고. 어머니 하는 말이 외삼촌한테

"니 혼자 왔냐?"

그러니까 외삼촌 하는 말이

"아니, 누구랑 같이 왔다."고.

그란께 우리 어머니 하는 말이

"그러면은 절대로 못 잔다. 빨리 가라."

그래갖고 외삼촌은 그 사람하고 같이 갔는디, '어디 가서 만나자.' 그랬는디 그 사람은 안 오더래요. 그 만나자는 시간에 안 오면 헤어진 갑더만. 그래가지고는 가는데 마침, 나뭇꾼들이 세 명이서 올라오더래요. 그 애들을 잡아놓고 그 애들을 옷을 다 뱃겨 버렸는갑더만. 뱃기고

"아무소리 말아라."

그러고 있는데, 그쨔 인자 바로 경찰들이 같이 오더래요. 그러면서 근게는 그렇게 되면은 냇물을 따라서 간갑더만. 그래야지 되는가봐. 그래갖고 외삼촌은 지금도 어머니한테 서운하다 그래. 그래 인자 여명이 터오고 있는데 자기는 절박할 거 아니에요? 그런데 누나가 그렇게 매정하게 쫓아버렸다 이거여. 그런데 어머니는 혼자 왔으면 재우는데. 아니 숨겨줘. 두 명이 왔는데 그 사람은 잽혔어.] [조사자: 그 사람은 누군지도 모르고?] 그 사람은 누군지도 모르제. 그런데 그 사람이 잽혀부렸은께는 인자, 그 뒤에 거그 아지트가 다 없어지고. 그 이름도 모르고 뭣도 몰라. [제보자 딸: 살았대요, 그 분도. 그러니까 같이 작전해서 학래 외삼촌이 죽은 것은 까시덩쿨 속에서 총 맞아서 죽은 거래요.] 명화 동쿨 속에서 숨어 있다가. 저 포로로 간 애기들을 셋을 꾀를 뱃겨서

"죽어도 같이 죽고, 살아도 같이 살자."

그라고는 꾀를 뱃겨서 데리고 셋 하고 저까지 너이 까시덩쿨 밑에서 있었는데 경찰들이 그리 우그로 해서 다녀 가드라 이거야. [제보자 딸: 학래 외삼촌이 죽은 것은, 외삼촌은 바로 그 물을 따라서 내려 가버렸는데 외삼촌은 거기 지리를 잘 모른께 거기서 토벌대한테 죽고. 그래서 죽었단 소리 듣고 열이틀을 찾아 헤맸는데, 나중에 마을 사람이 그 안에 가 죽어 있다고 해서 인자 시체 찾아다가 묻었는데. 이제 어머니가 제적증명서를, 아까 길상이 오빠가 좀 떼보라고 해서 떼었더니 집에서 지병으로 죽은 걸로.]

[15] 잉태 중인 아기 덕에 목숨 건진 사연

[조사자: 인공시절에는 피난 안가고 여기서 살았었나요? 여기에 인민군이 들어왔었어요?] 인공시절아 아주 그냥 다 모아놓고. 다 모아놓고 집에 한 사람이라도 있으면 총살 당한당께 다 모아놓고 있을 때, 내 금폐물 그거 싹 가지고 가버렸어. [조사자: 인민군들이요?] 몰라, 어떤 놈들인지. 경찰서에서 온 놈들

인가. 인민군들은 내가 본 적이 없제, 우리 동생이나 봤을까. 인민군은 여그서 안 봤는디? [조사자: 그런데 왜 사람들을 모아요?] [제보자 딸: 그건 국군이 모은 거에요. 군인이. 그때 인민위원장 뭐뭐 뽑는다 그래갖고 저기 어디 굴이 있대요. 거기가 문서가 발견이 되갖고 요 동네도 엄청 많이 죽었어요.] 이 동네 여섯 명이 죽었어. [제보자 딸: 거기 이름이 적힌 사람들은 싹 죽었어. 근디 어머니도 외삼촌이 그렇게 되니깐 어머니가 나갔으면 어머니가 뽑히제. 근디 그때 제가 만삭이었대요. 만삭이어가지고 그날 나갈라고 보는디, 그때는 토방이 있잖아요, 토방. 그래가지고 토방을 이렇게 내려가는데 뭣이 뒤에서 때린 것처럼 팍 때려불더래요. 그러니깐 이제 임산부가 앞으로 자빠라졌으니 일어나지도 못하죠, 배가 아파서. 그래갖고 세 번을 데리러 왔는디 어머니가 기어서도 못 간다고.] 일꾼이, 내가 그렇고롬 자빠져서 죽어갖고 있은께는 일꾼이 인자 물을 묵을라고 물 뜨러 들어왔어. 이랬는디 내가 길을 막고 마당에 자빠져 있응께는

"아프시오?"

그래갖고는 나를 떼내다가 아랫목에다 놔두고 이불을 둘러 써 놓고 있는데, 세 번을 데리러 왔지만은 내가 뭐 혼수상태지. 그래서 못나가고 이 옆에 집 저그 오빠가, 친정 오빠가 문덕 사람인데 염 씨여. 염 씬디, 거그 식으로 우리 동생이랑 같은 농고 나왔거든. 그래논께 같은 거시그를 해서 그 여동생을 데려다가 부위원장. 부위원장을 저 거시기 또 이 씨가 있어. 근디 거기는 내가 안 나간께 안 나가버렸어. 그러고 거기서 대신 나가갖고 그 사람 데려다가 죽여버렸어. 세 사람을 데려다 죽였어. [제보자 딸: 이름만 올라가 있다고, 문서만 보고 그 당시에는 다 죽였어.] 그래서 내가 살았제. 그라므는 그 당시에 같이 죽었제.

후손 눈에 비친 좌익 가정 수난사

정 해 열

"세상을 바꿀려고 하다가 시대를 잘못 만나고 세상을 잘못 만나서 그런 것이지"

자 료 명: 20140711정해열(순천)
조 사 일: 2014년 7월 11일
조사시간: 3시간 47분
구 연 자: 정해열(남·1964생)
조 사 자: 김종군, 박현숙, 황승업, 남경우
조사장소: 전라북도 순천시의 한 식당

[조사과정 및 구연상황]

2013년도 보성 봉강리에서 모친 윤점순 제보자의 인터뷰에 동석했던 제보자와 두 번째 만남이다. 조사자는 와송을 재배를 하느라고 일산에서 순천으로 내려와 있던 제보자를 한 식당에서 만나서 인터뷰를 진행하였다.

[구연자 정보]

정해열 제보자는 1964년에 보성군 회천면 봉강리에서 2남 3녀 중 넷째로 태어났다. 어릴 때부터 빨치산 활동을 하다가 두 눈을 실명한 부친의 눈이 되어 드렸다. 중학생이 되어서는 형과 누이들처럼 광주로 나가서 학교를 다녔다. 형과 누이들이 모범생이었다면 자신은 다른 형제들에 비해 말썽을 많이 부려서 부친에게 종아리를 제일 많이 맞았다고 말한다. 부친에 대한 애틋함과 연민으로 구연하는 도중 눈시울을 붉히기도 하였다.

[이야기 개요]

제보자의 부친(정종희)은 보성군 회천면 봉강리 지주 정각수의 서자로 태어났다. 큰댁에서 분가한 부친의 집안을 일가친척과 마을사람들은 바깥집이라고 불렀다. 제보자는 마을에서 좋은 인품을 지닌 큰댁 큰조카 정해룡과 큰댁 가족들에 대한 보고 들은 이야기를 구연하였다. 빨치산으로 활동하던 중 토벌대에 의해 두 눈을 실명한 사연과 월북했다가 1980년대에 남파되었던 큰댁 작은형님 정해진을 만난 일로 발생한 보성간첩단 사건으로 옥고를 치른 사연을 지닌 부친에 대한 감회를 중심으로 구연하였다. 형제들은 좌익사상을 지닌 아버지가 시대를 잘못 태어나서 이런 힘든 일을 겪은 것이라고 생각하며 부친에 대한 원망을 해 본 적은 없다고 한다. 제보자는 역사의 죄인이 되지 말라는 가훈을 지키려 노력했던 선대의 사명감에 이제는 조상에 죄인이 되지 말아야 하는 사명이 후대에게 주어졌다고 말한다.

[키워드] 전남 보성, 정해룡, 정종희, 강진 수동마을, 윤순달, 남로당, 민가협, 바깥집, 정신질환, 연좌제, 병신, 황성옛터, 뇌농양, 동지애

[1] 조사자들의 조사 진행 상황 및 조사 취지 설명

저는 저 정해열입니다. 저-, 지금 오늘 가실 회천에 정길상, 거기 한 오촌간, 항렬이 당숙이에요. 그니까 저기 나이는 그 양반이 한 열- 댓 살 많으신데, 항렬은 제가 더 높아요. [조사자: 나이 많은 조카라고 아까 그래서.] 예, 나이 많은 조캅니다. [조사자: 사람은 그, 저기 저 형님께서, 정해룡 선생께서 쓰신 글, 강촌 초등학교 교장선생님이셨어요?] 예. [조사자: 그래서, 오면서 차에서 제가 읽어주면서, '회천은 나에게 무엇이었다'라고 하는 부분에 제가 가끔씩 이렇게 좀 먹먹해지는 부분들이 있었어요.] 반갑습니다. 제가 오늘 또 약속이 없었으면 회천을 갈려고, 사실은 제가 그렇게 생각했었는데, 뭐 이거 좀 사실은, 하다보니까 좀 일이 그렇게 많더라고요.

[조사자: 고향 쪽에 아버지께서 남겨놓은 땅 뭐 이런 건 없습니까?] 아- 예. 저희들이 이제 우리 아버지가 그 큰댁에 할아버지부터 저희 할아버지한테 물려받은 농토가, 뭐 아시다시피 그게 저희 큰댁이 뭐 그때는 대지주, 뭐 나쁜 뜻의 지주 뭐 그런 게 있지만 아무튼 땅이 좀 있었어요. 그래서 인자 아버지도 많이 물려 받으셨는데, 저희들 어렸을 때 인제 아버지께서 경작을 하실 능력이 안 되니까, 이제 머슴, 뭐 저 어렸을 때도 이제 생각나는데 머슴 있었었어요. 그런 사람들 하고 뭐, 그 세경 준다고 그러죠, 세경. 죽어라고 지어도 시골에서 얼마나 뭐 그 당시에 쌀농사가 얼마나 수확이 됩니까, 그죠? 그 농지를 전부 팔아서, 전답을 몇 십 마지기를, 논도 그렇고 밭도 몇 십 마지기를 전부 팔아서 저희 집안에, 저쪽에 저로서는 형님 되시는 분한테, 목포에다가 주류사업을, 저 양, 양조장, 양조사업을 하셨는데 투자를 하신 거야. 그래서 그걸 거기서 이윤을 받아서 우리 자식 교육을 해내는 것이 오히려 거기서 농사지어가지고 거기에 나오는 거 보다 낫겠다 싶어서, 근데 거기에서 그 양반이 사업을 성공을 못 했어요.

그러니까 이제 저희 집은 갑작스럽게 농토도 없어지고, 겨우 몇 마지기 이렇게 인제 그, [조사자: 한 해 먹을 곡식이나 나는?] 예. 곡식이나 겨우 나는 그 정도 있었는데, 아— 그마저도 아버지께서 80년도 그 사건이 나서 잡혀가시고, 이때까지 시골에서 더 이상 이제, 그 당시는 저희들은 서울에서 학교 다니고 있었고, 그러고 저희 막내 여동생은 한겨레신문 본사 있는데 취직해서 저, 한때 근무했던 막내 여동생, 그 다음에 어머니하고 인제 두 분이서, 아버지하고 세 분이 계시다가 아버지가 이렇게 들어가시니까 뭐 모녀가, 어머닌 이제 두렵고 무섭고 그러니까 인제, 갑자기 인제 모든 것을 정리하고 서울로 모두 올라갔었죠. [조사자: 그때 어머니도?] 어머니도. 저희는 인제 서울서 학교를 다니고 있었죠, 저희 형하고 누나들은 학교 다니고, 자취생활하면서. 그러니까 그때 그냥 갑자기 처분을 다 해버리고, 사실은 지금 여기 있는 거 뭐 쪼—끔, 고 쪼—끔 뭐 밭 몇 때기 이렇게 쪼금 있는데, 그 뒤에 다시 우리가, 뭐 그 정도. (웃음)

[조사자: 그 뒤에 지금 그 녹차 밭 만들어놓고 했던, 그 묘소들, 그게 그 개념은 선산 개념입니까, 아니면 저기 요쪽 지금 정태환 씨 몫으로 돼있습니까, 아니면 문중 개념으로 돼있습니까?] 명의는 정태환, 종손 명의로 돼있고, 그 활용은 선산 개념으로, 어— 더 먼 우리 일가친척들의 산소들도 부지기수로 많아요, 거기가. [조사자: 아, 그 안에?] 네. 정태환이 명의로 돼있는 그 저기가 거의, 거의 선산 개념으로 다 지금까지 해왔지요. 뭐 부지기수로 많아요, 거기 산소가. (웃음) [조사자: 녹차 심고 뭐 이런 거는 우리 정길상 선생이 와가지고 뭐 이렇게 씨앗 뿌리고 해갖고 이렇게 인제 활용을 하고, 어마어마하게 넓어 보이던데요?] 그거 거기가 거의 자연발생적으로 이렇게 생긴 것들도 있어요. 거기가 그 정길상 그 양반이, 그 조카가 바로 거기 수확하는 것은 거의 자연산이에요. 밭을 일부러 일궈서 해논 것은 이제 좀. [조사자: 밑으로, 예.]

[조사자: 저도 작년 5월에 처음 이제, 뭐 그 저야 서울서 있고 하지만서도, 우리 건대 법학전문대학원에 이재승 선생이라고 이 양반이, 뭐 한 번 뵀나요?] 예, 저도, 저는 직접적으로, 그러니까는 인사 정도 나눴어요. 근데 따로 인제 대화

를 해본 적은 없지만, 몇 번 인제 먼발치에서 뵙고, 그러고 우리 이제 저기 할 때도 그분이 참여했었죠. [조사자: 예, 우리 그, 우리 정길상 선생이 저기 요쪽 초등학교?] 벌교? [조사자: 예, 벌교에서 초등학교 선생 할 때, 에 6학년 때 담임선생님이었대요. 그러니까 우리 인제, 저가 생각하면 우리 그 이재승 교수가 수재죠. 보성서 나와서 광주 나와서 하여튼 서울 법대 나올 정도로 해서, 수석, 아주 저 수재로 아주 이렇게 했는데, 본인이 그러니까 2004년부터 이제 알았다는 거예요. 정길상 선생님 이제, 그래서 저희.......] 그거 저 아마 그때 당시 은사들 모시고 이렇게 막 그 동창회하면서, 아마 그랬을 거예요. 그래가지고 인제 서로 다시 연락하고 이렇게 됐다고.

[조사자: 인제 서울 우리 건대, 저희가 통일인문학연구단이라고, 저희가 그 국책사업, 이제 그 통일문제에 대해서 조금 인문학적으로 접근하자라고 해서, 거기에 우리 이재승 교수를 저희 공동연구원으로 초빙을 해서 같이 활동을 하면서, 그게 작년 5월에 한 번 가자는 거예요. 그래서 그때 처음 와봤어요. 작년 5월에 처음 와봤죠. 그래서 와가지고 인제 딱 처음 도착해갖고 그 왜 저는 인제, 저희는 다 전공이 국문학 전공자들입니다. 문학전공자들이어서 이렇게 막 경상도, 전라도로 많-이 이렇게 필드워크 다니거든요. 저희들이 옛날이야기 조사 많이 하고, 이렇게 다니면서. 그래 다녔는데, 이제 그런 한옥에도 조금 익숙하고 한데, 어 이렇게, 호남지역에 이렇게 보존된 한옥들을 본 적이 별로 없었어요. 그래서 그걸 보성에서 처음 보고 인상적이었고 했는데, 정길상 선생님이 막 너무 뭔가를 쏟아낼 듯이 그- 말씀을 하시는데, 그 같이 온 분들이 다 그걸 못 따라가요. 정길상 선생님이 앞서가는 상황을 못 따라가. 그래 인제 저녁이 되니까 정길상 선생님이, 횟집에 가 저녁을 먹고 왔는데, 보따리를 이만큼 막, 문서 보따리를, 문서 보따리를 탁- 놓고 인제 보라는 거예요. 그래 같이 간 분이 이재승 교수, 법학, 그 영반은 오직 판결문이 궁금하지 딴 게 별로 궁금하지 않고. 같이 간 분들이, 철학하신 분들은, 철학하신 분들은 그런 문서에 별로 관심이 없어요. 오직 저가, 저가 인제 넘겨보면서,

"이거는 뭐예요, 뭐예요?"

그냥 이러면서 인제 이야기를 했더니, 정길상 선생님은 그 병풍에다가 정해룡 선생님 옥중에서 남긴 시들이랑 한시들 해놓은 거 설명을 하고 싶은데 딴 데 별로 관심을 안 두니까, 그래서 제가 좀 반응을 보이고 이렇게 해서 쭉 들었죠. 그런데 이제 이야기를 나가면서 전체적으로 그 어느 정도 저는 꿨죠. 꿰고 어 어떤 상황인지를 인제 알고 했는데, 정말 조금 저는 충격적이었어요. 저도 방금 말씀드렸듯이 고향이 저 지리산 밑에 섬진강인데, 저희도 인제 여순사건, 저희는 여순 부터 인제, 저희도 집안 내력이 좀 그렇거든요. 거기서부터 해가지고, 저희도 뭐 인제 피해도 본 적도 있고 뭐 이렇게 해서, 그 어간에 계속 살아왔는데, 아-, 호남 갑부 어떤 명문가에서 이렇게 사회주의 운동을 한, 어- 집안이 있다는 것도 그때 저는 처음, 그때는 물론, 그쪽에 관심 있는 분들은, 사회학이나 아니면 역사학 하는 분들은, 좀 현대사를 한 분들은 관심을 갖고 있을지 몰라도, 저는, 방금 말씀드렸듯이 저희는 문학적으로 접근을 해요.

어떤 식이냐 그러면, 살아온 이야기들을 쭉- 들어가면서 조금 상처가 되는 부분들이나 아니면 뭐, 이렇게 이야기 식으로 그렇게 조금 만들어지는 부분들을 저는 관심을 갖고, 제 전공 영역별로 다르지 않습니까. 그런데 이제 그 내용을 저는 파악을 하고 서울 가서 그래갖고 인자, 그래서 정길상 선생님하고 계속 조금 연결고리가 돼있었어요. 메일을 주고받고 이러다가 올 4월에 또 왔다갔거든요, 3월 말에 와가지고 저희가 한 이틀 왔다가 또 정길상 선생님 뵙고, 요 벌교, 그러니까 보성, 강진 저 쪽에, 그래서 외가 동네를 갔었어요.]

예, 강진 수동을? [조사자: 예, 수동을, 뵈고 수동을 가서 인제 또 그 누구죠? 저기 윤.......] 윤, 누굴 만나셨어요? 저기 [조사자: 순- 순걸?] 순걸? [조사자: 예. 윤순걸 어르신을 만났어요.] 유일한, 지금 생존해 계신 분은. [조사자: 예. 윤순걸 어르신을 만나서 이야기를 듣고 했는데, 그분은 뭐 저희하고 얘기 안 하실라고 그냥 이렇게 하더라고. 그래서 저희가 수동마을 분위기도 보고 다시 또 모셔다 드리고 그랬죠. 그랬다가 인제, 인제 저는 그래서 전체적으로 어- 정길상 선생님이 하고자 하는 일도 알고, 그 부분에 대해서 학자들이 이렇게 관여해서 이렇게 덤벼들고 하는 부분들도 알고 있고, 보통 사회학을 하시는 선생님들이나 아니면 역사학하시는 선생님들이, 교수들이 달라들어서 하는데, 저는 쪼끔 더 내밀한 문제로 들어가고 싶다는 거예요. 문제는 뭐냐 그러면, 어- 이 보성, 압해 정씨, 영광 정씨 집안에서, 어- 사회주의 운동을 이렇게 해나가는 과정 속에서, 어- 빨치산 활동을 하다가 몇 명이 돌아가셨고, 그 다음 그 후에 간첩단사건 때문에 집안이 풍비박산 나는 과정들을 겪었다라고 하면서, 그 과정 속에서 참 어- 상처들이 있어서, 어- 누구는 뭐 그 자제분이, 정해룡씨 자제 두 분 중에 하나가 쪼끔 정신분열증이 있었고, 부인도 어- 첫 번째 부인도 그랬고 하는 그런 부분들이, 고거는 그냥 통계 수치 식으로 얘기하고 넘어간단 말이에요.

그런데 이제 저는 인제 그 과정 속에서 과연 우리에게 이데올로기가 뭔가, 이데올로기와 가족이라고, 인간들이 살아가는데 있어서 가정을 구성하고 사는데, '우리 아버지가 왜 그랬을까'에 대해서 바라보는 자식들의 시각들이라든지, 그 다음에 어- 내가 바라보는, 그렇게 앞을 못 보는 우리 아버지가 열아홉에 왜 산으로 가셔서, 왜 또 토벌대에 총상을 입어서 앞을 못 보게 된 상황 속에서, 어 결국은 내가, 그렇게 평생을 살아가신 아버지 모습을 바라보는 자식들의 소회는 어떨지, 그 다음 그런 남편에게, 친정이 다 몰살당한 상황 속에서 시집올 생각을 한 우리 어머니는 어떤 생각을 갖고, 그게 인제 당사자들이 살아오면서 푸념 식으로 뱉을 수도 있고, 이제 그런 부분들에 대해서 구체적으로 얘기 안 하거든요. 그래 저한테는 구술자료로 뭐가 있냐 그러면, 그 돌아가신, 95년 돌아가신 정종오 어르신, 거그가 당숙 되십니까?] 예.

[조사자: 정종오 어르신의, 그때 인자 선친께서 정길상 선생님하고 가서 그 사람, 그런데 그 분은 왜 부산, 부산에 아들이 계셔서 부산으로 가셨을까요?] 예, 그 아들이 거기 저기 부산. [조사자: 예, 부산에서 한 번 녹취도 하고 뭐 했는데, 그 자료가 보니까 그 정종오 어르신이 자기 나름대로 그렇게 이야기를 전하고 해서 그런 것처럼, 쪼끔 저는 선생님께 인제, 또 정길상 선생님은 정길상 선생님대로 확고한 자기 생각들이 있어갖고 뭔가 자꾸 PR하듯이, 피력하듯이 얘기할라고 그래요.

인제 그거 말고, 인제 좀 가족, 좀 가족의 입장에서, 특히나 인제 작은집에서 큰집을 바라보는 입장에서 선생님께 생각을 좀 듣고 싶어서 오늘 선생님을 한 번 뵙자고 한 겁니다. 그래서 인자 오늘이 좀 모자라면 다음에 또 뵐 거고 이렇게,

먼저 이야기를 자꾸 시작해서, 뭔가 먹고 이야기해야 하는데.] [조사자: 그리고 아버님 이야기도, 지난번에 어머니한테 친정이야기 좀 듣다가 갔잖아요. 그래서 가정 속에서 들었던 그 아버님 이야기도 듣고 싶고.] 제 아버지요? [조사자: 예. 수기는 저희가 읽었는데.] 어떤? 정확히는 제가 기억이 안나가지고. [조사자: 중앙일보 당선된 거.] 중앙일보 당선된 거? [조사자: 예.] 아- 그것이 구십, 구십, 그러니까 아버지가 88년 나오셔가지고 구십일 년인가 이 년에 나온 거예요. 소설가 이호철 선생님께서 그때 심사위원 하셨던가? 하여튼 그때 그 시대상황에서는 아버지께서 더 깊이 있는 말씀을 못 하셨죠. [조사자: 못 하셨죠, 예. 그러니까는 깊이가 없다고] 어, 깊이가 부족해요. [조사자: 전체 역사만 쫙- 이렇게 훑는 정도로 그냥.] 훑는 정도고 깊이 있는 얘기는 없었죠. 그때 당시, 그때만 하더라도 아직은 인제 저기 하니까, 그런 세상이 돼노니까. [조사자: 아버지 얘기도 좀 들려주셨으면 좋겠어요.] (웃음)

[2] 한국전쟁 때 외가 수동마을의 비극적 이야기

수동 말씀하셨는데, 어- 사실은 강진 수동에 그 해남 윤씨들이 이렇게 저기를 이루고 있는데, 거기는 정말로 어- 대한민국의 모스크바라고 그렇게 된, 그렇게 불렸었어요. 저희 집안도 나름대로 해방 전후, 6.25 전후해서 많은 분들이 인제 활동을 하셨고 희생을 하셨지만, 진짜 수동은, 진짜 그냥 우리 어렸을 때 거기는 그 남쪽의 뭐 모스크바다 불렸었어요. 우리 어른들 말로 이야기하면 '크렘 궁이다', 크렘 뭐 크렘린, 하여간 어른들 표현들로 '크렘 궁이다' 이렇게 불렸었어요.

그래 거기가 누가 있냐면, 윤순달, 남로당 활동 하셨고, 윤가현 뭐 그런 [조사자: 예, 윤가현, 두 분, 예.] 뭐 그 거, 거두, 거목 여하튼 그분들 영향을 전-부 우리가 받았죠. 그니까 우리 집안으로 따지면 그 봉강 해룡 형님의 동생되시는 해진, 북에 계셨던, 그분의 영향으로 우리가 사실 그, 그런 사상들을 집안이 접했듯이, 거기는 윤순달, 윤가현 거기도 숙질간이거든요. 그곳도 그분들 영향으로 정말 수동은 '남쪽의 모스크바였다' 그런 얘기가 있을 정도로, 저희 집안도 또 그 집안에 비하면 비교가 안 될 정도로, 그래서 그 집안들이, 그래도 우리는 쪼끔은 또 80년대에 그런 사건이 있었지만, 단련이 돼서 이제 지금은 이렇게 좀 얘기도 하고 아— 좀 이렇게 하지만, 거기는 그래서 아까 그 얘기한 순—, 순걸, 그 양반조차도, 그 양반이 유일한 인제 그 그런 얘기를 해주실 수 있는 분인데 그분도 그 자기 그쪽 얘기를 안 할려고 해요. 지금도 그 피해의식, 무서워서, 두렵고 무서운 그런 것들을 아직도 갖고 계시죠.

[조사자: 집안이 영, 거기 한— 많이 몰락해서 거기 제실, 지금 옛날 종가를 제실식으로 가 쓰겠다고 해놨는데, 그걸 관리를 너무 못해서, 가서 보고 인자 뭐, 저도 저쪽 그 방금 말했듯이 백운산 밑에 저희 종가가 있어서.] 광양 백운산이요? [조사자: 예. 거기 뭐 저희들 고향이었거든요. 그런데 옛날 어렸을 때도 가보고 하는데, 요즘은 다 후손들이 뭐 집을 손을 보고 뭐 다— 하거든요. 그런데 그 집은 영— 허술하게 해놨더라고요. 그래서 얘기하는데, '옛날 그런 집안 내력 때문에 고초가 있고 하니까 뜻이 잘 안 모아지나 보다' 그런 생각이 좀 들더라고요. 안타깝더라고요.] 안타깝죠, 안타깝죠.

그래서 처음에 나는 우리 박 선생이 전화하셔가지고 오늘 좀 만나자고 하는데, 아니 제가 사실은 그런 얘기를 어른들한테 들은 얘기밖에, 저도 인제 나이가 안 돼서 잘 모르는데, 그래서 저는 이제 처음에 좀 뭔 말씀하시는지 그거를 정확하게 잘 이해를 못 하고,

"어른들한테 들어야지 왜 저한테 들으려고 하냐?"

뭐 그런 식이었었어요. (웃음) 그러니까 저희 집안에 내려오는 분들이, 이제 아까 뭐 전부 전공하신 분들이 사회학, 역사학 이런 거 전공하신 분들이 많아요. 그 양반들한테 관점이, 관심이 또 그런 점이고. [조사자: 그렇죠. 그분들은 사실만 관심가지시니까.] 예. 그래서 사실 인제, 인제 지난번에 한 번 두

분 봤지만, 인제 또 그런 쪽으로 전 이렇게 좀 해달라는 것으로 받아, 생각했었거든요, 제가 처음에는.

"제가 뭘 압니까?"

이렇게 제가 (웃음) [조사자: 예. (웃음)] [조사자: 뭘 좀, 일단 먹고 시작을 하시죠. 뭐 자꾸 이야기하니까] [조사자: 예, 자꾸 이야기하니까 못 드셔요, 저희는 먹는데.] 아니, 같이 드십시다.

[3] 민가협 활동하며 부친 구명운동을 했던 어머니 이야기

[조사자: (막내 여동생이) 한겨레 창간할 때 어머니 인터뷰를 하셨다고 그랬나요?] 어- 어머니하고 제 형의 딸내미, 조카 정다희라고, 그때가 인제 한겨레 신문이 88년도 창간했어요. 그러니까 우리가 87년 6월 항쟁, 그 이후에 그 어머니가 민간협의회를 출범했었어요. 그 양심수 석방운동 했어요. 긍게 우리 어머니가 서울 오셔서 온갖 아버지 석방운동을 하고 다녔는데, 그때 정다희라고 인제 형 큰딸내미가 이제 네 살, 다섯 살이야. 내박치고 나올 수 없잖아요? 형 내외는, 형수도 인제 교직에 있었으니까, 하여간 부부교사니까, 출근을 하니까.

긍게 그놈을 안고, 업고, 그 종로나 어디 정당 같은 데 찾아다니면서 그렇게 데모를 하니까. [조사자: 어머니가?] 어머니가. 하니까 이제 어디 집회를 갔는데, 아니 그 그놈도 이제 그 머리띠를 둘러줬을 거 아니에요잉? 어린놈을, 다섯 살 난 놈한테, 네 살, 다섯 살 놈한테. 그러니까 이제 그것을, 할머니가 안고 있는 모습이 한겨레 창간 신문에 딱 찍힌 거야. (웃음) 그 뭐 이제 그놈도 지금 그 나름대로 뭐 하는데, 그- 그래 인자 그런 일에 그렇게, 할머니 따라갔다 와. 그러면 저는 인제 대학생 때니까, 인제 제가 군대를 일찍 가서 86년 제대하고, 86, 87, 88 뭐 한창 그때 그- 7월 달, 그니까 한창 그때 그랬는데, 집에 오면 어 뭐 '독재타도', '전두환 물러가라', 뭐 뭐 '후보

철퇴하라', 그런 얘기를 다섯 살짜리가 하면서, [조사자: 구호를 외쳐? (웃음)] 어.

"오늘 가서 뭐 했냐?"

그러면, 지가 이렇게 외쳐. (좌중 웃음) 이렇게 외쳐. 딱- 똑같이 이렇게 해.

그러면서 부르는 노래가 〈임을 위한 행진곡〉, (좌중 웃음) 이런 노래들을 집에 와서 불러. (좌중 웃음) [조사자: 조카가요?] 조카가. 하여간, (웃음) 참 그, 참 지금 얘기니까 재밌지, 그게 집안 꼴이 그 당시에, 봐 봐요. 그게 집안 꼴입니까? [조사자: (웃음) 아니 그런데 저희 딸도 애기 때였는데, 그때 한참 미국산 쇠고기 수입 때문에 촛불, 엄마들 많이 나갔잖아요? 그래서 같이 자주 나갔더니, 에- 〈솔아 솔아 푸른 솔아〉, 이런 건 기본으로 (웃음) 부르더라고요.] (좌중 웃음) [조사자: 맨날 들으니까.] [조사자: 되게 이슈는 이슈였겠다, 어린 애가 마스크를 쓰고 있는 사진이었으면.] 그래 집에 와서 그, 그 발음도 제대로 안 되는 말소리 갖고, '사랑도 명예도' 그걸 이렇게, 그 할머니 부르는 타령조로, (좌중 웃음) 트로트? 타령이 아니라 트로트라 하나? 그 뭐 할머니들 좀 이렇게 늘어지는 그런 게 있잖아요, 그런 거 특이하게 뭐 찬송가도 뭐 트로트처럼 하듯이? 꼭 그렇게 불러요. 이렇게 따라 불러. 뭐 그러면,

"너 그것이 뭔 얘긴지 아냐?"

모르면서 그렇게 부르는 거지. 근데 그것을 보면서 웃기도 하다가, 좀 울기도 하고 참.

[4] 바깥집 지붕이 낮은 이유

[조사자: 지금 그 집 있는 자리, 그 자리가 옛날에도 그러면 아버님이 저기 할아버지한테 분가를 할 때 그 자리로 갔습니까, 그 집텁니까?] 예. 그러니까 그때 맨 처음엔 저희 어렸을 때 초가집이었고, 그 뒤에 70년대에 지붕개량을 해서 기와집이었고, 그리고 다시 성주를, 성주를 한 거죠. 아버지가 서울 계시다

가 다시 내려오셨으니깐. 그 초가집이 높이가, 높이가 다른 집에 비해서 좀 낮았어요. [조사자: 이유가 있어요?] 응. 이유가 있어요. 그 초가집이지만 그 세 칸, 네 칸인가? 부엌 칸 해서 네 칸 있었고, 부엌, 안방, 작은방, 저쪽에 이제 거그 저기까지 해서 네 칸인 초가집인데, 기둥이 높이가 낮았어. 그 이유를 한참 뒤에서야, 커서야 알았어요. 왜 그랬냐 그러면, 큰댁이 있죠? 왜 우리 할아버지 댁. 우리 큰집을 종가, 큰댁이라고 했어요, 큰댁이. 그래서 저는 길상 그 조카를 '큰댁이 조카' 그렇게 불렀어요. [조사자: 큰댁이 조카?] 어. 그렇게 불러요. 그니까 조칸데 뭐라 할 거여, 내가? 나이가 열다섯 살이 많지만, 조칸데 조카한테 조카지 뭐라 할 거냐고요. 근데 이제 내가 어렸을 때는 그냥 '길상이 조카' 이렇게 불렀는데, 이제 서로 나이가 먹어가니까 어른 이름을 함부로 부르는 것도 그렇고, 그러니까 내가 '큰댁이 조카' 지금은 이렇게 부르는 거죠.

저희 아버지도 봉강 정해룡, 그 사이에서 아버지도 그것도 조카관계 잖아요? 그러니까 그냥 '큰댁이 조카', 거긴 딱 20년 차이나. 그 양반이 12년생인가? [조사자: 13년생.] 13년생이고 아버지가 33년생, 딱 20년 차이거든요. 그러니까 스무 살 많은 조카. 그렇게 '큰댁 조카' 이렇게 부르기도 하고, 그러니까 밖에 나가서 호칭을 이렇게 하고, 뭐 조칸데 조카라고 이렇게 하는 거죠. 우리 인간사회에서, 인간관계 그 질서를 정해주는 것이 항렬 아닙니까, 항렬. 인간사회에서 질서를 잡아주는 것은 항렬이지. 항렬이 없으면은 뭐.

[조사자: 그래서 그런데 기둥이 왜 낮았어요?] (웃음) 기둥이, 큰댁이 집을 다시 성주를 했어요, 오래되니까. 그런데 그 성주한 그, 이제 그 목재, 기둥, 뭐 서까래, 뭐 보, 이런 것을 받아 왔어. [조사자: 아-.] 그러니까 우리 집을 아버지가 분가하면서 지었어. 이제 할아버지가 지어주셨어. 근데 기둥이 나무 기둥은 위아래가 이렇게 싹- 다 꽂혀있으니까, 그걸 쪼끔 쪼끔씩 위아래를 짤라 낸 거야, 모든 것을. [조사자: 아- (웃음)] 쪼끔 쪼끔씩 다 짤라 낸 거야. 썩은 부분, 뭐 안 맞는 부분을 전부 이제 잘라서 다시 맞추다보니까 새로

이 집을 지었으면서도 이제 그 목재는 낮아지고 좁아지고 그랬던 거야. (웃음) [조사자: (웃음) 조금 서글픈데요?] 서글프죠? [조사자: 저는 큰댁에서 작은댁이 보이게 할라고 그런 줄 알았네.] 그러니까 서글픈 얘깁니다. [조사자: 그러네요.] 서글픈 얘기예요. 그니까 인자 단적으로, 단적으로 아— 아까 선생님이 말씀하신, 우리가 큰댁을 바라본, 큰댁하고 우리하고, 작은집하고 뭐 어떤 관계라 할까? 이런 것이 딱 거기에 함축이 돼요. [조사자: 아— 그러네요.] 그니까 아— 모든 것이, 우리 집안의 아버지 어머니 할머니부터, 아버지 어머니 우리들은 모든 것이 큰댁의 어떤 그 뭐랄까? 뭐 이제 그러한 그걸 종속논리라고 하는 가요? 그 속에 그게 들어가 있어요. 그게 저 어렸을 때만 해도 더 그게 심했었고. 그 속에 또 살아왔고요. 아까 그 기둥 낮아진 그것이 아주 단적인, 아이 기왕이면 할아버지가 성주 해주시면서 그냥 그걸 신목재 갖다가 해주시면 좀 좋았어요? [조사자: 재물도 없는 것도 아니고?] 예, 그러니까 없는 것도 아니고, 남의 집도 지어줄 판인데. (좌중 웃음) [조사자: 그 말씀 나오셨겠네요. (웃음)]

[조사자: 지금은 그러면 뭐, 지금이랑 그때랑 똑같지 않아요, 높이가?] 아니 그러니까 지금은 다시 성주를 했어요. 그러니까 이제 그, 그래서 아까 말씀드린 대로. [조사자: 그럼 그때 혹시 이렇게 찍어 놓은 사진 같은 게 있어요?] 있어요, 있어요. [조사자: 집에, 그쪽 집에 있어요?] 있어요. 그러니까 그 초가집, 초가집 음— 을, 이제 아버지가 들어가시고 어머니가 서울로 가셨다고 했잖아요? 80년대부터 비워놨어요. 그래서 동네 다른 분들이 무상으로 사시기도 하고, 어 저기 관리차원에서 사셨어. 그리고 이제 어머니도 서울에서 쭉— 생활하

시니까 집을 비워놓고 명절 때만 가고 그랬는데, 그랬다가 이제 아버지 나오시고, 이제 어머니 다시 인제 해서 고향으로 내려가시면서 구십- 아- 8년도? 7년도? 97년돈가 98년도에 지금 집을 다시 인제 새로이 성주를 한 거죠. [조사자: 아- 내려오시면서 다시?] 응. 내려와서 다시 거주하시는데 아무래도 불편하시니까 인제 우리가, 자녀가 다 해서 그걸 지어드렸죠.

[조사자: 그럼 그 집이었던 목재들은 다른 데로 어디 간 건 아니고요?] 우리가 잘 지었으니까. (좌중 웃음) [조사자: 나중에라도 집에 가시면 그 사진 찍으셔가지고 하나 보내주시면 안 될까요, 메일로?] 그게 어디 사진이 있어요, 있기는. 제가, 저도 반바지 입고 거기, 그 무렵에 마루에 걸터앉아서 그 사진 찍고.

[5] 어린 시절에 겪은 아버지를 기억하다

우리 아버지는요, 회초리를 때리시면, 제가 우리 5남매 중에서 회초리를 제-일 많이 맞고 자랐습니다. 우리 형은 성격이 온순해요. 매 맞을 일을 안 해요, 아예. 회초리를 맞을 일 안 해요. 어머니가 시키고 아버지가 시키면 뭐,

"얘, 알았습니다."

안 되는 거 없이

"예, 알았어요."

그리고 뭐 어디 가서 장난, 장난치고 사고치고 오질 않으니까 매 맞을 일이 없죠. 공부 잘 하고. 크게 잘하지 않아도 아무튼 우수, 뭐 좌우간 우수생이었으니까. 누나들도 다 그러고. 그런데 저만 회초리를 정말 많이 맞았어요. 그래서 저녁에 인제 딱 집을 들어가면, 뭔 일이 생겼으면,

"니가 오늘 뭘 잘못했는지 알지? 니가 오늘 매질 맞을 양만큼 끊어 와라."

그럼 뭐, 그때 당시는요 시골집이라서 마당에다 감나무, 뽕나무, 닥나무, 또 뭐 이런 어떤 잡목들이 많았어요. 그럼 뭐 어떤 것은 딱딱하고 어떤 것은

능청능청한 것까지 다양해. [조사자: 어떤 게 안 아픈가요? 그래도 좀 들 아픈 걸 잘라야 할 거 아니에요.] 그러고 싶죠잉? 그러면 딱— 아버지가 때려보시고는, [조사자: 아우 어떡해. (웃음)] 가서 다시 끊어오라고 그래. [조사자: 알아서 좀 딱딱한 거 가져가셔야겠네요?] 그러니까, 저도 맞을 때 오기가 생기니까 아예 처음부터 딱딱한 거 골라서 가. 근데 제일 아픈 것은 뽕나무 그 순 나온 거 있죠? 뽕나무 순 이게 좀 딱딱하죠. 딱— 맞으면 이게 충격이, 이게 딱이 근육에 와 닿아요, 뽕나무 회초리. 근데 그것은 몇 개 끊어 가면, 아버지, 내 지금 생각은 그래. 그냥 화가 풀릴 때까지 때리셔. 한 대가 됐던 열 대가 됐던, 당신이 생각했을 때 화가 풀리실 때까지 때리시는 거야. 화가 풀리실 때까지 막 맞고 있으면은,

"아버지 잘못했습니다. 다시 안 하겠습니다."

하고 빌어. 참 그 매질 단호하게 하죠, 아버지. 또 그러고 우리 할머니가 이제 어렸을 때 시골에 계셨거든요. 할머니가 인제, 아까 제가 막내로 살았는데, 큰 손주가 있다가 작은 손주가 있으니 얼마나 더 저기하셨겠어요? [조사자: 되게 총애하셨겠네요. (웃음)] 작은 손주 기죽인다고. [조사자: 응, 아버지한테?] 아버님께 또, (웃음) 아버지하고, 또 인제 아버지하고 붙으셔. 피고로 앉아있는데 판검사끼리 다툰다고 생각해보세요. (좌중 웃음) 응?

인자 할머니 말씀은 큰집에, 큰댁에 지 작은성(兄)을, 저의 저, 저의 작은성은 뭐냐면 해진 그 양반이 그러니까 형님이거든. 큰형님은 해룡이고. 작은형님은 해진이여. 그러니까 우리는 어렸을 때 그 양반들이 우리의 어떤 롤모델이었어요. 그 훌륭한 양반들이 다, 무조건 그 양반들이야, 다. 비록 그 해진 그 양반이 저쪽에 그 가셨지만, 뭐— 뭐 아주 훌륭한 양반이었다. 할머니 말씀은 그거야. 큰댁에 지 작은성은, 그 양반도 어렸을 적에 구잡하셨던가 봐. 그 큰아들 해룡 그 양반은 성품도 온순—한 성격이고, 그 해진 그 양반은 딱— 어렸을 때부터 뭐 키도 크고 그러셨대. 어—, 그 장난꾸러긴가 봐요. 그렇게 또 그랬대. 그러니까 할머니 말씀은,

"지 큰댁에 작은성도 그렇게 해도 그렇게 큰 사람만 되더라."

할머니 말씀은 딱 그거여, 그거. 다른 거 없어. 뭐 잘했든 잘못했든 뭐 따지는 게 아니고, 지 큰댁에 작은성도 어렸을 적에 잘못해도 그렇게 큰 사람 되던데 왜 애를 기를 죽이냐 그 말씀이여. 그러나 아버지는, 자식 교육하고 있는데, 어머니가 손주 역성을 들면 아버지, 교육시키는 아버지 입장은 뭐냐? 아버지만 나쁜 사람이 된다 이거여, 아버지 말씀은. 그럼 나, 내를 때리시다가 두 분이서 싸우고 계시네. (좌중 웃음) 그러믄 또 한참 석고대죄 잠깐 뭐 앞에 뭐 이러고 서있으고 그러면, 그 서있는 그 시간이 얼마나 불안하겠어. 빨리 끝났으면 좋겠어, 그 상황이. 가서 자던지, 바로 한 대 더 맞고 끝나버리던지 했는데, 맨 맞다 말고 서있는, 그 종아리 걷고 서있는 그 자세가 얼마나 그 볼만하겠어? 참 그 매를 맞을 때 그 풍경이. 그래서 회초리를 끊어오라 그러면 처음에는 요령껏 그냥 그 약-한 거 끊어갔다가, 다시 끊어오라 그러면 그거 오기가 생기니까, 아예 처음부터 딱딱한 거로 큰 걸로 딱, 그럼 인제 때리시다가 한두 대 때리시다 마시고 그랬는데.

내가 장가가고 한 서른 대여섯 중반 됐을 때, 아버지한테 한 번 목욕탕 모셔 가가지고, 아버지 그때 그 80년도에 들어가셔가지고 고문을 많이 당했는데, 비가 올라 그러면 삭신이 쑤셔. 하고 이 여기가, 다리가 한쪽 마비가 오셔요. 엄-청나게 고문을 당하셨으니까. 한게 꼭- 서울 오시면은 목욕탕을 항상 같이 갔어. 지금도 참- 제 마음 속에 죄송하고 아- 그 아쉬운 것이, 그때 한창 직장 다닐 때부터, 바쁘잖아요? 더러 집에 오셔도 못 모시고 갔다고. 그러니까 딱

"가자."

라고 이제 부담을 안 주시지만, 갔으면 하는데 제가 많이 못 모셨다는 거. 그 얼마나 이 다리가 어릿- 어릿 한데 자식 바쁘니까 말씀을 못 하시고, 참 그게 지금도 정-말로 내 한이 돼요.

목욕탕에 모시고 가면, 가서 이제 한 번은 모시고 가서 그 말씀을 했어요.

"아버지 내가 쭉— 생각하니까 내가 5남매 중에서 제가 회초리를 그렇게 많이 맞았어요잉?"

또 아버지는 대수롭지도 않게,

"내가 그렇게 많이 때리더냐?"

(좌중 웃음) 웃으면서 그랬어요.

"그 우물에 무심코 던진 돌멩이에 저, 그 안에 개구리는 생사가 왔다 갔다 한다고 그러잖아요, 아버지."

(좌중 웃음) 아, 그래서 제가 아까도 말했었지만 형제간들은 온순해요. 우수생이었고, 학업 우수생이었고 모범생이었고, 그런데 저만 유독 쪼끔 인제 그 형제간에서는 쪼끔 덜, 쪼끔 달랐어, 성격이. 활동적이었고 긍게로 아버지 많이 혼났지. 긍게 아버지가, 아버지가 하시는 말씀이, 때리시면서 하시는 말씀이,

"이놈의 새끼야."

긍게 가장—, 아 우리 어머니가 인제 그래,

"니 아버지는 그래도……."

보통의 시골에서는 아버지들이 화가 나면 '이 새끼, 저 새끼'하고 막 뭣을 집어던지고 막 빰때기 때리고 그러잖아요. 손발이 먼저 나오고 보통의 시골 옛날 양반들이? 그런데 아버지는 그런 적은 없어요. 절—대 뭐 손을 댄다거나 욕을 뭐 '이 새끼, 저 새끼' 욕을 한다거나 일—체 그런 건 없어요. 딱 잘못했으면,

"너 회초리 끊어 와."

하고 회초리 딱 맞고, 그러고 가장 큰 욕이,

"이놈의 새끼야."

이놈의 새끼야 이놈의 새끼, 가장 큰 욕이 다른 욕이 아니라 이놈의 새끼. 저,

"사람 될까봐서 겁나냐?"

딱 그 말씀, 그게 가장 큰 욕이에요. (웃음) 뭐 워낙 말썽을 피우고 다니니까.

"사람 될까봐서 겁나냐?"

딱 그 말씀. 제가 그렇다고 그래서 초등학생이 장난을 쳐봐야 뭐 얼마나 치겠어, 동네에서. (좌중 웃음) 아니 그게 동네에서 사고를 쳐봐야 얼마나 큰 사고를 쳤겠어요? 뭐 거기에 대놓고 사람, 사람 될까봐서 겁나냐고, 큰 욕이에요, 자식한테. (웃음)

[6] 학창시절에 대한 감회

[조사자: 선생님이 이제 철이 들고 소견이 들었을 때 생각하믄 아버님이 앞을 못 보시고 조금 다른 친구들하고 조금 다른 환경이잖아요? 그 다음에 인제 큰집 그늘이 크고 그 상황 속에서 인제, 인제 선생님이 한 번 지금 생각해보면은 '내가 유난스러웠어' 라든지, 선생님이 가만 생각해보면 '내가 왜 형이나 누나들 보다 형, 아버지, 저– 누나들은 아버지에게 되게 순종적이었고 원하는 대로 하는 모범생 스타일로 자랐는데, 나는 왜 좀 이렇게 활동적이고 튀고 싶었을까?' 이제 고걸 조금 지금 진단을 해보면요?] 에–, 그니까, 맞아요. 그 말씀의 답이, 우리 어머니가 딱 나중에 이제 저 다 학교 졸업하고, 대학교 다닐 때, 그럴 때 그 말씀을 하시더라고요. 그래,

"아빠 엄마가 너한테 참 죄인이다. 내가 죄인이다 잘못했다."

뭔 말씀이냐고 했더니,

"너, 너처럼 이렇게"

저도 나름대로 학교 다닐 때는 이제 저– 우수생이었으니까,

"공부도 좀 하고 활동적이고, 그 앞장서기 좋아하고 나름대로 이렇게 친구도 많이 사귀었는데, 그것을 아빠 엄마가 뒷바라지를 못 해줘서 니가 얼마나 그것이 그게 속에서 화가 됐으면 아빠 엄마한테 그렇게 투정을 하겠느냐?"

하고, 나중에 어머니가 하시더라고요. 그니까 제가 학창시절이, 자랑이 아니라 있는 그대로 말씀드리면, 초등학교 1학년 때부터 6학년까지 반장, 1반 반장을 했어요. 6학년 때는 인제 그때 당시 뭐 학교가 무슨 뭐, 그때 군사 무슨 멸공소년단, 박정희 이 시댄데, 대대장이라고 그러고, 대대장은 군대용어잖아요? 대대장할 때, 6학년 반장이 나가서 앞에서 구령하고 그러고, 1학년 때부터 6학년 까지 반장을 하면서 공부를 아주 못 했으면 반장을 안 주겠죠잉? 어느 정도 하면서 리더십이 있으니까, 또 이제 우스개 소립니다만은 저는 1반 반장을 6년 동안 했고, 진짜 공부를 잘하는 친구는 3반 반장을 했어요. 1반은 남학생, 시골은 그랬어요. 전체 학생이 한 690명 700명 가까이 됐는데, 딱 3반 4반까지 있어요. 우리는 학년이 3반이었어. 1반은 남학생, 2반은 여학생, 3반은 남녀 혼합, 혼합, 뭐라 그러지? 어, 합반. 그니까 1반은 남자, 2반은 여자, 3반은 남녀 합반 이랬어요. 저는 계-속 6학년 때까지 1반만 했어요. 긍게 거기 속에서 계속 반장을 했어요. 그니까 이제 저 친구들이 그래요. 초등학교 같은 친구들이 지금 만나서 술 먹으면 좋은 말로,

"니 세상이었어잉?"

니 세상이었어 그래, 좋은 말로. 그래 우리 뭐든 역사 소설책 보면은 책가방 안 들고 다니는 친구들 많죠잉? 저도 한 3학년 때부터는 책가방 안 들고 다녔어요. 친구들이 들어다 줬어요. 그래서 제가 마을 회관에서 놀고 있으면 그 친구가, 우리 마을 회관 있죠잉? 앞에 있는데 우리집은 그 위 잖아요? 친구가 우리집 갔다가 가방 갖다놓고 와요, 나는 마을 회관에서 집에도 안 가고 노는데. (좌중 웃음) 못된 거죠, 못된 거야. (웃음) 그러니까 그랬던 친구가 있어요. 그런데 인제 참 지금 우리가 철들고 나서 미안하기도 하고 그래서 내가 만나면 술 삽니다. (좌중 웃음) 만나면,

"야, 그때 내가, 내 가방 드느라 고생 많았어."

(좌중 웃음) 제가 먼저 얘기한 게 아니라 지네들이 먼저 얘기를 꺼내.

긍게, 공부 잘하는 친구들도 그때는 이거잖아요. 거기다가 운동 잘하고 뭐

좀 싸움 잘하면, 그 싸움이라는 것이 뭐 그냥 그걸로 이기는 거지 주먹으로 꼭 하는 게 아니라. 그러면은 가방 들어줬어요, 수업 끝나고. 학교 끝나면요, 저 운동장에서 놀고 있으면 친구가 자기가 가서 가방 들고 그냥 들고 가요, 집에까지 데려다주는 친구가 있었어요. 그냥 그 친구들이 그래요. 나중에 인제 그래서,

"참 그때 니 세상이었어."

그래. 그래서 이제 그런 얘기하면 이제 뭔 말할지 알잖아.

"아, 오늘 내가 술 살게."

(좌중 웃음) 오늘 내가 술 산다고 그랬어요.

[조사자: 선생님은 그렇게 하여튼, 반에서 하여튼 선생님이 장악력도 있고 이랬는데, 이제 아버님이랑 어머님은, 여하튼 경제적으로 되게 어려웠을 거고, 이제 그럼 어머님도 학교 자주 뭐 못 와보시고, 인제 그런 부분에서 쪼금 반감이 생기셨나요?] 예. 그러니까 이제 그 점이, 아까 이제 어머니가,

"너 니 뜻대로, 참 니 하고 싶은 대로 뒷바라지 못 해줘서 아빠 엄마가 죄인이다."

인제 그 말씀은 하셨다는 게 그 얘기예요. 그리고 인제 그 소위 찢어지게 가난하면서도, 일등을, 나 일등은 아니지만 그러고 쭉 반장을 하니까, 어머니가 또 나름대로 시골양반이지만, 소풍가면 담임선생님 도시락 싸주고, 인제 5학년 6학년 되면 인제 교장선생님 교감선생님, 담임 안 맡으신 분들도 도시락 챙기셔야 돼요. 또 그 뒷바라지는 해주셨어요. 그러고 어- 꼭 봄 되면 새 학기 되고, 담임선생님이 새로 오신다든지, 뭐 위에 오신다든지 가신다든지 하면 우리 집으로 모셔가지고 식사 한 끼씩 대접했어요.

그때 당시 반찬이라는 것이요, 뭐 시골에 뭐 있습니까? 생선 한쪽하고 뭐 달걀 이렇게 해가지고 그걸로 반찬해서 대접하고, 그러면 인제, 인제 어머니는 밖에서 계셔도 그 분들이 한 번씩 집에 오셔요. 아버지하고, 이제 저의 어렸을 때 기억이에요. 밤-새도록 술을 드시면서 말씀을 나눠요. [조사자: 학

교 담임선생님들이요?] 예. 담임선생님 뭐 교장이나 교감선생님들 같이 오시고, 몇 분이 오시고 밤새 같이, 그러면서 나중에 인제 저한테 들리는 얘기가, 어- 시골에가, 인자 시골에가, 인제 아버지를 지칭하면서, 시골에가 저런 양반들이 저렇게 참 계신다는 것이, 뭐 인자 몸이 불편하시니까 인제 계시지만 참, 뭐 인자 아버지가 뭐 계속 그거 방송을 듣고 하시면서 세상이 돌아가는 얘기 이런 것을 다- 그냥 꿰신 분이니까, '저런 분이 왜 이렇게 계실까?', '아, 이런 분도 계셨구나.' 하는 것을 이제 참 느끼는 거야, 그 양반들, 선생님들이. [조사자: 초등학교 선생님보다는 수준이 높은 상황인 거죠?] 그렇죠. 그러니까 이제 말하믄, 선생님이 이제 한 수, 쉽게 말하믄, 세상을 배우고 가시는 거야. 선생님들 그 좀잖아요, 이런 게.

그러고 그 당시에 시골학교 선생님들 이제 또 수준이, 그 당시에는 도서지에를 아예 가면 그 진급하는데 점수가 있잖아요. 도서벽지 점수가 있어. 우리 회천면에서도 저 동교는 완전히 벽지 점수가 있어요. 근데 회천 서교는 도회지도 아니고 벽지도 아니야. 그니까 시골 완전 규몬데, 그 진급에 뜻이 없거나, 진급을 포기한 양반들, 소위 말하면 인제 몇 년 있다가 교감 교장 승진도 안 되는 그런 좀 양반들이 오시는 학교야. [조사자: 서교가?] 어, 서교가. 그니까 제가 기억이 그 반장을 하면서, 그 저는 공부한 기억이 없어요. 수업시간이믄 나가서, 그 뭐 있어요? 선생님들은 그 교재가 있어요. 요점 정리해 논 교재가 있어요. [조사자: 그걸 써, 저 받아 적어 줘?] 과목마다, 과목마다 이거 쓰는 것이 일이었었어요. [조사자: 반장이?] 예. 그럼 선생님은 어디 숙직실가 계신다든지, 뭐 딱 수업시간에 그냥 나가서 안 계셔. 좀 니가 알아서 해라 이거야. 그러믄 써주고,

"조용히 해."

떠든 사람 [조사자: 이름 적고?] 어, 이름 적고. 이게 뭐 반장일이고, 제 공부를 할 시간이, 그래 지금 말해도 제가 그 그 시간, 제가 그 열심히 공부했던 시간이 아니라, 칠판에 가서 이거 쓰는 거, 요점 정리 하는 거, 제가 이제

음악시간은 또 어떤 선생님은 그 풍금을 못 치시니까, 오르간을 못 치시니까, 옆 반으로 가서 바꿔서 와, 선생님이. 풍금 칠 수 있는 선생님이. 그렇게 그 초등학교를 다녔다고. 70년대의 초등학교라는, 그 초등학교의 모습들이.

[7] 반공웅변대회 원고를 써준 빨치산 아버지

[조사자: 선생님 지금 몇 년생이시죠?] 64요. [조사자: 64년생? 그러믄 저 선생님이, 우리 집안이, 그니까 봉서리가 원래 쪼끔 다른 지역하고 좀 달리 원래 사회주의 사상이 있다는 걸 알고, 그런 인식이나 우리 아버지가 옛날 빨치산 활동했다는 그런 인식 자체는, 초등학교 6학년쯤에는 들었었습니까?] 그렇죠.

[조사자: 그러니까 그 부분에 대해서 초등학교 담임선생이나 이런 분들은 다른 시각으로 보지는 않았었어요, 그 당시? 그래 선생님이 자꾸 그런 부분을 더듬어 보시라고. 그러니까 아버지가, 아니면 우리 큰집하고 우리 정씨 집안 자체가 그렇게 어떤 사회주의 운동을 하고 이렇게 해서 좀 뭐 '빨갱이'라고 하는 논쟁 상황 속에서 비난을 이렇게 받을 수 있는 상황인데, 요 동네는 안 그랬는지, 아니면 고 부분을 선생님이 어느 순간에 인식을 하게 되었는지 고게 궁금해요, 선생님 생각이.] 그게 재밌는 얘기가, 제가 초등학교를 70, 그러니까 71년돈가 들어갔었죠. 77년도에 저가 초등학교를 졸업했으니까 71년돈가? 그래 그때는 인제 박정희 유신정권이 이 막 들어설 때니까 얼마나 그 험악할 땝니까? 인제 반장이니까, 5학년 6학년 되니까, 막 궐기대회를 해요, 반공 막 이렇게. 막 집단적으로 학생들 모아놓고 지역 주민들 모아놓고, 그럼 그 연사로 반장이 나가야 되는 거야. 그니까 선생님이 [조사자: 웅변하듯이?] 웅변하듯이, 웅변대회죠, 웅변대회. 웅변대회를 해. 그러면 니가 원고 써가지고 와서 웅변을 하라는 거예요. 시골에서 웅변을 해봤습니까? 웅변 학원을 다녀봤습니까? 그러면 저는 그 과제를 안고 아버지한테 말씀을 드려요.

"아버지 며칠 후에 어디서 웅변 궐기대회를 한다는데."

궐기대회였어요, 궐기대회. [조사자: 반공궐기대회?] 반공궐기대회. 그 당시요, '무찌르자 공산당', '쳐부수자 김일성', '찢어 죽이자 김일성', 막 화형식하고 있었어요. 화형식, 그 지푸라기로 이렇게 만들어가지고. 실제로 만들어서 화형식을 했어요. 그걸 거기에서 뭐 이제 초등학생이 동네로 연사로 가. 선생님이 니가 원고를 써와서 웅변을 하라는 거예요. 웅변을 그냥 읽는 게 아니잖아요. 그러면 아버지한테 두 가지를 배워요.

"아버지 이래 이래 해서 저한테 이런 과제가 됐습니다."

하고 그러믄,

"니가 한 번 원고를 써 봐라."

그래, 하면 제가 초고를 써. 근데 초등학교 수준이 뭐 인제 저기 하잖아요.

원고를, 초고를 쓰라고 그래요. 그럼 제가 초고를 써 봐요. 그럼 이제 엉터리죠잉? 그럼 이제 아버지가 다시 쭉— 구술을 해주셔. 띄어쓰기 어디에 띄어써라, 받아쓰기 어떻게 해요. 제가 잘 못 알아들으면 손바닥에다가 글씨를 써요. 제가 우리시대 에 친구들 또래 중에서도 한자를, 초등학교 때 좀 배웠던 것이, 동네에서 신문을 보잖아요. 그럼 아버지는 신문을 안 보셨어요. 왜? 아버지 자체가 못 보시니까. 다른 집 신문을 봐. 그러믄 그때는 우체부들이 동네 앞에 노고있으면 신문을 이만큼 주면서, 이것은 누구집, 이것은 누구집, 애들한테, 이것은 새마을 지도자집, 이것은 동장집, 이것은 뭐, 우리 큰댁이가 늘 신문을 봤는데, 그러면 그때 당시는 동아일보나 뭐 한국일보, 조선일보, 이것들이 한자를 쓸 때 아니에요, 초등학교 때? 그러믄 이제 그 심부름하다가 어쩌믄 갖고 들어올 때가 있어. 그럼 읽어봐. 이게 읽다보믄 한자가 막히잖아요, 초등학생이니까. 아버지한테 물어봐요. 그럼 이렇게 쭉 읽다가 항상 맥락을 읽어봐라 그래요. 한글 한참 읽다가 모르면은, 이렇게 다 읽다보면 모르는 자가, 이렇게 써 있는 자가 무슨 자냐 물어보면 말씀해주시고, 정 내가 못 알아들으면 손바닥에 써보라고 그래요. 그래서

"아, 그것은 무슨 자다."

그렇게 그래서 한자를 다른 친구들보다, 전문적으로 공부는 안 했지만 그

래도 쪼끔씩은 알게 됐어요. 그러니까 이제 그래서 아버지가 원고를 써주시면, 띄어쓰기부터 어떻게 하고, 원고지 뭐 열 매, 열다섯 매, 내용이 말 그대로 반공— 뭐 저 연설하는 그런 내용이에요. (웃음) 거기다가 인제 이 웅변을 어떻게 해라. 여기서 어떻게 뭐 손짓을 하고, 어떻게 호소하고 뭐 어떻게 하고, 힘줘서 어떻게 해라 하는 것을, 또 거기서 인제 지도를 받아요, 아버지한테. 그럼 이제 뭐 시골에서는 웅변학원이 없으니까 뭐 모르죠. 아버지 시키는 대로 뭐 '이 연사 이렇게', 뭐 있잖아요. '이 연사 이렇게 외칩니다.' 이제 그런 식으로 해요. 인제 나중에 커서 아버지한테 물어봤어요.

"아버지는 그런 것을, 웅변같은 것을 어떻게 했대요?"

그 6.25때 빨치산 생활하면서 그런 것을 많이 하잖아요. [조사자: 인공시절에?] 인공시절에 그런 것을 많이 하셨대. 그러니까 청년 무슨 뭘 하셨어. 그러니까 이제 열여덟 살 일곱 살 그때부터. 그니까 그런 대로 많이 이렇게 다니셨대요. 보고 듣고 해보시고 하시니까 이제 그런 것을 체험하시니까 나한테 그런 걸 가르쳐 주셨던 거죠. 그니까 두 가지를 제가 인제, 그 웅변하는 방법도 내용도, 참 그 아이러니하잖아요?

그때 당시, 근데 그게 저만 그런 게 아니라, 저 3학년 위 누나가, 그때 당시 3학년인가? 그 누나가 광주서 학교를 다니다가, 아까 그 큰누나가 5학년 형이 4학년 작은누나가 3학년 갔는데, 이 작은누나가 3학년짜리가 가서, 5학년인가? 어 5학년까지 다녔는데, 너무 어린 거야. 아빠 엄마가 없으니까 이거 맨날 질질질질— 울고 짜고 뭐 이래. 그니까 도저히 할머니가 이건 뭐 안 돼. 너무 어려. 그래 다시 시골로 왔어요, 작은누나가. 그래서 시골에서 5학년 땐가 다시 다녔어, 5학년 6학년 때부터. 근데 워낙 공부를 워낙 잘해요. 공부를 잘했어. 그 누나가요 저하고 정—말 많이 싸웠습니다. 뭣 때매 싸웠는 중 알아요? 자긴 정—말 열심히 공부하는데 나는 공부 안 한다고. 너는 공부를 안한다고.

"아 누난 공부해. 왜 나 공부 안 하는 것 까지 성가셔."

자기 공부하는 것도 성가신데, 동생 공부 안하는 게 성가신 거여, 공부를 해야 되는데 공부 안 한다고. 그러고 인제 막 뭐라 하잖아요. 그러면 또 덩치가 누나가 쪼끄매. 그러믄 뭐 나이 차이가 두 살 차이야. 그러니까 누난 일곱 살에 들어가서 학년은 세 살 차인데, 나이는 두 살 차이니까, 내가 막 어쨌든 업어치기 해부러. (좌중 웃음) 그럼 이제 내가 그것 때문에 어머니한테 혼나고. 그러니까 누나가 그것 때문에, 내가 공부를 안 하는 게 성가셔. 그랬는데 그 누나가 이제 또 공부를 쪼끔 잘했는 데다가, 광주에서 학교를 다니고 다시 시골에 왔으니 그래도 광주 물 좀 먹어봤잖아요. 몇 년 한 2, 3년 정도 먹어봤잖아요. 그러니까 거의 탑이야. 그러니까 이제 이 누나는 학교용이 아니야, 면민용이야. 막 면 동네 주민, 리마다 주민들 모아놓고 반공궐기대회를 했대요. 그때 막 리 단위로 어른들 모아놓고. 예비군 중대장 오토바이가 그때 국방생 오토바이를 타고 다녀요, 국방색. 예비군, 향토예비군 중대장이. 누나는 그 뒤에, 한때는 그 뒤에 타고 다니면서 전문 연사로 딱 거기 타고 다녀요. 뭐 모시고 다녔어요, 궐기대회 있으면. 또 말도 잘 야무지게 하니까. 근데 그 원고를 아버지가 써주신 거야. 그러니까 이제 나중에 우리가 그랬어.

"아버지는 진짜 그 원고를, 진짜 진심으로 써주신 걸까?"

"속은, 속은 시커먼데 이렇게 겉으로만 써주신 거여."

우리가 나중에 술 먹고 아버지한테 그런 질문도 던져보면은, 근데 거기에 대해서 딱 답을 안 하시더라고요. 그러니까 지금 그때를 인제 커서 생각해보믄, 그 아버지 속이 어떠셨겠어요잉? 그니까 그 북에 계신 작은형님(정해진)이 65년도 내려오시고, 거기다가 이제 큰댁의 봉강 형님이 69년에 돌아가시고, 그래 인제 위하고 밑에 선이 끊기고, 이쪽에서는 인제 감시를 하고 있고, 남한 당국에서 감시를 하고 있고, 북쪽에서는 우리를 그래도 뭔가 이렇게 선을 댈라고 했을 거 아니에요, 이제 뭔가는? 우리는, 이제 아시니깐 말씀을 드리는데, 기관단총은 저쪽 서재골 동백나무 밑에가 놓고 있고, 얼마나 그 불안한 생활을 하셨겠어요. 이 큰댁의 형님은, 모든 것을 다 알고 계시는 큰댁의 형님(정해룡)은, 큰형님은 딱 69년도에 고혈압으로 갑자기 돌아가셨고, 그니까 다음에는 아버진 거야. 그 인제 말하자면 어떤 그 책임감이. 물론 이제 동 서열 아저씨가 그 종호, 그 당시 그 양반 계시지만, 그 양반은 또 한, 직접적인 그런 건 또 아니고. [조사자: 집사같은 분이고?] 집사같은 분이죠. 그래 이제 아버지가 길상 조카하고 순상이 조카, 길상이 조카, 아버지하고 셋이서 얼마나 애가 터졌겠어요. 이제 그런 양반이 70년도 71년도, 72년도 막 73년도 그럴 때, 그런 일을 하고 할 때, 그 원고를 써주셨으니 무슨 속으로 써줬는지 모르겠어요. (웃음)

[8] 짚차 소리에 예민한 반응을 보였던 아버지

근데, 아- 참 아까 아버지에 대해서, 마당에서 말이에요, 마당에서 우리가 지금, 누에 기르는 것 알아요, 누에? 이제 그때는 인제 농가소득으로 누에를 쳤어요. 여름에 누에를 길러요. 그러고 막 장마철에 물 들어가지고 뽕 죽어버리고. [조사자: 잠실, 잠실이?] 잠실. 우리 큰집이가 잠실이, 우리 집 뒤하고 큰집 사이에 남사밭 있잖아요? 저쪽 은행나무 서 있는 그쪽 편이 그 잠실이 있었어요. 어 저 황토 벽돌 블록으로 해가지고, 거기 잠실이 있었어요. 거기다가 누에를 엄-청나게 키웠어요. 그러니까 이제 그러다보니까 우리 집안도 키웠어요. 그러믄 그 섶, 누에섶을, 누에 자라는 섶을 봄에 인제 만들어요. 이제 마당에서 이제 저런, 아까 그 우리 저기 저 초가지붕 그 기둥에다가 못을 박아가지고 새끼를 거기다가 이렇게 딱 걸어서 놓고. 섶을 이렇게 켜서, 내가 그 아버지가 이렇게, 이렇게 이렇게 해서, 그 섶은 이렇게 이렇게 꼬잖아요? 아버지가 실제 섶을 이렇게 꼬셨어요. 꼬아서 인제 그 섶을 만들어 새끼를 다 꼬셨는데, 섶을 칠 때는 이렇게 반대로 틀어서 거기다가 이렇게 이렇게 꼬챙이에 꽂잖아요. 그때는 인제 작두로, 작두로 그 볏단을 막 쓱쓱- 잘라요. 그래가지고 그걸 이만치 해서 딱 묶고 쌓아. 쌓아 노면 그것을 나는 인제 집어드리는 거야, 아버지한테. 옆에 서서 이렇게 집어드려. 그러면 인제 누에 섶을 아버지가 인제 마당에 서서, 기둥에서 시작해서 이제 쪼끔씩 얼만큼 나가잖아요. 쭉— 이렇게 해서 인제 집어다 드리고, 또 다 쓰시면 집어다 드리고, 밖에선 애들 놀고 있는데, 이 정신이 온통 밖에서 놀고 있는 거야. (웃음) 언제까지 하실까 가만히 그, 이제 아버지는 래디오. 트랜지스타. 그 당시 뭐 쌀 두 가마니, 그 당시 쌀 두 가마니 했는데, 그것이 아버지 유일한 눈이였고 귀였고, 세상을 바라보는 창이었어요.

근데 아버지는 일본 방송밖에 안 들으셔, 일본 방송밖에. 그거는 좀 우리 방송을 들으시면 좋겠는데, 뉴스 때마다 일본 방송을 들으셔. 그 남쪽이 일본 방송이 잘 잡혀. 그리고 그것이 그 라디오가 일제 거라서 그 단파 방송이 잘 잡혀. 가끔씩 이제 채널 돌리다 보면요, 북에서 방송하는 그 대남방송이 그대로 우리 쪽보다 더 잘 들려요, 우리 어렸을 때. 그럼 이제 어느 날에는 어떡하냐면 재미로, 그 작은 방에 모여서 공부하다가 이렇게 라디오를 키면, 아버지 라디오를 키면, 막 저쪽 방송이 나오더라고요. '김일성 수령님이 어쩌고 저쩌고, 뭐 남쪽의 뭐 정세를 비판하고', 재밌어, 가만히 들어보니께. 아 북 방송을 그냥 자연스럽게 청취했던 거예요, 우리는. (웃음) 근데 아버지가 왜 일본 방송을 들으셨냐? 그 당시는 남쪽에서는 올바른 얘기를 안 하잖아요. 있는 그대로 얘기 안 해. 다 거짓말로 그러고 막 그러니까, 다 거짓말이야. 그래도 일본은 쪼끔 더 객관적인 입장에서 남과 북 관해서, 이 한국 정세에 관해서 얘기하고 그러니까 전부 일본 방송을 들으시는 거야.

그리고 막 노래도 거기서, 아버지 학교 다닐 때까지 일본 저기로, 일제시대니까, 일본어를 잘하세요. 일본에서 손님이 오고 그러면 통역도 하고 그러셨어요. 이제 그만큼 하고, 일본 노래를 잘 하시고, 그러니까 그 그런데 그 섶을 이렇게 따면서 일본 방송을 들어. 그러면 저는 얼마나 따분하겠습니까잉? 친구들은 밖에서 막 뛰어노는 소리 들리는데, 마음은 콩밭에 가있고, 방송은 뭐 알아듣나? (좌중 웃음) 일본 방송 뭐 하고, 그러면 아버지가 딱 이렇게 방송을 들으시다가도 이렇게 다 하시면서도, 저 밑에서, 우리 마을이 높잖아요? 저 밑에서 그 밑에 밭에, 그 마을에서 차가 올라오는 소리가 들려요. 뭐 트럭이나 엔진 소리가 큰 차들은, 옛날 그 엔진 소리가 대단하니까 들려. 그럼 이제 아버지가 딱, 그 인제 앞이 안 보이시니깐 귀가 발달하시잖아요. 그러니까 멀리서 차 소리가 들리면 다 알아들으셔. 우리 집이 그 저 대문에서 쪼끔 그 집까지 들어갈 때 뭐 한 15메타, 얼른 나가서 내다 보믄 다 보여. 지금 뭐 앞에 뭐 하우스 없었고, 그 당시는 뭐, 뭐 없으니까 다 저 멀리까지 내려다 보여. 밑에 마을, 그 밑에 마을까지 다 보여. 가보면 뭔 차가 올라오는지 알어.

"뭔 차 올라오는 소리 들린다. 뭔 찬가 봐라. 그리고 그 차가 어디로 들어가는지 봐라."

그래요. 그러믄 딱 두 가지, 저- 밑에, 밑에 그러니까 밑에 마을은 신금 마을이고, 그 밑에는 반대 쪽 위해리 마을인데, 거기서 차가 올라오는 동선을 보면, 어떨 땐 트럭이 올라오고 뭐 승용차가 올라오고, 밑에 마을로 쏙, 밑에 마을로, 윗마을, 밑에 마을인데 윗마을 쪽 들어가는 경우가 있고, 우리 마을로 와서 중간에, 우리 마을에 중간쯤 가면 이렇게 있잖아요? 사거리가 있어요. 그러믄 거기서 우리는 그걸 아랫마을이라고 해. 그러믄 아랫마을로 들어가는 경우가 있고, 그러믄 윗마을까지 올라오는 경우가 있어요. 그러면 내다 보고 서서,

"아버지 아랫마을로 들어갑니다."

"그래? 알았다."

그러면 인제 나는 또 다시 가서 섶을 드려요. 근데,

"윗마을로 올라옵니다. 윗마을로 올라오고 있습니다."

그러면,

"뭔 차냐?"

그러셔. '뭔 차냐?' 그것이 그 당시 뭐겠어? '관용차냐? 짚차냐?' 이런 말씀이야. 뭔 뜻인지 알겠어요? 결국 아버지가 그- 기다리고 기다린 짚차한테 결국 79년도에, 80년도에 그 짚차를 타고 가셨잖아요. (웃음) 그러니까 다시 말해서 일상에서 어떻게든 간에 자식들 먹여 살려야 되고 하는데, 그런 일 하시면서도 온갖 그런 신경은 다 갔다고요. 아까 말했듯이 동백나무 밑에 무기 숨겨놓고 있고, 위 하고는 선이 끊겨서 어떻게 할지도 모르겠고, 뭐 어떻게 이것을 누구랑 상의할 만한 상황은 아니잖아요. [조사자: 결국 이제 정해룡 선생님 돌아가시고 난 뒤에, 이제 그런 걸 그 부채감을 다 가지시고, 응.] 어. 다 갖고 계신 거죠. 그니까 짚차 소리만 하나만 올라와도 그렇게 예민하셨던 거죠. 그니까,

"아버지 짚차가 올라옵니다."

그러면 상-당히 예민해지세요. 아 짚차도 여러 종류가 있는데, 뭐 하다 못해 그런 일보는 관용차도 있을 거 아니에요? 그러면은 그, 이제 지금 생각해 보면은 긴장하는 모습이 보여요. 우리는 뭐 전혀 몰랐지. 이 얼마나 마음속으로 늘 불안해했겠어요. 그니까 그런 삶을 몇 년 사신 거니까, 80년도 가셨으니까 한 10여년 인제 그런 삶을 시골에서 살았죠.

[조사자: 여하튼 큰조카 돌아가시고, 어- 계속?] 그니께 누에섶 하다가, 아 이렇게 엮다가 짚차 올라오는 소리, 그 다음에 누에섶만 이거하는 게 아니라, 뭐 어느 토요일 날 일요일 날 같은 때 이렇게 학교 안 가고 집에 있는 날 있잖아요, 공휴일 날. 그럼 이제 집에서는 뒹굴고 놀고 있어. 그러면은 저- 밑에 차 소리가 들려. 가서 무슨 찬가 보고 오라고 그래요. 그것도 성가셔요. (좌중 웃음) 공부하고 있다가, 또 뭐 테레비 보고 있는데 뜬금 없이 나가서 저 대문, 저 저 가서 차 보고, 어떤 뭔 찬가 보고 오라는 거예요. 그거 성가신 거여, 애들한테는. (웃음) 그니까 결국 인제 그, 그런 것을 나이 먹어서는 이해하게 됐죠. 아버지의 그 당시의 어떤 심정을.

[9] 어려운 상황에서도 아버지 사상에 대해 원망해 본 적이 없었던 형제들

[조사자: 그러면 인제 궁금한 거는, 자꾸 시간이 또, 선생님이 속이 차고 난 뒤에, '우리 아버지는', 그러니까 큰아버지가, 그 종자 팔자 되시는 큰아버님은 결혼 안 하시고 돌아가신 거죠? 고모, 국남 고모도 어 또 빨치산 활동하시다가 돌아가시고.] 그때 그 국남 고모님을, 그때 그 우리 마을 회령 경로당에서 어떤 양반이 그 박 선생님보고 산에 가서 만났다고 하셨잖아요. [조사자: 그러면 인제 고 상황들을 인제, 살다가 막 사는 게 빡빡하고 이러면 어머니가 푸념이라도 하고 하는데 인제, 그니까 선생님이 파악하기에는 큰아버지, 고모, 아버지까지 다 윗대가, 그 상황이 이거는 저 되게 긴밀하게 물리는 부분인데, 그 지금 큰집에 조카분인, 큰조카분인 덕상씨라든지, 그런 이를 본적은 없죠?] 아, 있어요. [조사자: 철상씨도?] 아, 봤어요. [조사자: 그 양반들이 이렇게 같은 상황 속에서, 구분의식이 없진 않았더라고 하고 하는데, 저는 궁금한 게 혹시 큰아버지, 그 다음에 고모, 아버지, 그 상황 상황들이, '우리 아버지는 자발적으로 이 사회주의 활동을 하게 되었을까? 아니면 그 집안 분위기상 그랬을까?' 선생님이 인제 판단키에, 선생님이 들은 소리나, 아니면 선생님이 판단키에 어떤 분위긴지 한 번 얘기를 듣고 싶어요. 그 인제 집안 분위기나, 예.] 저 그것은 지금 세월이 좋아졌다고 해서, 어차피 돌아가셨다고 해서 제가 드릴 말씀이 아니라, 정말로 저희 자녀라든지 자식들은 그랬어요. 저 뿐만 아니라, 형들하고 누나하고도 이제 나중에 커서 우리가 술 먹고, 명절 때 가면 반드시 술 먹고 얘기를 해요. 아버지가 가난한 것은 탓해 본 적이 없어요, 가난한 건. 그 다음에 아버지가 여하튼 그런 사상을 가지고 한 세상을 살았던 것이든, 정말로 한 번이라도 원망해 본 적은 없어요. '왜 저런 사상을 갖고 우리를 고생을 시키나?', 없어요.

자 봐보세요. 제가 어 79년도 봄에, 3월 달에 서울로 전학을 갔어요. 그때가 79년도 3월 달에 제가 성수중학교를 다녔습니다. 성수중학교가 어딨냐면은, 79년도 10.26이 났잖아요, 박정희가 죽은. 그 박정희가 언제 죽었느냐?

10일인가 그 삽교천 뭐 그 개막식하고, 거기 개막식하고 와서, 그 시상식 하고 와서 인제 술 먹다가. 인제 그 봄에 성수대교가 94년돈가 그 붕괴됐죠잉? 그 성수대교 개통식이 있었어요, 그날. 그 개통식 온다고, 누구 VIP 온다고 우리 학생들 동원해가지고 거기 청소를 했어요, 대청소를. 제가 그때 그 연도를 정확하게 기억을 하는 게, 아까도 말했지만 제가 서울로 전학을 갔는데, 촌놈이 인제 서울로 갔어요. 그래도 여기서는 뭐 반장도 하공잉, 뭐 우쭐우쭐한 놈이 서울로 가니까 완전히 촌놈 취급을 받는 거예요. 촌놈이죠, 뭐. 아니 여기 시골에서는 운동화 신고 다니면은 그래도 괜찮은데, 고무신, 그 당시는 고무신으로 많이 다녔지. 중학교는 어쨌든 간 검은 운동화가 최고였는데, 서울 가니까 학생이 막 구두를 신고 다녀요. 그니까 처음에는 운동화를 신고 다녔는데, 누나가 그래도 동생이 서울로 전학 왔고 그렇게 기죽지 말라고, 명동에 가서 그 당시에 에스콰이아, 금강, 엘칸토, 뭐 이런 학생화를 팔았어요. 그때 뭐 금강인가 최고 메이커 가가지고 큰누나가 가서 그 신발 구두를 하나 사주는 거야. 와서 기죽지 말라고, 공부 열심히 하라고. 그런데 그 구두 때문에 공부를 안 하고, 학교 끝나고 오면은 다음 날 깨끗하게 신도록 솔로 딱– 닦어서 한쪽으로 모셔놨어요. 서울, 촌놈이 서울 와가지고. 그니까 그랬는데, 그러고 인제 고등학교, 그러고 인제 제가 서울 와서 한 1년 동안은, '이 촌놈 취급을 하는 것을, 내가 어떻게 좀 그것을 같이 동등하게 붙을까?' 이런 생각이지. 아 이거 공부로 붙어야 되는데, 공부로 붙어도 공부는 못 쫓아가겠고, 그러니까 이거 엉뚱한 쪽으로 자꾸, 이 자꾸 붙을라고 한 거야.

이제 1년 뒤에 고등학교를 갔어요. 중학교 3학년은 기왕 딱 전학 오믄 낙인 찍혔잖아. '저 촌놈.', '전학 온 놈', 긍게 서울 친구들이 안 어울려져. 뭐니? 지금 말하믄 이제 왕따시키는데, 그때는 참 여기저기서 뭐 경상도, 전라북도, 전라남도에서 막, 한 반에 가면 한 7–8명이 전학을 왔어요. 그러믄 그런 놈들끼리 어울려, 또. 전학 온 시골 촌놈들끼리. 그러면 인제 우리끼리 어울려가지고 또 '저 새끼들', 인제 욕하고 막 그러지. 이제 그랬는데 고등학교를 가니까, 중3 1년 동안 다니고 고등학교를 가니까 섞여버리잖아요. 이제 뭐 시골 놈들은, 성수중학교 졸업했는데, 성수중학교 출신이 되는 거야. 참 고등학교 가니까 인제 그런 것이 없어지더라고. (웃음) 그러니까 이제 쪼끔 더 이렇게 편했는데, 거기서 한 1년 재밌게 살았는데, 딱 1학년 겨울 되니까 아버지가 딱 가셨잖아요. 잡혀가셨어요, 아버지. 그래가지고, 아— 서대문 구치소에 계시면서, 이제 미결수니까, 재판을 받으실 거 아니예요. 어 이제 지법부터 재판을 받으시고, 재판장에를, 그때는 교복, 내가 교복입고, 까만 교복입고, 아버지 재판 받는 걸 거기로 가서 봐요. 인제 방청을 하는 거지. 그니까 이제 수업이 안 맞으면은, 도저히 안 되면 못 가고, 중요한 판결 있거나 그러면은 그냥 교복입고 가요. 그러면 아버지 이제 그때 당시에는, 이렇게 하고 나오시는 것 보면, 어— 이것만 결박하신 것이 아니라, 말하면 중죄인이니까 그 당시에 중죄인이지. 이 위에까지 막 포승줄로, 그니까 지금은 인권 차원에서 법정으로 들어올 때는 그것도 풀어주고, 요것도 풀어주잖아요. 아 그때 그 당시는 그것도 없었어. 이대로 와. 들어오셔가지고 이 위에 결박한 게 다 보여. 그니까 그런 그 수의입은 그런 모습을 이 대한민국 교복을 입은 고등학생이 바라봤을 때, 뭐 화딱지 나는 일이잖아요. 그거 '왜 내 아버지, 내 아버지는 저런 모습을 자식들에게 보일까?' 라고 원망도 할 수 있고. 그런데 아까도 말했듯이, 어찌 된 영문인지 정말 내 양심껏, 아직까지, 그때 당시도, 한 번도 '왜 아버지는 저런 모습을 자식들한테 보여? 왜 우리를 이렇게 힘들게 만들어?', 그런 원망을 해본 적이 없어요, 진정으로.

그때는요, 일가친척들이도요, 무서워서, 그러니까 그런 거예요. 그 빨갱이, 빨갱이죠잉? 빨갱이 집안이 됐는데, 일가 친척들도 그 마음은 안쓰럽고 안타깝고 위로해주고 싶어. 그런데 내가 저 사람하고 가까이, 저 집안하고 가까이 지냈다가는 자기들도 불똥이 튈 수 있으니까, 마음은 있어도 일부러 멀리할 수밖에 없는 거예요. 그런 그것을 우리는 알어요. 저 양반이 왜 평소에는 우리하고 그렇게 좋게 지내던 양반이, 왜 저렇게 무서워하는 것을 원망

안 하고 살았어요. 그러니까 그때는 그런 시대였으니까, 가까이 했다가는 뭔 봉변을 당할지 모르니까, 그래 이해를 했어요. 근데 그 일가친척도 멀리 하는 우리 아버지 이렇게 나오시면, 그러면 인제 막 1심에서 구형이 막 '사형' 그러는 거야, 사형, 1심 구형이. 그래가지고 선고가 20년인가 무긴가 됐고, 2심에서 다시 사형을, 구형이 '사형' 그랬는데, 2심에서 12년 딱, 그래서 8년 8개월인가 사시고 나오셨어요. 그런 재판하는 모습들을 교복입고, 고등학교 1, 2학년 때, 지금 1, 2학년 때가 제일 중요한 시기잖아요. 그니까 아까도 그 우리 조카가, 88년도에 우리 조카는, 그래 아까 집안이 뭔 꼴이냐 한 것이, 80년도 초에 우리 집안은 내가 아무리 공부를 하고 싶고 뭘 하더라도 그것이 분위기가 되겠습니까? 아버지가 뭐 사형을 언도받고 하는 판인데, 어머니 정신이나, 형 정신이나, 누나 정신들이 뭐 온전했겠냐고요. 그렇죠. 그런데 우리 누나 형들은, 형이나 누나들은 어 이제 다 20이 넘어가고 뭐 대학생 되고 뭐 직장생활 하고 할 때잖아요. 나름대로 뭐 어떤 가치관이나 이런 사고들이 어느 정도 정리가 돼서 받아들이는데, 근데 고등학생인 나는 참 사춘기 때 뛰쳐나갈라고 하잖아요. 온전한 아이들도 그 시기가 되면 뛰쳐나갈라고 그러는데, 그런 상황이 된 제가 어떻게 얼마나 뛰쳐나갈라고 했겠어요.

그러면서도 원망을 안 했어요. 그 원망을 안 했던 것이 뭐냐 그러면, 할머니가,

"큰댁이 지 작은성은"

해진씨를 일컫는 거야.

"그렇게 잘 훌륭한 큰 사람 됐다."

그러니까, 북에가서, 이 큰 사람이라는 것은 남들이 들으면은 뭐라 하겠어요. 소위 말하는 종북이지. 우리 집안에서는 비록 우리가 가서 했지만은, 자기 어떤 사상의 자유, 양심에 따라서 자기 그냥 행동한 것이니깐, 그것을 탓하거나 그것이 나쁜 행동이라고는 절-대 얘길 안 했어요. 세상을 바꿀려고 하다가 시대를 잘못 만나고 세상을 잘못 만나서 그런 것이지 하고 어른들부

터 그랬어요. 우리는 당연히 그것을 나쁜 것이다고 생각 안 하고, 훌륭한 듯이 생각했어요, 훌륭한 것이다고. [조사자: 할머니도?] 어, 할머니도. 그 아무것도 정말 사상이니 이념이니 모르는 이 정말 문맹이신 할머니도 그렇게 말씀을 하셨고, 우리는 또 그런 분위기 속에서 자라고 듣고, 보고 듣고 살았기 때문에 하등의, 뭐 뭐 그런 활동을 하셔서 뭐 잡혀가시고 뭐 어쩌고, 아 강도짓 했어요, 도둑질 했어요, 뭘 했어요? 그냥 그건 나쁜 짓이 아니다라고 딱 확고했어요. 그러니까 그러다보니까 이제 뭐 탓하거나 원망하거나 인제 이런 것이 없죠, 정말로 그랬어 그땐.

[10] 아버지와 아들, 구치소 유리벽 너머로 말없이 서로 얼굴만 바라보다.

그래 재판 끝나시고는 인제 이렇게 하실 때, 재판 받으실 때, 서울 구치소, 지금 서대문 구치소, 현저동, 서울 현저동 102번지죠. 거기에 인제 그 2개월씩 그렇게 계셨어요, 광주로 오시기 전에. 근데 거기 계실 때 제가 매주 금요일 날 6교시, 7교신가가 그때 우리 채플 시간이에요. 우리 학교가 그 미션스쿨이었으니까. 다른 과목은 빠지면 좀 안 되잖아요. 손해, 손해나잖아요. 그러니까 미션 무슨 무슨 그런 시간에는 조퇴를 내요. 선생님한테,

"제가 어디 좀 가야겠습니다."

하고, 그 시간을 이용해서 서대문 구치소에 제가 아버지 면회를 가끔 갑니다. 매주 금요일 날, 매주 금요일은 아니겠지만 그래도 인제, 어- 제가 시간이 그때밖에 안 되니까, 토요일 일요일 날은 또 안 되니까, 금요일 날 면회 가면은, 이중 방탄유리잖아요. 방탄인가 아무튼 구멍 이만큼 뚫린 거, 얼굴도, 색깔도 흐릿해가지고 얼굴도 제대로 안 보이는, 투명하지 않고 좀 흐릿해요. 뭐 저런 딱 창문 색깔이야, 투명하지 않고. 그럼 거기 구멍 요만하게 뚫린 거 이중으로 딱 해놓고, 목소리도 좀 크게 해야 뭐 좀 들릴 정도고, 그 다음에 어떻게 손을 잡아보겠어요 뭘 하겠어요. 이렇게 나와서 그냥 앉아계

시는 모습, 그러고 아버지를 자 봤어. (울먹이며) 그러고 한 동안 서로 말 없지. 서로가 말이 없어요.

"아버지 잘 계시죠? 건강하시죠?"

그러고 한동안 서로 말 없어. 그러면 아버지는 자식한테 미안한 거지. 미안해서 말씀을 못 하신 거고, 자식입장에서는 뭐라고 아버지를 위로해드리겠어요, 뭘 하겠어요. 할 말이 없는 거야. 그냥,

"건강하시죠? 뭐 어떻게 필요하신 거 없으세요?"

라고만 물어보고, 그 이상은 제가 거기서 뭐 변호사 얘길 하겠습니까, 재판 얘기를 하겠습니까. 뭐 세상 돌아가는 얘길 하겠습니까. 뭐 어린 어린 내가. 할 얘기가 없어요. 그럼 주어진 시간이 공식적으론 10분인데, 한 5분 되면 벨 울려요. 뭐 쭉- 있어가지고 이거 막 계-속 들락날락 하잖아요. 이러면 한 5분 있으면, 그 말 안 하고 있으면 교도관이 이제 말 안 하고 있으니까,

"할 얘기 다 했으면 들어가쇼."

라고 막, 시간도 안 됐는데 모시고 들어가요. 그러믄 나는 말이 없어도 얼

굴이라도 보고 있으면 좋은데, 아버지를 모시고 들어가. 끌고 들어가버려. 거의 인제 끌고 들어가요. 그 교도관이 원망스럽지. 참 이렇게 1분이라도 더 있고 싶은데. 어 인제 그러고 그 구치소를 돌아 나와. 그러면 인제 아버지가 그 사식, 빵 뭐 그때만 해도 그렇게 사식 들어갈 게 없어. 카스테라하고 뭐 우유, 두유 종류 해가지고, 그게 인제 그래 형이나 누나들이 와서 넣어드리면 이제 그것이 떨어질 때까지 하면, 제가 또 누나들이나 엄마도 이 뭐 못 가시면 제가 간 김에 넣어드리고 오라고 그런다고. 또 며칠치 넣어드리고 와, 카스테라. 인제 그걸 넣어드리고 구치소 문을 나설 때, 그 교복입은 뭐 학생의 모습이잖아요. 그럼 남들이, 어른들이 특별하게 쳐다봐요. 같이 면회 온, 거기는 뭐 수- 많은 뭐 양심범부터 시작해서 잡범까지 다 하여튼 여러 사람의 하여튼 그 가족들이 면회를 올 거 아닙니까. 어 교도관들도 그 교복입고 거기 가면, 뭐 그렇게 보였겠죠잉. 특별할 수밖에 없잖아요. '교복입고 누구를 만나러 왔을까?', '뭔 일로 왔을까?'라고 그런 눈으로 쳐다봐요. 근데 부끄럽거나 또 그러지도 않았어요. 부끄럽고 그러지도 않았어요. 부끄러웠으면 교복입고 못 갔겠죠잉. 뭐 어떻게 모자 푹 눌러쓰고 간다든지 그렇겠지만, 그런 건 없었어요. 교복입고 학교 끝나는 대로 바로 갔어, 책가방 들고. 원망을 안 해봤어요, 저는 정말로.

[11] 정신질환을 앓았던 큰댁 식구들 (1)

[조사자: 그 여하튼 그러면, 아버지가 33년생이고, 큰집에 조카, 큰조카가 거의 아버지하고 나이가 같은 가요, 돌아가시던 그 당시가?] 예. [조사자: 아버지하고 나이가 동갑이셨나요?] 아니, 한 살 밑, 두 살인가 밑이었어요. [조사자: 그 다음에 지금 그 태환씨 아버지 되시는 철상씨가, 그럼 철상씨가 35년생인 거 같던데, 36년생인가요?] 철상 그 양반이 37인가 36인가 되고, 어 득상이 34인가 35년인가 그래요. [조사자: 그러면 두 양반을 본 기억이 납니까?] 어, 나죠. [조

사자: 그러면 그 인제 우리 길상 조카 분께서, 정길상 선생은 어 여하튼 그 상황 속에서, 어 자기 모친이 정신분열증도 오고, 그 종수를 본 적은 없죠, 큰집 형수를?] 없어요. 못 봤어요. [조사자: 몇 년 전 돌아가셨습니까?] 아이 저 어렸을 때, 한참 전에 돌아가셨어요. [조사자: 선생님 기억 속에 있어요?] 다 있어요. [조사자: 그니까 그 후처로 오셨던 최봉조씨 말고, 박남이 모친도 그럼] 오산, 오산, 거기 택호가 오산댁이었어요. [조사자: 오산서, 보성 오산에서 시집을 왔어요?] 예. [조사자: 그럼 그 양반은 그 안채에 사셨어요?] 정상적인 생활하는 모습은 없어요, 저한테는. [조사자: 그럼 따로 거처하셨어요?] 에 그것이 인제 거의, 저 부엌 뒤에 딸린 조그만 방에, 그냥 뭐랄까? 뭐라고 해야 되나요? 갇혀 있는 모습을, 그리고 거기 일하는 식모가 밥을 넣어주고, 그 모습을 전 기억해요. [조사자: 그럼 몇 년도쯤에 돌아가셨어요, 그분은?] 오산형수가– [조사자: 초등학교 중에요?] 어, 초등학교 때 돌아가셨어요. 한참까지 계셨어요. 그러니까 [조사자: 할머니보다 먼저 돌아가셨고?] 아, 그렇죠, 할머니보다. 그니까 그 아까 그 제가 보여드린 책에 보믄 제 형의 첫 기억이 동생이 네 살, 저를 얘기하는 거죠.

[12] 큰댁 큰형님 봉강 정해룡의 인품

근데 저의, 제가 기억하는 저의 인생의 첫 기억은 그 꽃상여가 나가는데, 그 뒤로, 뒤를 따르는 만장이, 만장이라고 그러잖아요. 그 그 어렸을 때 눈으로 보면은 그게 막 몇 백 매 됐던 거 같애. 쫙– 있었던 그 모습. 장사지로, 장례를 치르는 그 모습이 저는 내 인생의 첫 기억이에요. 그니까 우리 마을 앞, 그 정류간이라고, 우린 그걸 정류간이라고 그랬어. 주차장 그거 정류간이, 거기가 늘 우리 웃마을에서는 어린이 놀이터였고, 거기서 늘 뭇 어른들 왔다 갔다 하면서 애들하고 뭐 이렇게 내려다보고, 마을에 어떤 일들이 벌어지는가 늘 나와서 보고하고 그런 공론의 장이었을 거야, 그게. 그니까 거기에서 내려다 본 상여행렬, 그 끝없이 이어지는 만장의 행렬 이것이 제 인생의 첫 기억이에요. 근데 그게 큰댁에 봉강 그 형님의 장례식이었었어요. 그게 제가 나이로 하면 다섯 살, 여섯 살 때예요. 그럼 기억할만하잖아요. 그것이 저의 첫 기억이었었어요. 그러니까 그래서 제가 왜 이렇게 만장이, 그니까 내가 나이 먹어서 '왜 만장이 늘어질까?' 하니, 그 만장이라고 하는 것이 그 양반이 고민했던 살아생전의 모습을 나타내는 그런 모습이라면서요. 그렇다면서요. 왜 추모의 글도 쓰고 뭐 그러잖아요잉? 어 쪼끔 이제 활동, 유명하셨던 분들은 만장이 길이가 뭐 저 넓다고, 멀다고 그러는데, 그랬던 기억, 그니까 그 형님의 어떤 그 죽음, 돌아가신 것이 저의 이제 첫 기억인데, 아이- 그 뒤로 그 형님의, 그니까 저는 그 형님의 생전의 모습은 거의 없어요. 형은, 내 형은 기억을 하셔요. 어- 저는 그 생전의 모습은 기억이 없어요. 그니까 돌아가신 뒤의 그 모습, 그 상여 행렬의 모습, 만장의 모습인데, 그리고 인제 그분이 돌아가시고, 아- 어찌 보면 큰댁과 작은댁, 거기 저기 큰집에서는 우리 집을 '밖에 집'이라고 불렀어요, 밖에 집. 이게 그러니까 한 식군데, 한 가족인데 담 밖에 있다고 해서 밖에 집이라고 불러요.

근데 그것은 어찌 보면은 이제 저희 할머니가 할아버지의 재취로 오셨잖아요? 그니까 아버지는 옛날 조선 시대의 기준으로는 서자잖아요. 그니까 쪼끔은 격을 낮춰서 부르는 그런 하나의 의미도 있었어요, 밖에 집이라고. 작은댁이, 작은댁이라고 안 불르고 밖에 집이라고 했는데, 그러다보니까 큰댁에서 밖에 집이라고 부르다 보니까, 그 말은 큰댁이가, 큰댁이만 해야 될 말이에요. 근데 어머니 택호가 수동댁인데, 수동댁이라고 안 불리고 마을에서도 밖에 집이라고 그래, 택호를 안 부르고. 그럼 우리는 우리 집 택호가 밖에 집이 돼분 거야. 그런데 사실은 그것은, 이제 따지고 들면은 그 양반들은 그렇게 불러선 안 돼, 우리 집을. 큰댁에서 우리한테 밖에 집이라고 얘기하고, 같은 한 식구, 한 가족인데, 이렇게 담 밖에, 이 울타리 밖에 있다고 그래서 밖에 집이라고 그러는 거야. 그것은 쪼끔 이렇게 할머니의 어떤 그 위치, 아버지의 그런 것들이, 관계가 쪼끔은 큰집에서는 낮춰 본 그런 것도 있었어요.

그러니까 그런 것을 저희는 알죠. 어 피부로 라도 잘 알죠. 근데 이제 그 큰댁, 그 큰댁의 형님이 훌륭하다는데 그거예요. 아까 형은 큰댁에 형님을 기억하잖아요. 뭐 그때는 뭐 아홉 살 땐가 됐다고 하니까, 형이. 그러면 이 철부지 초등학생이 큰댁에 놀러 가. 그럼 그 당시에는 뭐 서울에서도 오고, 어디 중앙에서도 뭐 오시고, 옛날에 막 소위 말하는 큰 손님들이 막 숱하게 찾아오고 이렇게 왔다 갔다 하실 때니까, 뭐 얘기 들었을 거예요. 뭐 누구도 왔었다 가고, 누구도 왔었다 가고 그랬다는 얘기. 그 정도로 이렇게 손님들이 많이 오셨는데, 이 철부지 초등학생이, 그것도 아버지보다 20년이 많으신 형님한테, '형님' 그러고 들어가. 우린 형님이니까 형이라고 그러지 뭐라 할 거야. '형님' 그라고 들어가, 손님들 계신데. 그러믄 그 연세드신 분이, 손주가, 손주뻘 되는 애가 형님이라고 하니까 손님들이 누구냐고 물어볼 거 아니에요. 손님들이 누구냐고 물어보면, 부끄러워하거나, 예를 들어서 뭐 그런 말도 아니고,

"제 종제입니다."

그랬다고 그래요. 동생입니다 그 말이에요, 종제. 종제간은 사촌이고 이제 재종간은 육촌이고 그러니까,

"제 종제입니다."

그랬다고 그래요. 그러고 무릎에 앉혀서

"공부 잘하냐?"

그러고 물어보시고, 그렇게, 아– 그니까 그분이 어떤 사상가다, 정치가다, 뭐 철학가다라고 얘길 하고 그러는데, 저는 거기에다가 인덕, 덕가다 그 점이 커요, 그 점이. 그래서 그분이 해방되고 6.25 그 와중에서 우리 집안이 무사했던 것은, 아까 그 대지주집안, 지주 중에서도 대지주였는데, 그럼 당연히 지탄의 대상이잖아요. 뭐 그 〈태백산맥〉에 나오는 누구의 집안 같이. 그래도 남의 탓, 저기를 받았잖아요. 근데 우리 집안은 오히려 이쪽 세력한테는 전–

혀 아무도 피해를 본 것이 아무것도 없어요. 어떻게 군, 경찰 이쪽에 어떤 피해를 봤지. 그니까 인제 그것은, 그러니까 좌우를 떠나서 그 양반은 덕을 갖추고 계셨다고 봐요. 기본적으로 덕을 갖추고 계시고 인제 이렇게 활동하셨기 때문에 인제 그래서 우리가 더 전 집안에서 존경의 대상이었고, 어른들은 무조건 봉강 형님 같은 사람이 되라고 인제 무조건 말씀을 하셨던 거예요, 어른들이. 그니까 저희 어렸을 때 이렇게 타 마을에 가서 놀다보면,

"너 어디 마을?"

이제 친구들 따라서 다른 마을 놀러 가잖아요. 그러면,

"너 어디 마을에서 왔냐?"

이제 못 본 애가 가면은 그 동네 어르신들이 그래요. 그라면

"저 어디서 왔습니다."

그러면,

"오- 그 부가에서 왔냐? 너 부가 그, 그 정해룡씨 집안이냐?"

"네 제가, 저, 제 형님입니다."

그래요. 그러면,

"이놈아 니가 뭔 형님이야?"

그래. (좌중 웃음) 꼬맹이가 형님이라고 하니까는,

"아니, 집안의 형님입니다."

이제 이러면은, 다 이제 옛날 어른은 이해를 하니까는, 부가라고 그랬어요, 옛날 어른은, 부가. 우리 집안을, 어 너 부가, 그 그 집에, 정부가 집에, 부자다 이거야, 부가.

"그 집이냐? 그 집 아이냐?"

이제 그랬었던 거예요. 그러면서도, 그니까 그 어렸을 때 기억이, 어디에 다른 마을 가서 누구를 만나서, 보성에 나가서 다른 면에 가서 누구를 만나도, 누구에게 어느 집안이냐고 얘기를 하면, 한 번도,

"너희 집안 그거 왜 그러냐?"

'몹쓸 집안이다.' 하는 어떤 그 그런 뭐랄까, 비판적인 그런 얘기를 들어본 적이 없어요. 기억이 없어요. 그니까 이제 이 양반이 국회의원도 뭐 두 번 출마를 하셨다 낙선하셨지만 결국, 이제 또 뭐 동생이 북에 가 계시고 하지만, 그런 쪽으로 나중에 자꾸 부각이 돼서 그것 때문에 인제 안 되셨는데, 어- 그니까, 그 양반이 집안에 중심을 잡고 계셨어요. 그니까 제가 왜 이 말씀을 그러냐면은 그 양반이 돌아가신 전과 후가, 우리 집안이 질서가 무너진 거야. 그러면 봉강 형님의 자제, 자녀간이, 딸은 인제, 딸이 있잖아요. 하나 둘인가 떼고. 딸이 둘인데 인제 영숙, 성숙인가? 빼고 인제 남자들만 득. 춘, 철, 건, 길, 그래요. 그래 인제 득상, 철상, 춘상, 건상, 길상, 그 길상이 그 양반이 막내야.

[13] 봉강이 평양댁과 재혼한 사연

[조사자: 그건 이제 본처에서 난, 첫 번째 부인 소생?] 어, 오산 부인. 그라고 인제 그 밑에 평양 그 형수님한테서 난 [조사자: 그분을 왜 평양 형수님이라고 불렀습니까?] 고향이 평양. [조사자: 저 광주라고 이야기 하드만? 저기 인자 이야기하기는 정해진씨 부인이.] 거기는 강계, 강계. 강계, 신의주 있는 데, 강계. [조사자: 아- 그럼 강계였고, 지금 최봉조씨는 평양이 원래 친정이었다고 이야기 했었어요?] 어, 평양. 그래서 우리는 평양 아짐이라고 그랬어요. [조사자: 아-, 평양 아짐.] 어, 평양 형수. 이제 우리는 형수라고 그랬는데, 다른 사람들은 평양 아짐. 그러니까 평양이 참 무서운 말인데잉, 택호니까 어쩔 수 없이 평양이라고 그러지. 아이구- 평양이라는 말 그때, 무서운 말이죠, 평양. 뭐 말 꺼냈다가는 막걸리 박, 뭐 막걸리 하고 있을 평양이라는 말을 못 꺼내는데, 고거를 평양을, 그러니까 아까 얘기했잖아요. 우리는 우리가 존경하는 그 해진 형님이 평양에 계셨고, 또 해룡 형님의, 그렇게 존경하는, 우리 집안의 기둥이었고 자랑이었던 그 형님의 형수가 평양 인제, 평양 형수라고 그러니

까, 평양이니 강계니 뭐 이런 것이 낯설지 않았다니까요. 낯설질 않았어요. 그니까 아– 인제 이 봉강 형님이 오산 그 형수가 이제 질환을 앓으니까, 배변활동을 하셔야 되잖아요. 어 배변활동을 못 하셔. 집안 7남매를 누가 길러. 그러니까 이제 재혼을 하셨어. 재혼하셨는데, 그 양반이 평양 형수가 그때 뭐 이화여전인가 다녔었어. 서울에서 누가, 친구가 소개를 하셔가지고, 인제 결혼하신 건데, 그래서 그 밑에 인제 학상이라고 하는, 학상이여, 학상, 길상 밑에가.

[조사자: 그러믄 그분은 뵀습니까?] 어우, 그럼요. 뵀죠. 그런데 딸이 은숙, 또 뭐지? 딸이 셋인가 되고 아들이 하나 있었어요. 그니까 아버지 모시고, 그 양반이 갈현동에 옛날에, 여기 서울로 말하면 은평구 갈현동 쪽에가 사셨어요, 불광동. [조사자: 누가? 학상씨가?] 그 어머니, 평양 어머니. [조사자: 아 여기서 올라가셔서 인자, 봉강 선생님 돌아가시고 서울로 이주를 해요?] 그렇죠. 그니까 여기 시골에 계실 때도, 이제 여기 오산 그 본처는 여기 본댁에 계시니까, 그 양반은 굴포 면소재지 가면 양조장 했다고 했잖아요, 양조장. 거기 따로 사셨어요. 그래 인제 어찌 보믄 출입을, 본댁에 못 하시고, 그래 이 형님이 돌아가시니까 아 여기서 뭐 계실만한 분위기가 안 되죠. 서울로 가셨어. 그래서 그 은평구 불광동, 갈현동 쪽에서 쭉– 거기서 피아노 학원을 하셨어요. 최봉조 그 형수가 그분이 보면 참 이뻐셔. 고우셔. 고우신 양반이야. 그 옛날 양반이래도 참 고우시고 그랬는데.

[14] 앞 못 보는 아버지의 눈이 되어 만났던 평양댁에 대한 기억

인제 저는 왜 잘 아냐면, 제가 아마도 어– 우리 친구들 중에서는 가장– 먼저 서울, 우리 시골 친구들, 내 또래의 시골 친구들, 촌놈들 중에서는 서울행 완행열차를 가장 먼저 타본 사람일 거예요, 제가. (웃음) 그 얘기도 들었어요. 아버지가 계셨기 때문에, 아버지의 지팡이 역할을 아까 제가, 형이 그걸 했다가 형이 광주로 가버리니까, 내가 그래서, 저는 그래서 제가 시골에서 제가 생활할 수밖에 없었던 것이, 누군가 하나 아버지의 지팡이 역할을 해드려야 되잖아요? 그러니까 시골에서는 중학교까지 생활할 수밖에 없었던 거죠. 제가 없을 때는 동네 다른 형들이나 누나를 아버지가 데리고 다니셨고, 제가 좀 자라니까 저를 데리고 다니셨어요. 그러니까 저는 그것이 불만이죠.

'왜 형 누나들은 어렸을 때부터 광주로 보내서 공부시키면서, 왜 나만 시골에서 소 먹이고, 뭐 소꼴 베어오라고 그러고, 이 촌구석에서, 나 공부하고 싶은데 가서 도시에서 뭐 이렇게 하고 싶은데 왜 안 보내주냐?'

이것이 늘 불만이었던 거죠. (웃음)

근데 속없는 소리였고, 그니까 아버지를 모시고 서울 완행열차를 타고 다녀요. 열 몇 시간 씩, 그때 열세 시간인가? 뭐 아무튼 걸려. 겨울에 밤차, 완행차를 타잖아요? 춥기도 하고, 뭐 겨울에 가면은 뭐 창문이, 바람이 그냥 찬바람이 솔솔 들어오고, 또 여름에 타면 더워 죽어. 좌석도 없어요. 지정 좌석이 없으니까 뭐 어우– 아수라판이죠. 그 속에서 그 아버지를 모시고 다녔던 게, 그러면서 또 계속 눈치가 좀 빠삭해서 빨리 아버지를 앉혀드리고. 제가 그 보성역에서 이제 그 기차 타는 얘기를 하면은, 보성역에서 인제 광주로든 서울로 아버지를 모시고 가잖아요. 그러믄 초등학생은 반표 값을 받았어요, 반표. 말하자면은 반삯, 지금도 그런가? [조사자: 지금도 그래요.] 어. 그러면 5학년 땐가 부터는 성인 요금을 내야 돼요, 초등학생도. 근데 제가 인제 어렸을 때는 그냥, 3학년 4학년 때까지만 해도 자연스럽게 개찰구를, 그때는 표를 이만한 것 주면은요, 요 요거 찍었잖아요, 일일이 확인하면서. 그때는 그 광주나 서울 반삯의 차이는요, 시골양반한테 큰 돈이에요. 그게 차 안에서 뭘 간식 사먹을 수 있는, 하나라도 얻어먹을 수 있을 그런 돈이야. 그러니까 아껴야 되잖아요. 4학년 때는 그런 부담이 없었는데, 좀 키가 큰 편에다가, 5학년 6학년 되니까 키가 커. 온삯을 내야 되는데 내기는 아깝고, 개찰구 들어갈 때 아버지가 어깨를 짚고 이렇게 다니셨거든요. 어깨를 짚고 다니시면 늘 아버지 오른쪽, 제가 오른쪽에 서서 제 왼쪽 어깨를 이렇게 짚고 다니셨어요. 그럼 제가 살짝 그 개찰구를 지나갈 때 살짝 이 무릎을 낮춰서 키를 약간 줄여서 가요. (좌중 웃음) 그런 요령이 터득이 되드라고, 그것을 아끼기 위해서. 한 5, 6학년 때, 중학생 돼버리면 교복입고 다니니까 그것도 안 되는데, 초등학교 때는 그것이 가능했어요. 그래서 5학년 6학년 때 돈 많이 벌어드렸어, 아버지. (좌중 웃음)

그래서 인제 에- 갔는데, 그 그래서 기차를 타고 서울로 평양아주머니 집에를 가셔요, 아버지가. [조사자: 아, 아버지가 출입을 하셨어요?] 어. 출입하셨어요. 그러니까 형님이 돌아가시고, 봉강 형님 돌아가신 뒤로 서울에 일보러 가시면 꼭- 그 집을 들르셨어요. 이제 뭔 볼일인지 몰랐지만, 뭐 위로의 말씀을 드리러 간 것인지 뭔 상의를 하러 간 것인지 모르지만, 꼭 거기를 갔어. 갈현동, 불광동, 은평구. 그래 그때는 뭐, 지금은 뭐 지하철 있어도 그때는 버스타고 막 어디 독립문에서 서대문에서 버스타고 뭐, 홍제동 녹번동 가고, 거기는 무악재 넘어가고 뭐, 뭐 거기를 두루 하여튼 넘어가야 되고 거기 가잖아요. 촌놈이 거기를 가서 뭐 몇 번 버스 타고 어디를 가고, 하여튼 나는 모르니까 아버지가 시키는 대로, 아버지 머릿속에 있거든. 막

"어디 가서 내려서 몇 번 타고, 어디 가서 내려서 몇 번 타라,"

아버지가 그러믄 그거 안 놓칠라고, 이 시골 촌놈이 막 눈이 번쩍번쩍 하죠. 뭐

'여기는, 정릉이 어딘가?'

그때는 막 저 저 안내양이 있었잖아요? 안내양한테 어디 가서 내릴 것인지 미리 얘기해서 꼭 내려달라고 막 부탁하고, 이제 그런 말씀은 주로 아버지가 하셨지만, 이제 그걸 안 놓칠라고 인제 이렇게 했어요. 거길 가면 학상이라는 조카, 거기도 그 학생단을 조직했어요. [조사자: 선생님하고 나이차이가 꽤 나죠?] 아유, 많죠. 길상 조카하고 두 살인가 세 살밖에 차이 안 나요. [조사자: 한 열 살 정도 차이 나네요?] 그렇죠. 저는 그때는 뭐 애기고, 항렬이

조카니까 조카라고 그러지, 뭐. 작은아버지 삼촌뻘이지. 근데 그때 그 딸들이 있었는데, 그 분들이 결정적으로, 그리고 인제 여기 시골에서 생활하시고 그런 건 아니잖아요. 그러니까 이제 그렇게 이렇게 인제 관계 속에서 그렇게 살다가, 결정적으로 틀어진 것은 이제 우리 집안 얘기니까 뭐 부끄러운 그런 거 있지만, 뭐 뭐 사실이고 또 지나간 얘기고 한데, 80년대에 이 사건이 나니까 그 아주머니도 잡혀가신 거야. 끌려가신 거야, 조사를 받으러. 고생을 많이 하셨지. 당연한 거 아니에요? 우리 남편이, 수사기관 어 뭐, 수사기관 입장에서,

"당신 남편이 그런 일들을 하고 돌아가셨는데 모르시느냐? 그리고 당신은 고향이 거기 아니냐?"

이렇게 인제 엮을라고 하면 끝나는 거야. 그런데 정말 몰랐잖아요. 우리 어머니 말씀대로,

"당신은 어떻게?"

이제 우리 아버지한테,

"당신은 어떻게 그렇게 나를 속여, 감쪽같이 속였냐?"

그래요. (웃음) [조사자: 조카 만나고 온 걸, 그렇게 얘기 안 하고?] 어 어, 얘기 안 하고. 사실은 내 가족부터 속여야 되잖아요. (웃음) 그래야 되는 거야, 그게. (웃음) 그래 우리 어머니는 당신이 이제 아버지한테 그러셔. 우리 아버지 돌아오셨는데,

"당신은 어떻게 그렇게 나를 감쪽같이 속였냐?"

평양 그 아짐도 모르셨어요, 평소. 그러니 뭐 무진 고문당하고 하시고 하셨지. 그 일이 있고난 뒤부터는 우리 집안에 거의 이제 거의 웬수 수준이 돼버린 거지. [조사자: 학성씨도 인제 여기하고 끊고 본가하고?] 그렇지, 그렇지. 그래서 그렇게 된 거지. 본가하고 끊어진 것이, 아유– 그때 평양아짐 입장에서는, 내가 본 그, 그니까 평양에서 서울로 유학을 온 거면 그 집안도 대단한 집안이에요.

그 다음에 강계 거기 저 해진 그 형님 형수도, 그 형수는 강, 고향이 강곈데 여기 왔대. 그런데 강계 그 형수 집안도 그 지역에선 대지주였대요. 그래서 사실은 나중에 강계에서 상당히 그 비판받는 집안이 강계 형수네, 근데 그만큼 이제 그때는 대지주였다는 거지. 그러니까 이제 그런, 이제 그렇게 또 만나는 거 아니겠어요잉? 그래 그렇게 해서 시집 오셨고. 나도 거기 따라서 그렇게 만나게 된 건데, 그렁께 평양아짐 입장에서는, 내가 재취로 당신, 사람 하나 보고 온 거 아니에요? 왔는데, 거기서는 재취니까 시어머니부터, 그 시어머니가 이제 그 저기 길상씨 할머니, 어– 저기 그렇게 인정을 안 해주셔. 긍게 서러운 거지. 나는 정말로 당신, 그게 저 며느리 입장에서는 그 시어머니한테

'당신 아들 얼굴 하나 보고 국사 책에도 안 나오는 촌린데 재취로 간 거 아니에요? 그러믄 나는 왜 인정을 안 해줘.'

라는 그런 그 마음이 있었던 거지. 인제 여기는 인제 인정을 거의, 대우를 못 받은, 못 받았다고 봐야지. 긍게 이 양반은 나름대로 설움이 있었지. 나도 배울 만큼 배웠고, 내 집안도 그런데 당신, 이제 그래서 그런 것이 있는데다가 80년도에 딱 사건이 나면서 고생하니까 인제 형제간에 그 관계가 깨지는 거지. [조사자: 그 뒤론 아예 연락이 안 되나요?] 연락이 안 되죠.

[조사자: 그러고는 그러면 지금은 연락이 안 됩니까, 학상씨하고는? 그 정길상씨하고 동생분이 연락이 안 되고 살까?] 이제 그건 이제 언제까지는 연락하고 그랬는데, 그 정학상 조카가 학창시절 때 이제 그 음악을, 그 어머니가 피아노, 그때 피아노로 그 지금 말하믄 개인 교습을 하고 그 생활하셨거든요. 그러니까 그 딸들도 다 잘쳐. 그 어떤 저기 소질을 물려받았겠죠. 그러니까 정학상씨도 대학 때 그– 밴드 그룹을 해가지고, 그 뭐 그 뭐냐믄 음반도 내고 그랬어요. 그래 저는 우리는 막 중학교 때 그 음반을 사들고 사서 막 듣고 그랬던 거예요. [조사자: 서울대 다니면서?] 어, 서울대 다니면서.

그러니까 저도 뭐 학교 다니면서, 음– 그래 그때 당시는 대학가요제 같은

게 있기 전이야, 그 양반들은. 있기 전에, 대학가요제 사실은 우리, 우리 세대에 생겼잖아요? 그니까 근데 이제 그런 거 있기 전에 막 그 음– 동아리 활동도 하고 그랬던 거예요. 그러니까 소질은 소질 있어. 그래서 그때는 그 교류도 하고 했고, 아버지 올라오시면 뭐 그 평양아짐이 85년도 돌아가시고 그랬나? 하여튼 어 했는데, 인제 아버지 들어가시고 뭐 쭉 하면서는 [조사자: 딱 끊어져 버렸구나?] 그러면서 이제 더 저기 한 것은, 학상 그 조카가 사실 그런 거 저런 거 자기 어머니 돌아가시니까, 어머니가 천안– 그 카톨릭 그 묘지, 뭐 그 공동묘지가 있더라고, 카톨릭 공동, 천안에. 거그 모셔서 인제 우리가 뭐 돌아가실 때 갔었는데, 거기 모셨는데, 그 뒤로 자기 어머니 돌아가시니까 인제 미국 이민을 뭐, 이민 아닌 이민을 갔다 다시 이제 들어왔는데, 그러고 인제 그쪽하고 인제 절연을 해분 거예요. 아 그런 아픔도 있어요. 그러니까, 아니 뭔 얘기 하다가 이렇게 돌아왔는데, 하여튼 큰집 작은집도 그런 문제, 형제간도 결국 그런 문제 때문에 이 형제간에 결국 절연을 하고 살게 돼버려요.

[15] 정신질환을 앓았던 큰집 큰형수와 봉강의 인품

그러면 아까 봉강이라는 양반이 그 나름의 집안 질서, 어떤 덕을 가지고 이런 사람도 챙기고 저런 사람도 챙기고, 챙긴다는 것은 이제 어른으로서 좀 이제 질서를 잡아갔는데, 그분이 돌아가시니까, 갑자기 돌아가시니까 이 집안 질서가 사실 깨진 거죠. 그러고 아까 득, 철, 춘, 건, 길, 그러니까 지금 생존해 있는 양반은 건하고 길이에요. 근데 건은 이제 거의 이 뭐 말하자믄 뭐 형제간에 있으나마나한 존재로 돼버렸고. 길은 사실은 막내로서 정말 고생을 제일 많이 했던 사람이야. 어머니 뭐 이제 뭐 이렇게 모유도 못 먹고 자랐대요. 그때 인자 어머니가 그러고 뭐.

[조사자: 그때부터 정신 질환이 왔어요?] 그 질환이 왔지. 그러니까 그 길상

이의, 길상이 위에 그 할머니 있는데, 큰어머니야, 큰어머니. 큰어머니가 해남 윤씨 그쪽에서 오셨잖아요? 그 윤선도 그 후손이 인제 오셨는데, 딱 그 종부감이에요. 자기 며느리가 미우니까, 자기 아들이 미우니까, 전부 자기 고생이잖아요. 그 7남매, 아들 다섯에 딸 둘 칠남매를 낳아만 낳았지, 엄마가 엄마 역할을 못 하니까 할머니가 다 그 뒷수발을. [조사자: 그러니까 돌아가신 정종익 그 인제 사촌 형님의 지금 종손이잖아요?] 그렇죠, 그렇죠. 정종익의 이제 [조사자: 아이 참, 큰어머니 되죠?] 예, 예. 그래 얼마나 그 며느리가 미웠겠어. 그러니까 [조사자: 그분이 등등하셨던가 보네?] 아이 뭐, 표현을 들면 그 여걸, 뭐 인제 지금 표현하면 여걸.

하여간 종부로서 조상들 모시고 집안 딱 [조사자: 초년 과부가 돼도? 스물여섯에 저 종익씨가 스물여섯에 돌아가셨다더만. 그럼 초년 과분데 살림을 다 맡아서 인자] 그렇죠. 뭐 아들 해룡, 해진, 딸이 하난 가 둘, 고모가 계셨는데, 그러니까 그러면서 인제 당신도 그 젊은 나이에 그렇게 되셨는데, 내 며느리가 아들을 많이 보니 뭐, 그 칠남매를 그렇게 할머니 전부 저기야. 하여튼 수발해야 돼, 할머니가. 그러니 얼마나 그 화가 나셨겠어요. 그러니까 인제 아들한테 미운소리 하고, 며느리한테 미운소리를 했을 거 아니에요? 옛날 어르신 표현으로, 어 긍게,

"새끼들 내질러 놓고, 내질러 놓기만 했지 니들이, 내질러 놓고 누구 고생시킨다고 이렇게 내질러 놨냐?"고.

뭐 이렇게 할머니는 표현을 하죠. 내질러 놨다 그러잖아요. (웃음)

그러니까 그래서 그 봉강 형님이 하나의 웃, 재밌는 일화가 있어요. 그 양반이 하루는 장날, 그 말씀드리면 요강을, 옛날 요강은 인제 놋쇠로 된 요강도 있었고, 그 그 뭡니까? 사기 요강있죠. 근데 그 득상, 그 양반이 참 그거 또 정신 저기하니까, 요강을 막 그 몰래 마루에 있으면 내붓쳐서 깨부러. [조사자: 그분 그 득상 형님이?] 응. [조사자: 그분도 젊었을 때 그렇게 이제 이상이 왔어요?] 인제, 인제 그 얘기 할라고 했는데, 그러니까 이 참 환장할 노릇이

여. 기가 막힐 노릇이여잉. 그 자기 며느리는 아까 말한 그 골방에 있는 상태고, 골방에 이렇게 유폐돼있는 그런 상태고, 뭐 자기 큰손주는 저렇게 이게 질환이 와가지고 [조사자: 요강을 집어던지고?] 집어던지니까, 아 그 큰어머니가 그러셨던 모양이에요.

"니 새끼가 그렇게 사고 쳤으니까 니가 가서, 저 니가 니 손으로 요강 사와라."

했던가 봐요, 미운 소리로. 그런데 이제 그때는 여기도 저 저기도 있을 때예요. 말하자면 그 저 일 봐주는 이제, 저 어렸을 때만 해도 시골에 그 종, 종이 있었어요. 그니까 그 종을요, 우리 집안에 최후에까지 남았던 그 종의 부인, 그 아들들을 제가 만나봤어요, 서울에서. 이제 어머니 모시고 어머니랑 그분들 한 번 보셨어. 근데 그분들도 우리들 보고 싶다 그래서 어머니 모시고 갔는데, 아주 두 시간 어머님 모시고 인제, 그 아주머니, 아 우리 집안에 최후까지 남아있던 그분의 남편이 인제 종이었거든요.

근데 뭐 그 남편이 종이면 가족들은 전부다 같이지, 인제 표현이 좀 그렇습니다마는. 이제 그 부인을 만났는데, 우리 집안에 자기들이 살면서, 딱 세 사람, 세 분을 그 자기들한테 사람대접을 해준 우리 집안의 딱 세 분을 꼽으라면, 첫 번째가 봉강 그 형님, 정말 참 훌륭하셨다는 거야, 자기가 모시는 저기지만. 그 다음에 우리 아버지, 그 다음에 그 동산에 아까 종호, 그분들은 자기들을 사람대접을 해줬다는 거예요. 취급을, 그러니까 대접도 아니고 사람취급을 해줬대. 아 그때는 요만한 꼬맹이가 저, 뭐 그게 우리 사극 보면 그러잖아요. 50, 60먹은 노인한테, '부칠이', 뭐 할 때니까, 그럴 때니까. 긍게 사람취급을 해준 것은 우리 집안에 세 사람이었다는 말씀을 하시는 것을 제가 직접 들었어요.

그랬는데 자기 그 득상 그 조카가 이렇게 하니까 미운 소리로, 근데 그 종이 있는데 뭐 사람들 시키면 되잖아요. 그리고 장을 보면 그때는 뭐 마을에서 그 5일장이 열리면 막 사람들이 많-이 가믄, 그런 부탁도 하고 그래요. 막 뭐 지게로 들어다 지고 하는데, 점잖은 양반이 장날 요강을 사들고 와. 이렇게 들고와, 손수. [조사자: 할머니가 인제 그 소리를 하니까?] 어, 그 소리를 하니까. 그니까 이제 그 양반의 성품을 내가 얘기할라고 하는 거요. 그런 일화가 있다고. 그래 어머니가 인제 그랬으면 필요하니까 사올 수도 있고, 또 남을 시킬 수도 있고, 남한테 부탁할 수도 있고, 그것을 좀 사서 누구한테 갖다달라고 할 수 있는데, 들고와, 그 점잖은 양반이. 밖에서는 뭐 봉강하믄 뭐 으리으리 한 양반이 들고오면 그것도 참, (웃음) 완전 우리 같으면잉, 체면상 그걸 들고 와지겠어요, 내 체면상? 그런거 있잖아요. 이 양반은 들고 왔대요. 그러니까 이제 동네 어디 뭐 아낙들이 깜짝 놀랬지. 뭔 손수, 손수 요강단지를 들고 오시냐고 막 난리가 난 거야. 이제 저 주라고, 제가 들고 가겠다고 동네 양반들이,

"아닙니다. 우리 어머님 명령이십니다. 어머니가 니가 손수 사들고 오라 했습니다."

하고 들고 가셨다는 거예요. 결국 와서,

"어머니 요강 사왔습니다."

하고 갖다가 한쪽에다가 바쳤다는 거예요. 그니까 그 양반의 성품이 어머니가, 그니까 그렇게 함으로써 어머니의 어떤 그 어 말하믄, 요즘 말하믄 또 화를 풀어드리는 거야. 그 뭐 누구한테 부탁할 줄 몰랐겠어요? 근데 이제 오죽 어머니한테 죄송할 거 아니예요잉. 내, 며느리, 내 부인이 며느리 노릇도 못 하지, 또 손주가 또 그런, 그러지, 얼마나 이 자식된 입장에서 어머니한테 죄송했겠습니까? 그래서는 그렇게 표현을 해서 어머니 마음을 풀어드리려고 하셨다 그래. 그니까 그것이 하나의 그 양반의 성품을 나타내는 일화예요. 그 말씀 못 들었구나? 그거 재밌는 얘기예요. [조사자: 요강 얘기는 들었어요.] 어, 요강얘기, 어, 그 얘기예요, 그 얘기. 그니까 그 양반이 손수 요강을 사들고 오셨다는 얘기가 그 얘기예요.

이제 그래서 그런 양반이 중심을 잡고 계시다가 돌아가셨어. 그니까, 인제

얘기가 또 그 이렇게 다시 넘어옵니다. 철, 춘이잖아요? 그 춘은 어- 서울시 공무원 하다가 인제 간첩사건 엮여서 사형을 선고받으셨고, 그니까 득, 철은 어 대지주의 집안의 종손으로서, 득은, 득이 종손인데, 그 당시에 전남대학교 다니셨어요, 전남대학교. 우리 아버지는 중학교를 서중을 입학하셨다가 못 다니신 거지. 중학교 중퇴잖아, 아버지는. 서중을 다니고 입학하셨는데 못 다니셨지. 근데 득상이 입장에서는, 득상 그 조카 입장에서는, 내 아버지 봉강이, 아니 자기들 자식들 다 있는데 모-든 집안사를 동산에 아저씨, 그 종호 그분하고, 늘 상의해서 결정하고 한단 말이예요. 그니까 아까 한 살, 두 살, 세 살 차이밖에 안 나요. 그러니까 자기 아버지는 아까 말한, 옛날 기준으로는 서자고 서얼인데, 아 이 얘기까지 내가 해야 되는가 모르겠는데, 그 아주 정말 아버지 어렸을 때는, 그 춘 그 양반들이 아버지를 이름을 부를 정도로 그랬대요. 아버지는 저기잖아요, 할아버지잖아요. 종조분데 이름을 부를 정도로, 그만큼 그런 저 우리 저 그런 관념이 어떤 그 봉건 관념이 그렇게 강했대. 그런 양반들이 그래도 자기는 신학문을 해서 뭐 대학도 갔는데, 이 양반은 대학문턱도 못 가본 양반한테 모든 집안일을 이렇게 상의하고 하니까, 거기서 인제 자격지심이 들었지.

그렇게 득, 이제 우리 집안에서 뭐 치부 뭐 이런 얘기지만, 아니 뭐 이건 하나의 얘기니까, 뭐 있었던 얘기고 그러니깐 뭐 있는 그대로 말씀 드리는데, 그 득상 그 조카는 종손으로서 결혼을 했어요. 결혼을 했는데, 어 결혼하기 전부터 정신질환을 앓아가지고 그 후손이 없어. 이 그 결혼하고 몇 달인가 사셨대. 그분이 오셨다가 가셨어요. [조사자: 질부가 가셨어?] 가셔부렀어. 손이 없어. 그래서 태환이가, 우리 지금 종손인 태환이가 양자를 가서 득상이 14대 종손이고, 우리 태환이가 15대 종손이고, 그니까 태환이는 지금 자기 아버지가 철상인데, 철상이 밑으로 돼있는 것이 아니라 득상, 자기 큰아버지 밑으로 히서 종손으로 돼있는 거여. [조사자: 아, 그 손이 없이 가버렸기 때문에?] 손이 없으니까로, 그래 태환이가 양자를 간 거야.

[16] 정신질환 앓았던 큰댁 가족들 이야기 (2)

[조사자: 저는 그 병풍상만 보고, 병풍에는 그런 걸 안 적어놨잖아요. '총각으로 죽었는데 뭐할라고 양자를 보냈을까?' 이 생각을 했는데, 결혼을 하고 난 뒤니까 양자를?] 결혼했는데 손이 없이 그냥 그 양반이 가셨는데, 좀 안 좋게 갔으니까. [조사자: 인자 그런 걸 안 적어놨어. 인제 태환씨를 양자로 넣었더라고. 그래서 인제 제가 그 병풍에서 보고 인제 물어보는 거예요.] 그니까 그랬지. 그 득상 그 조카는 또 거기서 정신질환 앓았지. [조사자: 그럼 그 양반은 오래까지 살아계셨었어요?] 아니 이제 차근차근 말씀드릴게, 그니까 그 인제 그 양반은 그렇게 정신질환을 앓았지, 그러다가 또, 어– 태환이 아버지인 철상, 태환이의, 그 우리 종손의 친부인 철상 그 양반도, 거기가 3형제잖아요? 태환, 서환, 기환 그랬는데, 어찌어찌 해 그냥 시간이 가면 갈수록 정상적인 생활을 못 하셔요, 정상적인 생활을. 그래 거기도 좀 질환이 왔어. 그러다 결국 그렇게 돌아가셨으니까, 그랑께 그 그런 현상을 길상이 조카는 이제 나하고는 쪼끔 다른 것이 있는 거지. 그 길상이 조카는 자기 형들에 대한 얘긴데, 그래 그런 얘기하잖아요. 뭐 그니까 어–, 그 부잣집이 자기 아버지 대에서, 내가 그것을 뭐 호령하고 물려받아야 허는데, 그것을 못 물려받어. 아버지 대에서 재산이 다 날라가고, 어쩌고– 어쩌고 하면서 그것을 못 받아들이니까, 이제 거시기, 말하믄 정치적으로 약간, 아, 이런 쪽으로만 자꾸 초점을 맞추는데, 아, 그렇게 하자믄은 길상이도 와야 되고, 우리 아버지 정종인이도 그런 약간 정신질환이 와야 되고, 다 그럴 거 아니에요? 그렇잖아요잉, 춘상이도 와야 되고. 그 형제간, 춘상이, 근상이, 길상이도 와야 되잖아요. 긍게 그것은 사람의 개인차, 그니까 아 그런 아버지에 대한 그런 자격지심이 그렇게 컸던 만큼, 좀 못 난, 막 사람으로 말하믄 못 난 사람이여. 그니까 그것을 이겨낼 수 있는 어떤 이게 안 돼. 머리나 가슴이 안 됐던 양반들이야. 난 이제 나는 그렇게 봐요. 내가 뭐 길상이 조카한테 대놓고 그렇게는 안 하지만, 난 그렇게 봐요. 아, 그것을

받아들일만한 그것이, 그릇이 못 됐어요. 그릇이 못 됐어.

그러니까 그 저는 또 그 부분이, 되게 아픈 부분이 있어요. 아까 그 득상 그 조카가 이제 손이 없이 해서 인제 태환이 갔지만, 그 과정에서 아까 막 요강도 깼잖아요? 결국, 결국, 요강만 깬 게 아니라 나중에는 자기 할머니가, 나로서는 큰어머니, 정신질환이 이제 악화가 되니까, 자기 할머니한테, 자기의 어머니 같은 존재잖아요, 어렸을 때부터 어머니 대신. 그 이제 질환의 한 결과로서 그 칼부림을 했어, 할머니한테, 할머니한테. 긍게 이건 뭐 당연히 질환의 일환으로 그랬죠. 그니까 그 참 이게 비극이에요, 비극. 그니까 이제 그걸로 돌아가시진 않았지만 아픔은, 그래서 그 이 몸을 칼로 베이셔가지고 그때도 막 난리가 났어요, 난리가 났어. 막 그래가지고 막 그 큰어머니 모시고 막, 그때는 뭐 차가 있습니까, 뭐가 있습니까? 뭐 이렇게 모시고 병원 가고 막 난리가 났었어요. 전 다– 그런 것을 거기 아랫집에서 보고 그니까, 아버지가 올라가셔서 뭐 어떻게 조치하고, 뭐 어디 연락하고, 뭐 인제 그런 것들. 그니까 늘– 득, 철 그 양반들은 아버지가 눈에 가시였던 거야, 우리 아버지가. 어머니가 또 눈에 가시였고. 그니까 우리 어머니 말씀을 빌믄,

"당신들이 큰댁으로서, 우린 작은집으로서 최–선을 다해서 뒷바라지 하고 했는데, 하등에 우리는 큰댁의, 우리가 뭐 그 뒤로 우리가 무슨 그 재산을 더 달라고 그 한 것도 아니고, 뭐 아닌데 왜, 왜?"

힘든 것이지, 어머니는. 그니까 그런 말씀을 하셨듯이, 그 양반들의 어떤 그 자격지심에 의해서 자기들의 어떤 모든 불만을 하나의, 그 우리가 타겟이 필요하잖아요? 그 타겟이 아버지 어머니였던 거여, 그 타겟이. 그니까 인제 아버지는, 그건 집안 얘기니까, 그래서 이 꿋꿋하게 묵묵하게 그냥 받아들이신 거야. 견뎌내신 거예요. 뭐라고 할 거여, 남한테 가서. 어?

"내 손주가 나한테 원망을 하고, 뭐 합니다."

라고 얘기할 거여, 뭘 할 거여. 그렇잖아요? 그래도 한 살이라도 더 먹은 어른이고, 항렬로도 어른인데, 뭐라고 할 거여. 그러니까 그 저기를 혼자서

꾹꾹- 다 그냥 참아내신 거예요. 그러면 저는 왜 그것이 아프냐 그러면, 인제 그 그래서, 그 득상 조카도 결국 자기 어머니가 갔던 그 방으로 가셨다가, 거기서 돌아가셨어요, 햇빛 못 보고. 그러니까 말하믄, 아까 말하믄, 밖으로 활동을 하믄 그런 막 사고를 내고 그러니까 방법이 없어요, 시골에서는. 그 지금도 그러잖아요, 그 그런 병원 가면은. 뭐 철문으로 막아 놓고 [조사자: 입원시켜서 격리하듯이?] 격리, 말하자믄. 격리할 수밖에 없는 거예요. 그니까 햇빛 못 보잖아요. 먹을 거 제대로 못 먹잖아요. 그럼 어떻게 그걸, 하-, 그렇다고 그래서 자기 아버지가 계셨으면은 어디서 뭐 병원에 가서 입원시켜서 뭐 약을 먹이든가 할 텐데, 그럴만한 또 집안 형편이나 분위기가 또 못 되니까, 최선의, 최상의, 최선의 방법이 격리하는 거예요.

그러니까 이제 그 어머니도 그렇게 가시고, 큰아들도 인제 그렇게 갔어. 근데 이제 둘째 아들 철상도 닮아가. 우리가 볼 때 닮아가. 그랑께 이제 격리생활 또 막 시켰다가, 격리생활 또 그건 또 이쪽 방에다잉, 이쪽 방은 뭐 거 그 자기 형 있고, 뭐 이쪽 방은, 이쪽 방으로 또 막 격리생활을 또 해.

[조사자: 아, 동시에 일어났었어요?] 어, 그렇죠. 동시는 아닌데, 저 형이 먼저 일어났고, 동생이 뒤에 그래서 겹치는 기간이 있었어요. 그니까 또 이제 그 당시 형은 또 완전히 뭐 인제 그, 인제 폐인이 돼있는 상태니까, 동생이 그게 뭐 참 챙피한 얘기잖아요잉. 그거 참 기구한 거야, 집안이, 운명이니까. 하-, 그니까 쪼끔 상태가 호전되면 인제 그 태환이 아버지는, 철상 조카는, 쪼끔 인제 또 감금된 상태에서 인제 풀어나. 그러고 또 악화 되믄 감금을 해. 격리를 해. 감금이라고 하믄 좀 그렇지. 격리를 해. 그래서 가서 들여다보면 여기다가, 아, 뭐 방법이 없잖아요. 뭐 육신 멀쩡한데, 뭐 밖에서 아무리 창문 방문 걸어 잠가도 밀치고 나오고, 박차고 나오고, 부시고 나와불믄, 또 그런 사람들이 그 막 그 어떤, 그 어떤 초인적인 힘이 막 어떻게 보믄 나오잖아요. 무서워요, 그런 사람들. 하나의 그거 인제, 속된 말로 광기가 나면 무서워요. 그러니까 이 발목에다가 이 쇠 이런, 쇠사슬을 했어요. 이렇게 해

논 것을 난 보기도 했어요. 그거 밥을 들여다 주니까, 그러고 인제 큰댁에 놀러 가면, 심부름을 가끔씩 부엌에서 누가 해가지고

"이거 갖다 주라."해.

그러믄 무섭지. 그러믄 멀리서 이렇게 얼른 주고, 막 어리긴 어리니까, 멀리서 주고 막 얼른 돌아 나오고 이제 뭐 그랬던 기억. 그런데 상태가 쪼끔 호전되면 그렇게 인제 좀 이렇게 풀어주고 그렇게 했는데, 인제 그것도, 그때도 딱 그 시기였어요. 그 이 삽을 딱 가지고 누에섶, 누에섶에 대한, 얽힌 게 제가 아주 많아요. 그래 우리 집에서 그때 보믄, 지금도 그러지만 담이 낮잖아요, 요런 저 담이. 그럼 큰댁에서 들락날락 하는 것이 다 보여요, 마당에서 이렇게 서서 보면. 그때가 봄철 농번기, 그 논 뭐 뭐 모심고 막 그럴 때야. 그때 그 섶을 만들거든요. 그러니까 그땐 일손이 막, 시골에는 그때는 전부 손으로 일을, 전부 그냥 기계가 아니라 손으로 하니까, 동네사람들이 다– 뭐 모내기 때 시기에는 동원이 돼. 동네가 텅 비어. 아무도 없어. 그럼 이젠 일 안 나간 애들이나, 그 애들도 그땐 자기 집 모심으믄 막 뒤에서 모내기를 해야 돼. 모 심는 일 해야 되는 거야. 그니까 애들도 없을 때가 있어요.

그래 아버지랑 난 그거를 하고 있는데, 큰집 사람이 없어. 우리 집 사람이 없어. 동네에 아무도 없어, 사람이. 다– 저 들에 나갔어요. 그때 이제 아까 그 득상 조카가 이렇게 뭐 이제 흉기를 들고 뭐 이렇게 했듯이, 아, 그때는 철상 그 조카가 아버지랑 어머니를 보고 막 저기 폭력을 행사해. 또 이제 아버지는 남자니까 그런데, 어머니한테 막, 그 여기에 그때 그 우리 또랑을, 그때 또랑에서 뭐 이제 공동으로 뭐 하고 했었는데, 그 거그 쫓아 내려와서 막, 그거 뭐 그것을, 막 흉기 같은 것을 그렇게 막 들고 폭력을 행사하고 그럴 때예요. 무섭지. 그러믄 그냥 아버지 어머니가 그 큰댁에서 누가 나올 거 같으믄, 그렇게 하고 쫓아내려 오믄은 얼른 집으로 또 그 피신을 하고, 막 그 그런 생활이 있었어요.

근데 하루는 제가 아까 그 섶을, 아버지하고 그 누에섶을 그때도 하고 그랬

는데, 딱 거기서, 마당에서 서서 무심코 큰댁 대문을 보는데, 철상 그 조카가 손에다 무슨 흉기를 들었드라고. 그러고 빠른 걸음으로, 그러고 저 우리 집을 와는지 아무튼, 뭐 대문에서 막 누굴 쫓아, 그 이렇게 쫓아가는 그런 걸음으로 막 거기를 빨리 내려와요, 빠른 걸음으로, 막 누굴 쫓아가는. 아, 그것이 직감적으로, 아, 그 대상이 우리 집이란 것을 나는 알았죠. 이제 그런 인제 경험도 해봤으니까, 어머니가 막 그 쪼끔 쪼끔씩 폭행을 당하고 그랬으니까. 그래서,

"아버지!"

저 그 그때는 그냥 무슨 조카라고 그랬어.

"철상 조카가 지금 뭐 들고 내려오는 거 같애요."

빨리 위에 보라고, 그 하다 말다, 하다 말고 아버지를 모시고 벼락같이 또 우리는 도망을 쳤지, 마을 막 회관 쪽으로. 일단 사람 있는 쪽으로 가야되니까 누가 말리더라도, 우리는 내가 말릴 수 있는 형편도 못 되고, 아버지가 거기 막 뭐 안 보이시는데 어떻게 말리겠어요. 그러니까 일단 사람 있는 쪽으로 막, 마을길로 막 도망을 간 거야. 그러고 있을 때 제 속은, 그러니까 아까 본 그것이, 또 아까 우리 말했던 거요, 큰댁에 대한, 그 조카들에 대한 이, 나이 또 어렸을 때 아픈 또 추억이 있어요.

그니까 아까 첫 번째 기억은 봉강의 그 상여였었고, 또 아픈 그 기억들은 그런 모습들이예요. 그 어르신들이 뭐 이렇게 격리돼있고 뭐, 뭐 굿을 하고, 막 그때는 또 그런 굿을 해. 그럼 뭐 저기들이 와서 막 굿을 해요. 그 돈 들여서 굿도 하고, 뭐 이제 지금 생각해보믄 뭐 뭐 작두를 탔는가 어쨌는가, 아무튼 뭐 가면을 가렸나, 이거 이거 놓고 막— 이러게 허고 허니까, 그것도 이제 그거 그때는, 이성적인 판단이 안 될 때였지. 안 되고 인제 그 태환이 어머니께서 인제 그 살림을 주도해서 할 때니까, 인제 그 태환이 어머니 그분께서는 이제 그 댁의 선임 됐으니까, 뭐 우리 아버지가 뭐 이렇게 간섭할 형편은 못 되고 그랬기 때문에, 해서는 안 되죠, 그건. 아, 그렇지 않아도 그렇게 타겟

을 삼는데 뭐 더 이상 그런 얘기 할 수가 없죠.

[조사자: 그러면 봉강 선생님 돌아가시고, 봉강 선생님이 낙선을 두 번을 하고 인제 큰집 살림도 영 기울어버렸습니까?] 아, 선산하고 인제 전답은 좀 있었죠. 근데 제가 그 그거 저, [조사자: 그럼 양조장은 하고 있었고?] 양조장은 없었고. 진즉에 없어졌고. 아- 그 진즉에 양조장은 없어졌고, 그 마을 앞에 전답, 뭐 어디 저 전답 같은 것이 차근차근 저 남의 손으로 넘어가는 거죠. 그런 과정이었죠. 그러니까 그래서, 그래서 아까 그 종호, 그 당숙의 아들들이 부산에 가요. 아까 그게 그 양반들이 해연, 해천, 해표 그 삼형젠데, 해연, 해천 형님이 해양고등학굔가? 그 당시 무슨 항해 뭐 기술 그 그런 고등학교, 거긴 국립이었대요, 그 당시. 거기를 갔어. 그래서 그 양반들은 그 부산에 거주했는데, 이제 그것도 우리 집안의 어- 해- 전주 형님이 어- 해 자가 많으니까 (좌중 웃음) 그게 얼른, 그 전주 형님이 해양고등학교 교장으로 계셨었어. 그 덕분에 이 가난한, 공부 좀 실행되고 가난한 애들, 국비니까, 그리 많이 갔어. 그 때 인제 해연, 해천 형님이 갔고, 길상 거기도 거기 간 게 그 영향이었어. 그 전주 형님이 거기 교장으로 계셨던 거야. 그 전주 형님이 인제 가족들 많이들 거뒀지. [조사자: 자식들 학비를 댈 수 없을 정도로 큰집이 영 기울어버렸구나?] 그렇죠, 그렇죠.

그렇게 되니까 인제, 그러니까 그렇게 가세가 기울어서 인제 그 자녀 간들이, 어- 제대로 인제, 춘상 까지는 대학을 다녔고, 인제 근상, 길상은 사실은 스스로 고등학교, 중고등학교를 다니고, 거의 그냥 알바하듯이 해가지고 했다 그러더라고요. 아까 얘기한 대로, 자기 부모한테 불만을 가질라 그러면, 자기 집안에 불만을 가질라믄 근상이라든지 길상이 더 가져야 되는데, 득상, 철상은 그래도 아버지 살아생전에 자기는 그 당시 4년 대학, 4년제 대학 졸업했으믄, 아, 엘리트 코스를 밟은 거 아니에요? 근데 그게 또 근상 거기는, 어 인제 거기도 (한숨) [조사자: 그분은 영 안 옵니까? 잘 안 내려와요?] 쬐-끔 한 때 뭐, 한 때 명절 때 뭐 한두 번 왔었는데, 거기는 또 거긴 인제 서울서

만 사는데, 거기도 그거야. 그거 못 난 생각이야. '자기 부모 집안이 자기 고생시켰다.' [조사자: 아, 그분은 인제 조금 그런 생각을 갖고 있네요, 좀 반감을?] 아, 그렇죠. 그게 심해요. 그러니까 또 길상하고 거기랑 또 완전 반대잖아요. 그러니까 5형제 중에서 유일하게 그래도 아버지의 유지를, 아버지의 어떤 그 유지를 받들고 그렇게 계속 노력하는 양반은 길상 그 양반이 유일해요. (한숨) 뭐 남들은 부잣집 어쩌고 뭐 하는데, 실상 그 속을 들여다보면은 (한숨) 아픈 일들이 많았었죠.

[조사자: 그러니까 정길상 선생님도 자기 이야기는 안 해요.] 안 하죠. 그러니까 이제 제가 아까 말했듯이, 그 조카는 마음이 급한 거야. 그러니까 막 아까 뭐 손님이 오면은, 그러니까 우리가 늘 지적을 해. (좌중 웃음)

"아이, 조카—"

그러죠, 저 지난 번도 한 번 왔을 때, 아니 이 상대방에서 차근차근 뭘 받아들일 준비가 되고, 뭐가 이게 좀 정리가 돼야, 뭔 얘기가 이게 좀 단계적으로 그걸 좀 받아들이는데, 앉아서 뭐 하여간 뭐 차도 한 잔 안 한 상태에서, 그때부터 막 이 보따리를 풀어놓기 시작해, 감당이 안 될 정도로. 그래 너무 하고 싶은 얘기가 많은 거죠, 그걸 좋게 표현하면. 너무 하고 싶은 얘기가 많은 거야. 너무 맺힌 게 많은 거야. 그러고 빨리 자기 살아생전에라도 이런 사업, 뭐냐믄 집안을 다시 이렇게 좀 뭐 이렇게 역사를 정리하고 뭐 이런 것들을 하는 그런 것들을 하고 싶은 거야. 그러니께 조급한 거야. 근데 자기가 조급하더라도 상대방한테 조급하게 따라오라믄 안 되잖아요. (좌중 웃음) 그런 점이 있어. 그래서 나도 그 사람 집안 명절 때 만나고 그러믄,

"아이고, 조카! 천천히 합시다. 이거 순서대로 차근차근 합시다."

이런 얘기 다 해. 그런데 그러니까 이 그 양반은 진짜 자기 어머니가, 막 진짜 그때는 자기 어머니가, 아까 그 오산 아짐, 이 형수가 인제 질환이 악화됐을 때, 기사역할 하던 사람이 하는 말이 그 막, 애를 낳았는데, 핏덩어리를 어디 눈밭에다 버려놨대, 눈밭에다. 이제 그것을 할머니, 아까 그 저 우리

그 큰댁 이제 해남 큰어머니, 저 길상의 할머니가 그 핏덩어리를 요리 데려갖고 와서, 이렇게 약간 그래서 자기는 엄마 젖을 못 먹고 자랐다는 거야. 어떻게 어떻게 해가지고 이렇게 길러서, 그러니까 할머니가 자기 어머니 같은 존재였어요. 또 그만큼 아까도 얘기했지만, 자기 아버지나 어머니한테 원망하고 탓할라고 그러면, 그랬으면 좀 그런 그런 사람이 더 탓했을 거 아녀. 그러니까 (한숨) 아, 이제 어쨌든 그런 면에서는 결론적으로 얘기하면, 득상, 철상도 피해자여. 길상도 피해자여. 우리 같은 사람도, 우리 이제 뭐 참 그 공포스러운, 그 득상, 철상의 정실질환을 앓은 그 과정에서, 그 어떤 그 피해를 봤던, 뭐 또 피해라고 하면 뭐 좀 그렇지만, 아무튼 좀 그런 것이 있었던 우리도, 그것도 그 그런 시대에서 우리도 피해자여. 그랬던 거 같애요.

[조사자: 그래도 말씀을 듣고 나니까 오히려 그 정길상 어르신의 하시는 것들이 좀 이해가 되고.] 이해가 되죠, 그죠잉? [조사자: 또 더 대단하신 것 같고.]

[조사자: 그럼 그 정길상 어르신 모친은, 좀 이렇게 그런 증세가 나오기 시작하고 한 게, 그게 또 언제 적부터 그런 좀 증세가 보이기 시작하신 건가요?] 그게 제가 아까 말씀드렸듯이, 뭐 딱히 몇 년도부터라곤 못 해요잉. 그러니까 막내인 길상 그 조카를 산모가 출산을 했어. 그 애를 눈밭에 갖다가 핏덩어릴 던져 놓을 정도로, 이제 그때는 최악의 상황이 된 거죠. [조사자: 그게 46년 상황이죠?] 응, 그 양반이 46년생이니까. 그러니까 그것이 몇 년간 그랬다고 해요, 들어보믄. 몇 년간 그랬고, 그러니까 다시 인제 이 우리 형님이 평양 아짐을, 활동을 계속하셔야 되는데 안 되잖아요. 뒷바라지가 안 되잖아요.

아마 아까 그 길상, 그 철상 그 조카가 그 흉기를 들고 쫓아내려올 때, 아마 제가 태어나서 가장 빨리 아버지하고 손잡고 도망을, 빛의 속도로 도망갔던 것은 그때가 처음이자 마지막이고, 그러고 아버지는 그 상황에서도, 어쨌는가 하니

"아버지, 저그 저 내려오는 것 같습니다. 가십시다."

그랬더니, 아들 손잡고 뛰어가는 모습이, 부자지간에 그것 참 남들이 봤을

때는요잉 (웃음) 그러겠죠잉. 그러니까 인제 그것이, 이제 그것이 큰댁의 이제 어떤 그 조카들하고의 관계, 에- 어떤 그런 것, 그러니까 형님은 우리 어린 후손들, 후예들은 참 그 그냥,

"본받고 자라라."

늘 어른들이 그래.

"느네 그 큰댁의 형님들 정도만 그렇게 하고, 다 그 정도만 자라라."

인제 이랬던 분들인데, 그 아들들은 또 다르잖아요, 거기랑.

그러니까 또 다른 모습이었어, 그것이. 그러니까 그것이 약간, 긍게 내가 왜 이런 얘기를 또 하냐 그러면, 인제 그 우리 길상이 조카를, 우리도 막 뭔가 친형님 같으죠. 또 아버지하고 같이 고생을 하셨어요. 아 이거 수발 다 하셨어요. 또 나와서는 우리의 기둥이 돼줬어요, 아버지 대신. 긍게 참 그 양반이 강해. 긍게 자기 속 얘기를 안 해. 그러니까 남들은, 아까 교수님 말씀처럼, 그 양반이 막- 이게 막 이 모르니까 이해가 안 되잖아요. 옆에서 그런 얘길 해주는 것은 나도 그런 마음 먹었던 적 있어서 얘길 한 거예요. 그 양반이 들으믄 쫌 뭐 저 자존심이나 이런 것들이 인제, 근데 자존심이 문제가 아니잖아요. 그러니까 그런 얘길 해줌으로써 이해가 가잖아요.

[조사자: 그냥 저희는 그때, 이 김종군 선생님네 팀은 이제 정길상 선생님을 만나러 왔던 거고, 저희는 이제 그 어머님 소개를 받고, 어머님을 만나는 게 목표고 그래서 온 거였거든요. 근데 어머님 만나기 이전에 막- 이렇게 집안 얘기를 먼저 들어야 된 상황이여서 쪼끔 이제 당황하고 그랬던 거죠. (웃음)] 그렇죠. [조사자: 그래도 좋은 얘기 많이 듣고 가고 그랬어요. 그러면 저기 형님이 교직 임용이 되실 때, 그때가 아버님이 구속이 되셨을 땐가요, 그런데 그 임용이 어떻게 가능했어요?] 아, 거기에 뭐 나오죠잉? 자세히 나오는데 [조사자: 나중엔 교장까지 승진하셨고, 그런게 다 그 당시는 방해됐을 거 같긴 한데?] 천운이었다고 봐야죠. 아, 지금 이제 또 그래서 내 표현이 그래. 천운이었다고 봐요. 딱 정-말 행운이었지. (웃음)

그러니까 우리 집안에 가믄은 그 가훈이 뭔지 아시죠잉? [조사자: 뭐였죠? 역사의 죄인이 되지 말자?] 응. 그거 하고 '조상의 죄인이 되지 말자.', 그 두 가지요. 그래서 학교 다닐 때 가훈 써오라고 한다고, 초등학교 때부터. 그러믄 남들은 죄다 뭐 뭐, '사랑' 뭐하고 '가화만사성'이니 뭐 이렇게 써 오는데, 아니

"아버지 우리 가훈 학교에서 써오라고 하는데 뭡니까?"

하고 물어보면,

"조상에 죄인이 되지 말자."

그럼 하나 더 쓰라고 뭐라고 하냐믄 인제, 역사의 죄인이라고 두 가지로 쓰라고 그래요. 한 가지나 두 가지를 꼭 쓰라고 그래. 그러믄 쓸 공간도 부족한데 꼭 두 가지를 쓰라고 그래. (좌중 웃음) 아버지한테,

"한 가지만 쓰면 안 됩니까?"

내가 인제 얘기허믄,

"두 가지 다 써라."

인제 그러셔요. 하여간에 좀 특이하잖아요. 이제 와서 얘기니까 지금 내가 얘기하는데 왜 그냐믄, 그니까 아까 다시 말한 '왜 당신들은 아버지를, 당신들의 집안의 선조들을 원망하지 않았냐?' 조상이, 당연히 그 조상에 죄인이 되지 마라란 것은 조상이 훌륭하다 하는 전제를 하고 얘기하는 거잖아요잉? '훌륭하다. 무조건 따라야 된다.' 그러니 조상이 하는 일에 있어서, 생각에 있어서 어디 감히 뭔 무슨 거기서 반론을 얘기하겠냔 얘기에요. 뭔 무슨 불만을 갖을 수 있겠냐는 얘기에요. 아 그러니까 그게 좀, 딱 그것이 자연스러웠던 거예요. 아, 그렇게 받아들일 수밖에 없었던 거예요, 자연스럽게. 뭐 특별하게 문제없이 중고등학생이 뭔 뭐 이렇게 이념이 뭐가 있겠어요? 사상이 뭐가 있겠어요? 뭘 받아들일 자세가 있으면 얼마나 돼있을 거예요? 그러고 조상의 죄인 이것 때매. 형이 임용이 된 것이 조상님의 은덕이 아니었던가 하는데, 시기적으로 그때 인제 그, 그.

[17] 연좌제 해제되던 해 교사로 임용된 형님

그러니까 그- 80년대에 막 조작 사건, 뭐 뭐, 반공법 보안법 그런 것이 이제, 전두환이 정권에 정통성 정당성이 부족하니까 막 조작해가지고 그렇게 했던 거 아니에요? 근데 또 어- 회유책으로, 그동안 있었던 연좌제를 사실은 합법적으로 풀었어. 그게 풀렸거든요, 합법적으로. 그러니까 속으로는 뭐 계속 감시를 하더라도, 어, 회유책으로, 회유책으로, 내려 온 게 연좌제를 푼 거야. 근데 형이 딱 그 케이스예요. [조사자: 아-] 명분상 연좌제 풀었는데, 걸 수가 없는 거야. 처음으로 어떻게 보면, 그러니까 임용을 해준 거야. [조사자: 아, 그러니까 그때는 시험을 보고 임용이 된다던지.] [조사자: 아니, 교대는 그냥 줬어.] [조사자: 안 줄 수가 없었던 거구나?] 졸업하면은 [조사자: 떨어뜨려도 되는데, 이렇게 될 수 없었던 거죠, 졸업만 되면?] 어. 졸업만 되면은, 이게 그때 당시 처음이죠.

[조사자: 조상의 은덕이네요. (웃음)] 연좌제 푼 전두환이 덕이었고, 또 조상의 은덕이었던 것 같아요. [조사자: 그게 계속 풀려있었던 건 아니었잖아요?] 아니, 합법적으로 풀었다니까, 아니 그게 전두환이 회유책으로 푼 거야. 근데 안 된다고 하면 안 되잖아요. 딱 그 타이밍이지. [조사자: 그래서 천운이라고 그러셨구나. (웃음)] 그렇죠. 아 그렇잖아요? 그니까 그나마 형이 자리를 잡고, 이제 있으면서 동생들 뒷바라지 하고 가르치고 하니까 이제 우린 또 공부할 수 있었던 거고, 형은 이제 또 아버지 대신, 이제 저도 이제 나중에 형한테 또 많이 맞습니다, 공부 안 한다고. (좌중 웃음) 저는 맨날 아버지한테 혼나고, 누나한테 혼나고, 형한테도 혼나고, 형제간에서 늘 저는 그런 위치에서, 이제 대신 운동도, 운동을 형제간에서 제일 잘하고, 키도 제일 크고 활발하고 이제 그렇게 해서, 그래서 우리 어머니가,

"너는 그런 쪽으로 나갔어야는데, 그 뒷바라지를 못 했다."

하는 이야기가, 그 얘기예요.

[18] 정신질환 앓았던 큰댁 가족들 이야기 (3)

(조사자가 큰집 큰형수와 큰어머님에 관한 질문을 조심스럽게 이어서 하였다.)

[조사자: 그러면, 그 해남 윤씨 그러니까 저 큰할머니 되시는, 큰어머니 되시는 분이, 그 봉강 선생의 첫 번째 부인 박남이, 그 오산 아주머니 그, 그분이 오는 걸 그쪽 집안이 좀 기운다고 아주 좀 알로 보고 좀 반대를 했다는, 그게 어찌 보면 이분은 그 해남 윤씨 그쪽에서 왔다 해갖고 문벌의식이 대단했던 분인가, 아주 무시를 하고, 인제 저 정각수 어르신이 인제 손부를 찍었는데, 찍었는데 그걸 안 받아들이고 싶어 했다고 하는 부분이 있더라고요.

그걸 저기 정자호 어르신이 이야기를 그렇게 해놓고, 구연한 부분에, 구술한 부분에 그 내용이 있더라고요. 그래서 '아 서슬 시퍼렇게, 초년 과부가 돼서 그 양반도, 청상으로 과부가 돼서 자기 며느리를 잘 고르고 싶었고, 그러고 해서 인자, 그런 저런 부분에서 오는 스트레스가 인자 대단했겠다.' 이 생각도 좀 들고 그랬어요.]

인제 그 큰어머니는 거의 저– 딱 봉건시대 이런 전통적인 그런 사람, 그러니까 그 뭐랄까? 요즘 표현으로 말하면 양성평등이라든지 이런 것에서는 쪼끔 인제 옛날 양반이야. 그니까 그– 뭐랄까? 이제 그 당시에 그 계급 계층 간에 좀 밑에 있던 분들을 배려하고, 이제 뭐 이런 점은 쪼끔, 인제 옛날 그런, 그런 점은 옛날 양반이에요. 옛날 양반의 기준을 가지고 있어요. 전통적 옛날 사대부, 딱 그 그거를 딱 갖고 계셔요. 그러니까 이제 그 며느리 대해서도, 쪼끔 인제 뭐 며느리는 힘드셨겠죠잉. 그니까 아까 평양 거기 그. [조사자: 그니까 신여성도 싫고?] 그렇지. [조사자: 신여성도 싫고, 집안 기운 여자도 싫고 이런?] 싫고, 어– 인제 당신 딴에는 해남 윤씨가 뭐 꿀릴 거 없는 집안이고, 또 자기는 여기 와서도, 우리 집안도 뭐 하니까, 그런 것을, 그런 기준을 딱 당신 나름의 기준을 정해 놓고, 저기 생각을 했겠죠. 그렇게 세상사가 그렇게 됩니까? (웃음) 내 자식이 일을 만들었지.

[조사자: 참 무슨 박경리의 〈토지〉가 어떻고 하지만서도, 참 지금 보성 회천 정

씨 집안 이야기는 대하소설보다 더한 이야기예요.] 그러니까 뭐 더 〈태백산맥〉 읽어 본 양반들이 이제 우리 집안 얘기하면, 우리 집안도 딱 〈태백산맥〉 얘기다 이제 그래요. [조사자: 그래요, 그래요. 이제 저희 만난 다른 분들도 보면, 다 이렇게 가족들 하고도 연관이 돼있거나 만났거나 인연이 돼있어서, 하나의 그런 서사시가 되더라고요.] 그러니깐 대지주의 집안이, 사회주의 그 쪽으로 기울었고, 그럴 이유가 없잖아요? 그럴 이유가 없었고, 그러고 그것도 뭐 기운 정도가 아니라 거기에 온갖 사람과 재산을 다 갖다가 바친 건데, 바친 거잖아요. 왜 그렇게 했을까, 근데 그것이 뭐 그런 저 신념이 없었으면 또 그런 것이 어렵겠죠. 그렇게 봐요.

[조사자: 그럼 평양 형수님이 계실 때, 오산 형수님도 같이 계시지는 않으셨어요?] 아, 그니까 오산 형수는 우리 지금 큰댁에 계시고, [조사자: 분가하셨어요?] 평양 형수는 거기 보춘당, [조사자: 양조장에? 양조장에 집을 따로 하나 지었나 봐요? 그러면 이제 서류상으로는 이혼을 하셨어도 이제 같이 본가에 계셨구나.] 응, 맞아. 이혼한 상태였었어요. 평양 형수님의 조건이, 아마 그 조건이 [조사자: 자긴 첩살이 안 한다고?] 그랬을 거야, 아마.

"서류상으로라도 깨끗하게 해라."

한 것이 조건이었어요. 그래 나중에 그걸 아버지한테 들었어요.

[조사자: 그럼 참– 이제 그런 거야. 봉강 선생님이 그러면, 왜냐면 우리 은사님들도 그런 경우 많거든요. 향처, 시골 부인 두고 신여성하고 재취하는, 그래도 신부 속이고 처음에는 구슬려서 '나 이혼하고 니 안채 주마.' 이래놓고, 결국 그 약속 못 지키고 그냥 그렇게 사는 경우들 있었어요. 그러면 봉강 선생은 참 그래도 어떤 뭐, 집안에 우환이 그렇게 있고 해도 또 참 저 혼사할 때 대해서는 그래도 약속을 지키고 살았네요.] 그렇죠. 그러니까 그 약속을 혼자서 지킬라고 했던것 같애요. 그래서 뭐 사실 그때도 있는 그대로 얘길 했던 거고, 그래서 뭐 그 평양 그 아짐이 뭐 이 양반한테 속아서 한 건 아니고, 감추고 뭐 이런 건 전혀 없이 있는 그대로 얘기했고, 그러니까 인제 그 양반도 훌륭하다는 것이, 아까

도 말씀드렸지만, 봉강이라고 하는 그 인물하나 보고, 그 뭐 아들 7남매 낳고 그런 걸 뭐하러 왔겠어요.

[조사자: 그럼 집안에서도 그 정종호 어르신의, 정종호 어르신의 그 구술에 보니까, 정종호 어르신의 구술에 보니까 그나마 그 양조장 하면서 살림을, 안채 살림을, 본가 살림에 대해서 되게 참 책임을 졌나 보대요? 걸핏하면 여기 와서 돈 달라 소리를, 양조장에 와서 했다고 그 소리가 나와요?] 예, 나와요. 양조장엔 수입이 생겼던 모양이에요. 그러니깐 (웃음) [조사자: 걸핏하면 사람을 내보내서 돈 달라고?] 좀 이렇게 심부름 시킨대요.

"너 좀 양조장에 갔다 와라."

그러면 그 말이 '가서 돈 좀 가져와라. 가족이 쓸 돈 가져와라.' 아마 그랬을 거야. (웃음)

[19] 병신이란 말만 들어도 화를 냈던 일화

[조사자: 아유- 선생님, 얘기하시기에 좀 꺼려지는 부분도 있을 건데도, 선생님이 그래도 아버님에 대해서도 추억하시면서 이렇게 말씀해주셔서 고맙습니다.] 제가요, 아- 중고등학교 다닐 때 친구들이, 우리 요즘 아이들 뭐 욕을 입에 달고 하듯이, 뭐 이게 욕이 아니고, 지네끼린 욕이 아니잖아요? 우리도 학교 다닐 때 뭐,

"바보 새꺄."

"바보야."

"이 하녀 자식아."

"병신같은 새끼야"

이제 우리끼린 그러고 서로 헛말로 중고등학교 때 그러고 그랬잖아요? 근데 제가 가장- 듣기 싫었던 게, 그냥 그냥 지나가는 말로 아무 욕도 아니고 아무런 것도 아닌데, 남이 나한테 하는 것도 아니고, 남 지네끼리 얘기하는

거라도 '병신 새끼' 야. 뭐 그때는 어릴 때는 그런 말을 흔하게 했어요. 그게 그냥 나한테 한 말도 아니야. 지네끼리 한 것도 쫓아가서 한 방 때리고 싶어, 막 속에서. 난 그 소리가 그렇게 싫었어요. 내 초등학교 다닐 때, 제가 약간이 6년간 이거 할 때, 아 그래도 나 그 가방은 안 들고 다녔어요. (좌중 웃음) 초등학생 때, 그때 이제 큰 누나가 5학년 때, 4학년 3학년 넘어갈 때, 광주 진학할 때, 근데 시골은 뭐 겨울방학이나 여름방학, 방학 되면 전-부 이렇게 운동장에 모아요. 총 종례를 거기서 교장선생님 훈시를 해.

[20] 형제들이 정치적 신념과는 달리 소신껏 앞장서지 않는 이유

형이 아까 그 천운으로, 전두환이 덕분으로, (좌중 웃음) 아버지는 전두환 덕분에, 덕분은 아니지만 저 감옥을 가셨고, 아들은 전두환이 덕분에 교사로 임용이 됐는데, 제가 한때는 형하고 막-, 명절에 서울에서 만났는데,

"왜 형 전교조 안 하냐?"

그때 한참 전교조, 전교조 하는 그때였었거든요.

"형같은 사람이 전교조 해야 되잖아, 어?"

형 친구들은 다 전교조니 뭐 그런 거 하는데, 제가 아는 형 친구들, 그 양반들은 뭐 거의 했는데, 전교조 안 해서 막 그런 얘기가 나오다가 내가 타박을 한 거야.

"니 맘 이해한다. 너는 왜 밖에 나가서 왜 그렇게 깊숙하게 못 했냐?" (좌중 웃음) "왜 너는 뒤에만, 뒤에서만 했냐, 왜 앞장서지 못 하고?"

그러고 형이 반문해요. 그거였던 거예요. 그니까 우리는 그런 피해의식이 있어요. 제가 대학교 다닐 때 나름대로 좀 뭐 뒤에서 따라다녀, 따라다녀 봤어요, 80년대에. 83학번이에요. 한창 때에요. 우리 친구들 막 그때 잡혀가고, 막 그냥 잡혀가고 막 저거 했을 때.

"왜 못 했냐? 너는 왜 앞장 못 섰냐?"

앞장서면 안 되는 거예요. 왜? 정말 한 번 엮이잖아요? 정말 하나의 그 시나리오가 딱 나와 있는 거예요. 다 갖췄어요. [조사자: 북하고 딱 이렇게] 그런 조건을 다 갖췄어요. 그렇죠. 평양, 북, 저기 아버지, 뭐 집안 이랬는데 그런 이제뭐 지령을 받아서, 딱 그게 모든 조건을 이제 이놈들이 쓸 수 있는 모든 시나리오 조건을 다 갖춘 거야. 그니까 내가 아니라도 그렇게 엮이면, 같은 학우들, 친구들, 동기들이 거기에 다 피봐. 저저 일망타진, 다- 정말 쑥대밭이 돼요. 그니까 우리 같은 사람들은 하고 싶어도 안 해야 되는 거야. 이제 그런 거야. 내 변명이지만, 내 변명이지만 그니까 어 그랬던 거예요. 긍게 형도, 형도 그래야 했고. 긍게 형도

"그래야."

하믄서 인제 술 한 잔 먹고 얘기하더라고요.

"형이 뒷바라지, 뒤에서 몰래 뒷바라지 많이 해준다."

그래, 웃으면서 그래.

"그거라도, 그거라도 해야지."

인자 그러면 웃고. (좌중 웃음)

[조사자: 너무 두 분 다 일찌감치 알았나보다.] 예, 그러니까요. 이제 그런- 우린 또 그런 게 있어요. 그런 것 때문에 제가 하고 싶은 걸 못 한 게 많아요. 그러고 학교 다닐 때 참, 제가 아까 고등학교 때 막 그 서울 놈들하고, 순촌놈이 서울 놈들하고 객지에서 막 싸우고 하고 다닐 때, 또 못 잊겠는 게 하나 뭐냐면, 정말 막 거기서 이거 이걸로 막 우두머리가 되고 싶을 때도 있어. 학교 다닐 때 뭐 가방 들고 다니게 하듯이 거기서도 하고 싶은데, 그걸 못 하겠는 게 뭔지 알아요? 어머니가 늘 그랬어요. 제가 중고등학교 때 좀 머리 크고 삐딱하게 하고 다니면 어머니가, 이제 아버지는 안에 계시니까,

"니가 어떤 집안의 후손이냐, 우리 집안이 어떤 집안이냐, 아버지는 어떤 아버지냐, 그것만 쪼끔만 생각해라. 너 그렇게 뛰쳐나가고 싶을 때, 우리 집안이 어떤 집안이냐, 니 집안이 어떤 집안이냐, 니 큰댁에 형님들이 어떤 형

님들이냐, 어떤 조상들이냐, 니 아버지가 얼마나 훌륭한 아버지냐, 니가 쪼끔 생각 있는 놈이라면 그러고 돌아다니지 마라."

그것이 참- 이 머리와 가슴을 억눌렀어요. 정말로 어디 가서 이렇게 정말로 한바탕 이게 하고 싶고, 정말 사고치고 싶어도 문득 그 생각이 드는 거야.

'그래 내가, 우리 집안이 어떤 집안인데, 내가 또 누구 아들인데.'

내가 하다못해 쑥- 들어가. 뭐 그런 이 아까 말한, 도둑질 하고, 싸움박질 하고, 그런 일에 연루 되가지고 이게 뭐, 그건 챙피한 일이잖아요. 그건 조, 아까 말한 조상에 대해서 더 예의를 다 하지 않는다는 거잖아요. 그니까 늘 그런 것이 가슴을 짓누르고 있어요. 그래서 이렇게 막- 뛰쳐나오고 싶을 때, 늘 그것이 마음을 잡고 있었어요. 긍게 여러 가지로 그니까 그래서 못 하고, 저래서 못하고. (좌중 웃음)

[21] 아버지에 대한 감회

[조사자: 그 저도 뭐 여하튼 뭐 그렇게 멀지 않은 쪽이죠, 뭐. 선생님이 말씀하신 분위기들을, 대충 이렇게 경험해 봤고. 저희 뭐 저희 시골에도 뭐 그렇게 집안들이 대강 하여간 그러니까. 그건 신념인 거 같아요. 방금 얘기했듯이 역사에 대해서 죄짓, 죄인이 되지 말자라고 하는 고걸, 소위 말해서 아마 많이 배웠던 적게 배웠던, 어머니들이 몰아가요. 할머니들이 몰아가는데, 딱 그 의식 가지고서 자손들을 몰아갈 때, 어- 적어도 조상에 누가 안 되도록 살아라고 하는 그게 우리 시골은, 왜 그렇게 어렵고, 집안 누구나 다 '우리집 천석을 했어' 이런 사람들이면 말을 안 하는데, 쫄딱 망해가지고 그렇게 하여튼 막 방황하고 하는 사람들 있잖습니까. 그래도 참 대단하신 게, 저는 그래서 정길상 선생님 한테, 정길상 선생님한테 그래서 제가 여쭤봤었어요. 자녀분들이 그렇게 딸만 둘이라는데.] 셋. [조사자: 아, 셋. "그래도 내가 옥살이 하고 나왔더니 그래도 공부를 제법해서 다 잘 되있더라고. 그래서 우리 집사람이 참 애를 쓴 것 같다."]

[조사자: 참 다들 대단하신 것 같애요. 의식들이나, 그게 그렇게 쉽지가 않거든

요. 몰락한, 몰락한 양반, 몰락한 어떤, 그런데 몰락한 사회주의 운동가들은 그래도 뭔가를 남긴다는 생각이 참 들었어요. 몰락한, 양반가에서 재정 때문에 몰락한 사람들은 아-무 근본자체도 흔들려서 아무것도 없는 상황이거든요.] 그- 신념이 없는 부자는, 말하자면 사상누각인 거 같애요.

아- 제가요, 자꾸 얘기가 길어지는데, 저- 고향에 대한 향수, 그런 거를 저만큼, 고향에 대한 정이, 애정이 많은 사람도 드물 거예요. 제가 그 중학교 때 전학 와서 촌놈 취급받는 것이 서러웠고, 그 여기선 하여간, 저기 시골에서는 그래도 뭐 뭐 그래도 좀 했는, 뭐 공부한다고 하고 했는데, 서울 가서는 완전히 촌놈 취급당하는 그것도 서러운데, 거기다가 막 아버지 뭐 하고 막 이렇게 뭐 또, 구치소로 면회 다니고 뭐 법원 법정에 다니고, 뭐 또 사회에서는 뭐 이렇게 하고, 제가 그 신문을, 방송에 뭐 대대적으로 보성 간첩단 사건, 그때 진도 간첩단 사건하고 같이. [조사자: 예, 예. 맞아요.] 같이 나오시고 그랬어요. 9시 뉴스에 막 대문짝만하게 나오고 신문에 일면 특필하고. 그걸 제가 보면서, 아니 우리 집안 얘기야. 내 아버지 얘기. 그게 내 중, 중고등학교 때 얘기였다니까. 그래 고등학교 때 방학을 해서 시골로 오잖아요? 시골로 오면은 큰댁에 아무도 없어. 우리 큰댁에서도 인제 태환이가, 태환이 엄마가 이제 못 살겠으니까 광주로 애들 데리고 다 나가버리고. [조사자: 집을 비워놓고? 간첩단에 다 몰려서요?] 다 몰려서요. 그러믄 인제 그 논밭 전답 짓는 그 양반이 인제 왔다갔다 관리하고, 우리집하고, 우리집도 뭐 동네 이제 뭐 아주머니한테 부탁해서 했었잖아요? 방 하나 쓰고, 뭐 방학 때 오면 방 하나 쓰고. 큰댁 정원이, 그 정원 좋잖아요? 큰댁 정원에 사랑 앞에, 고등학생이 거기 와요. 사랑에 혼자 앉어. 무슨 노래를 부른지 알아요, 거기서? 〈황성옛터〉를 제가 불렀었어요. 고등학생일 때, 〈황성옛터〉를, 거기 앉아서 혼자서 〈황성옛터〉를 1절 부르잖아요? 마음이 짠- 해요. 그래서 다짐을 시켜요. 그 〈황성옛터〉에 가사가 뭐 그런 게 있잖아요? 그 옛날 그 화려했던 그것이 인제, 그 노래를, 그 노래를 불렀다니까. 제가 불렀다니까요. 1절 2절, 이렇게 불렀다니까요. 그 읊조린 거죠. 참– 방학 때 이제 고향에 와서. 그래서 아까 제가 나이 먹으면 다시 고향에 와서 다시 귀농을, 이 귀농이라는 게 그런 고향으로 다시 돌아오고 싶다는 거죠, 네.

그래서 제가 정원에서 〈황성옛터〉 좍– 부르고 나면, 아버지한테 편지를 씁니다.

'아버지 저 방학해서 지금 고향에 왔습니다. 고향에 지금 여름은 어떻습니다. 고향에 겨울은 어떻습니다. 제가 큰댁에 정원에 앉아서 이러이런 제가 다짐을 했습니다. 걱정하지 마십쇼. 저 열심히 공부하겠습니다. 흔들리지 않도록 하겠습니다.'

하고 다짐을 써서 편지를 보냈죠. 그래 이제 아버지가 출소하시면서 선물로 가지고 나오신 게, 다른 양반들은 거기서 노역하믄 월급 받잖아? 몇 푼인가 받잖아요. 영치금은 여기서 내주는 거고. 노역하믄 뭐, 징역하믄 노역하믄 월급이 나오는가봐. 그런데 통장에 돈 몇 만 원 기본적으로 있는가본데, 고향 주위 사람들이 주고받은 서신, 편지, 우리가 드렸던 편지, 아버지가 보낸 것은 우리가 갖고 있고, 자녀간들, 어머니가 보냈던 편지들을 무슨 뭐 이만한 가방에다가 들고 나오셔요.

"그건 뭐예요?"

했더니 편지를 가지고 나오셨어요. [조사자: 가지고 계세요?] 그건 시골집에 있어요. 거기 보면은 뭐 사연이 구구절절 하니까, 근데 특이한 게 있어요. 우리는 아버지한테, 아버지하고 주고받은 편지가 특이한 게 딱 뭐가 있냐면은, 처음에 시작할 때, 처음에 뭘로 시작하느냐?

'이 글을 아버지한테 읽어주시는 한 선생님'

이제 그게 교도관이 될지 같은 동기가 될지,

'이 글을 우리 아버지한테 읽어주시는 분께 먼저 감사를 드립니다.'

라고 시작을 해요. 이 글을 읽어주시는, 아버지한테, 감사드립니다. 그런 편지를 아버지가 갖고 계시더라고요. 가끔 보믄 그런 편지들을 보고, 안 볼라고 해요. 너무 좀 서러움이 벅차니까. 제가 사실 아버지가 돌아가시고, 집에 와서 백수까지 하신, 하실 거라고 그래 생각했는데, 아- 돌아가실 때 머리 뇌종양이었었거든요. 그 말씀은 안 들으셨을 거예요, 이것 까지. 아버지 병명이 뇌종양이었는데 정말 건강하셨어요. 그래서 주변이 다 백수하실 거라고 하셨어요. 아- 몸 관리도, 뭐 운동도 꾸준하게 하시고, 드시는 것도 그렇고. 그- 종양이 생겼는데 그 원인이, 그 산에서 인제 그렇게 하다 오셨는데, 모르겠어요. 다치신 게 이 그런다면서요? 이 저도 그때서야 알았어요. 이게 저 눈 밑으로 신경과, 이게 머리 쪽에 신경을 막아주는 뭔 막이 있대요, 머릿속에도 이 횡격막이 있듯이 막이 있대요. 그 막이, 이게 인제 총탄이 스치면서 그 막을 건드린 거야. 이제 그것이 세월이 지나면서 염증이 쪼금씩- 쪼금씩 온 거야. 그 막에 그래서 염증이 그게 세월이 지나면서 뇌종양으로 발달한 거야. 하루아침에 갑작스럽게 그 뭐 평온하시다가 딱 한 달 병석에 누워계시다가 돌아가셨어요. 뭐 특별히 말씀도 못 하시고.

이제 우리가 5남맨데, 그땐 제가 인제 제가 사업을 하니까 시간이 좀 많아요. 이쪽에 어디 광주 출장오고, 저 순천 오면, 일부러 이 직장일 보고 시골에 가서 하룻밤 자고 올라가고 인제 그랬어요. 아버지 어머니 모시고 나가서 식사도 하고. 인제 그때 내가 속이, 속이 차려진 거야. 아까 어 그 서울 올라왔을 때는, 철딱서니 없을 때는 뭐 그 사우나 좀 모시고 가면 되는데, 그걸 못해가지고, 오면 내가 이제 모시고 가서 택시 태워서 내가 인제 사우나 해드리고. 이제 그때사 제가 하는 거야. 쪼끔 재밌게 아버지하고 살라고 했는데 이제 가시니까, 그게 너무도 너무도 참 원통한 일이었죠.

그 이 총탄이 지나간 그 막을 건드려서 염증이 생겨서 그것이 인제 50년 지나니까 갑작스럽게 증세가 악화되셔서, 제가 어느 날 시골에 왔는데, 아버지가 갑자기 보성 아산병원에 입원을 하셨다고 그래요. 입원을 하셨대.

"왜요?"

"감기로 일단."

"그래요?"

감기로 입원하신 결로는 심각해. 근데 그때 당시 어머니가, 어머니가 우리 어머니가, 그 집에 가서 보시면 우리 어머니 방에 저 장한 어머니 상이, 상탄 세 개 걸어놨거든요. 한 번 보세요. 그것이 저는 못 받았어요. 누나, 누나 둘하고 형은 받았어요. 저는 못 받았어요. (웃음) 이제 그것을 나중에 우리 어머니한테,

"아, 그래 어머니 고생하셨어."

라고 하면서 좀 찾아보니까 그게 있어서 그거를 액자로 만들어서 이렇게 걸어드린 거야, 아버지 방에다가.

"아, 어머니 훌륭하셔요."

그래 어머니 불만은

"너희 아버지가 훌륭해야? 내가 니들 다 키웠는데 니 아버지가 훌륭해?" (웃음)

늘 그거였어요. 저희 아버지가 살아계실 때는,

"어머니도 훌륭하세요. 우리 아버지가 더 훌륭하제."

그래 그러면서 어머닐 놀렸어. 그러면 인제 어머니가 너희들은 아버지밖에 모른다고,

"너희 아버지가 더 훌륭해야? 내가 더 훌륭하다."

이제 그러면서 늘 그러셨는데, 아버지 돌아가신 뒤로 이제 바꿨어요.

"아버지도 훌륭하셨는데, 지금 보니까 어머니가 더 훌륭하신 거 같애요."

아버지보다 훌륭하시다고 이제 어머니를 위로해드려. 이제 위로해드리려고 그런 얘기를 한 거야. 그 이제 그랬는데, 어머니가 노인성 우울증이 오신 거야. 근데 약을 드시고 주무시잖아요? 밤에 막 그 이제 분간을 못 하셔요. 이제 약이 독해가지고. 이거 제가 이제 데려가서 한대병원에서 치료하셨는데, 제가 이제 서울 올라오시면 모시고 가서 약, 진찰있을 때마다 내가 이렇게 해서 어머니 모시고, 그니까 이제 어머니가 불편하셔. 어 어 여기 아버지

간호를 할 만한 형편이 못 돼요, 어머니 형편상. 아 이제 하루는 전화를 해보니까 아버지가 중간에 일어나서 소변을 보러 가셔야되는데, 어머니가 잠에 골아 떨어져가지고 그걸 못 해주신다는 거예요. 전화로,

“빨리 간병인을 하나 먼저 그걸 하라고 씁시다.”

그랬는데, 안 되겠다 싶어서 제가 3일 만인가 내려왔어요, 집을. 가니까 모두가 감기래. 다– 촬영을 다 했어요. 뭐 뭐 저거 CT, MRI 촬영을 다 했는데, 그냥 뇌종양이라는 것은 말도 안 해. 아 집으로 모시고 갔는데, 아 이거 아무래도 지금 심각하신 거야. 그래서 안 되겠다 싶었지. 병원을 다시 갔어요. 제가 딱 판단이 되드라고. ‘아 아버지가 내 차를 타고 서울로 올라가시면, 다시 돌아오시겠느냐?’ 라고 하는, 제가 그런, 전혀 이게 살 판단이 안 되시는 거죠. 순간, 어느 순간 갑자기 하루 이틀 사이에 심각한 거예요. 뭔가 병원에서는 지금 이걸 캐치를 못 하는 거예요, 제가 볼 때. 뭐 병원을 탓하고 있을 그런 저기가, 상황이 아니야. 빨리 모시고 가야 돼, 큰 병원에. 그래서 제가 아버지를 모시고 가면서, 마지막 아버지, 그니까 좀 이제 돌아가실 상태가 되니까,

“아버지 서울 가실 거예요.”

이제 그런 얘길 제가 했어요, 다른 얘기 안 하고.

“먼 길 가시니까, 할아버지 할머니 산소에 가서, 먼 길 가시니까 인사하고 가시죠, 아버지?”

그래, 가시더라고. 어 할아버지 할머니, 제가 다른 얘길 하겠어요, 거기서? 심각한 얘긴 못 하고,

“먼 길 가시니까 할아버지 할머니 산소나 들렀다 가시죠, 아버지?”

차를 여기다 딱 대기시키고 그 옆에 대놓고, 아버지 모시고 내가 대밭에, 그 큰댁 뒤에 대밭에 할아버지 할머니 산소가 거기 있어요. 할아버지 할머니 산소에 가서 인제 둘러보고 절하고, 그러고 떠나신 길이, 그길로 고향을 떠나신 길이었어요.

아버지가 노래를 잘하세요. [조사자: 잘하셨다고 그러시더라고요.] 어려서 잔치하면요, 동네에서 뭐 장가, 결혼식하고 잔치하면요, 아버지가 안 가시면 데리러 모시러 와요. [조사자: 그러니까 이복순 어르신이랑, 김ㅇㅇ어르신이랑, 한창 노래방 가셨다고 얘기 들었어요.] 어. 그분들이요? [조사자: 예. 정기적으로 만나셨다고 하더라고요.] 동네잔치 있잖아요? 그 데리러 오신 양반이 말해요.

"아이, 아재가 안 오시니까 재미가 없어 안 올르죠. 빨리 오셔요."

그러고 모시고 가요. 그리고 가서 딱 쪼끔 있다가 따라가서 인제 문틈으로, 꼬맹이들은 못 들어가니까, 방에 들어갈 뭐 저기가 그런 자격이 안 돼. 먼 마당에서 이렇게- 이렇게 봐야 돼요. 그러니까 보믄 아버지가 중간에서 덕담도 허시고 노래도 하시믄 거기서 판이 어울러지는 거야. 그럼 시골에서 노래방이 있어, 뭐가 있어? 아줌마들 일어나서 덩실덩실 춤추고 뭐 뭐, 여기서 한 쪽에서 놀고.

차 안에 가면서 아버지한테,

"아버지, 예전에 그 노래 한 곡 좀 해주쇼."

뭔 노래했는지 몰라. 저는 이제 온통 지금 신경이 서울 가서 뭘 어떻게- 어떻게 하고 뭐를 절차를 밟아 놓고, 아버지 빨리 아무튼 추스를라고 하니까 정신이 없죠, 뭐. 운전을 하고 가는데 뭔 노래를 하셨어. 그때 잠깐 정신이 온전히 돌아오신 거야. 딱 그 순간, 그 이후론 정신이 못 돌아오셨어요.

병원에 계셨는데, 제가 내 사업 딱, 나는 그때는 나 사업소 한 달 동안 안 나간다고, 한 달이 아니라 아무튼 나 며칠 동안 못 나온다 하고, 출퇴근을 병원 가서 간병했어요. 그래서 아까 뭐 ㅇㅇ이 뭐, 그 양반은, 그 양반하고 또 관계가 좋아. 그러셨을 거야. 아버지하고 친구고 동기고, 우리 집안에 사위고 그러니까. 근데 그 양반이, 그냥 세상에서 가장 가깝고 뜻이 맞는 양반은 그 양반이에요. 그러니까 우리는 세상의 어느 분보다도 그 양반은 내 아버지 되시는 분이에요. 그래서 내가 참, 제가 목포도 일부러 그 찾아가고 그랬었어요, 그 저 내려오고 그러면서. 근데 그 양반이 한양대 병원에 아버지가

계실 때,

"아버지 용태가 좀 어떠냐?"

"어떻습니다."

"나는 니 아버지 보러 안 갈란다."

딱 그래요. 왜, 그니까 왜, 인제 왜냐하면, 그런 거야, 돌아가신 뒤에 들어보니깐. 병석에 링갤 꼽고 누워있는 그런 모습 보기 싫다 이거야. 당당한 모습, 어 그 그런 모습을 기억하고 싶다는 거야, 마지막 모습으로. 이제 뭐,

"그런 것 보기 싫으니까 안 갈란다."

그러시면서, 혹시 너무 둘이, 두 양반이 이렇게 통하는 양반이니까, 아버지 귀에다가 핸드폰을 대달라고 그러셨어요, 그 아저씨가. 제가 아버지 누워계신 데다가 핸드폰을 들어 댔어요. 뭘 하신지 알아요? 두 양반은 산에 가시잖아요? 지리산 철쭉 필 때 산에 가시믄 일본 노래를 막- 둘이 부르면서, 주거니 받거니 막- 일본 노래를 하셔. 우리나라 노래도 하시지만, 우리나라 노래 끝, 다- 하시고 인제 없으믄 일본 노래를 막 하셔. 그니까 일본 노래를 더 재밌게 잘 하셔요, 산만 가시면. 이 양반이 일본 말로,

"나다, 누구다, 누구다. 친구야 나 누구다, 누구다."

그러시면서, 그런 것 같애.

"당신하고 나하고 불렀던 그 노래 내가 불러줄게."

하고, 전화기 대놓고, 옛날 흘러간 노래부터 시작해서 일본 노래를 10분이고 20분이고 불러요. 그 전화기를 이렇게 이렇게 하고. 그것이 한두 번이죠. 매일 그렇게 하는 것이 쉽지 않아요. 아니 그거 뭐 어떻게 보면 정신 나간 짓거리죠. 그게 무슨 사람처럼, 전화기를 대놓고 그 노래를 부르기가 쉽습니까? 이 양반 욕심은 자기 좋아하는 내 친구의 목소리 듣고 쪼끔이라도 이렇게 좀 뇌활동이 이렇게 돌아오기를 바라는 입장에서, 그렇게 매일 밤, 거의 매일 밤 아버지 귀에 전화기 대달라고 해가지고 혼잣말씀 막- 하시다가, 또 부르시다가, 또 혼잣말씀 막- 하시다가, 그런 그게, 그게요, 왠만한 마음 없

으면 그거 안 됩니다. 안 돼요.

근데 이제 결국 병석에서 못 일어나시고 이제 가시니까, 그니까 그래서 그 목포 그 아저씨는, 그 자형이라고, 집안에 자형이 돼요. 자형이라고도 하고, 뭐 아저씨라고도 하고, 그분이 또 그, 말씀 들으셨죠잉? 두 분이 가서 그분 만나 뵀을 때 여러 가지 그 살아오신 얘기라든지. [조사자: 근데 할머니한테, 할머니가 그 얘기를 못 듣게 하셔요, 본인의 이야기를. 그래서 뭘 갖고 오라고 시키셔갖고 빨리 가라고 그러고, 듣지 말라고 계속 그러시더라고요. 그래서] 그 양반도 그런 아픔이 있어요. 근데 정말로 그 양반이 말씀 못 하시는 건 인제, 당신의 자녀 간들도 이해를 못 하는 부분도 있고, 당신의 자녀 간들한테도 말씀을 못 하시는 부분이 있어요. 우리 고향에 많-이 오셔요. 봄에는 철쭉 보러 오시고 가을에는 뭐 심심하면 오셔서, 우리를 붙들고 또 말씀을 하셔요. 우리는 그 말씀을 들어드리거든, 그 일생을. 그러니까 당신 말씀이 그래.

"당신 자식들한텐 못 한 얘기를 너희들한텐 한다."

자녀 간들이 그렇게 아버지에 대한 이해의 폭이 좁아. 그런 점이 있어요. 그러니까 그런 말씀을 가족들한테 못 하시죠. 저는 정말, 정말 그 양반 막 서러운 얘기, 서러운 얘기 하자면, 우린 한참 아들뻘이잖아요. 아들인데다가, 그 서러운 얘기, 그 살아오신 서러운 얘기, 지금 현재의 고충, 막 이런 것들도 우리한테 말씀을, 하소연하듯이 아버님 묘소 앞에서, 산소 앞에서 다 하시고 우시고. [조사자: 그때 제가 갈 때, 허리, 허리 병이 너무 심하셔서 앉지를 못 하신다고 그래서 이야기를 한 시간이나 채 할 수 있을까를 걱정을 하셨어요. 저희가 왔으니까 듣겠다고 갔는데, 앉아서 다섯 시간을 하시더라고요. 그래서, 그런 데도 빨리 정리 한 거지, 그치? 그래서 다음에 한 번 혹시 기회가 되면, 그니까 들어줄 사람이 없으니까 너무 하고 싶으시고, 설움이 너무 많이 복받치셔가지고, 눈물도 되게 많이 지으셨어요.]

그니까 아까 그분하고 어 말씀 나누셨던 그거 정리되면 저도 한 번 주세요. 저도 한 번 듣고 싶으니까. [조사자: 예.] 그니까 이제 그때 당시 그 저 입원해 계실 때 제가 목포에 한두 번 병원에 계실 때 갔었어요. 근데 이제 그 뒤에 가신다 하는 게 저도 이제 좀 망설였지. [조사자: 진짜 거의 소설이야, 소설, 내용이.] 그 양반한테도 들었죠? 그 양반이 살아나신 것이, 빨치산 활동하다가 토굴 속에서, 비트 속에서 잠자고 있는데, 어떤 산신령이 나타나가지고 "너 그러고 있으면 죽는다."고.

빨리 하라고 해서, 그 그 얘기 말씀하시죠잉? (웃음) [조사자: 죽을 고비 여러 번 넘기셨던데요?] 그 양반이 구빨치부터 했어요. [조사자: 그래서 구빨치산이라고, 구빨치산하고 신빨치산을 구분하는 법도 알려주셨어요. 구빨치산은 깨끗하게 하고 다닌대요, 빨치산의 자부심으로. 신빨치산들은 그지 같이 하고 다닌다고 (웃음)] 그 양반은 구빨치, 구빨치부터 하신 양반이에요. [조사자: 본인은 구빨치산이라고, 자부심이 대단하세요.]